KB003915

재일코리안에 대한 인식과 담론

이 저서는 2011년도 정부재원(교육과학기술부)으로 한국학중앙연구원의 지원에 의하여 연구되었음.(ASK-2011-ABC-0102)

재일코리안연구총서004

재일코리안에 대한 인식과 담론

초판 1쇄 발행 2018년 6월 30일

편 자 ㅣ 청암대학교 재일코리안연구소
발행인 ㅣ 윤관백
발행처 ㅣ 도서출판 선인

등 록 ㅣ 제5-77호(1998.11.4)
주 소 ㅣ 서울시 마포구 마포대로4다길 4(마포동 324-1) 곳마루빌딩 1층
전 화 ㅣ 02)718-6252 / 6257
팩 스 ㅣ 02)718-6253
E-mail ㅣ sunin72@chol.com
Homepage ㅣ www.suninbook.com

정가 34,000원
ISBN 979-11-6068-188-8 94900
ISBN 978-89-5933-625-8 (세트)

· 잘못된 책은 바꿔 드립니다.

재일코리안연구총서004

재일코리안에 대한 인식과 담론

청암대학교 재일코리안연구소 편

도서출판 선인

책을 내며

2011년 12월 한국학중앙연구원 한국학진흥사업단의 지원을 받은 5년간의 학술프로젝트, 『재일코리안 100년』을 시작한 지 벌써 5년이 지나 연구사업이 종료되었습니다. 한국 연구자 일곱 명, 일본 연구자 다섯 명, 이렇게 열두 명이 많은 기대와 함께 연구 사업을 시작했습니다. 연구책임자와 전임연구원은 청암대학교 재일코리안연구소의 연구와 실무를 담당하였고, 멀리 떨어진 한국, 일본의 공동연구원과 국적과 거리(距離)의 장벽을 극복하고 유기적인 연구를 수행할 수 있을지가 과제였지만 이제는 원만하게 마무리할 수 있는 단계에 이르렀습니다. 이제야 4차년도의 연구 성과를 담아 이책을 간행하게 되었습니다. '재일코리안에 대한 인식과 담론'이라는 주제로 열두 편의 논문들을 모았습니다.

지난 5년여를 뒤돌아보며 프로젝트의 연구책임자로서 감회가 남다릅니다. 이들 논문은 국내학술세미나와 국제학술대회에서 발표와 토론을 거친 것입니다. 이와는 별도로 연구방향의 전문성 제고를 목적으로 연구소에 재일코리안 관련 전문가들을 모시고 두 차례 워크숍을 갖기도 했습니다. 지금까지 한국에서 '재일코리안사'에 대한 연구가 어떻게 진행되었는지에 대해 통사적으로 살펴보고, 재일코리안의 운동과 저항, 정체성에 대해 인식을 새롭게 한 것도 세미나와 학술대회, 그리고 워크숍을 통해서 가능했습니다.

이 책의 구성과 목적, 논문에 대한 소개는 서문에서 서술하기 때문에 여기서 언급하지 않겠습니다. 이번 주제는 재일코리안의 역사를 이해하는 데 빠질 수 없는 문제입니다. 서문의 연구사 정리에서 보듯이 기존의 연구 성과들도 상당히 있습니다만, 이렇게 책으로 묶여진 우리의 연구 성과가 재일 코리안 운동의 다양한 양상과 저항적 정체성에 대한 연구를 한 단계 업그 레이드시키는 계기가 되기를 기대해 봅니다.

저희 연구소는 청암대학교 교책연구소입니다. 연구소에서는 재일코리안 과 관련된 자료집과 저서, 번역서 발간 등 재일코리안 관련 사업을 다각도 로 추진하고 있습니다. 1차년도(2011)의 '이주와 정주', 2차년도(2012)에는 '생활과 문화', 3차년도(2013)의 연구주제인 '재일코리안 운동과 저항적 정체 성'에 이어 4차년도(2014)의 연구주제인 '재일코리안에 대한 인식과 담론'을 수행하면서 현지 출장을 통해 자료조사 및 수집을 진행하였습니다.

이 책이 간행되기까지 적지 않은 어려움도 있었습니다. 5편의 일본어 논 문을 한글로 번역하는 작업을 했습니다. 번역된 논문을 저자들이 다시 확인 한 뒤 최종 수정을 마쳤습니다. 그리고 전체 논문에 대한 편집 작업은 김인 덕 부소장, 성주현·황익구 전임연구원이 진행하고 연구책임자가 이를 총 괄했습니다.

이제서야 저희 프로젝트의 4차년도 사업이 마무리된 느낌이 듭니다. 저 희 연구소와 이 프로젝트에 관심과 격려를 보내 주신 우리 청암대학교 서 형원 총장님을 비롯해 여러 분들께 감사를 드립니다. 자료집, 재일코리안사 전 등을 비롯해 저희 연구소의 대부분의 간행물을 출판해 주시는 도서출판 선인 윤관백 사장님과 편집진 여러분께도 감사의 인사를 올립니다. 저희 연 구소가 최선을 다해 소기의 목표를 달성할 수 있도록 앞으로도 큰 힘을 주 시기를 기대합니다. 우리 사회가 재일코리안 문제에 좀 더 관심을 갖고 일 본에 사는 동포들과 마음으로 소통하게 되었으면 좋겠습니다. 이 책이 그러 한 관심에 부응하는 학술적인 성과로 남았으면 합니다.

2018년 6월
청암대학교 재일코리안연구소 소장 정희선

목차

책을 내며_5
서 문_13

제1부_ 재일코리안에 대한 인식과 정책의 관계

관동대지진 직후 재일조선인 정책
  －식민지 조선 언론을 중심으로－　　　　　　　　　　▮성주현
  1. 머리말　　　　　　　　　　　　　　　　　　　　　31
  2. 관동대지진과 재일조선인 동향　　　　　　　　　　34
  3. 관동대지진과 재일조선인의 귀향 및 도항　　　　　53
  4. 맺음말　　　　　　　　　　　　　　　　　　　　　63

식민지시기 일본의 재일한인 통치정책과 한인사회의 대응 노력　▮정혜경
  1. 머리말　　　　　　　　　　　　　　　　　　　　　67
  2. 식민지시기 조선의 법적 지위와 통치정책의 특징　　68
  3. 식민지시기 일본의 재일한인 통치 정책　　　　　　76
  4. 재일한인사회의 적극 대응 양상　　　　　　　　　　84
  5. 맺음말　　　　　　　　　　　　　　　　　　　　　105

제2차 세계대전 말기 재일한인에 대한 일본의 감시 태세　▮김광열
  1. 과제의 설정　　　　　　　　　　　　　　　　　　　109
  2. 전시기의 재일한인 감시 체제　　　　　　　　　　　110
  3. 일본열도 공습 중에 이루어진 한인 감시　　　　　　119
  4. 맺음을 대신하여－항복 선언 직전의 감시　　　　　127

전후 식민청산 결여와 재일조선인의 미해방 　　　　　 ▌이신철
　　1. 머리말　　　　　　　　　　　　　　　　　　 131
　　2. 미·소의 식민청산 인식 결여　　　　　　　　 132
　　3. 전후 일본의 재일조선인 '처리'　　　　　　　 140
　　4. 남·북의 재일조선인 정책　　　　　　　　　 144
　　5. 맺음말　　　　　　　　　　　　　　　　　　 153

제2부_ 미디어와 공적서사가 만들어낸 재일조선인 담론

전후 미디어를 통해 본 재일조선인의 담론
　−야마구치현(山口縣) 내 언론을 중심으로−　　　 ▌기무라 겐지
　　1. 머리말　　　　　　　　　　　　　　　　　　 157
　　2. 전전기의 미디어에 나타난 재일조선인관　　 158
　　3. 제2차 대전 종전 직후에 나타난 미디어의 재일조선인관　 170
　　4. 맺음말　　　　　　　　　　　　　　　　　　 177

동아연맹운동과 해방 후 재일조선인 보수계운동
　−조영주를 중심으로−　　　　　　　　　　　 ▌마쓰다 도시히코
　　1. 머리말　　　　　　　　　　　　　　　　　　 187
　　2. 조영주와 동아연맹운동　　　　　　　　　　 189
　　3. 조영주와 재일조선인보수계운동　　　　　　 202
　　4. 맺음말　　　　　　　　　　　　　　　　　　 210

출입국관리청 초대장관 스즈키 하지메(鈴木一)의 재일조선인 정책론
　　　　　　　　　　　　　　　　　　　　　 ▌미즈노 나오키
　　1. 머리말　　　　　　　　　　　　　　　　　　 213
　　2. 스즈키 하지메의 생애　　　　　　　　　　　 214
　　3. 日韓親和会의 결성과 활동　　　　　　　　　 221
　　4. 스즈키 하지메의 재일조선인정책론　　　　　 231
　　5. 맺음말　　　　　　　　　　　　　　　　　　 242

일본국회에 있어서 재일조선인문제
　－1965~2015년 · 중의원예산위원회의 분석－　　　　　　▮도노무라 마사루
　1. 과제의 설정　　　　　　　　　　　　　　　　　　　　247
　2. 수량으로 본 경향　　　　　　　　　　　　　　　　　　249
　3. 북일 우호의 노력과 그 한계　　　　　　　　　　　　　252
　4. 권리요구에 대한 이해부족과 단일민족국가지향　　　　254
　5. 한반도의 정세 · 한일문제와의 관련　　　　　　　　　　256
　6. 차별철폐를 둘러싼 논의의 활발화　　　　　　　　　　259
　7. 인권과 전후 처리의 관점　　　　　　　　　　　　　　260
　8. 위험시각의 표출과 권리신장을 위한 움직임의 정체　　263
　9. 결론과 전망　　　　　　　　　　　　　　　　　　　　265

제3부_ 대중문화 속 전후 재일코리안 표상과 디아스포라 인식

전후 재일조선인의 여성해방담론과 〈오페라 춘향〉　　▮황익구
　1. 패전 직후의 '춘향전'　　　　　　　　　　　　　　　289
　2. 〈오페라 춘향〉의 제작과 재일본조선인연맹　　　　　　291
　3. 〈오페라 춘향〉의 비극적 결말　　　　　　　　　　　　296
　4. 〈오페라 춘향〉과 동시대의 재일조선인의 여성해방담론　303
　5. 맺음말－〈오페라 춘향〉의 시도와 한계　　　　　　　　308

오시마 나기사(大島渚), '조선인'과의 만남
　－『잊혀진 황군』 그리고 그 후－　　　　　　　　　　▮후지나가 다케시
　1. 들어가며　　　　　　　　　　　　　　　　　　　　　311
　2. '조선인'에 대한 관심　　　　　　　　　　　　　　　314
　3. 전망－오시마 나기사에게 '타자'와 '거울'－　　　　　330

재일조선인 문학의 역사인식 시론 ―김시종의 시를 중심으로―   ▌김인덕
  1. 머리말   335
  2. 재일조선인 문학과 김시종 연보   337
  3. 김시종의 역사인식   341
  4. 맺음말   351

잡지 『世界』를 통한 일상과 디아스포라 보기
  ―『世界』지의 서경식과 다와다 요코(多和田葉子)와의 편지를 중심으로―   ▌정희선
  1. 머리말   353
  2. 서경식과 다와다 요코(多和田葉子) 연보   354
  3. 『경계에서 춤추다』를 통한 일상 보기   356
  4. 『경계에서 춤추다』를 통한 디아스포라   367
  5. 맺음말   376

서 문

1. 연구 목적과 연구 방향

본 연구서는 한국학 특정분야 기획연구인 '재일코리안 디아스포라 100년
-새로운 코리안상의 정립'의 제4차년도 주제 '재일코리안에 대한 인식과
담론'에 관한 연구 성과를 담은 것이다.

본 연구팀은 제1차년도에는 '이주와 정주'를 중심으로 재일코리안 디아스
포라의 형성 과정을 고찰하였으며, 그 성과를 바탕으로 제2차년도에는 '생
활 문화와 변용'에 초점을 맞추어 재일코리안의 '일상사'라고 할 만한 구체
적인 삶의 모습을 현재적 관점과 역사적 관점에서 살펴보았다. 그리고 제3
차년도에는 '재일코리안운동과 저항적 정체성'이라는 주제로 재일코리안운
동에 내재된 운동사적 의미와 사회사적 의의, 그리고 생활사적 관점에서의
계승과 단절을 아우르는 포괄적 연구 성과를 축적해 왔다. 제4차년도에 주
목하고 있는 '인식과 담론'은 재일코리안(디아스포라)이 한국과 일본에서 어
떠한 존재로 인식되어 왔는지, 그리고 재일코리안 자신이 스스로에 대해 어
떻게 인식해 왔는가를 집중적으로 조명한다. 그와 함께 그러한 인식이 형성
하고 구축하는 담론의 양상을 살펴보는 연구이다. 다시 말하면, 재일코리안
을 둘러싼 기억과 표상, 혹은 주장이 함의하는 사회적 역사적 의미를 고찰
하고 규명하는 작업이다.

재일코리안에 대한 인식은 시대와 공간, 주체의 성격에 따라 그 담론의
형성과 확장, 변용도 함께 전개되어왔다고 할 수 있다. 그것은 '인식'이라는

사유의 범주와 성격이 사회적 역사적 관계망과 불가분의 관계 속에서 도출
되고 형성된다는 지극히 당연한 사실을 재확인하지 않더라도 자명하다. 즉
재일코리안에 대한 인식을 살펴보는 것은 재일코리안을 둘러싼 기억과 상
상, 언어와 기호가 인식의 지평을 통해 사회적 역사적 의미를 획득하고 나
아가 그 의미가 쏟아내는 역동적인 기능이 제도(정책)의 변화에 영향력을
발휘하기까지의 제반 과정을 종합적으로 이해하고 고찰하는 과정이라고 할
수 있으며, 정치, 경제, 역사, 이데올로기의 영역을 넘어 문화와 미디어의
영역까지 망라하는 담론의 형성과정과 의미작용, 담론의 기능과 길항관계
를 총체적으로 파악하고 고찰하는 작업이 될 것이다.

재일코리안에 대한 인식이나 담론을 테마로 한 연구는 지금까지 주로 인
류학, 사회학, 문학 등의 영역을 통해 일정 부분 성과를 거두어왔다. 인류학
의 영역에서는 에스니시티(ethnicity)에 관한 논의를 중심으로 진행되었으
며[1], 사회학의 영역에서는 아이덴티티 연구와 미디어분석, 설문과 인터뷰
등을 통한 통계분석의 연구가 괄목할 만한 성과를 거두었다고 할 수 있다.[2]

---

1) 인류학 영역에서 이루어진 주요 성과에는 다음과 같은 연구가 있다. 山中速人,「在日朝鮮人の
   エスニック・アイデンティティ形成と複合文化状況」,『在日朝鮮人史研究』16, 1986; 金明秀,「エ
   スニーンティのの形成論－在日韓国人青年を事例として」,『ソシオロジ』124, 社会学研究会, 1995;
   金泰泳,『アイデンティティ・ポリティクスを超えて－在日朝鮮人のエスニシティ』, 世界思想社,
   1999; 朴一,「在日コリアン新世代のエスニック・アイデンティティと未来－新たな意識調査を手
   掛かりに」,『季刊東北学』17, 2008.
2) 사회학 영역에서 이루어진 주요 성과에는 다음과 같은 연구가 있다. 아이덴티티 관련 연구로는
   福岡安則,『在日韓国朝鮮人 : 若い世代のアイデンティティ』, 中央公論社, 1994; 福岡安則,『同
   化と異化のはざまで』, 新幹社, 1994; Sonia Ryang,『North Koreans in Japan : language, Ideology,
   and Identity』, Westview Press, 1997; 外村大,「戦前期在日朝鮮人の社会的結合・文化・アイデンティ
   ティ」,『歴史学研究』755増刊, 2001; 金柄徹,「関東地域コリアンの「民族教育」と「民族的アイデン
   ティティ」についての小考」,『学術文化紀要〈亜細亜大〉』9, 2006; 최영호,「재일교포사회의 형
   성과 민족 정체성 변화의 역사」,『韓國史研究』140, 韓國史研究會, 2008. 인식과 표상 관련 연구
   로는 飯沼二郎,『在日韓国朝鮮人: その日本社会における存在価値』, 海風社, 1988; 金廣烈,「韓
   国社会における在日コリアン像」,『環』11, 2002. 재일코리안 담론 연구로는 大沼保昭・徐龍達
   編,『在日韓国朝鮮人と人権－日本人と定住外国人との共生をめざして』, 有斐閣, 1986; 尹健
   次,『在日をいきるとは』, 岩波書店, 1992; 朴一,『「在日」という生き方 : 差異と平等のジレン
   マ』, 講談社, 1999; 徐龍達,「"アジア市民"社会への展望－国家と国籍の超越をめざして－」, 21
   世紀の関西を考える会, 1999; 鄭大均,『在日韓国人の終焉』, 文芸春秋, 2001; 山下誠也 等編,

또, 문학의 영역에서는 재일문학이 형상화하는 재일코리안 표상을 주요 논점으로 다루어왔다.

그러나 이 분야의 연구에서 경계할 점은 부분적이고 지엽적인 사실 파악에 근거한 '인식과 담론'을 전체적이고 일반적인 것으로 과도하게 강조하거나 확대해석하는 경우가 다소 발생할 수 있다는 점이다. 또한 담론의 효과나 영향력을 역사적 근거를 충분히 고려하지 않은 채 과대평가 혹은 과소평가함으로써 문제의 논점을 흐리거나 본질을 중심적 논의가 아닌 주변부의 논의로 전락시켜버리는 사례 혹은 주변부의 논의를 중심적인 논의인양 왜곡해 버리는 사례도 문제로 지적할 수 있다.

이와 같은 주의점을 의식하면서 본 연구가 연구방향이라는 측면에서 특히 중점을 둔 것은 다음의 사항이다.

첫째, 본 연구에서는 재일코리안에 대한 인식을 성급하게 일반화하는 문제를 지양하고, 나아가 식민지기와 전후시기를 분절적으로 파악하는 경향을 탈피하고자 하였다. 즉 재일코리안에 대한 인식과 담론을 논의할 때, 우선 그 인식과 담론의 다양성을 인정하고 그에 따른 논의의 범위와 중요성, 나아가 논의가 함축하는 의의를 충분히 고려하는 방향으로 연구를 전개하고자 하였다. 그리고 재일코리안에 대한 인식에서는 기본적으로 식민지기와 전후시기를 '단절'이 아닌 '연속'이라는 맥락에서 접근하였다. 따라서 전후시기의 재일코리안에 대한 인식과 담론을 단편적인 논의로 제약하는 방법론에서 벗어나 식민지기의 인식과 담론과의 관계성을 심화시키는 방향으로 연구를 전개하고자 노력하였다.

둘째, 재일코리안에 대한 인식이나 담론에 대한 역사적 배경과 근거를 명확히 제시함으로써 종래의 연구가 역사적 근거와 관계성을 충분히 고려하지 않아서 야기한 문제점을 극복하고자 하였다. 특히 재일코리안에 대한 인

『在日コリアンのアイデンティティと日本社会－多民族共生への提言』, 明石書店, 2001; 서경식, 『난민과 국민사이』, 돌베개, 2006; 양인실, 『해방 후 일본의 재일조선인 영화에 대한 고찰』, 문학과지성사, 2004; 盧琦霙, 「1950年代民団の'本国志向路線'」, 『在日朝鮮人史研究』 37, 2007.

식과 담론들이 보다 설득력을 확보하도록 하기 위해서 재일코리안의 과거
와 현재를 역사적 실증과 과학적 분석, 학문융합적 연구방법을 도입하는 총
합적 연구를 지향하고자 하였다. 그러한 노력은 본 연구팀의 상당수가 역사
학을 전공하는 연구자임에도 불구하고 문학과 영화, 신문과 잡지 등을 분석
대상으로 삼으며 학제 간 연구를 지향하고 실천하였다는 점만으로도 미루
어 짐작할 수 있다.

  셋째, '인식과 담론'의 이해와 분석에 있어서 다양성과 복수성을 인정함과
동시에 이들 '인식과 담론'들이 형성되고 유포되는 가운데 발생하는 갈등과
길항관계에도 주의를 기울이고자 하였다. 재일코리안에 대한 '인식과 담론'
은 그들이 처한 특정한 국면에서 복잡한 이해관계가 형성되었으며, 그러한
가운데 여러 가지 사회적인 이슈와 논쟁이 생산되고 유포되는 갈등의 장이
만들어지기도 하였다. 즉 이해관계와 사회적 사안에 개입하는 새로운 인식
과 담론이 나타나기도 하였으며, 때로는 대항담론이 만들어져 유포되면서
소위 지배담론에 대항하거나 균열을 초래하는 양상도 전개되었다. 더욱이
재일코리안에 대한 '인식과 담론'에 있어서는 공익 혹은 공공성이라는 명분
을 내세운 일종의 공공적 담론이 사회적 이해관계와 깊은 관계를 맺으면서
대립과 차별의 갈등관계를 심화시키고 증폭시킨 점도 간과할 수 없는 점으
로 지적된다.

  본 연구에서는 이상과 같은 사항에 유의하면서 재일코리안에 대한 '인식
과 담론'이 각각의 개별적 시대적 조건, 그리고 역사적 사회적 맥락과 작용
과의 관계 속에서 형성되고, 확장되며 나아가 변용되는 일련의 양상을 심도
있게 재조명하고, 재평가할 수 있는 기틀을 마련하고자 하였다. 그래서 이
번 4차년도의 연구는 더욱 '학제적'인 성격이 두드러지며, 아울러 '학문융합
적' 지향성이 강한 방향으로 진행되었다. 그것은 '인식과 담론'을 이해하고
분석하고자 하는 연구에서 '학제적', '학문 융합적' 연구가 훨씬 효율적이며
연구 영역의 확대를 담보한다는 당연하고도 확고한 판단에 기인한 것이었
다. 담론연구가 갖고 있는 제한성 때문에 논의하는 과정에서 충분히 논지를

전개하지 못한 점도 있겠지만, 재일코리안사연구에서 본격적으로 재일코리안의 담론을 다룬 공동연구로 판단된다. 굳이 사족을 달자면, 각 연구자의 개별적 연구주제의 다양성, 논문의 편차 등은 본 공동연구의 한계라고 생각한다. 이 점에 대해서는 각 연구자의 개별적 반성은 물론 연구팀 전체의 성찰 과제로 삼아 앞으로의 연구에 보완을 도모하고자 한다.

2. 연구논문 개요

본 연구서는 총 12편의 논문을 수록하고 있으며, 각 논문의 연구영역 및 주제를 기준으로 3부로 구성되어 있다. 각 논문들은 '재일코리안에 대한 인식과 담론'이라는 전체적인 주제에 부합하는 논의를 담고 있으며, 상호 유기적 관계도 갖고 있다. 다만, 각 논문들의 내용이나 전개방식은 통일성과 일관성에 기초한 것이 아님을 밝혀둔다.

1) 제1부: 재일코리안에 대한 인식과 정책의 관계

제1부는 식민지기부터 패전 직후에 걸쳐 일본 당국의 재일코리안에 대한 인식을 조사·분석하고, 그에 따른 당국의 재일코리안에 대한 감시와 통제, 법적지위에 대한 다양한 정책이 수립괴 변화 양상, 그리고 그 관계성을 논의한 논문으로 구성하였다.

성주현의「관동대지진 직후 재일조선인 정책－식민지 조선 언론을 중심으로－」는 관동대지진 당시에 식민지 조선에서 재일조선인에 대해 어떻게 보도하였는지를 고찰한 연구이다. 필자는 이를 통해 조선총독부의 재일조선인에 대한 인식과 지배정책과정에서 어떻게 활용하고자 하였는지도 파악하려고 한다. 세부적인 고찰방법을 살펴보면, 먼저 관동대지진과 재일조선인의 동향을 구체적으로 살펴보고, 이어서 관동대지진 발생 후의 재일조선인의 귀향, '유언비어'의 통제, 재일조선인 유학생의 경험담을 기사로 활용한 사실, 그리고 이러한 과정에서 조선인의 귀향과 도항에 관한 정책을 분석하고 있다. 이와 같은 논의를 위해 식민지 조선에서 발행된 『동아일보』, 『조선일보』, 그리고 총독부 기관지인 『매일신보』를 중점적으로 분석하고 있다.

필자는 그러한 분석을 토대로, 일본정부와 조선총독부가 관동대지진이 일어나자 재일조선인을 통제하고, 보호라는 명목으로 수용소에 강제 수용하였음에도 불구하고 이를 안전하다고 기사화하였다고 지적하였다. 그런데 이러한 보호조치는 '내선융화'라는 식민통치의 일환으로 추진되었던 것이며, 관동대지진으로 인한 귀환과 도항도 철저하게 식민통치의 일환으로 활용하였다고 피력하고 있다.

종래의 연구가 관동대지진 발생 이후의 일본 내의 재일조선인에 대한 인식과 통제정책의 추이를 파악하고자 하는 경향이라는 점을 고려하면 식민지 조선에서의 관동대지진에 대한 미디어정책과 지배정책과정에서 활용이라는 측면을 분석하고자 하는 시도는 대단히 고무적이라고 사료된다.

정혜경의 「식민지시기 일본의 재일한인 통치정책과 한인사회의 대응 노력」은 조선의 식민지화에 따른 재일한인 수의 증가와 정주화 경향으로 일본 내의 거부감과 위기의식이 고조되던 시기에 실시된 재일한인에 대한 일본당국의 통제정책의 특징과 한인사회의 대응 양상을 살펴본 연구이다. 일본당국은 1930년대 이후 내선협화회→교풍회→중앙협화회→중앙흥생회로 이어지는 통제기관을 설립 운영했고, 각지에 융화단체를 결성·지원하면서 한인사회의 해체를 획책하였다. 그러한 가운데 재일한인 사회는 조선부락을 중심으로 일본당국의 통제정책에 대해 적극적으로 대응하는 면모를 보여주었다.

필자는 재일한인 사회의 대응 양상을 조선부락을 토대로 크게 세 측면으로 나누어 설명하고 있다. 먼저 협동조합을 통한 대응이다. 한인사회의 협동조합은 상호부조적인 기능과 경제적 필요성에서 출발했지만, 경제적인

이익 도모를 넘어서 민족운동의 경제적 토대를 마련하고 항일민족운동세력
의 연락처로서 역할을 하였다고 분석하고 있다. 그러한 협동조합의 대표적
인 사례로 동아통항조합을 제시하며 상세한 고찰을 전개하고 있다. 다음으
로는 언론기관을 통한 대응을 분석하고 있다. 그 사례로 오사카지역의 조선
신문인『민중시보』를 발간과정과 주요기사의 분석, 한인사회에서의 역할,
그리고 폐간에 이르기까지의 일련의 과정을 분석하고 있다. 마지막으로 교
육기관을 통한 대응에서는 조선부락 부근의 야학과 학원의 사례를 제시하
며 논의를 전개하고 있다. 아울러 필자는 재일한인 단체의 결성과 운영에
지대한 영향을 주었던 지도자들에 대해서도 구체적인 활동 및 역할 등을
소개하면서 재일한인 사회의 결속력 강화와 통제정책에 대한 대응 노력을
분석하고 있다.

　이와 같은 한인사회의 대응에 대해 필자는 1930년대부터 강화된 일제의
통제정책 속에서 부락을 중심으로 한인들의 민족적 정체성과 민족의식을
지키고 보존하면서 민족운동의 토대를 제공하였다는 점에서 민족운동의 한
요소로 평가하고 있다.

　김광열의「제2차 세계대전 말기 재일한인에 대한 일본의 감시 태세」는
미군의 일본열도에 대한 공중 폭격이 본격적으로 실시되던 1944년 전후를
중심으로 일본 치안당국의 재일한인에 대한 감시태세를 규명하고 그를 통
해서 당시의 일제 권력이 한인에 대해 어떤 인식을 하고 있었으며, 또 그러
한 인식이 어떠한 의미를 지니는지를 고찰한 연구이다.

　필자는 일본의 재일한인에 대한 관리 체계를 전시기에 구축된 협화회 체
제, 한인에 대한 지원병제도와 징병제, 그리고 흥생회로 탈바꿈하게 되는
과정을 면밀히 검토 분석함으로써 일본 당국의 한인에 대한 인식의 기본적
인 자세와 입장을 논리적으로 규명하고 있다. 그리고 그와 같은 논의를 바
탕으로 공습 중에 이루어진 일본 당국의 한인 감시 체제에 대한 추이와 연
속성을 비판적인 관점에서 기술하고 있다. 특히 전쟁 종결 직전에 일본 열
도의 도시부에 가해진 폭격으로 사상자가 속출하는 가운데 심리적인 불안

과 동요가 심화되었던 재일한인에 대한 감시체제는 여전히 그 기능을 십분 발휘하고 있었으며, 보다 강화된 양상을 보였다고 기술하고 있다. 또한 일본의 특고는 항복 선언 직전, 패색이 짙어진 것을 파악하고 있었음에도 불구하고 재일한인 전체의 언동에 대해 감시를 강화하면서 한일 양 민족의 충돌을 우려해 각 민족을 격리하는 데 급급하였다고 한다. 이와 같은 특고의 조치는 한인을 치안상의 위험요인, 즉 통제를 벗어나는 행위를 야기하여 문제를 일으키는 존재로만 인식하고 있었다는 것에 기인한다고 강조하고 있다.

이신철의 「전후 식민청산 결여와 재일조선인의 미해방」은 일본의 패전 이후, 연합국 측의 전후처리와 소련의 전후처리, 그리고 신생독립국으로 등장한 남과 북의 재일조선인 정책과 함께 일본의 국민 만들기 과정에서 배제의 대상이라는 차원에서 재일조선인의 국적과 지위 문제를 재구성함으로써 전후 재일조선인의 국적문제와 법적지위가 식민주의 청산 결여에서 비롯되고 있음을 밝히고 있다. 특히 소련의 재북일본인에 대한 정책과 북측의 식민주의 청산에 대한 태도를 살펴봄으로써 식민주의 청산의 대상인 재일조선인에 대한 입장을 유추하고자 한다. 연구의 주된 범위로는 소련과 북한의 정책을 중심으로 논의를 전개하고 있다.

필자는 논의에서 북측 당국자들의 식민주의 청산을 위한 노력의 중단 요인으로 당시 소련의 식민지 해방에 대한 인식과 전승국으로서의 전후처리에 대한 인식이 깊이 관여하였음을 지적하고 있다. 그것은 소련이 재북일본인에 대해 취했던 입장이 재일조선인에 대한 북측 당국자의 입장에 크게 작용한 결과라고 분석하고 있다. 그와 함께 한국 정부의 재일조선인에 대한 시각은 공산주의에 대한 경계에 지나지 않았으며, 실질적인 정책 또한 부재한 기민정책으로 일관하였다는 점을 비판적으로 기술하고 있다.

결국, 한반도를 둘러싼 정치적 지형은 식민주의의 청산의 한계를 불러왔으며, 그러한 가운데 재일조선인은 미국과 연합국이 상정하는 전후체제에서 배제되었으며, 소련에게 있어서도 단순한 전후처리의 대상에 불과한 존재가 되었다고 한다. 그리고 동시대의 남북의 당국자들에게 있어서도 재일조선인은 새로운 국민의 구성원으로서는 도외시된 존재가 되었으며, 그와 함께 일본은 재일조선인을 '외국인'이라는 차별적 지위를 부여하게 되었다고 밝히고 있다.

2) 제2부: 미디어와 공적서사가 만들어낸 재일조선인 담론

제2부는 재일코리안에 대한 다양한 담론이 형성, 확산, 변용되어 가는 과정에서 주도적인 개입과 관여를 반복해온 신문·잡지 등 미디어장치의 담론, 그리고 종종 미디어 장치보다도 한층 강력한 담론을 생성하고 유포하면서 정책의 방향을 결정하는데 커다란 영향력을 행사해 온 이른바 공적서사(공적기록)의 담론을 중점적으로 다룬 논문들을 수록하였다.

기무라 겐지의 「전후 미디어를 통해 본 재일조선인의 담론-야마구치(山口縣)현 내 언론을 중심으로-」는 해방 후의 재일조선인의 귀환문제, 한반도의 정세에 따라 첨예화하는 재일조선인들의 이데올로기 문제, 재도항(밀항)과 당국의 단속이라는 긴장관계, '한신교육투쟁'과 관련한 교육투쟁의 전개 등등의 역사적 문제를 종합적으로 노정하는 공간의 하나인 야마구치현(山口縣)을 무대로 재일조선인은 어떻게 형상화되고, 또 어떠한 담론화의 과정을 거치게 되었는지를 고찰한 논문이다. 필자는 이와 같은 문제제기를 논하고자 전전부터 전후에 이르기까지 야마구치현 내에서 발행된 3대 신문 『防長新聞』, 『馬関毎日新聞』, 『関門日日新聞』의 지면을 연구대상으로 삼고 있으며, 각 신문들의 기사를 통해 전전기의 동화정책 하에서의 호칭이나 밀항, 그리고 노동자관을 바탕으로 제2차 세계대전 종료 직후(1945~49년)에 일본인에서 외국인으로 바뀌는 과정에서 일본인들 사이에서 전전의 관점이 어떻게 작용하는가에 주목하여 검토하고 있다.

먼저 전전기의 조선인관에 있어서는 신문에 나타난 호칭의 변천('한인', '한국인', '선인', '불령선인', '반도인' 등), 조선인의 밀항에 대한 야마구치현

당국의 대응, 그리고 조선인노동자에 대한 평가와 관련한 기사를 중심으로 논의를 전개하고 있다. 특히 조선인노동자에 대한 평가에 있어서는 전시체제하의 노동력 부족과 능률향상, 황국화와 동화라는 동시대적 과제와 특징을 명료하게 분석하고 있다.

다음으로 패전 이후의 조선인관에 있어서는, 앞서 기술한 신문기사와 함께 당시 당국의 입장을 확인할 수 있는 공문서도 아울러 제시함으로써 논문의 객관성이 한층 보증된 논의가 이루어졌다고 평가할 수 있다. 여기에서는 주로 제2차 세계대전 후의 『防長新聞』 지상에 나타난 재일조선인 기사(귀국·잔류에 관한 것, 밀항에 관한 것, 밀조·밀수·싸움 등에 관한 것, 조선인연맹이나 민단, 그리고 그 대립·충돌사건에 관한 것, 조선인 교육문제에 관한 것, 배급 등의 생활권에 관한 것 등)를 중심으로 1945년 8월 16일부터 1949년 말까지의 기사를 각 연차별로 추적함으로써 패전 직후의 야마구치현의 조선인관을 면밀히 검토하고 있다.

이 논문은 전전기의 조선인에 대한 차별적인 호칭과 동화정책이 패전이후에도 '일본의 평화적 재건을 위한 공헌'과 취직차별, 각종 '범죄'보도 하에서 그 명맥을 이어왔다고 하는 연속의 문제를 지적한 점에서 의의가 있다고 하겠다.

마쓰다 도시히코의 「동아연맹운동과 해방 후 재일조선인 보수계운동 – 조영주를 중심으로 – 」는 해방 후의 재일조선인 보수계운동을 담당한 친일파의 동향, 특히 동아연맹운동의 중심적인 인물이며, 1960년대 이후 민단 단장도 역임한 조영주를 중점적으로 검토함으로써 재일조선인 보수계운동의 형성과정과 친일파의 역할, 그리고 전후 동아연맹운동과 재일조선인운동의 관계를 규명하고자 한 새로운 연구지평을 제시한 연구라고 할 수 있다. 종래의 재일조선인운동에 관한 연구가 주로 공산주의계열의 조련을 중심으로 이루어져 온 점을 고려할 때 이 논문은 보수계운동의 실태, 특히 친일파 세력들의 활동을 논의의 대상으로 삼고 있다는 점, 그리고 동아연맹운동과 해방 후의 재일조선인운동의 관계를 상세하게 조명하고자 한 점에서 분명 새로운 시도라고 평가할 수 있다.

조영주는 전전에 교토에서 동아연맹운동에 관여하였으며, 전후에는 건청 (1945년), 건동(1946년), 민단(1946년) 결성에도 참가하였다. 또한 정화회를 발판으로 동아연맹운동의 유지를 도모하였으며 협화당(1951년), 신동련 (1952년)에도 중심인물이 되었다. 필자는 전후의 재일조선인운동에 있어서 동아연맹운동의 평가를 두 가지 측면으로 지적하고 있다. 하나는 조영주를 포함한 동아연맹운동에 가담하고 주도하였던 조선인은 대일협력과 전쟁방 조라는 비판과 함께 전후 재일조선인운동의 주류를 형성한 공산주의자의 관점에서 친일파에 지나지 않았다는 것이다. 또 하나는 전시기부터 동아연 맹운동에 관여하여 조직적인 활동을 전개하였다는 사실과 가혹한 탄압의 경험을 지닌 투사적 이미지가 전후 조련으로부터 배제된 재일조선인민족주 의자나 친일파들을 결집하였으며, 보수계 활동가를 배출하는 요인으로 작 용하였다는 것이다.

전후의 재일조선인운동이 공산주의 계열의 조련을 중심으로 연구되고 나 아가 동아연맹운동과의 관계를 논의한 연구가 전무한 실정을 감안하면 이 연구는 더욱 주목할 가치가 있으며, 향후의 연구에 미치는 영향도 클 것으 로 사료된다.

미즈노 나오키의 「출입국관리청 초대장관 스즈키 하지메((鈴木一)의 재일 조선인 정책론」은 1950년에 설치된 출입국관리청의 초대장관과 법무성 입 국관리국장을 역임힌 스즈키 하지메(鈴木一)의 재일조선인에 대한 정책론 과 그 주장을 소개하고 검토한 연구이다. 먼저 이 연구는 스즈키 하지메의 존재와 주장이 지금까지 소개나 평가가 이루어진 적이 거의 없이 잊혀져 있었다는 점에서 연구사적 의의와 가치가 크다.

필자는 먼저 스즈키 하지메의 일생을 소개하고, 스즈키 하지메가 재일조 선인에 대한 정책을 주로 제언하고 활동했던 日韓親和会와 그 잡지 『親和』 를 검토한 후, 재일조선인에 대해 어떠한 정책이 필요하다고 주장했는가를 고찰하고 있다. 1952년에 결성된 日韓親和会는 초기에는 주로 강연회나 좌담회를 개최하였으나, 스즈키 하지메가 회장으로 취임한 1960년대 후반부터는 한국관 관련한 다양한 활동과 함께 잡지『親和』를 1977년 10월까지 매월 지속적으로 발행하여 재일조선인에 대한 문제를 논의하는 장을 마련하였으며, 스즈키 하지메 자신도 잡지『親和』를 통해 재일조선인정책에 대한 제언과 주장을 자주 피력하고 있다. 스즈키 하지메의 제언과 주장 중에서도 주의할 만한 것은 재일조선인의 '국적선택권'의 인정과 부여의 필요성을 주창한 부분이다. 이러한 것은 강화조약 발효에 의해 재일조선인은 일본국적을 상실했다고 하는 일본정부의 견해에 문제제기를 한 몇 안 되는 논의로서 주목할 만한 것이다. 그리고 이와 같은 스즈키 하지메의 주장은 교우관계를 맺고 있던 법학자 후나다 교지의 논의에 의해 동조되면서 보다 부각되는 양상을 나타내게 된다.

필자는 스즈키 하지메의 제언과 주장은 동시대의 재일조선인의 생각이나 주장과는 거리가 있는 것이었지만, 전후 일본정부가 재일조선인에 대해 취해 온 자세와 정책이 내포하는 문제점을 투영한다는 의미에서는 재인식되어야 할 가치가 있다고 강조하고 있다.

도노무라 마사루의「일본국회에 있어서 재일조선인문제-1965~2015년·중의원예산위원회의 분석-」은 재일조선인의 권리나 처우의 개선·회복, 사회적 차별의 근절을 위한 다양한 활동의 전개에 있어서 시민사회의 활동, 지방공공단체의 노력 등과 더불어 국정차원에서의 법률의 정비·개정이나 행정정책의 전개가 중요한 역할을 차지한다는 점에 착안하여 일본국회의 의사록을 조사하고, 그 조사에서 나타나는 재일조선인에 관련한 논의의 경향과 특징에 대해 고찰한 연구이다. 주된 연구대상은 한일조약이 체결되고, 재일조선인의 법적지위나 처우를 둘러싼 문제에 관심을 가지게 된 1965년 이후를 설정하고 있으며, 국정의 모든 문제를 다루고, 관심도도 높은 중의원예산위원회의 의사록을 중점적으로 다루고 있다.

특히 필자는 재일조선인에 관계되는 논의의 양상을 시기별로 나누어 그 특징을 분석하고 있다. 먼저, 1960년대 중반부터 1970년대 초반에 걸쳐서는 국회에서 재일조선인 문제가 거론되는 일은 거의 없었으며, 그로인해 북송사업의 재개나 조선적의 사람들의 권리에 차별을 두지 않는다는 점이 주된 논점이 되었다고 분석하고 있다. 또 1970년대 이후에는 민족차별 반대가 시민운동으로 시작되긴 했지만, 조선총련과의 우호 관계, 한국의 군사독재정권과의 관계를 의식하여 이를 지원하는 일은 없었다고 지적하고 있다. 그후 1970년대 말부터 1980년대 중반 이후 한국의 민주화에 영향을 받아 재일조선인의 권리신장에 관한 문제를 국회에서 거론하게 되었으며, 1991년 문제가 초점이 되던 시기에는 자민당소속 국회의원들 사이에서도 역사인식이나 재일조선인에 대한 차별 문제에 관한 발언이 나왔다고 분석하고 있다. 그러나 1990년대 중반 이후부터는 재일조선인의 권리신장을 요구하는 의견도 다수 확인이 되지만, 재일조선인을 위험시하는 인식이 증가하였으며 그와 함께 재일조선인에 대한 권리부여에 반대하는 의견도 확인할 수 있다고 지적하고 있다.

이 연구는 재일조선인에 관련한 논의의 경향과 특징을 일본의 국정레벨에서 분석하고 고찰하고 있다는 점에서 종래의 연구와는 확연히 대조적이며, 또 하나의 비판적 관점을 제시하고 있다는 점에서 의의가 크다고 할 수 있다.

3) 제3부: 대중문화 속 전후 재일코리안 표상과 디아스포라 인식

제3부는 문학과 공연, 영화와 같은 문화 예술적 장르를 통해 투영되고 형상화된 재일코리안의 모습에 초점을 맞추고, 그 속에서 재일코리안의 자기표상과 재일코리안을 마주하는 일본인의 타자인식, 그리고 디아스포라라는 '현재'를 바라보는 내적외적 시선에 주목한 논문들로 구성하였다.

황익구의 「전후 재일조선인의 여성해방담론과 〈오페라 춘향〉」은 한국고전문학의 대표작 중의 하나인 '춘향전'이 패전 직후, 일본에서 오페라로 재구성되어 상연되기까지의 제작경위와 그와 관련한 동시대적 담론과의 관계를 고찰한 연구이다. 필자는 종래의 선행연구에서는 논의와 분석이 이루어지지 않은 〈오페라 춘향〉의 비극적인 결말과 동시대의 재일조선인의 여성해방담론과의 관계를 분석함으로써 〈오페라 춘향〉의 '시도'와 '한계'를 지적하고 있다.

필자는 논문에서 재일본조선인연맹이 '춘향전'의 재구성에 있어서 오페라라는 장르를 채택하게 된 배경과 작곡가 다카기 도로쿠가 〈오페라 춘향〉에 비극적 결말을 구성하게 된 배경과 경위를 작곡가의 '창작'이라는 신념과 '감정의 정화(카타르시스)'가 자극하는 타자인식이라는 관점에서 면밀히 검토하고 있다. 그리고 춘향의 죽음이라는 비극적 결말에 대해서는 여성의 투쟁적인 면모와 투사적 활동을 강조하던 동시대의 재일조선인 여성해방담론과의 관계를 고찰할 필요성을 제시하고 있다.

이 논문은 일본에 있어서의 '춘향전'의 수용의 한 단면을 이해하는 측면에서도 가치가 있지만, 전후 일본에서의 재일본조선인연맹의 문화활동의 방향과 양상을 이해하는 측면에서도 학술적 기여를 하고 있다고 볼 수 있다.

후지나가 다케시의 「오시마 나기사(大島渚), '조선인'과의 만남—〈잊혀진 황군〉 그리고 그 후—」는 전후 일본을 대표하는 영화감독 오시마 나기사와 그의 작품 〈잊혀진 황군〉을 중심으로 감독의 재일조선인에 대한 인식과 영화제작에 있어서의 성과와 변천, 그리고 그 문제점을 심도 있게 조명한 논문이다. 오시마 감독은 재일조선인 혹은 한국과 관련된 여러 문제에 대해 강한 관심을 가지고 있었으며, 동시에 그러한 관심을 영화제작에도 적극적으로 반영한 감독이다. 그와 같은 오시마의 관심이 반영된 작품에는 〈청춘잔혹이야기(青春残酷物語)〉(1960년), 〈태양의 묘지(太陽の墓場)〉(1960년), 〈잊혀진 황군(忘れられた皇軍)〉(1963년), 〈청춘의 비석(青春の碑)〉(1964년), 〈윤복이의 일기(ユンボギの日記)〉(1965년), 〈일본춘가고(日本春歌考)〉(1967년), 〈교사형(絞死刑)〉(1968년), 〈돌아온 주정뱅이〉(1968년) 등이 있다.

필자는 이들 작품 중에서도 오시마 감독이 〈잊혀진 황군(忘れられた皇軍)〉의 제작을 통해 재일조선인에 대한 일본국가 및 일본사회의 태도와 일본과

한반도와의 관계를 재인식하게 되었다고 지적하면서 〈잊혀진 황군(忘れら
れた皇軍)〉의 제작 배경과 시나리오 분석을 상세하게 전개하고 있다. 그 뿐
만 아니라 〈잊혀진 황군(忘れられた皇軍)〉이 강렬한 인상을 남기며 반향을
불러일으킨 이후의 변화에 대해서도 오시마 감독의 측면은 물론 주요 등장
인물인 한국인 상이군인과 군속들의 측면에서도 고찰하고 있다.

　이 논문에서 무엇보다 주목할만한 점은, 필자는 오시마 감독이 재일조선
인과 한국을 둘러싼 여러 문제에 대해, 정면에서 대응하고자 하는 지적 성
실함을 갖추고 있었다는 점은 높이 평가하면서도 '타자'로서의 '조선인'에
대한 인식의 부족 내지는 상실을 냉철하게 지적하고 있다는 점이다.

　김인덕의 「재일조선인 문학의 역사인식 시론-김시종의 시를 중심으로-」
는 전후 재일조선인 문학의 한 가운데에 있는 시인 김시종의 시를 통해 그
의 투쟁적 삶을 살펴보고 아울러 역사인식의 단면을 고찰한 연구이다. 전전
에서 전후로 이어진 재일조선인 문학은 그 주제가 한반도 정세, 일본 사회
의 변화, 그리고 재일조선인 세대교체의 영향을 받아 왔다. 그러나 작가의
뿌리인 조선의 역사나 정치, 혹은 동경과 소외의 감정, 또는 재일조선인의
역사나 생활, 가족, 아이덴티티에 관한 작품 등이 세대를 초월해서 대부분
을 차지하고 있다. 모든 재일조선인 작가는 분단 상태가 이어지는 '조국'과
일본과의 끊임없는 긴장관계라는 재일조선인 특유의 정치성과 무관할 수
없으며, 또한 이러한 조건 아래에서 갖가지 갈등을 품으면서 독특한 작품세
계를 형성해 왔다고 할 수 있다. 이러한 측면은 시인 김시종의 경우도 예외
는 아닐 것이다.

　필자는 김시종의 시에서 형상화된 갖가지 현실적 사안, 예를 들면, '재일'
이라는 아이덴티티문제, 북송(귀국)사업에 대한 인식의 문제, 4·3사건과 광
주민주화운동이라는 역사적 사건에 대한 문제 등을 중점적으로 다루고 있
다. 그리고 그 논의의 결과, 김시종이 시를 통해 '재일의 본질과 실제를 형
상화하는데 성공'하였으며, '국내의 현실문제에 대한 철저한 역사인식'과 자
기비판을 동반한 '실천적 역사인식'을 보여주고 있다고 평가하고 있다. 역사

의 한 단면을 문학이라는 장르를 통해 고찰하고 평가하고자 한 의욕적인 시도로서 학제간 교류 및 융합의 시너지 효과가 기대된다.

정희선의 「잡지 『世界』를 통한 일상과 디아스포라 보기－『世界』지의 서경식과 다와다 요코(多和田葉子)와의 편지를 중심으로－」는 서경식과 다와다 요코가 2007년 2월부터 11월까지 총 10회에 걸쳐 잡지 『世界』에 기고한 왕복서신을 고찰한 연구이다. 이 왕복서신은 2010년에 『경계에서 춤추다』(창작과 비평사)라는 제목으로 국내에서 출판, 소개되었다. 두 사람의 편지는 집과 이름, 여행, 놀이, 빛, 목소리, 번역, 순교, 고향, 동물 등 10가지의 주제를 둘러싸고 각자의 사색과 논의를 서술하고 공유하는 형식을 취하고 있다. 하지만 두 사람의 사색의 내용은 정체성과 디아스포라, 그리고 언어와 소통이라는 문제로 귀결한다. 물론 두 사람의 의견이 일치하는 것은 아니지만 각자의 일상에 대한 생각이나 디아스포라를 바라보는 입장에서는 다양한 '경계'에 대한 고민과 그 '경계'를 넘고자 혹은 넘기를 추구하는 부단한 사색의 노력이 확인된다는 점은 주목할 필요가 있다.

특히 필자는 두 사람이 재일조선인과 독일 거주 디아스포라민이라는 점에서 그들의 디아스포라에 대한 담론을 중점적으로 분석하고 있는데 결론부에서는 디아스포라와 관련한 주제 (이름, 번역, 순교, 고향)에 대해 부연해서 설명하고 있다. 또 서로 다른 문학적 세계관을 지향하면서도 디아스포라로서의 각자의 정체성에 대해 끊임없이 고민하고 또한 '경계'라는 현실공간을 의식해 왔다는 점은 '경계'를 초월한 다른 지형을 추구한 것으로 평가할 수 있다고 지적하고 있다.

이상으로 총 12편의 수록 논문을 개관하였다. 각각의 개별 논문은 이번 4차년도의 연구 주제 '재일코리안에 대한 인식과 담론'에 충분히 부합하는 내용을 담고 있으며, 아울러 본 연구팀이 지향하는 연구 목적과 방향을 충실히 반영하여 일구어 낸 우수한 연구 성과라고 자평한다. 특히, 본 연구서가 연구자 간은 물론 연구영역에 있어서도 지속적인 소통과 교류를 통해 얻어낸 성과라는 점에서 그 의미는 더욱 크다고 하겠다. 물론 앞서 언급하였듯이, 담론연구가 갖는 제한성과 한계성의 문제로 부족한 부분도 확인되지만 이 부분은 향후 연구의 과제로 삼고자 한다.

제1부_
재일코리안에 대한
인식과 정책의 관계

관동대지진 직후 재일조선인 정책

−식민지 조선 언론을 중심으로

1. 머리말

1923년 9월 1일 12시 일본 도쿄를 중심으로 일어난 이른바 관동대지진은 일본뿐만 아니라 식민지 조선에도 적지 않은 영향을 미쳤다. 매그니튜드 7.9의 대지진으로 도쿄 일대는 대규모 인명과 재산 피해가 생겨나고 민심이 흉흉해졌다. 당시 일본은 노동자 계급의 성장, 쌀 소동, 일본공산당의 성립에 따른 계급투쟁의 격화, 그리고 활발해지는 식민지 조선과 중국의 민족해방운동에 직면하여 조선인과 사회주의자를 탄압할 기회를 엿보고 있었다. 때마침 일어난 대지진으로 인한 사회 혼란은 이에 대한 탄압의 좋은 기회를 제공하였다.

일제는 도쿄·가나가와 현의 각 경찰서와 경비대로 하여금 조선인 폭동의 유언비어를 퍼뜨리도록 하고, 도쿄·가나가와 현·사이타마 현·지바 현에 계엄령을 선포했다. 계엄령 아래에서 군대·경찰과 각지에 조직된 자경단에 의해 조선인과 사회주의자가 수없이 피살되었는데, 약 6,000명가량의 조선인이 학살당하였다.[1] 그럼에도 불구하고 당시 일본정부와 조선총독부의 언론통제로 인해 이와 같은 사실은 일본뿐만 아니라 식민지 조선에도 제대로 알려지지 않았다. 때문에 당시의 언론은 관동대지진의 인적 물적 피해상황은 보도하는 데 많은 지면을 할애하였지만 재일조선인에 대한 동향은 올바르게 전달하지 못하였다.

식민지 조선의 언론은 조선총독부 기관지 『매일신보』와 『동아일보』·『조선일보』가 한글신문으로 발행되었다. 관동대지진의 보도는 관동대지진이 발생한 지 2일이 지난 9월 3일에 처음으로 기사화되었다. 이들 신문은 각 지면을 통해 전면으로 다룰 정도로 특종이었다. 이후 경쟁적으로 관동대지진에 관한 내용을 보도하는 한편 재일조선인에 대해서도 적지 않은 관심을 가졌다. 그렇지만 당시 신문의 보도기사는 철저한 조선총독부의 통제로 제대로 재일조선인의 동향에 대해서는 제대로 보도하지 못하였다. 특히 재일조선인 학살에 대해서는 더 엄격하게 통제하였다. 그럼에도 불구하고 재일조선인의 동향에 대해서는 일본인과 차별이 없는, 즉 특별히 보호하고 구호하고 있다는 식으로 보도하였다.

이러한 조선총독부의 언론통제는 불과 4년 전 즉 1919년 3월 1일부터 전국적으로 전개된 만세운동의 영향이었다. 이에 조선총독부는 당시 사회지도층뿐만 아니라 '민심'의 동향을 파악하는 데도 소홀히 하지 않았다.[2] 이러한

---

1) 관동대지진 연구는 '조선인학살'과 관련되어 많은 진척을 보이고 있다. 우선 관동대지진 연구 성과에 대해서는 다나카 마사타카, 「관동대지진 조선인 학살 연구의 과제와 전망 – 일본에서의 연구를 중심으로」, 『東北亞歷史論叢』 48, 동북아역사재단, 2015를 참조할 것. 그리고 재일조선인 학살에 대해서는 강덕상, 「1923년 관동대지진(大震災) 대학살의 진상」, 『역사비평』 45, 역사문제연구소, 1998; 강덕상, 『학살의 기억 관동대지진』, 역사비평사, 2005; 야마다 쇼지, 『관동대지진 조선인 학살에 대한 일본 국가와 민중의 책임』, 논형, 2008; 강덕상·야마다 쇼지·장세윤·서종진 외, 『관동대지진과 조선인 학살』, 동북아역사재단, 2013; 김광열, 「1923년 일본 관동대지진 시 학살된 한인과 중국인에 대한 사후조치」, 『東北亞歷史論叢』 48, 동북아역사재단, 2015 등을 참조할 것.

2) 조선총독부는 관동대지진으로 재일조선인의 학살에 대해 철저하게 언론보도를 통제하는 한편 3·1운동과 같은 대규모의 시위를 방지하기 위해 다각적으로, 전국적으로 '민심 동향'이라는 명목으로 정보를 수집한 바 있다. 이에 대해서는 다음 기회에 논하고자 한다.

상황에서 관동대지진에 대한 보도는 왜곡될 수밖에 없는 상황이었다. 가능하면 피해 상황은 보다 정확하게, 그리고 구호활동에 대해서는 많은 지면을 할애하도록 하였다.[3] 이외에도 조선총독부는 진재처리를 위한 활동도 전개하였다.[4]

본고에서는 관동대지진 당시 식민지 조선에서 재일조선인에 대해 어떻게 보도하였는지를 살펴보고자 한다. 왜냐하면 당시 재일조선인과 관련된 보도를 통해 조선총독부의 재일조선인에 대한 인식과 지배정책과정에서 어떻게 활용하고자 하였는지를 파악할 수 있기 때문이다. 이에 따라 첫째는 관동대지진과 재일조선인의 동향을 살펴보고자 한다. 관동대지진이 일어나자 일본에서는 계엄령이 선포되는 한편 재일조선인에 대한 학살이 자행되었다. 그렇지만 이러한 학살 소식은 식민지 조선에 전혀 알려지지 않았으며, 오히려 재일조선인을 보호 내지 구호활동을 한다고 호도하였다. 이와 같은 내용을 구체적으로 추적해보고자 한다.

둘째는 관동대지진 직후 인적, 물적 피해가 점차 확대되어가자 재일조선인은 귀향을 적극적으로 도모하였다. 이 과정에서 재일조선인 학살에 대한 말들이 확산되는 것을 '유언비어'라는 것으로 통제하였다. 그리고 안정하게 귀향한 재일조선인(유학생)을 통한 경험담을 기사화하여 지배통치에 대한 저항을 약화시키고자 하였다. 이 과정에서 귀향과 도항을 통해 재일조선인 정책을 추적해보고자 한다.

그리고 이를 위해 당시 식민지 조선에서 발행되었던 『동아일보』, 『조선

---

3) 관동대지진으로 재일조선인 이재민이 발생하자 국내에서 '의연활동'이라는 명목으로 구호활동이 적지 않게 전개되었다. 이에 대해서는 성주현, 「1923년 관동대지진과 국내의 구제활동」, 『한국민족운동사연구』 81, 한국민족운동사학회, 2014; 「식민지 조선에서 관동대지진의 기억과 전승」, 『동북아역사논총』 48, 동북아역사재단, 2015을 참조할 것. 한편 관동대지진 당시 식민지 조선에서의 반응에 대해서는 高崎宗司, 「關東大地震・朝鮮での反響」, 『三千里』 36, 三千里社, 1983.11을 참조할 것.
4) 조선총독부의 관동대지진 당시 재일조선인을 위한 진재처리에 대해서는 노주은, 「관동대지진과 조선총독부의 재일조선인 정책-총독부의 '진재처리' 과정을 중심으로-」, 『한일민족문제연구』 12, 한일민족문제학회, 2007을 참조할 것.

일보』, 그리고『매일신보』를 활용하고자 한다. 이는 당시 식민지 조선에서 관동대지진과 관련하여 가장 많은 양의 정보를 제공하고 있기 때문이다. 이 외 당시 발행되었던 잡지 등을 보조적으로 활용하고자 한다.

2. 관동대지진과 재일조선인 동향

1923년 9월 1일 오전 11시 58분에 발생한 관동대지진이 식민지 조선에 전해진 것은 당일 저녁이었지만[5] 언론의 첫 보도는 다음날인 9월 2일이었다. 『매일신보』와『동아일보』는 '濃尾地方 地震'[6]와 '東京以西 電信不能'[7]이란 기사를 통해 일본에 지진이 일어났다는 것을 간단한 단신으로 처리하였다. 그런데 이 기사는 관동대지진이 일어난 도쿄와 요코하마 등 간토 일대가 아니라 '濃尾地方'으로 아치이현(愛知縣)과 고후현(岐阜縣) 일대에서 지진이 났다고 보도하였다. 이 첫 보도는 나고야(名古屋) 일대에 지진이 난 것으로 보았다. 이는 언론사뿐만 아니라 사이토 총독에게도 같은 지역에서 지진이 발생하였다고 처음 보고한 내용과 같았다. 이는 일본에서 정확한 정보가 전달되지 못하였기 때문이다. 이러한 오보는 관동대지진으로 인한 통신이 불통되었기 때문이다.

---

5) 식민지 조선에서 관동대지진 소식을 처음으로 접한 사람은 사이토(齋藤實) 총독이었다. 사이토 총독은 당일 오후 6시에 첫 지진 소식을 들었다. 이때 전해진 지진 지역은 노비(濃尾)지방이었으며, 밤 10시 반경 통신사로부터 요코하마(橫濱) 일대에서 화재가 발생, 지진이 일어났다는 것을 파악하였다.

6) 「능미지방 지진」, 『매일신보』 1923년 9월 2일. 『매일신보』는 2단 기사로 처리하였으며, 내용은 다음과 같다. "작일일 아침 구 시경부터 애지현(愛知縣)과 기부현(岐阜縣)지방에 큰 지진이 되어 기차와 전선이 전부 불통하며 지진은 아직도 계속되는 고로 피해 정도도 자세치 못한 바 이로 인하여 동경 소식은 전혀 불명하며 그 지방은 지금부터 삼십사 년 전에 유명한 능미대지진(濃尾大地震)이 있던 곳이라더라."

7) 「경성이서 전신불능」, 『동아일보』 1923년 9월 2일. 『동아일보』은 1단으로 처리하였으며, 기사 내용은 다음과 같다. "농미지방(濃尾地方)에 큰 지진이 일어나 동경 이서의 전신전환은 전부 불통되었더라."

그렇지만 다음날인 9월 3일에는 『동아일보』, 『조선일보』, 『매일신보』에서 특종과 같이 대대적인 보도를 취하였다. 3개 신문은 특히 3면은 전적으로 관동대지진에 대해 피해상황을 다루면서 "동해도 각지 대지진"(『동아일보』), "일본 유사 이래 초유의 대지진"(『조선일보』), "海嘯, 지진, 화재가 일시에 襲來 개벽 이래 초유의 惟事, 참극"(『매일신보』) 등의 표제로 당시의 상황을 전달하였다. 이외에도 '초토화된 동경 전시가'(『매일신보』), '동경 전시에 계엄령'(조선일보), '동경 시가 거의 전멸'(『동아일보』) 등 도쿄의 피해상황을 비교적 크게 보도하였다. 뿐만 아니라 '각처에 사망자와 전소가옥이 부지기수'(『동아일보』), '死者 千名'(『매일신보』)라 하여 사망자가 적지 않았다는 것도 보도하였다.[8] 그렇지만 3일자 각 신문에는 재일조선인에 대한 생사여부에 대한 보도는 『동아일보』가 유일하였다. 그 내용은 다음과 같다.

염려되는 조선인의 소식
동경 부근에 흩어져 있던 수천의 학생과 노동자
그네의 생사존몰은 과연 어찌 되었는가. 아아!
일본의 큰 지진! 동경의 큰 불! 그 같은 참상을 겪게 된 조선 사람의 동경유학생의 안위는 과연 어떠한가. 다행이 방학 중이므로 유학생의 대부분은 아직 고향에 돌아와 그저 두류 중이라 불행 중의 다행이라 하겠으나 방학이 되어도 사정에 끌려서 동경에 남아있던 학생들과 노동에 골몰하여 고향에 돌아올 뜻도 못 둔 고학생들의 수가 가히 일천여 명에 이른다 하니 그들의 생사는 아직까지 조사할 길이 그치어 있는 것이다. 고학생이 제일 많이 있는 심천구(深川區)의 천초구(淺草區)기 진멸이라 하니 구사일생을 얻게 된 동포가 몇 사람이나 되겠는가. 애호하는 자질을 가세가 빈한한 탓으로 외지에 고학을 보내고 방학이 되나 만나보지 못하여 가뜩이나 애를 끓는 부모의 애는 마디마디 끊지 일 것이다. 그 외에도 동경 부근에 조선 사람으로서 노동에 종사하는 사람이 매우 많아서 그 인명수가 실로 학생 이상의 다수인 바, 그네들은 하기방학도 없이 그곳에 머물러 있었을 터인즉 그네의 생사존몰은 실로 멀리 앉아 듣는 우리들의

8) 각 신문사별 기사수를 보면 『조선일보』는 30개, 『동아일보』는 34개(사진 1컷), 『매일신보』는 33개(사진 5컷)으로 『조선일보』는 2/3, 『동아일보』와 『매일신보』는 일반기사 2,3개를 제외하면 광동대지진 관련 기사이다. 비중 면에서는 『매일신보』〉『동아일보』〉『조선일보』 순이다.

애를 끓는 문제라 하겠다.9)

이 기사에 의하면 관동대지진이 발생한 도쿄 일대에 유학생과 노동자가 적지 않으며, 이들의 '생사존몰'을 알 수 없는 상황에 애타는 부모의 마음 나아가 민족의 마음을 잘 담고 있다. 『동아일보』는 발 빠르게 재일조선인에 대해 관심을 갖고 생사여부를 염려하였다.

이에 비해 『조선일보』는 다음 날인 9월 4일자에 재일조선인에 대한 기사를 처음으로 게재하였다. 그 내용은 다음과 같다.

> 우리 친족은 안부여하
> 일본 동경과 횡빈 지방에 큰 지진과 화재가 일어나서 별안간 혼돈세계가 되어 몇 십만 명의 생명이 불속에 장사지내는 참상이 생기었다는 전보가 너무나 쉴 사이 없이 각 보관에서 호외 비답 하는 요청 소리가 경성 천지를 진동함에, 귀한 자제를 유학시키는 부모들과 가족이 가서 노동하고 있는 친척들은 자기의 자제와 친척들이 혹시 어찌 되었는지 소식을 몰라서 심히 궁금히 여기며 타는 마음을 어찌 할 줄을 모르고 어찌하면 소문이라도 들을까 하여 각 보관을 방문하고 소식들을 방편을 듣기도 하며, 탐지하여 달라는 의뢰를 하는 정경은 과연 민망하기가 이를 데 없다더라.10)

『조선일보』 역시 재일조선인에 대한 염려를 기사화하였지만 "정경은 과연 민망하기 이를 데 없다"라고 하여, 제삼자적 입장을 취하고 있다.

이와 같은 염려는 현실로 나타나 관동대지진이 발생한 간토(關東) 일대는 이미 재일조선인 학살이 시작되었다. 당시 『동아일보』와 『조선일보』의 재일조선인에 대한 염려는 지진으로 인한 피해였지만 일본에서 일어날 여러 가지 상황도 예견하지 않을 수 없었다. 그런 점에서 두 신문은 민족적 차원에서 재일조선인을 기사화하였다고 할 수 있다. 이에 따라 두 신문은 재일조선인에 대한 기사를 꾸준히 게재하였다.

9) 『동아일보』 1923년 9월 3일.
10) 『조선일보』 1923년 9월 4일.

한편 『매일신보』는 『동아일보』보다 3일 늦은 9월 5일자에 재일조선인에 대한 염려를 처음으로 기사화하였다.[11] 이 기사에 의하면 "아직까지는 조선 사람에게 대한 말은 없는 즉 이것이 오히려 안전하다는 다행한 일인지도 알 수 없다"라고 하여 논평자처럼 다루고 있다. 즉 관동대지진으로 인한 피해는 조선인과 일본인의 구별이 없을 진데, 재일조선인이 피해를 입어다는 소식이 없다는 것은 오히려 안전하다고 하여, 자식이나 가족의 안위를 염려하는 조선인의 모습을 부정적으로 표현하고 있다.

이후 『동아일보』, 『조선일보』, 『매일신보』에 게재된 재일조선인 관련 기사는 다음 〈표 1〉과 같다.

〈표 1〉 『동아일보』·『조선일보』·『매일신보』에 보도된 재일조선인 관련 기사

날짜	신문	기사	주요 내용	비고
9.3	동아	염려되는 조선인의 소식		
9.4	조선	우리 친족은 安否何如	소식을 몰라서 우려하는 동포, 귀한 자제를 유학 보낸 부모들과 가족이 건너가서 노동하는 친척	

---

11) 「동경진재 중에 있는 자녀족속의 안부를 생각하는 사람들」, 『매일신보』 1923년 9월 5일. 기사의 내용은 다음과 같다.

"이번 동경을 중심으로 일어난 지진의 참혹한 재앙은 듣는 자로 하여금 간담을 서늘케 한다. 지난 2일 하루에 동경에서만 불에 타버린 건물의 수효가 궁성으로 비롯하여 각관 공서 은행 회사 등을 합하여 20만 효가 넘는다 하고, 죽은 자가 수만 명에 달하다 하니, 이것만 들어도 그 참혹한 애도가 얼마나 심한 것을 족히 추측할 것이다. 그리하고 아직도 지진이 그치지 아니하고 처처에서 계속된다 하며, 동경과 횡빈과 횡수하 동 유수한 도회지는 모두 전멸이 되어 부르짖고 떠드는 소리가 사방에서 일어나서 완연히 현세의 지옥을 나타내었다 하니, 통신기관이 완전치 못하여 세세한 정보는 알 수 없으나 이 뒤로 또 어떠한 재앙이 거동될 런지 예측키 어렵다. 그런 중에 자기의 자녀나 족속을 두고 멀리 조선에 앉아서 근심하는 사람의 마음이야 어찌 일선인의 구별이 있으리오마는 그 중에도 특히 조선 사람들은 그곳의 형편에 어두운 고로 가슴이 아프고 속을 태우는 정도로 그만치 더 간절한 모양이다. 여름방학에 오래간만에 고국에 돌아왔다가 다시 개학기 임박하여 건너간 지 불과 몇일에 이러한 기별을 듣는 부모와 가족의 마음은 더욱이 간절할 것이다. 2일 아침에 신문의 호외를 보고 놀란 그들은 직접으로 혹은 전화로 동경의 소식을 탐문하며 가까운 지방에서는 반신료를 첨부한 편지가 연속히 온다. 아직도 재해로 인하여 통신이 민활치 못함으로 자세한 형편은 알 수 없은즉 소식을 듣는 대로 지면에 보도하고 편지로도 회답을 하려니와 각 방면에서 도달하는 소식을 종합해 보아도 아직까지는 조선 사람에게 대한 말은 없은즉 이것이 오히려 안전하다는 다행한 일인지도 알 수 없다."

9.5	동아	횡설수설	조선인의 폭동설에 대한 의문, 조선인의 민족성으로 보아 그럴 이유가 없다. 일본은 재난 때마다 조선인 행동에 대한 특별 경계와 감시해	
		일본유학생대회	6일, 대회 예정, 개벽사에 연락소 설치, 조사위원 3명 파견키로	
	조선	在京일본유학생대회	동포의 소식을 조사하기 위해 특파원 파견	
9.6	동아	유학생 대회는 금일	천도교당서 개최 예정이었으나 당국의 간섭으로 취소, 시천교당에서 관계자 이외에 참석 불허	
	조선	재경유학생회	금일 8시 중앙청년회관에서 개최	
9.7	동아	구사일생으로 동경을 탈출한 2학생	도보와 무료승차로 구사일생하여 경성역에 도착한 유학생 한승인, 이주성 소식/시외의 동포는 무사	사진 포함
	조선	萬死의 力으로 동경에서 고국에	귀환한 두 학생 이주성과 한승인의 실지모험담, 동경의 참상을 눈으로 본 대로 말하다가 동포의 소식을 물은즉 말을 못하고 한숨/여러 가지 말할 거리가 있는듯하나 그에 대하여 용서해주기 바란다고	
	동아	조선인에 대한 감정이 疏隔된 此時 동경행은 위험	참화를 타서 폭행, 유언비어로 다시 확대된 듯/재난민 일반의 신경은 극도로 흥분된 때에 일부 소수의 조선 사람이 이 같은 참해를 타서 폭행을 한 일이 있었음으로 일반 민중의 반감을 사서 조선 사람과 일본 인민과의 생긴 예가 하나 둘이 아니다	丸山 경무국장 談
		일반은 극히 평온, 조선인의 폭행은 일부분	소수의 배일조선인들이 폭행을 한듯함, 일반 조선인은 평온함	내부성→ 총독부 경무국
	매일	조선인을 극렬 보호	총독부와 조선은행에서 구호	특별한 내용 없음
		일반 조선인들은 극히 선량하였다.	불량 조선인들이 무슨 폭행을 하는 듯 풍설이 있으나 일반의 조선인들은 극히 선량, 보호대책 강구, 약간의 불량 조선인의 행동에 대하여 민중과 감정이 충돌이 있어 쟁론이 있었으나 극히 경미	내무성 경보국장 →총독부 경무국장
9.8	동아	재류동포 만오천인 習志野병영에 수용하고 경관으로 경계	내각회의에서 동경에서 재난을 당한 유학생과 노동자를 習志野 兵舍에 수용	
		조선인 박해와 내각 고시의 발표	이번 진재를 틈타서 일시 불온사상을 가진 조선 사람의 폭동이 있어서 조선인에 대하여 매우 불쾌한 감정을 갖게 되는 일이 있다고 들었다. 이러한 일이 있으면 군대와 경관에게 알게 하여 조처케 함이 당연하거늘…	山本 수상 고시
	조선	중도에 귀환한 유학생	일본으로 건너갔다가 돌아온 유학생 담/피난민의 떠드는 소리를 들으면 조선동포는 어떤 곳에다 가두어 식은 준다는 말도 있고, 그곳 신문 호외에는 품천(品川)에서 조선동포 삼백 명을 ○○하였다는 기사를 보았는데 대개 우리 동포의 소식은 어찌 되었는지를 모른다고	
		재경유학생이 궐기	이재동포의 소식을 탐지코자 이재동포의 조사기	

			관으로 역할을 다하고자 함	
	매일	조선동포를 구호하라	불령선인의 폭행 有하여 선인에 대하여 頗히 불쾌한 感을 懷하는 자가 有하다 聞하였도다. (중략) 이를 취체 경고, 이는 내선융화 근본주의에 배척할 뿐, 아국의 절제와 평화의 이상에 발휘하고자 함	山本수상 談
		소수 동포의 폭행은 조선인의 명에를 悔辱하는 일	在京의 조선인 중에 불온한 행동을 감행한 자가 有하였다는 一事가 有하여 余는 실로 의외로 憂하였도다. (중략) 동경에 在하여 次第에 생활을 營하는 조선인이 何理由로 불온의 행동을 감행할 이유가 有하리오. 人이 된 이상에 결코 可行할 일이 아니라 余는 사하게 (중략) 我조선동포 전체가 세계의 전 인류에게 소외케 됨을 우려하는 바이라. (하략)	丸山경무국장 談
		조선인 만오천명 習志野兵숨에 수용 중	일반 조선인 15,000명 죽음의 큰일에서 벗어나 습지야병사에 수용되어 구호 중	
9.9	동아	살아오는 조선인을 위하여 총독부원 부산에 출장한다	귀향하는 조선인을 위해 부산에 임시사무소 설치	
9.10	동아	鎌倉 藤澤 부근의 재류동포 역시 일처에 집중하고 군대로 경호	겸창, 등택, 대기, 모기 부근의 조선인 경찰에서 한 곳에 모아 보호, 갑부연대가 경계	
		재류동포에 대한 계엄사령관의 발표	진재 당초에 삼삼오오의 재일조선인이 폭동을 일으킨 것은 사실, 횡빈 부근의 일부 조선인이 강도와 강간, 방화를 계획, 지금은 배일조선인의 폭동이 진정됨	福田계엄군 사령관
		27명은 무사 귀국하였다	品川에서 유학생 80여 명이 동행했으나 27명이 부산항에 도착	
	조선	계엄사령의 경고	조선인에게 대하여 그의 성질 선악을 불구하고 무법의 대우를 하는 일은 삼가는 동시에 그들도 우리 동포임을 잊지 말라. 모든 조선인이 악모(惡謨)를 계획한다는 것은 오해인바 이러한 풍설에 의지하여 폭행을 더하고 스스로 罪人이 뇌시 말라.	삭제기사 있음
9.11	동아	습지야에 수용된 동포	습지야 임시수용소에 조선인 850명, 중국인 천 명	
	조선	습지야 병영에 동포수		
	매일	조선인 800명	조선인과 지나인들 사이에 언어의 불통으로 불미한 사건 발생을 미연에 방지하고 그를 보호하기 위해 습지야 임시수용소에 조선인 800명	
		유학생은 극력 보호	재경조선인은 각 관헌의 주도한 보호 구제를 수하고 있다는 공보에 접하였으나 차시에 특히 정부와 교섭하여 일층 만전의 방법을 講하도록 주도히 하기를 乞하는 중이며, (중략) 조선인과 특히 유학생의 소식을 조사케 하여 통지하기를 원하노라.	丸山경무국장 談

9.12	동아	동경유학생은 대부분 안전	노동자 3천여 명 수용 보호, 5백여 명 경찰 보호/유학생은 독학부와 장백료 등에 150여 명 안전해, 그 외는 대부분 피난	高橋 사무관→ 총독부 보고
	매일	유학생은 대부분 안전	下町방면 3천 명 수용 보호, 기타 독지가와 군부에서 보호, 학생은 독학부와 장백료에 1,500명 안전	상동
9.13	동아	혼란의 機를 엿보는 무뢰한의 선전으로 조선 사람을 중상 인제는 다 잡히었다고	이번 참사 중에 조선 사람들에 대한 여러 가지 좋지 못한 풍설이 있었다. 동경에서 악한 무뢰한이 혼잡한 기회를 틈타 유언비어를 함부로 선전, 못된 짓을 하려고 한 자 즉시 검거, 다른 지방에서 있는 듯, 일반인은 못된 놈에게 이용되지 말아야, 조선인 피난민을 한층 더 동정	藤岡 내무 서기관
	조선	조선인의 휴대한 폭탄 체포 조사한즉 기실은 林檎	이번 미증유의 참상에 우려하여 이재민의 낭패는 그러할 것이나 선인폭행(鮮人暴行)의 풍성학여(風聲鶴唳)로 거위 상궤(常軌)를 벗어난 행동을 한 자가 있었음은 유감천만이오. 곧 그 한 예를 마하면 '선인'이 폭탄을 휴대하였다고 하는 것을 체포하여 본즉 임금(林檎)인 일도 있고, 또 일목희덕랑(一目喜德郎)씨의 집 부근에서 있던 일인데 한 사람의 집에 불이 붙을 때에 초를 엎지른 것을 주인여자가 솜을 적시어 쇠대야에 담아둔 것을 청년단들은 불 놓는데 쓰는 석유라고 잘못알고 주인여자가 아무리 변명하여도 듣지 아니하고 마침내 주인여자는 '선인'편이라고 구타한 사실도 있소. (중략) 그러나 이러한 뜬소리에 감이어서 조선인에게 폭행을 한 것은 우리가 조선을 다스리는 데 근심되는 것을 말할 것도 없소. (하략)	湯淺 경시총감 談
		대판조선인노동동맹회 간부 5인을 去 5일에 검속	송장복, 김자의, 최태열, 지근흥, 김연석 검속, 동경에 있는 조선사람 또는 사회주의자와 연락을 한 혐의로 추정	
		대판 재류동포의 활동	대판의 조선인협회와 조선인상애회 등 단체에서, 신호의 관서학원과 신호신학교조선인신복회 등이 의연금 모금 착수	
		빈민굴의 성자 賀川씨	조선인 노동자가 어떤 공정의 여직공을 모욕하였다, 해방된 죄수들의 부정한 행동을 모두 조선인이 하였다, 조선인이 폭탄으로 집을 파괴하였다, 조선인 폭도가 신내천현(神奈川縣)을 쳐들어온다, 2만 명의 조선인 노동자가 대판을 습격 중이다 등의 풍설이 있어, 이에 조선인의 곤란은 실로 상상할만한 일이며 그중 제일 심한 데가 횡빈, 그 다음이 동경	동경 횡빈 진재 실지 시찰담
	매일	재류유학생은 평온상태	조선인 학생과 노동자의 보호에 대하여 관계 관청 협의, 습지야 임시수용소에 2,600명 수용, 대부분 노동자, 志賀 총독부위원장이 위문, 상애회원 150명 도로 보수.	和田 재무국장 發電
		조선인에 일층 동정	조선 사람의 일에 대하여 여러 가지 풍설이 생기여 동경에서는 모든 악한들이 유언비어를 하여 인	藤岡 내무

			심을 소동시킨 후 그 기회를 타서 좋지 못한 일을 하려는 자가 있었으므로 그 즉시 검거하였으며 (중략) 조선 사람의 피난민에 대하여는 더 일층 동정한 점이 많으며 (하략)	서기관 談
9.14	동아	금강동 기숙생	동경 麴區 조선인 학생 기숙사 금강동에 기숙하는 80여 명 무사, 이중 7명이 외출하였으나 행방 아득	귀환 학생 증언
	동아	노동자 2천여 명은	총독부 출장소에서 극력으로 경무국, 경시청과 연락하여 보호 중인 노동자 7백여 명 目黑競馬場에 수용, 1,500명 시내 경찰서와 큰집에 수용, 피해가 적고 무사히 기숙, 유학생은 山手방면으로 피신	
	조선	동경 부근의 동포 소식		
		대판에 피난한 조선인에 대한 처치 여하	본인이 귀국을 원하면 무임으로 보내고, 그렇지 않은 사람은 구호 수용/범애부식회에 구호 의뢰	대판부 경찰부장 談/특별 고등과장 談
	매일	활약하는 상애회원	150명 도로 정리 등 무료로 30일간 사회봉사	
	매일	조선인의 보호 주도	총독부 출장소가 관계 기관과 연락하여 보호에 진력, 목흑경마장에 노동자 800명, 각 경찰서 등에 1,500명, 학생은 山手방면에 숙박, 피해도 근소	
9.15	동아	유학생 9백명을	유학생 9백여 명 동양협회 독학부에 피난 중, 2백명을 더 수용하기 위해 천막 공사, 재등 총독 식량 지원	
		自黑에 수용 중인	목흑경마장에 수용중인 조선인 580명, 이중 유학생 1/3, 식료품은 동경부에서 제공	
		재류학생의 소식을	조선 사람들 수천 명 관헌의 보호 중	丸山 경무국장 談
	매일	愛子愛弟의 안부 소식	2천여 명의 원외부형에게 위로하고 보호하는 조선인의 원적, 성명을 조사하여 비행기 속달로 전달	丸山 경무국장 談
	매일	동양협회에 9백 명	유학생 동양협회 독학부에 900명 수용, 협회서 천막, 경시청서 식량, 총독이 부식 제공	和田 재무국장 전신
	조선	동양협회에도 902인		
	매일	目黑경마장에도 수용	조선인 580명 수용, 1/3 학생, 동경부에서 식량 제공	和田 재무국장 전신
	조선	目黑경마장의 조선인		
	매일	내지 유학생 조선인의 귀교는 진재지 이외면 무관	동경 이외의 지역 학교는 歸校 가능	
9.16	동아	마산 학생은 모두 무사하다	마산 출신 유학생 20여 명 모두 무사하다는 통신	
	조선	조선유학생에 대하여	3천 명의 유학생 무사 안전	학무 담당 談
	매일	유학생 일동은 무사 피난		

날짜	신문	제목	내용	비고
	매일	조선인은 극력 보호	재일조선인에 대한 보호의 途를 정하고 적당한 직업을 與함 외 방법은 무하며 (중략) 조선의 통치방침은 결코 불변	齋藤 총독 談
	조선	통치방침 불변		
	매일	群馬縣下 조선인 보호는 14사단장에 일임	郡馬縣에서 조선인을 보호하였다고 일본인의 반감이 격심하여 군대를 보내 달라	
	조선	조선인을 보호한다고		
9.17	동아	조선인 폭동은 허설	조선인 폭행사건과 관련하여 일부주의자들이 폭행하였다는 것은 전연 근거가 없는 풍설, 폭탄을 가지고 건물을 파괴하거나 인명을 살상하였다는 것도 사실 무근, 독약을 우물에 넣었다는 그 물을 먹어보아도 이상 없음	조선신문사 관동대진재보고회
	매일	조선학생 내지에 산재수	총독부 남자 3290명, 여자 139명 파악, 그러나 파악되지 않은 수는 약 5천 명	
9.18	동아	동경진재 후 인천재적인 소식	돌아온 사람 4명, 무사한 사람 3명	
	조선	경성부 조사원의 보고	神田區와 本所의 조사 87명 중 9인이 행방불명, 사망 2명, 조선인 1명 무사	
9.19	동아	神田區 재류학생 약 6백명 전부 생명은 안전하다	神田區의 유학생 6백여 명 다른 곳으로 피난 전부 생명 보전, 기독교청년회관 전소	
	동아	군경의 보호로 생명은 안전하다	일본 사정이 서투른 사람 뜻밖에 참화를 당한 사람이 많음, 다른 외국인 자유롭게 돌아갈 수 있으나 조선인은 통제를 하고 있음	삭제 기/처음으로 재일조선인 학살 소개
	조선	습지야 동포 일천육백	조선인 1,600명, 중국인 1,500명, 일본인 4,000명	계엄사 발표
	조선	죠션 학생은 대개 무사	득학부에 900명, 잠백료에 500명 모두 무사	高橋 시학관 談
	조선	진재동포의 안부	경성부민 348명 중 사망 2명, 행불 51명 중 13명 행불자 명단, 동경역 도착한 19명 명단, 강세형과 문두인 무사	경성부리원 전보
	매일	조선인 구호문제로 총독 이하 협의		
	매일	재류조선인에 傷病者 속출	목흑경마장과 각 경찰서에 수용하고 있는 조선인 부상자와 내과적 환자가 많아	조선적십자구호반
	조선	수용 동포 중 환자 다수		
	매일	판명되는 동포 소식	행방불명 1인, 무사 16명,	
9.20	동아	피난 동포 4천 명 下關에 蝟集中	노동자와 학생 4천 명을 군함으로 수송할 방침	
	동아	橫濱 재류동포 7백 명은 배에 수용	조선 사람 7백 명 靑山丸에 수용, 3백 명은 川崎경찰서에 수용	

	조선	이재동포 3천에 一朔糧을 동척에서 대여	동척에서 조선인 3천 명에게 1개월의 양식과 반찬 제공	
		동척에서 조선인 구제		
	동아	조선학생 수용할 가건축을 이미 착수	동경에 재학 중인 학생 1천명을 수용하기로 결정, 공사에 착수	高橋 사무관→ 총독부
	조선	동경 재류동포의 현황	유학생 독학부에 87명, 장백료에 61명 수용, 횡빈 香小丸에 700명 수용	
		진재와 동포	박남식(고창) 담, 진재 당일 오후부터 동경 전시의 공기가 가장 험악하여져 문밖을 나가지 못하고 동거하는 80명 동포가 서로 어찌할 줄 모르다가 그 이튿날 계엄령이 내린 후부터 7일까지 구제소에 수용되어 일일 하루에 현미 한 말로 80명 동포가 근근이 생명을 유지, 7일 이후 총독부출장소에 수용/경성부 출신 15인 행불/인천 출신 4명 무사	
9.21	동아	경시청 관내에 8천명 동포 중 16일까지의 조사는 7300명뿐이다.	참담한 피해는 상상을 초월/잔재가 있기 전 경시청 관내 조선인 8천 명, 습야에 3천 명, 목흑경마장에 6백 명, 각 경찰서에 2,250명, 독학부와 장백료에 2백 명, 1천여 명 생사불명	통신 폭주와 당국 삭제로 뒤늦게 보도, 9.16
		동포의 사상수 조사 불능	진재로 인해 사망한 조선인 수는 도저히 셀 수가 없으나 유학생은 비교적 적은 모양, 감독부기숙사 90명 안전	
		변최 양씨 무사	변희용과 최승만 판교경찰서 수용, 변희용은 반항으로 독방에 수감 중, 천도교청년회원 무사	
		각 경찰서에 수용중인 약 1천명은 芝浦로	각 경찰서 수용 조선인 지포매립지 청수조재목재 적치장으로 호송, 학생은 독학부로 이송키로	
		11일 습지야에	군대의 보호로 조선인 습지야로 보내는 중, 실로 비참한 모습	
		神奈川縣下 재류동포의 현재	1,300명 중 1천명 안선, 華山丸에 600명 수용, 川崎 방면 공장노동자 3백 명 공장주가 보호, 大船부근 2백 명 토목공사 노동자 안전	
		조선인 보호는 절대 책임	조선인 보호에 절대적 책임을 지고 종사	경시총감 談
	조선	진재유학생 전학에 대하여	통학교의 통신부가 確有하면 우선 입학을 하였다가 진재지 정돈 후 정식전학 허용	萩原 학무과장 談
		진재와 동포	경성부 출장원 보고 49인 무사, 4명 행불	
	매일	재등 총독 유고	수용 중 조선인에 대하여	
		조선이재민을 보호하고 있는 광경	崎玉縣 실곡 소방서	사진

9.22	동아	수용 중의 동포는	수용된 조선인 자유여행 금지/얼마동안 귀국하지 말고 정돈이 될 때까지 기다리라	전언/ 재등 총독
		진재지방 재류동포의 제1회 안부조사 도착	총독부 동경에서 14일에 발송한 재일조선인 명단	
	조선	재후 동포 소식	민석현 등 14명 무사, 3명 행불, 횡빈 3명 무사, 경성 도착 14명	경성부 조사원
	매일	21명 동포 소식 판명	동경에 93명, 횡빈에 44명 중 행방불명 3명, 무사 18명	
9.23	동아	이재동포 중 노동할 이에게는	경찰서에 수용한 2,200명 중 700명(조선 1천 명) 일 선기업회사 건물에 수용, 나머지는 임시가옥에 수 용, 동경 시내 9채 집을 빌려 조선인 수용, 습지야 수용 조선인도 인계, 횡빈 華山丸에 수용된 조선 인은 횡수하 건설현장에 종사케	和田 재무국장 →총독부
	조선	조선인 보호의 상황		
	동아	동경 재류동포는 총독부 출장소가	총독부가 芝浦에 2천 명을 수용할 건물 준비 중, 습지야 조선인은 육군, 목흑 조선인은 동경시가 보호 중, 노동 알선	
	매일	진재지방 조선동포의 소식	재동경 조선총독부 출장소 조사(제1보)	
	조선	동경진재지방 생존 동포	麴町 金剛洞 在在舍 학생/小石川수용소/目黑수용 소	
9.24	동아	진재지방 재류동포의 제2회 안부조사 도착	총독부는 수용된 학생, 본사는 흩어져 있는 조선 인 안부 조사 명단	
	조선	조선인의 폭행은 絶無	조선인과 사회주의자의 폭행이라든지 방화 시도 는 절대로 없다	동경부회 진재구호 실행위원 협의회 보고
9.25	동아	재류동포의 식량공급에 전력	조선인 중에 사실로 좋지 못한 일을 하고 검거된 사람이 있다하나 내용을 자세히 할 수 없음	특파원
		대방침은 무변동	무고한 조선인에게 대한 위해를 가한 자는 용서 없이 엄벌에 처할 것, 고향으로 돌아가는 조선인 에게는 상당한 편의 도모, 노동자는 취업 알선, 결 코 사실을 감추지 않고 확실한 사실이면 세상에 공표, 조선통치 방침에 변화 없음	재등 총독 談
		상애회원 300명 복구공사에 종사	상애회원 300명 복구공사에 종사, 화가 허백련 天葉縣을 여행 중 소식 없음, 현상윤 동생 현상면 경찰서 수용 중 정신이상으로 입원	
	조선	필경은 전부 무사 방면	대판 조선노동동맹회 간부 5명은 금속의 괴로움을 맛보다가 필경 가택 수색까지 당하였으나 22일 무사방면	
	매일	습지야조선인수용소 에서 3074명의 동포를	조선인 구호 상황 순회	김의용 특파원
		제2회 안부조사 도착	재동경 조선총독부 출장소 조사(제2보)	

9.26	동아	구경삼아서 자경단원 방화	동경 豐多馬郡 鈴木淸治(19) 자경단에 가입, 혼란한 틈을 타 방화 소동을 일으키고 조선인이 불을 질렀다고 선전	
		진재지방 재류동포의 제2회 안부조사 도착	9월 16일까지 조사한 재일조선인 안부	
	조선	동경진재지방 생존동포(제2보)	재동경 조선총독부 출장소 조사(제2보) 장백료 기숙생/동경시내 산재자/向島署 관내/富坂署 관내/상애회 내/	
	매일	재동경 조선동포 소식	재동경 조선총독부 출장소 조사(제3보)	
	매일	금후의 유학생 문제	타버린 학교가 복구되기까지 귀국하는 것이 좋다, 유학생은 장백료, 계림장, 천도교구실, 각 경찰서, 습지야 등지에서 수용 중	동경 유학생 독학부 간사 談
9.27	동아	최백 양씨 무사 판명	행방불명이던 최윤식(선천), 백남만(고창) 무사	
		진재지방 재류동포의 제3회 안부조사 도착	총독부 출장소 조사 내용 26일 도착 분	
	조선	동경진재지방 생존동포(제3보)	재동경 조선총독부 출장소 조사(제3보) 靑山署 관내/麴町署 관내/四谷署 관내/三田署 관내/日比谷署 관내/日暮里警察分署 관내/日暮里小學校 수용소/南千住署 관내	
	매일	안부조사 도착	경성부민 행방불명 16명, 무사 2명	
		재동경 조선동포 소식	재동경 조선총독부 출장소 조사(제4보)	
9.28	동아	전학지원자는 학무국에	조선인 유학생, 국내의 전학을 원할 경우 학무국에 신청	
		진재지방 재류동포의 제4회 안부조사 도착	총독부 출장소 조사 내용 도착 분	
	조선	동경진재지방 생존동포(제4보)	재동경 조선총독부 출장소 조사(제4보) 四谷區/原庭署 간내/新協橋署 관내/高輪署 관내/愛石署 관내/南千住署 관내/坂本署 관내/八王子署 관내/東京 各署/目黑경마장 수용소/千住署 관내/本富士署 관내/六本木署 관내	
	매일	진재지 학생 수용	학급 인원 제한 일시 철폐	長野 학무국장 談
		민심 일익 안정	조선인 구호도 예상 이상 周到	민경기 남작, 이완용 후작 談
		재동경 조선동포 소식	재동경 조선총독부 출장소 조사(제5보)	

9.29	동아	동경에 수용된 동포의 얼굴	심곡수용소에서	사진
		모사건 혐의로 유학생을 검거	용강 출신 김한중 무사 귀환하였으나 23일 체포되어 동경경시청으로 압송, 혐의 극비	
	조선	동경진재지방 생존 동포(제5보)	재동경 조선총독부 출장소 조사(제5보) 六本木署 관내/小松川署 관내/品川署 관내/洲崎署 관내/深川西平野西 관내/동경시내 各所/芝愛宕署 관내/大塚署 관내	
9.30	동아	진재지방 재류동포의 제5회 안부조사 도착	총독부 출장소 조사 내용 도착 분	
		학생은 독학부로 노동자는 靑山에 수용	습지야와 목흑경마장, 각 경찰서에 수용된 조선인 2200명, 총독부 알선으로 유학생독학부에 임시가옥 짓고 학생 수용, 노동자는 芝浦에서 靑山피난 수용소에 이주키로	
		崎玉縣下 재류동포 8백 명	神保開院 병영 내에 조선인 800명 수용,	
		수용 중의 3천동포를 찾아	습지야에 수용된 조선인 위문, 설은 눈물, 반가운 눈물, 감격의 눈물, 기막히는 눈물, 형용조차 못할 눈물 등 조선인 참상 이야기	이상협 특파원
		본사 동경특파원 제3회 안부조사 도착	각처에 흩어져 있는 학생과 습지야수용소 중 일부	
	매일	禍難중에 人兒를 구조한 조선 부인의 미담	정춘옥(33)이 열한 살 어린이를 구해준 이야기	김의용 특파원
		재동경 조선동포 소식	재동경 조선총독부 출장소 조사(제6보)	
10.1	동아	재동경 기독교천도교청년회 이재동포 구호 개시	기독교청년회와 천도교청년회, 기타 유지들의 발의로 조선동포구제회를 조직, 천도교청년회관에 본부를 둠, 경성구제회 의연금으로 우선 활동	
		이재동포 근황	습지야에 2,800명, 청산에 600명, 상애회 600명, 각 경찰서에 100명, 나머지는 귀국 또는 예 집으로 돌아감	
	조선	동경진재지방 생존 동포(제6보)	재동경 조선총독부 출장소 조사(제6보) 동경 각처 학생	
		신호에 재류동포	兵庫縣 姬路와 尼崎에서도 의연금 6백 원 모금	
10.2	조선	조선인 이전을 진정	동경 靑山外苑 假屋에 수용한 조선인 2,000명 이전해달라고 9월 26일 四谷區民이 市役所에 진정	
10.3	동아	총독부 제7회 안부조사	재동경 조선총독부 출장소 조사(제7보)	
	조선	동경진재지방 생존 동포(제7보)	/동경 각처 학생	
		재동경 인천인은	인천 출신 대략 30명, 귀향 12명, 무사 10여 명, 나머지 행불	
	매일	재동경이재조선인에게	위문품 2천 개 전달	

10.4	조선	동경진재지방 생존 동포(제8보)	재동경 조선총독부 출장소 조사(제8보) /습지야수용소	
	동아	총독부 제8회 안부조사 도착		
		재동경 조선학생에게	문부성에서 유학생 1,000명에게 한 달간 백미와 반찬 급여	
	매일	재동경조선동포 소식	총독부 출장소 조사 제8보	
10.5	조선	동경진재지방 생존 동포(제9보)	재동경 조선총독부 출장소 조사(제9보) /습지야수용소	
	매일	조선인 안부 조사		
	동아	본사특파원 5회 안부조사 도착	동아일보 특파원 조사/총독부 학생조사	
		구제에 전력하노라	조선사람은 조선사람이라는 까닭으로 진재 이외에 참혹한 해독을 당한 사람이 있었는바, 부당한 행동에 대하여 범인을 조사 검거케 하였고, 또 사법관들도 굳은 결심을 가지고 조사하여 보고하겠다고	齋藤 총독 談
10.6	조선	동경진재지방 생존 동포(제10보)	재동경 조선총독부 출장소 조사(제10보) 大森署 관내/各所/大塚署 관내/계림장	
	동아	총독부 제10회 안부조사 도착		
	매일	조선인 안부 조사		
	동아	위해에 흥분하여 동경유학생이 자살	정인영 9월 27일 면도칼로 자살, 진재의 위험을 당하고 신경 이상, 경암 하동군 청암면 본적	
	매일	백여 명 학생이	광제환으로 귀국하였다.	
10.7	조선	동경진재지방 생존 동포(제11보)	재동경 조선총독부 출장소 조사(제11보) 埼玉縣下	
	동아	진재지 유학생 전학 신청 상황	국내로 24명 신청, 여학생은 1명, 합계 100명 이상	
	동아	참혹한 정인영군의 최후	관동대지진에 대한 트라우마로 자살/동경에 진재가 있은 뒤로부터 그는 깊이 무엇을 감동한 일이 있는 듯이 한 번도 웃는 깃을 본 적이 없어 같이 있는 친구들은 그를 위로키 위하여 여러 가지로 유희도 하고 권고도 하였으나 그는 조금도 재미있는 일이 없었고 (하략)	
10.8	조선	동경진재지방 생존 동포(제12보)	재동경 조선총독부 출장소 조사(제12보) 富山縣/愛知縣/青山수용소	
	동아	총독부 제12회 조사 작 7일에 도착한 것		
	매일	조선인 안부 조사		
	동아	동경에서 위무반 조직	재동경이재조선동포위문반 조직, 재무부원 오기선 박사직, 사교부원 이동제 김봉성, 통신부원 유기태 이재희, 위문부원 이철 최승만 이창근 김재문 이근무 민석현, 위치 천도교회	

〈표 1〉에 의하면 전체적으로 볼 때 재일조선인에 대한 기사는 관동대지진이 일어난 지 3일만에, 지진이 기사화된 지는 이틀 만에 등장했다. 첫 기사는 앞서 언급하였듯이 『동아일보』의 「염려되는 조선인의 소식」이고, 마지막 기사 역시 『동아일보』의 「동경에서 위무반 조직」이라는 기사이다.

이들 재일조선인에 대한 기사는 네 가지로 분류할 수 있다. 첫째는 재일조선인의 폭동설이라는 '유언비어'에 대한 기사이다. 재일조선인 폭동설은 관동대지진이 일어난 다음날인 9월 2일부터 유포되었다. 이 폭동설에 대해 국내 언론에도 초기에 많이 기사화되었는데, 주로 일본 정책 책임자 즉 山本 수상, 福田 계엄사령관, 丸山 경무국장 등의 담화들이다. 주요 내용은 다음과 같다.

> 참화를 타서 폭행, 유언비어로 다시 확대된 듯/재난민 일반의 신경은 극도로 흥분된 때에 일부 소수의 조선 사람이 이 같은 참해를 타서 폭행을 한 일이 있었음으로 일반 민중의 반감을 사서 조선 사람과 일본 인민과의 생긴 예가 하나 둘이 아니다.(九山 경무국장 談)12)

> 불량 조선인들이 무슨 폭행을 하는 듯 풍설이 있으나 일반의 조선인들은 극히 선량, 보호대책 강구, 약간의 불량 조선인의 행동에 대하여 민중과 감정이 충돌이 있어 쟁론이 있었으나 극히 경미(내무성 경보국장→총독부 경무국장)13)

> 이번 진재를 틈타서 일시 불온사상을 가진 조선 사람의 폭동이 있어서 조선인에 대하여 매우 불쾌한 감정을 갖게 되는 일이 있다고 들었다. 이러한 일이 있으면 군대와 경관에게 알게 하여 조처케 함이 당연하거늘… (山本 수상 고시)14)

> 불령선인의 폭행 有하여 선인에 대하여 頗히 불쾌한 感을 懷하는 자가 有하

---

12) 「朝鮮人에 對한 感情이 疎隔된 此時 東京行은 危險, 慘禍를 타서 暴行, 流言蜚語로 다시 擴大된 듯」, 『동아일보』 1923년 9월 7일.
13) 「大震災와 流言蜚語」, 『매일신보』 1923년 9월 7일.
14) 「朝鮮人 迫害와 內閣 告示의 發表」, 『동아일보』 1923년 9월 8일.

다 聞하였도다. (중략) 이를 취체 경고, 이는 내선융화 근본주의에 배척할 뿐, 아국의 절제와 평화의 이상에 발휘하고자 함(山本 수상)[15]

在京의 조선인 중에 불온한 행동을 감행한 자가 有하였다는 一事가 有하여 余는 실로 의외로 憂하였도다. (중략) 동경에 在하여 次第에 생활을 營할 조선인이 何理由로 불온의 행동을 감행할 이유가 有하리오. 人이 된 이상에 결코 可行할 일이 아니라 余는 思하게 (중략) 我조선동포 전체가 세계의 전 인류에게 소외케 됨을 우려하는 바이라. (하략)(丸山 경무국장 담)[16]

진재 당초에 삼삼오오의 재일조선인이 폭동을 일으킨 것은 사실, 횡빈 부근의 일부 조선인이 강도와 강간, 방화를 계획, 지금은 배일조선인의 폭동이 진정됨(福田 계엄사령관)[17]

조선 사람의 일에 대하여 여러 가지 풍설이 생기여 동경에서는 모든 악한들이 유언비어를 하여 인심을 소동시킨 후 그 기회를 타서 좋지 못한 일을 하려는 자가 있었으므로 그 즉시 검거하였으며(藤岡 내무서기관 談)[18]

관동대지진 초기에는 재일조선인들이 폭동을 일으키는 것처럼 일본정부에 의해 왜곡된 기사가 많았다. 관동대지진으로 민심이 흉흉한 틈을 타 재일조선인이 폭동을 일으키거나 일부이지만 실제 일어났으며, 이로 인해 조선인과 일본인과의 적대적 관계로 만들었다. 나아가 일제의 식민통치론인 '일선융화'에도 적지 않은 영향을 미치며 뿐만 아니라 재일조선인의 폭동은 '전 인류의 소외'라는 반인류적 행동이라고 부추기기까지 하였다.

그러나 이와 같은 재일조선인 폭동설에 대해 동아일보는 「횡설수설」에서 "조선인의 폭동설에 대한 의문, 조선인의 민족성으로 보아 그럴 이유가 없다. 일본은 재난 때마다 조선인 행동에 대한 특별 경계와 감시"한다고 하여

---

15)「朝鮮同胞를 愛護하라」,『매일신보』1923년 9월 8일.
16)「少數同胞의 暴行은 朝鮮人의 名譽를 悔辱하는 行爲」,『매일신보』1923년 9월 8일.
17)「재류동포에 대한 계엄사령관의 발표」,『동아일보』1823년 9월 10일.
18)「朝鮮人에 一層 同情」,『매일신보』1923년 9월 13일.

일제의 식민통치를 비판하였다.[19]

이와 같은 재일조선인의 폭동설은 점차 유언비어이고 사실이 아닌 것으로 판명이 났고, 기사화되었다. 특히 조선신문사에서 주최한 관동대진재보고회에서 "조선인폭행사건과 관련하여 일부주의자들이 폭행하였다는 것은 전연 근거가 없는 풍설이고, 폭탄을 가지고 건물을 파괴하거나 인명을 살상하였다는 것도 사실 무근이며 독약을 우물에 넣었다는 그 물을 먹어보아도 이상 없다"[20]고 보고하였다. 이러한 내용을 『동아일보』에서는 보도하였지만 『조선일보』와 『매일신보』에는 전혀 언급하지 않는 차이점도 보이고 있다. 이후 재일조선인의 폭동설은 더 이상 기사화되지 않았다.

둘째는 재일조선인 학살에 대한 기사이다. 관동대지진이 발생한 다음날 유언비어가 유포되고, 3일째 되는 날부터 재일조선인 학살이 자행되었다.[21] 그러나 일본과 마찬가지로 식민지 조선의 언론은 조선인학살과 관련된 내용을 구체적으로 기사화하지 못하였다. 이는 조선총독부의 언론통제 때문이었다. 『조선일보』는 9월 3일과 5일자 신문이 "당국의 忌諱에 觸하여 發賣禁止" 당하여 부득이 호외를 발행하였다. 이에 『조선일보』 9월 9일자에 사설 「금회 관동진재에 대한 당국의 언론취체」를 게재하고 당국의 언론통제에 대한 불만을 제기하였다. 그러나 총독부의 언론통제는 해제되지 않았다. 때문에 관동대지진 당시 자행된 재일조선인 학살 기사는 '학살'이라는 표현이 아닌 '참화' 또는 'ㅇㅇ'이라고 하였다. 즉 "품천(品川)에서 조선동포 삼백명을 ㅇㅇ하였다는 기사를 보았는데 대개 우리 동포의 소식은 어찌 되었는

19) 「횡설수설」, 『동아일보』 1923년 9월 3일.
20) 「조선인 폭동은 허설」, 『동아일보』 1923년 9월 17일.
21) 관동대지진에서 재일조선인 학살에 대해서는 宮川寅雄, 「關東大震災の殺人」, 『三千里』 36, 三千里社, 1983.12을 비롯하여 강덕상, 앞의 책, 1998; 강덕상, 「관동대지진 조선인 학살을 보는 새로운 시각ー일본측의 '3대 테러사건' 사관의 오류ー」, 『역사비평』 47, 역사문제연구소, 1999; 노주은, 「관동대지진과 일본의 재일조선인 정책:일본정부와 조선총독부의 '진재처리' 과정을 중심으로」, 연세대학교 대학원 석사학위논문, 2007; 야마다 쇼지, 『관동대지진 조선인 학살에 대한 일본 국가와 민중의 책임』, 논형, 2008; 강덕상 · 야마다 쇼지 · 장세윤 · 서종진 외, 앞의 책, 2013 등을 참조할 것.

지를 모른다고",[22] "일본 사정이 서투른 사람 뜻밖에 참화를 당한 사람이 많으며, 다른 외국인 자유롭게 돌아갈 수 있으나 조선인은 통제를 하고 있다"[23] 등으로, 기사에서는 '학살'이라고 표기는 할 수 없었지만 재일조선인이 일본에서 학살을 당하고 있음을 암시하였다. 더욱이 齋藤 총독이 "무고한 조선인에게 대한 위해를 가한 자를 용서 없이 엄벌에 처할 것"을 요구한 것 역시 재일조선인에 대한 학살을 염두에 둔 것이라 할 수 있다. 그러나 이와 같은 기사는 매우 제한적이었다. 이는 일제의 식민통치에 불리한 기사는 철저하게 통제하였음을 알 수 있다.[24]

셋째는 유학생을 비롯하여 재일조선인이 안전하게 보호를 받고 있다는 기사이다. 재일조선인의 폭동설, 유언비어 등으로 재일조선인과 일본인의 감정이 격화되고 있지만, 일본정부는 재일조선인을 안전하게 보호하고 구제를 하고 있는 것이다. 이러한 내용의 기사는 앞서 언급한 폭동설이나 학살과 관련된 기사보다 그 게재수가 훨씬 많다는 점이다. 그런데 재일조선인을 안전하게 보호하고 구제하는 것은 자율적 보호와 구제가 아니었다. 目黑 경마장, 각 경찰서, 習志野 병영 등에 임시수용소를 마련하고 여기에 강제적으로 수용되는 타율적 보호와 구제였다. 즉 "일반 조선인 15000명 죽음의 큰일에서 벗어나 習志野 兵舍에 수용되어 구호 중",[25] "鎌倉, 藤澤, 大崎, 毛崎 부근의 조선인 경찰에서 한 곳에 모아 보호",[26] "조선인과 지나인들 사이

---

22) 「중도에 귀환한 유학생」, 『조선일보』 1923년 9일 8일.

23) 「군경의 보호로 생명은 안전하다」, 『동아일보』 1923년 9월 19일.

24) 사이토 총독은 관동대지진이 일어나자 일본으로 갔다가 돌아올 때 그 과정을 기자회견을 통해 밝혔는데, 제대로 기사화되지 못하였다. 이와 관련하여 『동아일보』는 다음과 같이 가십기사로 처리하였다.
　　"동경의 진재로 인하여 창황히 건너갔던 재등 총독은 그 편 쪽 일을 우선 급한 것이나 다 처리되었는지 작 30일에 동경을 떠나 조선을 향하였다. 그래서 동경을 떠나서 조선을 향하던 때에 어떤 통신기자에게 그동안의 경과와 감상을 대강 이야기 하였다. 그런데 그 이야기가 전보로 조선을 나올 때에는 중간에서 훌륭하게 발송정지를 당하고 말았다. 조선통치의 정말 책임자인 재등 총독도 유언비어를 하였던가. 이렇게 되어서는 조선통치의 책임자가 누구인지 좀 알기가 거북하게 되었다. 재등 총독은 그렇게도 무책임한 말을 하였던가. 총독된 재등실 군도 이렇게 언론압박을 당하거든 그 나머지 언론기관이야 더 말하는 것만 서투른 수작이지."

25) 「조선인 만오천명 습지야영사에 수용 중」, 『매일신보』 1923년 9월 8일.

에 언어의 불통으로 불미한 사건 발생을 미연에 방지하고 그를 보호하기 위해 습지야 임시수용소에 조선인 800명"[27] 등 안전하다는 것을 강조하고 있다. 이와 같은 기사는 『동아일보』나 『조선일보』보다 총독부 기관지인 『매일신보』가 보다 많이 게재하였다. 그리고 이와 같은 기사의 주체는 수상, 계엄사령관 등 식민통치 담당자들의 말을 대변하고 있다는 점이다. 이는 '내선융화'라는 식민지배 기조에서 그대로 유지하기 위한 방편이기도 하였다.

넷째는 재일조선인의 안부와 관련된 내용이다. 관동대지진이 일어나자 무엇보다도 가장 위급한 것은 재일조선인의 생사여부 즉 안부였다. 때문에 이와 관련된 기사를 가장 많이 할애하였다. 관동 일대 나아가 일본에 유학을 보낸 학부모, 방학을 맞아 귀국하였던 유학생들이 발 빠르게 안부를 확인하려는 활동을 즉시 진행되었다. 가장 먼저 일본유학생들이 대회를 개최하고 개벽사에 연락소를 두는 한편 조사위원 3명을 파견하기로 하였다.[28]

〈그림 1〉 동경 심곡수용소의 재일조선인

---

26) 「鎌倉 藤澤 부근의 재류동포 역시 일처에 집중하고 군대로 경호」, 『동아일보』 1923년 9월 10일.
27) 「조선인 팔백명」, 『매일신보』 1923년 9월 11일.
28) 「일본유학생대회」, 『동아일보』 1923년 9월 5일; 「재경일본유학생대회」, 『조선일보』 1923년 9월 5일.

그러나 유학생대회는 경찰의 적지 않은 방해가 있었는데, 일반인은 방청할수 없도록 통제하였다. 이어 유학생의 학부모, 친지들을 중심으로 재학생친족회를 개최하고 재일유학생의 안부를 확인하고자 하였다.[29] 이외에도 재일조선인의 생사여부를 확인하려는 재류동포친족회도 조직되었다.[30] 서울이외에 지방에서도 유학생들을 중심으로 안부를 확인하고자 하였다.[31] 이와 같은 상황에서 『동아일보』, 『조선일보』, 『매일신보』는 특파원을 파견하여 재일조선인의 생사 등 안부를 확인해서 국내로 보고하였으며, 총독부도도쿄에 관리를 파견하여 역시 안부를 조사하여 국내에 보고하였다. 이에 각신문사는 10월 중순까지 자체적으로 또는 총독부의 보고를 게재하였다.[32]

3. 관동대지진과 재일조선인의 귀향 및 도항

9월 1일 오전 11시 58분에 발생한 관동대지진은 수많은 사상자가 발생하고 삶의 터전을 잃어버림에 따라 피난행렬이 끊이지 않았다. 재일조선인은일단 지진의 진원지뿐만 아니라 도쿄를 비롯한 관동 일대를 벗어나는 것이며 무엇보다 안전한 것은 비록 식민지였지만 고국으로의 귀환이었다. 재일조선인은 귀환을 위해 필사의 노력을 하였고 적지 않은 수가 돌아왔다. 관동대지진이 일어난 후 가장 먼저 고국으로 귀환한 재일조선인은 유학생 이주성과 한승인이었다. 이들의 귀환은 『동아일보』와 『조선일보』에서 대대적

---

29) 「유학생친족회」, 『조선일보』 1923년 9월 9일. 유학생친족회는 의연금을 모금하는 한편 조사위원을 파견하기로 하였다. 그리고 상무원으로 李協在, 朴箕祚, 金相璧, 殷萬基, 李泰喆 魚英善 尹泌 李時馥 외 12인이다.

30) 「재류동포친족회」, 『동아일보』 1923년 9월 7일.

31) 『조선일보』 1923년 9월 9일에는 마산유학생회와 군산유학생회가, 『동아일보』 9월 8일은 함흥유학생구호회 등이 조직되었다. 이외에도 일본에 유학생이 많은 지역은 유학생 또는 학부형을 중심으로 활동하였다.

32) 총독부는 15차례 생존동포에 대한 조사보고를 하였다. 「동경진재지방생존동포 – 조선총독부출창소 조사 제15보」, 『조선일보』 1923년 10월 14일.

으로 기사화하였다.33)

　이주성은 함남 원산 출신으로 도요대학(東洋大學), 한승인은 평남 강서 출신으로 메이지대학(明治大學)에 각각 재학 중이었다. 하숙집에 있던 중 관동대지진이 일어나자 이주성은 가지버시(鍛冶橋) - 긴자(銀座)를 거쳐 마루노우치(丸之內)에서 한승인을 만나 니쥬바시(二重橋) 앞 바바사키(馬場先)에서 하루를 지낸 후 시부야(澁谷) - 아오야마(靑山) - 다마가와(玉川)을 지나 메이지신궁(明治神宮)에서 일박하고 우라와(浦和) 경찰서 - 모노이(藻井)에서 기차로 나고야(名古屋) - 고베(神戶) - 시모노세키(下關)을 거쳐 창경환(昌慶丸)을 타고 부산으로 귀환하였다. 이들은 귀환 도중 야마구치(山口)에서 조정으로 오는 도중 기찬 연도에서 "자경단이 조선 사람인 줄을 알면 끌어내리게 되었으므로 매우 위협하였다"라고 하였을 뿐만 아니라 이하 5행이 삭제되고,34) 또한 "여러 가지 말을 하고자 하였으나 다 하지 못한 것에 대해 용서를 바란다"35)고 한 것으로 보아 재일조선인의 실제적으로 학살되는 것을 목격한 것으로 추정된다. 이 기사는 『동아일보』와 『조선일보』에서는 비교적 비중을 두고 다루었지만 『매일신보』에서는 전혀 다루지 않고 있는데, 이는 귀환자보다는 구제의연에 대해 좀 더 많은 지면을 할애하였기 때문으로 보인다.36)

　이밖에도 구사일생으로 귀환한 유학생들을 소개하였다. 서산 출신 최동설은 시미즈(淸水)항에서 글래스코호를 타고 시나가와(品川)에 내렸다가 위험을 느끼고 다시 시미즈항으로 돌아온 후 기차로 시모노세키를 거쳐 부산으로 귀환하였다. 이 과정에서 청수항에서 80명의 학생들을 만났지만 이중

---

33) 「만력의 力으로 동경에서 고국에」, 『조선일보』 1923년 9월 7일; 「구사일생으로 동경을 탈출한 二學生」, 『동아일보』 1923년 9월 7일.
34) 「구사일생으로 동경을 탈출한 二學生」, 『동아일보』 1923년 9월 7일.
35) 「만력의 力으로 동경에서 고국에」, 『조선일보』 1923년 9월 7일.
36) 『매일신보』는 구제활동 중에서도 일본인 중심의 의연활동을 보다 심층적으로 다루고 있다. 주로 일본인의 의연금 활동과 일본인 및 조선인이 합동으로 의연하는 내용을 주고 기사화하였다.

27명만 같이 귀환하였다.[37] 마산 출신으로 무사히 귀환한 이주만도 고향에서 위로회를 받는 한편 친지, 친구들에게 경험담을 들려주기도 하였다.[38] 방학 중 국내에 있다가 관동대지진 소식을 듣고 바로 도항하였던 이주천은 도쿄 인근 가와구치(川口)까지 갔다가 도쿄로 들어가는 것을 거부당하여 다시 돌아오기도 하였다.[39]

재일조선인의 귀환은 생사의 문제로 무엇보다 중요하였기 때문에 그때그때 기사로 다루어졌다. 재일조선인의 귀환 관련 기사는 정리하면 다음 〈표 2〉와 같다.

〈표 2〉 재일조선인 귀환 관련 기사 현황

신문	날짜	기사 제목	내용
동아	9.7	구사일생으로 도경을 탈출한 二學生	명치대 한승인, 동양대 이주성 처음으로 귀국, 경험담
	9.13	선편마다 귀래하는 수백 명의 동포	326명 귀래, 대부분 신호·대판 노동자
		임시 급행 선에도 250명의 동포	하관 출항 新羅丸으로 250명 중 동경은 29명
		귀환 동포	50명 의주 방면으로 출발
	9.14	昌慶丸으로 또 3백여 명 귀환	하관에서 출항 창경환, 부산 도착, 귀환 조선인 300여 명, 이중 유학생 57
		귀환 동포의 대부분은 관서지방에서	창경환 귀환 조선인 300여 명 중 대부분이 관서지역에서 옴
	9.15	14일 朝 창경환에	262명 귀환, 유학생 24명, 여자 23명
	9.16	덕수환으로 110명	13일 오후 부산 도착, 동경 지역 유학생 25명, 대부분 동경 지역에서 귀환
		동경으로부터 귀향한 2인	저주 출신 유학생 김원칠, 김득철 형제
	9.17	동경을 탈하여 귀향	진해 출신 동경 유학생 김진석
	9.18	17일 오전에 407명이 귀국	창경환으로 407명 부산 하륙, 신라환으로 193명 하륙
	9.19	연락선 결항으로 하관 채류 3천명	16일 오후 6시 부산항 313명 하륙,
		덕수환으로 224명	17일 오후 224명, 이중 여성 14명, 유학생 17명
	9.20	또 365인	19일 아침 창경환으로 365명, 이중 동경 23명

37) 「27명은 무사 귀국하였다」, 『동아일보』 1923년 9월 9일.

38) 「진재지로부터 생환한 이군 위로회」, 『조선일보』 9월 15일.

39) 「중도에 기휜한 유학생」, 『조선일보』 1923년 9월 8일.

	9.21	19일 夜에도 163명	덕수환으로 556명 중 조선인 163명, 동경 21명
	9.22	20일에도 수백 명이 귀환	20일 아침 덕수환으로 부산 도착한 피난민 397명 중 조선인 135명, 동경 부근 33인
	9.23	21일 朝에도 335명	21일 아침 창경환으로 335명 귀환, 여자 27명
		21일 夜 128명	21일 밤 덕수환으로 부산항에 185명 중 조선인 128명, 여자 14명
	9.23	591명 22일 또 귀국	22일 아침 창경환으로 591명 부산항 귀국
	9.25	여행중명은 시정촌장이 내주게 되었다	23일 덕수환으로 9명 입항, 학생 4명, 여학생 1명, 노동자 4명
	9.26	160명 귀환	24일 160명 귀환, 학생 7명
	9.28	또 68인이	26일 아침 창경환으로 68명 입항, 학생 21명, 노동자 47명
	9.30	97명이 29일에	29일 동경 芝浦를 출항, 학생 97명, 노동자 100명 부산에 도착
		광제환 회항편에 학생 340명을	동경 근방 학생 귀국하려고 신청하였으나 일체 불허, 계엄지역을 벗어났으나 다시 붙들려와, 온건한 학생 340명
	10.1	앵도환에 3백 명	동경 지포 출발한 광제환으로 학생 및 노동자 100명, 횡빈에서 창복환 거절로 앵도환으로 노동자 300명 싣고 출항
	10.2	광제호 着釜는 10월 5일	습지야 수용 조선인 중 제1회로 200여 명 귀환키로
	10.3	앵도환에는 4백 명이	조선인 300명 동경을 출항
	10.6	181명 광제환으로 귀국	28일 品川을 출항한 광제환 5일 오전 부산항 입항, 181명 귀국, 학생 109명(여학생 6인), 노동자 72명
		동포 속속 귀환	4일 밤 창경환 학생 12명, 5일 아침 신라환으로 학생 45명, 여학생 5명, 노동자 100명 귀환
	10.9	동포 260 西京丸으로 귀국한다.	습지야에 수용되었던 유학생 262명 4일 아침 동경 출항, 9일 부산 입항 예정
조선	9.7	만사의 力으로 동경에서 귀국	귀국한 동양대 이주성, 명치대 한승인의 실지 체험담
	9.8	피난 동포 3백 명	8일 아침 德壽丸으로 부산
	9.9	피난 동포의 喜耗頻至	光州군에 1명 생환, 군산에도 학생 1인, 평택에도 1인 안착
	9.14	재일동포의 속속 귀환	12일 오후 9시 5명 경성역 도착, 인천에 1학생, 坂,東 新市로 變名, 해주 청년 1명
	9.17	喜報와 凶報	태천에 1학생 귀가, 청주에도 2인 청년, 재령에도 학생 2인
	9.18	피난 동포	경성역에 4인, 진남포의 학생, 광주는 11인, 전남 청년 2인
	9.19	진재지 동포의 안부	경성역에 9명 도착
		피화동포	평양과 진남포에도 반갑게 입에 돌아온 사람, 동경에어 손 一少年
	9.20	진재와 동포	光州역에 6명 도착, 개성에도 一學生, 제주에도 피난동포, 경성부에 15인, 경성역에 5인, 인천에도 또 희소식
	9.21	진재와 동포	군산동포의 소식, 함평에도 1인 귀환,
	9.22	災後 동포 소식	경성에 도착 동포 14인 귀향
	9.24	서산 청년 형제	이봉주와 이백룡 귀향, 함평 유학생 강이영 귀향
	9.30	매일에 백명씩	29일 광제환으로 동경에서 귀환, 학생 30명, 노동자가 70명
	10.4	조선인 귀환의 상황	귀국한 조선인 1만여 명, 연말까지는 3만 명 될 듯
	10.9	조선 학생 귀환	습지야에 수용되었던 유학생 260명 4일 서경환으로 지포를 출발, 9일 부산 입항 예정

매일	9.12	무사 귀향	9월 8일과 9일 귀향한 학생 太自極 등 8명
	9.14	무사 귀환한 학생	12일 오후 9시 경성역에 도착한 학생 韓昇馥 등 5명
	9.14	귀향자 14명	13일 귀환한 학생 李洛九 등 11명
	9.16	귀환 학생 8명	14일 오후 9시 경성역 도착한 학생 孫東滿 등 8명
	9.17	피난 학생 1명	15일 오후 9시 경성역 도착 孫覺栢
	9.18	又復 4명 생환	17일 아침 경성역 도착 학생 吳韓信 등 4명
	9.19	귀향자 又 9명	17일 경성역 도착 金冲燁 등 5명
	9.20	학생 4명 귀환	18일 오후 9시에 돌아온 학생 金在煥 등 4명
	9.21	귀환 유학생	19일 오후 9시 경성역 도착 학생 金東哲 등 4명
	9.22	귀향자 4명	20일 오후 9시와 21일 오전 6시 경성역 도착 金永泰 등 4명 논산으로
		귀환 학생 9명	21일과 22일 귀환 학생 梁月降 등 9명
	10.4	피난동포 5백 명 탑승한 광제호 명일 입항	피난 이재민 500명 부산항 입항 예정
	10.9	귀환한 조선인	벌서 1만 명

〈표 2〉에 의하면 귀환하는 재일조선인의 동향은 『동아일보』가 가장 많게, 그리고 전체적인 동향을 보도하였으며, 『조선일보』는 지역별 귀환한 재일조선인의 동향을 주로 보도하였다. 이에 비해 『매일신보』는 기사의 분량도 적을 뿐더러 노동자보다는 귀환한 유학생만 간략하게 기사로 취급하였다. 이는 『동아일보』가 그만큼 재일조선인의 귀환에 가장 관심을 가지고 많이 다루었음을 알 수 있다. 재일조선인의 생사여부 뿐만 아니라 귀환에 대해 『동아일보』가 관심이 많았던 것은 자사에서 파견한 특파원의 활동이 그만큼 적극적이었음을 알 수 있다. 이에 비해 『조선일보』와 『매일신보』는 총독부에서 제공한 것만 기사로 취급하였기 때문이다.

고국으로 출항하는 항구에는 귀환하려는 재일조선인 노동자가 70~80명, 유학생은 20~30명씩 매일 몰려들었다. 귀환 첫 기착지인 부산 부두는 그야말로 대 혼잡을 이루었다. 당시의 상황을 『동아일보』는 다음과 같이 보도하였다.

7일부터는 일본 관서(關西)지방에서 노동하던 동포들이 당국의 '귀국명령'으로 인하여 연일 배마다 백여 명씩 무료승차, 승선의 편을 쫓아 부산에 상륙하니, 본시 그날부터 그날 살던 노동자들이므로 상륙하면서부터 즉시 '배고프다'

는 타령이 일어나도 도저히 구제할 방법이 없음으로 아직은 각 관공서의 조선
으로 밥을 지어 먹이며, 한편으로는 만철에 교섭하여 무료승차권을 배부하여
각각 귀향을 시키려하나 만철에서는 아직 쾌락이 없음으로 더욱이 대 혼잡을
이루는 중이더라.[40]

9월 7일부터 연일 부산항에 도착하는 배에서는 귀환하는 재일조선인을 1
백여 명씩 쏟아내고 있으며, 이들은 대부분 일본에서 하루 벌어 하루 생활
하는 노동자들이었기 때문에 귀환은 하였지만 생계 자체가 불가능하였다.
관공서에서 밥을 제공하였지만 집으로 돌아갈 방법이 없었다. 이들은 부산
항 일대에서 노숙생활을 할 수밖에 없어 대 혼잡을 이룬 것이다.

관동대지진으로 인한 노동자들의 귀환은 관동지역뿐만 아니라 관서지역
에도 영향을 미쳤다. 앞서 인용한 기사에 의하면 9월 7일부터 관서지역 노
동자들이 귀환하기 시작하였는데, 이들은 관동대지진의 영향으로 더 이상
일자리를 구할 수 없었기 때문이었다. 9월 12일에도 창경환(昌慶丸)으로 귀
향한 재일조선인들의 대부분도 고베와 오사카 등 관서지역의 노동자들이었
으며,[41] 부산 외에 목포에도 관서지역 노동자 150명이 귀환하였다.[42]

이러한 귀환은 10월 초순까지 이어졌다. 『동아일보』에 의하면 "21일 아침
에도 조선 사람이 4백 명이 도착하였고, 또 동일 오후에 부산에 도착한 덕
수환(德壽丸)에는 승객 397명 중에 조선 사람이 135명"이라고 하였으며, 또
"21일 아침에 부산에 입항한 창경환(昌慶丸) 편에도 335명의 동포가 하륙하
였다"고 하였다.[43]

이와 같이 많은 재일조선인이 안전한 고국으로 돌아왔지만, 조선총독부
는 "지금 여행하는 것은 매우 위험하다", 또 사이토(齋藤) 총독은 "얼마 동안
귀국하지 말고 정돈이 될 때까지 기다리라"고 귀환을 만류하였다.[44] 그러나

---

40) 「부산 부두는 귀국동포로 혼잡」, 『동아일보』 1923년 9월 11일.
41) 「선편마다 귀래하는 수백 명의 동포」, 『동아일보』 1923년 9월 13일.
42) 「대판 재류동포 일백오십명이 귀국하였다고」, 『동아일보』 1923년 9월 11일.
43) 「20일에도 수백명이 귀환」, 『동아일보』 1923년 9월 22일.

무엇보다도 일본정부에서는 특히 유학생들의 귀환을 행정적으로 억제하였다. 즉 "동경에 있는 학생들은 당국에서 귀환하는 것을 즐겨하지 아니하여 증명 같은 것도 얼른 내어주지 않아"[45] 귀환하는 유학생의 9월 중순 이후 점차 감소하였다. 재일조선인의 귀국증명서는 관동대지진 직후에는 군과 경찰서에서 발급하였지만, 9월 21일부터는 市町村長으로 전환되었다.

이러한 상황에서도 부산항에 귀환한 재일조선인 사이에는 총독부 당국에서 민감하게 다루고 있는 재일조선인 피해에 관한 이야기들이 돌자 강력하게 단속을 하였다. 즉 "일본지방에서 피난을 하여 나오는 사람들이 날로 증가하여 감에 따라 일본지방에서 조선 사람에게 대한 일본 사람들의 감정으로 흘러나오는 난폭한 행동이 점차로 부근에 전파"되자, 이를 '유언비어'라고 하는 한편 치안을 염려케 할 우려가 있으므로 재일조선인은 물론 일본인까지 엄중 단속하였다.[46] 실제로 도쿄일진영어학교 변산조와 김충, 와세다전공수학교 차정빈 등 유학생 3명은 고향으로 돌아가던 중 관동대지진에 대한 말을 하였다고 구류 21일에 처해져 대구형무소에 수감되었다.[47] 또한 평양의 한경식도 도쿄에서 목격한 것을 말하였는데 유언비어를 하였다고 하여 평양경찰서에 잡혀 구류 21일을 처해졌다.[48]

한편 재일조선인은 귀환하는 과정에서 승선을 거부당하기도 하였다. 그 이유는 '불령선인'이었기 때문이었다. 그 내용은 다음과 같다.

> 동경진재지 안에 있는 조선 사람 2천 명을 기신 창복환(昌福丸)이 조선을 갈 배에 태워가지고 가기로 하고 각각 준비를 하여 배가 떠나려고 할 때에 착복한 선장은 절대로 거절하였는데, 그 이유는 불량한 조선 사람 단체를 태우는 것은 위험하다고 거절한 것이며[49]

---

44) 「수용 중의 재일조선인」, 『동아일보』 1923년 9월 22일.

45) 「21일 夜에도 128명」, 『동아일보』 1923년 9월 23일.

46) 「피난민 답지와 부산 부근의 인심단속, 유언비어 날로 늘어가서」, 『동아일보』 1923년 9월 16일.

47) 「학생 3명 구류」, 『동아일보』 192년 9월 24일.

48) 「평양에도 유언죄」, 『동아일보』 1923년 10월 1일.

창복환은 2천 명이 승선한 가운데 출항을 기다리고 있었지만 선장은 재일조선인을 '불량선인'이라 하여 출항을 거부하였다.[50] 창복환의 귀환 거부로 앵도환(櫻島丸)이 3백여 명의 노동자를 태우고 귀환하였다.[51] 이러한 거부 행위는 여전히 재일조선인에 대한 차별, 나아가 학살과 폭행의 연장선에서 일어난 것으로 보인다.

그럼에도 불구하고 관동대지진 이래 9월 한 달 간 귀환한 재일조선인은 1만 명에 달하였으며,[52] 10월 8일까지 귀환한 재일조선인을 2만 5천여 명으로 좀 더 구체적으로 살펴보면 다음과 같다.

> 9월 중 귀래한 자
> 진재지로부터 학생 675명, 노동자 877명, 기타 72명
> 진재지 이외로부터 학생 71명, 노동자 12,329명, 기타 589명
> 10월 1일부터 8일까지 귀래한 자
> 진재지로부터 학생 553명, 노동자 1,142명, 기타 48명
> 진재지 이외로부터 학생 10명, 노동자 3,248명, 기타 165명[53]

이 기사에 의하면 관동대지진 이후 귀환 재일조선인은 학생은 진재지, 노동자는 진재지 이외의 지역이 더 많았으며, 9월보다는 10월에 더 많이 귀환하였음을 알 수 있다.

한편 관동대지진이 발생한 후 조선총독부는 도항을 제한하였다. 대지진이 일어난 현장에 자식과 친지를 둔 가족, 그리고 방학을 맞아 귀국하였던 유학생은 재일조선인의 안부가 우려되었고, 현지에 조사위원을 파견하고자 하였다. 그리고 가능하면 직접 현장으로 건너가고자 하고자 하였다. 그러나

---

49) 「창복환 선장 조선인 편승 거절」, 『동아일보』 1923년 9월 30일.
50) 「조선인의 승선을 거절」, 『조선일보』 1923년 9월 30일.
51) 「앵도환에 3맥명」, 『동아일보』 1923년 10월 1일.
52) 「조선인 귀환의 상황」, 『조선일보』 1923년 10월 4일.
53) 「진재 후에 귀래와 도항」, 『조선일보』 1923년 10월 13일; 「귀환한 동포 총수」, 『동아일보』 1923년 10월 13일.

일본 도항은 조선인의 폭동설과 유언비어로 인해 조선인과 일본인 사이의 '신경이 극도로 흥분'되어 충돌할 수가 있기 때문에 가능하면 도항을 하지 않을 당부하였다.[54]

이와 같은 상황에서 일본정부는 9월 5일부터 일본 도항을 전면 제한하였다. 이에 따라 이날 밤 75명이 부산을 떠나 일본으로 갔지만 다음날 6일 저녁에 부산으로 되돌아왔다.[55] 심지어 공무 출장으로 인한 도항까지도 금지시켰다.[56] 이 조치는 총독부에서 그대로 수용하여 일본으로의 도항을 사실상 폐지하였다. 그런데 이와 같은 조치는 관동대지진 직후 재일조선인 학살 또는 폭행과 무관하지 않았을 것으로 추정된다. 그럼에도 불구하고 조선인에 대한 일본인의 감정이 극도로 흥분되어 위험한 상황에서 조선인을 보호하기 위한 것으로 해명하였다.[57]

9월 7일부터 전면 제한된 도항은 일본 대학의 2학기 개강을 즈음하여 유학생뿐만 아니라 일반인도 가능성이 제기되었다.[58] 또한 대지진으로 무질서하였던 도쿄도 점차 질서를 회복함에 따라 일본정부와 총독부는 제한된 도항을 해제하기 위해 협의를 하였다.[59] 이와 같이 유학생 등 도항 제한이 해제될 즈음 도쿄의 麗澤會는 도쿄 유학을 일지 정지해 달라는 경고문을 제출하기도 하였다.[60] 그럼에도 불구하고 많은 수는 아니지만 조선인들이 도항을 하였는데, 1923년 10월 7일 현재 도항자는 다음과 같다.

9월 중에 도항한 사

---

54) 「조선인에 대한 감정이 소격된 차시에 동경행은 위험」, 『동아일보』 1923년 9월 7일.

55) 「조선인 도항 절대 금지」, 『조선일보』 1923년 9월 8일.

56) 「내지 도항 제한은 조선인 보호 목적」, 『매일신보』 1923년 9월 9일; 「조선인의 일본행 금후 절대 불능」, 『동아일보』 1923년 9월 8일.

57) 「조선인의 일본행 금후 절대불능」, 『동아일보』 1923년 9월 8일.

58) 「진재와 일본유학」, 『동아일보』 1923년 9월 21일.

59) 「해금이 近한 도항제한」, 『매일신보』 1923년 9월 21일; 「일본 도항 解禁乎」, 『동아일보』 1923년 9월 2일.

60) 「동경 유학은 일지 정지하시오」, 『매일신보』 1923년 9월 24일.

진재지에 학생 88명, 노동자 131명, 기타 39명
진재지 이외에 학생 131명, 노동자 1862명, 기타 159명
10월 1일부터 8일까지 도항한 자
진재지에 학생 13명, 기타 2명
진재지 이외에 학생 7명, 노동자 79명, 기타 33명[61]

관동대지진 직후는 도항에 직접적인 제한은 없었지만, 앞서 보았듯이 9월 7일부터 도항은 전면적으로 제한되었다. 9월 중 도항자는 전면 제한된 9월 7일 이전이라 할 수 있다. 그렇지만 10월 3일 유학생들에게 도항이 해금[62] 됨에 따라 20명의 학생이 2학기 개학으로 도항을 하였으며, 노동자는 지진이 일어난 관동 일대 이외의 지역에 80여 명이 도항할 수 있었다. 그밖에 10월 4일부터 관공리, 유학생, 상인 등에 한하여 경찰서의 도항증명서를 발급받은 후 도항이 가능하였다.[63]

그렇지만 1924년 들어 관동대지진으로 인한 복구사업에 저임금 조선인 노동력의 필요[64]와 생계를 위해 도항하려는 노동자가 부산으로 몰려들면서 도항 제한은 사회문제로 야기되었다.[65] 도항으로 생활고를 해결하기 위해 4천여 명의 노동자들이 부산으로 몰려들자 이해 5월 17일 부산지역 유지들은 시민대회를 열고 제한된 도항을 해제할 것을 요구하였다.[66] 그러나 당국은 "함부로 건너가면 부랑하게 놀고, 내지나 조선은 물론하고 상호간에

---

61) 「진재 후에 귀래와 도항」, 『조선일보』 1923년 10월 13일; 「귀환한 동포 총수」, 『동아일보』 1923년 10월 13일.
62) 「진재지 도항 3일 해금」, 『동아일보』 1923년 10월 5일; 「동경 도항 해제」, 『조선일보』 1923년 10월 5일.
63) 「동경행의 조선인은」, 『동아일보』 1923년 10월 7일.
64) 「도일 조선노동자 입국금지를 해제」, 『동아일보』 1924년 5월 22일.
65) 관동대지진 이후 일본 내무성은 9월 7일부터 도항의 전면 금지 조치를 하였고, 이를 조선총독부도 수용하였다. 그렇지만 제한적이나마 도항은 꾸준히 이어졌다. 1924년 4월 중 경상북도에서만 학생 48명, 노동자 465명, 기타 69명 등 572명이 도항하였다. (「노동자를 도일 방지」, 『동아일보』 1924년 5월 21일)
66) 「실업 도일 증가」, 『동아일보』 1924년 5월 16일; 「부산시민대회의 경과」, 『조선일보』 1924년 5월 21일; 「부산시민대회」, 『동아일보』 1923년 5월 22일.

큰 손해"[67]라는 이유로 제한적 도항을 해제하지 않았다. 그렇지만 값싼 조선인 노동자의 필요성과 도항에 목숨을 건 노동자의 요구에 따라 1924년 6월 1일 제한적 도항을 철폐하였다.[68] 이로써 관동대지진 이후 9개월 동안 제한된 도항은 폐지되었고 이후 도항자가 늘어남에 따라 1924년에는 12만 2천 명 이상 도항하였다.

4. 맺음말

관동대지진은 비록 식민지 모국 일본에서 일어났지만 당시 식민지 조선도 그 영향에서 벗어날 수가 없었다. 관동대지진이 일어난 직후부터 재일조선인은 적국의 국민이었다. 재일조선인의 폭동설과 각종 유언비어가 난무하면서 피난민으로서가 아니라 적대 감정으로 학살도 자행되었다. 이와 같은 상황에서 재일조선인은 안전이 무엇보다도 중요하였다. 때문에 국내의 언론인 『동아일보』, 『조선일보』, 『매일신보』는 경쟁적으로 현지의 상황과 재일조선인에 대한 기사를 제공하였다. 이들 언론에 나타난 재일조선인의 동향을 정리하면 다음과 같다.

관동대지진 이후 재일조선인에 대한 기사는 9월 3일부터 10월 9일까지 게재되었다. 이들 기사는 크게 네 가지로 분류할 수 있다. 첫째는 재일주선인의 폭동설이라는 '유언비어'에 대한 기사이다. 재일조선인 폭동설은 관동대지진이 일어난 다음날인 9월 2일부터 유포되었다. 이 폭동설에 대해 국내 언론에도 초기에 많이 기사화되었는데, 주로 일본 정책 책임자 즉 山本 수상, 福田 계엄사령관, 丸山 경무국장 등의 담화들이다. 이들 담화는 재일조선인 폭동을 일으키는 것처럼 일본정부에 의해 왜곡된 기사가 많았다. 관동

---

67) 「절대 개방은 사실 불능」 『매일신보』 1924년 5월 27일.
68) 「조선 노동자의 도일제한 철폐 결정」, 『동아일보』 1924년 6월 2일.

대지진으로 민심이 흉흉한 틈을 타 재일조선인이 폭동을 일으키거나 일부이지만 실제 일어났으며 이로 인해 조선인과 일본인과의 적대적 관계로 만들었다. 나아가 일제의 식민통치론인 '일선융화'에도 적지 않은 영향을 미치며 뿐만 아니라 재일조선인의 폭동은 '전 인류의 소외'라는 반인류적 행동이라고 부추기기까지 하였다. 그러나 점차 시간이 지남에 따라 폭동설과 유언비어는 사실이 아님이 밝혀졌지만 그래도 일부에서는 '불령선인'으로 조선인과 일본인의 감정이 없지 않았음을 강조하고 있다.

둘째는 재일조선인 학살에 대한 기사이다. 그러나 일본과 마찬가지로 식민지 조선의 언론은 실제적으로 조선인학살과 관련되어 구체적으로 기사화되지 못하였다. 이는 조선총독부의 언론통제 때문이었다. 때문에 관동대지진 당시 자행된 재일조선인 학살은 '학살'이라는 표현이 아닌 '참화' 또는 '○○'이라고 하였다. 기사에서는 '학살'이라고 표기는 할 수 없었지만 재일조선인이 일본에서 학살을 당하고 있음을 암시하였음을 알 수 있다.

셋째는 유학생을 비롯하여 재일조선인이 안전하게 보호를 받고 있다는 기사이다. 재일조선인의 폭동설, 유언비어 등으로 재일조선인과 일본인의 감정이 격화되고 있지만, 일본정부는 재일조선인을 안전하게 보호하고 구제를 하고 있는 것이다. 이러한 내용의 기사는 앞서 언급한 폭동설이나 학살과 관련된 기사보다 그 게재양이 훨씬 많다는 점이다. 이와 같은 기사는 『동아일보』나 『조선일보』보다 총독부 기관지인 『매일신보』가 보다 많이 게재하였다. 그리고 이와 같은 기사의 주체는 수상, 계엄사령관 등 식민통치 담당자들의 말을 대변하고 있다는 점이다. 이는 '내선융화'라는 식민지 기조에서 그대로 유지하기 위한 방편이기도 하였다.

넷째는 재일조선인의 안부와 관련된 내용이다. 관동대지진이 일어나자 무엇보다도 가장 위급한 것은 재일조선인의 생사여부 즉 안부였다. 때문에 이와 관련된 기사를 가장 많이 할애하였다. 유학생대회, 유학생친족회 등 중앙뿐만 아니라 지방에서도 일본 유학생이 있는 곳이면 재일조선인의 안부를 특파원을 파견하여 생사를 확인하고자 하였다. 이에 총독부는 생존 재일조선인을 파악하여 제공하였고 이를 각 언론에서는 게재하였다. 그리고 동아일보는 특파원의 활동으로 독자적인 생존 재일조선인을 확인하여 보도하였다.

한편 관동대지진 이후 재일조선인의 귀환도 적지 않았다. 그러나 일본정부의 귀환 제한으로 인해 적지 않은 어려움이 따랐다. 9월 7일 한승인과 이주성의 첫 귀환으로 시작된 재일조선인의 귀환은 10월까지 이어졌으며, 2만 5천 명에 달하였다. 이는 단일 시기 해방 전 가장 많은 재일조선인이 귀향한 것이다. 관동대지진으로 일본으로의 도항 역시 철저하게 통제되었다. 9월 5일부터 제한된 도항은 10월 초순 관공리, 유학생, 일부 상인에게 제한적으로 허용되었지만 여전히 통제되었다. 이후 1년이 지난 1924년 6월에 가서야 전면적으로 도항이 해제되었다.

관동대지진이 일어나자 일본정부와 조선총독부는 재일조선인을 통제하였다. 재일조선인은 보호라는 명문으로 수용소에 강제 수용되었으며, 이를 안전하다고 기사화하였다. 이러한 보호조치는 '내선융화'라는 식민통치의 일환으로 추진되었던 것이다. 뿐만 아니라 관동대지진으로 인한 귀환과 도항도 철저하게 식민통치의 일환으로 활용하였다고 할 수 있다.

■ 성주현

식민지시기 일본의 재일한인 통치정책과
한인사회의 대응 노력

1. 머리말

일본은 홋카이도(北海道)와 남사할린, 류쿠(琉球) 등 영토를 확장하고 타이완과 조선 등 식민지를 확보해나가면서 지역의 특성에 따른 통치 정책을 세웠다. 특히 일본의 식민지 경제정책에 따라 다수의 한인이 만주와 일본으로 이동하면서 통치 정책도 구체성을 띠었다.

특히 일본에 도일해 다수를 차지하던 한인에 대해서는 일관되게 통제와 동화 정책을 유지했다. 일본의 재일한인정책 방향은 민족적 아이덴티티를 약화하고 일본인으로 동화를 추진하는 것이었다. 이를 위해 당국은 한인의 집단 거주지역인 조선부락의 와해와 조선어 사용 및 조선 관습의 금지를 추진했다. 한인 지도자들을 투옥하고 통제조직을 결성해 전국적으로 통제해나갔다. 관변단체를 조직하거나 한인융화단체를 지원해 한인 사회의 결속력을 약화시키려 노력했다. 특히 일제 말기 전쟁의 참화 속에서는 소개(疏開)와 가옥 정리의 명목을 내걸고 조선부락을 해체하고자 했다.

이에 대해 조선부락을 중심으로 결속력을 확립해나간 한인 사회는 언론과 교육, 다양한 협동조합을 통해 당국의 정책에 대응했다. 일본당국이 금기시하는 조선어와 조선관습을 온존해 당국의 정책 추진에 걸림돌이 되도록 했다. 이러한 대응 노력은 총동원체제에 이르러 약화되기도 했으나 전시 이입노무자들의 노동운동을 지원하는 토대가 되기도 했다.

재일한인들은 도일 초기부터 항일운동을 위해 또는 일본당국의 통제정책에 저항하기 위해 나선 것은 아니었다. 그러나 이들이 최소한의 생존권을 지키고, 우리말과 관습을 지키는 과정 자체가 일본 당국에게는 큰 부담으로 작용했다. 또한 1920년대 일본 전역에서 노동운동을 이끌던 한인 지도자들은 한인사회의 역량을 강화하는데 역할을 했다. 이들 가운데 대부분은 1920년대 말과 1930년대 초에 있었던 총검거로 장기간 옥고를 치르게 됨으로써 지도자 공백 상태를 가져왔으나 한인 사회는 조선부락을 중심으로 교육기관과 협동조합을 더욱 활성화하며 민족 정체성 유지에 노력했다.

이 글은 재일한인을 대상으로 한 일본 통치정책과 이에 대응하는 재일한인사회의 다양한 양상을 살펴봄으로써 식민지시기 재일한인사회에 대한 이해를 풍부하게 하는데 목적이 있다. 구체적으로는 식민지 시기 조선의 법적 지위와 통치정책의 특징을 근거로 추진된 일본의 재일한인정책과 한인사회의 다양한 대응 노력을 살펴보았다.

2. 식민지시기 조선의 법적 지위와 통치정책의 특징

강제병합 이후 식민지민인 조선인의 권리는 제국헌법의 틀 밖에 있었고, 단지 영토편입에 의한 천황통치의 목적물에 지나지 않았다. 이 방침은 이후에도 변하지 않아 기형적인 일본식 식민통치방침의 근간으로서 작용하게 된다. 식민지에 대한 이 같은 식민본국의 통치방침에 따라 조선은 "세계에서 유례가 없는 식민지통치제도"의 대상이 되었다.[1]

19세기 중엽 일본이 홋카이도(北海道)와 류쿠(琉球) 등 영토를 확장해 나가는 과정은 '신민'을 확보하는 과정이자 내외지로 구분하는 과정이기도 했다.[2] 이 시기에 일본은 이 지역 거주민에게 국적선택권을 부여하지 않고 일본의 '신민'으로 만들었다. 내지였던 일본 본토와 외지인 조선·타이완은 엄격히 분리된 역사적 실체였으므로 여러 조각의 '이법(異法)지역'으로써 지역법령에 의해 지배되었다. 조선과 타이완은 일본민법 대신, 제령·조선민사령(조선)과 율령(타이완)에 의해 지배되었다.[3]

또한 세 지역은 각기 다른 법적 지위 아래 놓았다. 일본이 1895년 청일전쟁의 결과 타이완(臺灣)을 할양 받고 그 후 점차 대한제국에 영향력을 증대시켜 나가는 등 신영토가 확장되어 나가자 새로운 영토에 제국헌법을 어떻게 적용할 것인가 하는 문제는 중요했다. 식민지와 본국과의 법적 관계를 규정하는 일이 본격적으로 논의될 필요가 있었다. 이를 위해 먼저 새로운 점령지가 된 타이완에 대한 통치방침을 결정했다.[4]

일본당국이 채택한 타이완 통치방침은 이념적인 '내지연장주의'를 바탕으로 한 제국주의적 식민주의 관철이었다. 즉 이념적으로는 새로운 영토에 대해 제국헌법의 효력이 미치는 지역으로 인정하면서도 실제적으로는 총독에

---

1) 矢内原忠雄論文集,「朝鮮統治の方針」,『植民政策の新基調』, 弘文堂書店, 1928, 353~354쪽.

2) 1890년에 시행된 대일본제국헌법은 이전 시기의 영유지역을 내지로, 이후 시기 영유지역을 외지로 구분한다. 1896년에 타이완에 공포된 타이완총독부령 제38호인 타이완총독부 국어학교 규칙에서 '내지'라는 용어를 볼 수 있다 당추에는 근대 일본이 영유하세 된 식민지를 외지가 아닌 식민지라 칭하였으나 1929년 척무성(拓務省) 설치를 계기로 법률용어로써 '외지'가 사용되었다. 내외지 구분과 일제 말기 행정일원화 추진 과정에 대해서는 水野直樹,「戰時期の植民地支配と內外地行政一元化」,『人文學報』79, 京都大學 人文科學研究所, 1997 참조.

3) 이승일,「일제시기 조선인의 일본국민화 연구-호적제도를 중심으로」,『동아시아 문화연구』제34집, 한양대학교 한국학연구소, 2000, 69쪽.

4) 일본의 타이완 영유가 결정된 1895년 시모노세키 강화조약의 제5조에 '타이완 주민으로서 타이완 이외에 지역으로 이주를 희망하는 사람은 2년 이내에 자유롭게 소유한 부동산을 처분하고 타이완에서 퇴거할 수 있도록 하고, 퇴거하지 않은 주민은 제국신민으로 간주할 수 있다'고 규정하였다. 그 후 1889년에 제정된 대일본제국의 국적법이 타이완을 포함한 일본영토 전역에 시행되자 타이완에 잔류하고 있는 자에 대해 일본 국적을 부여했다. 이 과정에서 비록 왜곡되기는 해도 타이완에서는 국적 선택이 허용되었다. 淺野豊美,『帝國日本の植民地法制』, 名古屋大學出版會, 2008, 30~31쪽.

게 광범위한 입법을 위임해 신영토의 민중들에게 미치는 통치행위를 총독
의 전횡적 권리 밑에 두는 방침이었다.[5]

또한 일본은 타이완 외에도 1905년 북위 50도 이남의 남사할린을 획득 해
가라후토(樺太)로 삼으면서 가라후토주민에게 일본국적을 허용했다. 이 같
이 제국 영토의 확장과 함께 지역의 특징과 상황에 따른 법적 지위 부여는
새로운 논의 주제가 되었다. 1909년, 강제병합을 앞두고 일본당국은 병합방
침을 결정하면서 병합 이후 조선인의 국적에 대한 문제를 검토하기 시작했
다. 논의의 초점은 타이완의 경우를 따를 것인가 여부였는데 논의의 결과는
다르게 나타났다. 조선인의 법적 지위는 의무상으로는 일본인이지만 권리
에서는 일본인이 아닌 상태가 되었다. 따라서 1910년 8월에 '조인'된 한국병
합조약에서는 한국이 일본에 병합된다는 것만 명기하였을 뿐, 주민의 국적
에 대해서는 아무런 규정이 없었다.

이런 방침은 공법학자 야마다 사부로(山田三郎)의 자문을 토대로 결정되
었다. 1909년 7월, 데라우치(寺内正毅)의 자문을 요청받은 야마다는 답신서
를 통해, 합방 이후의 조선인이 조선인민의 병합 희망 여부와 무관하게 "자
동적으로 일본국적으로 편입"되어야 하지만 조선인이 일본국적을 취득하더
라도 권리 상 제한은 당연히 있어야 한다는 견해를 밝혔다.[6] 야마다의 자

---

5) 본래 하라(原敬)가 1896년 2월에 제출한 내지연장주의는 '臺灣의 육해군을 일본의 주관 부서에
   서 직접 통괄하고 臺灣총독에게 입법권을 위임하지 않으며, 세관업무 · 우편업무 · 전신업무
   등의 일반 사무까지도 일본정부의 주관 부서가 직접 관할'하는 것을 내용으로 하고 있었다.
   최영호, 「일제의 '신민화'정책에 관한 연구」, 『국사관논총』 67, 1996, 261쪽.

6) 야마다가 밝힌 견해는 다음과 같다. "한나라가 다른 나라를 병합할 때에 그 주민 다수의 희망
   에 따랐다는 것을 표시하기 위해 이른바 국민투표를 실시한 2~3개의 선례가 없지 않다 하더라
   도 국제법상 일정한 관례로 굳히기에는 부족할 뿐만 아니라 국법상으로도 이를 인정해야 할
   이유가 없다. 그러므로 한국인민이 병합을 희망하느냐 아니냐를 고려할 필요가 없음은 명백
   하다. 따라서 통감 각하가 한국의 병합을 협정하셔서 우리 정부가 열국에게 이를 선언할 때는
   지금까지 한국 주민이었던 자는 모두 제국의 신민이 되고 우리 국적을 얻어야 하는 것이 된
   다.… 지금까지 한국 신민이었던 자가 병합에 따라서 당연히 일본국적을 얻었다 하더라도 이
   때문에 한국인이 전적으로 일본인과 동일하게 된 것이 아니고 다만 외국에 대해 일본국적을
   얻었다는 것에 지나지 않는다는 것을 주의해야 한다." 「寺内正毅關係文書」, 국회도서관헌정자
   료실소장 서류 439.

문을 비롯한 법학자들의 견해에 따라 강제병합 이후 조선인은 "외견상은 일본국적을 얻지만 국내적으로는 차별취급이 가능하며 외국에 대해서만 일본인"인 이중적인 법적 지위의 주인공이 되었다.

식민지 조선의 법적 지위에 대한 야마다의 해석은 조선인이 국내에 거주할 경우에는 별다른 문제가 없었다. 그러나 만주로 이주하는 조선인은 물론 급증하는 조선인의 도일은 또 다른 보완책을 필요로 했다. 1909년 9월 일본이 청국과 체결한 「간도에 관한 협약」에 의해 일본은 간도를 대륙진출의 계기로 만들었으나 1919년 3·1운동 발발 이후 간도가 독립운동의 근거지가 되자 간도 거주 한인을 단속하기 위한 조처가 필요했다.[7] 또한 국적법상 '조선인인 일본인'인 조선인이 일본에 와서 '일본인인 일본인'이 되는 것을 방지하기 위한 조처가 시급히 요구되었다. 이에 대한 필요성은 국적법에 의거해 조선인의 법적 지위를 규정한 법학자들이 절실히 느낀 점이기도 했다. 그 결과 나온 것이 호적에 의한 구별체제, 즉 지역적(地域籍)의 채택이다. 일본은 지역적에 따라 내지와 외지를 구분하고 지역민을 각각의 법역(法域)에 의해 규정하는 방식으로 구분했다. 중의원 사무국이 제40회 제국의회 공통법안심의회의에서 내린 "대만에 적(籍 – 본적을 의미)을 갖는 자를 대만인 즉 본도인(本島人)이라 하고, 조선인에 대해서도 그와 같다"는 입장은 일본당국이 본적의 소재를 기준으로 지역민을 분류했음을 의미했다.[8]

이 구분법에 의하면 조선인은 외지인 중에 조선에 본적을 가진 자가 되며, 내지에 본적을 가진 사람은 내지인, 외지에 본적을 가진 사람은 외지인으로 구분되었다. 이러한 호적법은 본적전속금지조항에 의해 혼인이나 양자와 같은 신분행위를 제외하고는 지역적 간의 이동이 원천적으로 봉쇄되었다. 1922년에 조선총독부가 공포한 제령 '조선호적령'은 이에 대한 법적

---

7) 1925년 11월에 조선총독부가 작성한 「제51회 제국의회 설명자료」에 의하면, 조선에 국적법 시행의 이유에 대해 재만조선인 문제를 들고 있다. 遠藤正敬, 『近代日本の植民地統治 における 國籍と戸籍 – 滿洲, 朝鮮, 臺灣』, 明石書店, 2010, 59쪽 재인용.

8) 이승일, 앞의 책, 2000, 80쪽.

근거가 되었다. 조선호적령에 의해 한반도에 거주하는 조선인은 물론, 일본
에 거주하는 조선인에게도 일본호적의 입적 요건을 엄격히 하여 일본인의
양자가 되거나 일본인의 아내가 되는 여성을 제외하고는 모두 조선의 호적
에 편입시켰다. 이 조치는 동화정책의 일환으로 조선총독부가 내 세운 '내
선결혼'의 합법화로서 대대적으로 선전되었다.[9] 그러나 여기에서 호적에
의한 구별체제가 마련되었음을 알 수 있다. 일본인과 결혼하거나 양자가 된
조선인 이외에는 원칙적으로 일본으로 본적을 이동할 수 없었던 것이다. 국
적법을 통해 강제적으로 '일본인'으로 포섭되면서도 호적에 의해 '일본인'에
서 배제되는 체제가 성립되었다.[10]

이같이 일본은 1909년 민적법, 1922년 조선호적령, 1939년 제령 등 일련의
조치를 통해 조선 재래의 요소들을 제한하고 일본 민법적 개념으로 '조선인'
과 '호적'을 재편해 나갔다.[11] 또한 일본당국은 이러한 법적 지위를 조선인
에게 참정권을 허용하지 않는 근거로 이용했다. 1919년 3·1운동 직후나
1920년대 중반 조선거주 일본인사회의 요구에 따라 일본 정계에서도 자치
주의와 참정권에 대한 논의가 있었고, 일본이 아시아태평양전쟁(1931~1945)
을 일으킨 후 총동원체제에서는 적극적인 참정권 논의도 있었으나 일본 패
전까지 조선 거주 '신민'들에게 자치와 참정권은 부여되지 않았다.

호적에 의한 일본의 제국통치 방법은 일본이 아시아태평양전쟁을 일으기
면서 다시금 논의가 필요해졌다. 병력 동원을 위한 호적제도 정비 필요성이
강력하게 대두되었기 때문이다. 또한 이 문제는 '재일한인의 전쟁 동원'과
연계되면서 재일한인사회에 당근과 채찍으로 작용했다. 일본 당국은 재일

---

9) 당시 내선일가의 사례로 가장 대표적인 것은 영친왕의 결혼이다. 사이토(濟藤) 총독은 1921년
1월 1일자 『매일신보』에 「朝鮮統治에 就하여－回顧 1年」이라는 글을 통해 "작년에 들어 감사
할 일은 영친왕 이방자의 혼인과 恩赦이다. 영친왕의 결혼은 內鮮一家의 親을 표명한 것으로
서 의의가 있음은 물론이고 내선관계의 긴밀함을 더한 것으로 의미가 깊다."고 평하고 있다.
10) 일본 당국이 호적제도를 통해 내지인과 외지인의 경계를 삼은 배경에 대해서는 遠藤正敬, 앞
의 책, 2010, 124~137쪽 참조.
11) 이승일, 앞의 글, 2010, 69쪽.

한인 가운데 '일본 신민'으로 생활하면서 사회적 상승 요건을 가진 한인들이 지역적의 벽을 철폐하는 '전적(轉籍)의 자유'를 '절망(切望)'하고 있음을 간파하고 있었으나 '민족성'을 이유로 벽을 철폐하지는 않았다.[12] 다만 그들의 욕망을 이용해 재일한인동원과 한인 통제정책을 강화하고자 했을 뿐이다.

총동원체제는 전시체제이자 비상체제이다. 일본의 전쟁 승리를 위해 일본 본토와 '제국'의 인력과 물자는 몽땅 동원되었다. 여기에는 국적과 신분의 구별이 없었다. 평시에는 '제국신민'이라고 하면서도 준외국인으로서 일본 사회에서 차별을 받았던 재일한인 사회도 총동원체제 아래에서는 '황국신민'으로서 충실히 의무를 수행해야 하는 존재였다. 특히 일본 본토는 이미 1937년 7월 27일 내각이 결정한 「총동원계획 실시에 관한 건」에 따라 노무동원을 담당하는 사회국이 사전 작업을 신속히 실시했고, 7월 31일에는 육해군성과 협의를 거쳐 구체적인 지침인 「군수노무요원 충족에 관한 취급요령」을 제정했다. 이러한 상황에서 일본에 거주하던 한인들도 총동원체제의 그물망 아래 놓여 있었다. 평소 특별고등경찰을 통해 한인의 동향 파악을 게을리 하지 않았던 일본 당국은 1939년에 구체적인 노무동원계획이 실행되자 한인들을 통제의 틀 안에 몰아넣었고, 국민징용과 모집, 관알선의 대상에 포함시켰다.[13]

1938년에 조선에 지원병제도를 실시한 일본당국은 이듬해에 들어 참정권 문제에 대한 논의를 이전 시기에 비해 구체적으로 하게 된다. 「극비 제도개정에 관한 자료」(조선총독부 내무국, 1939년)에 의하면, 일본제국의회에 의원을 보내는 안과 지방의회설치 등 두 가지 참정의 형태를 모두 언급하고 있다. 6개 방안 가운데 포함된 '중의원에 대해 우선 대도시로부터 시작하여 순차적으로 선거법을 시행하는 안'(제2항)은 일본당국의 정책 변화를 극명하게 보여주었다. 이제까지 완강히 거부되었던 중의원에 의원을 보내는 안

---

12) 遠藤正敬, 앞의 책, 2010, 171쪽.
13) 안자코 유카, 「조선총독부의 '총동원체제'(1937~1945) 형성 정책」, 고려대학교 사학과 박사학위 논문, 2006, 34쪽, 표 1-2.

이 처음으로 상정되었기 때문이다. 1940년대에 들어서면서부터는 제국의회에 참가시키는 의견이 내선일체의 완성이라는 점에서 더욱 강조된다.

　이러한 방침의 변경은 조선지방의회 개설을 통해 조선의 자치령화가 추진되면, 결국 조선의 독립으로 연결될 수 있다는 가능성을 차단하고자 하는 의도와 함께 조선인의 병역부과에 대한 반대급부를 무시할 수 없다는 인식도 함께 자리하고 있었다. 조선총독부는 지원병제도 실시와 관련하여 '병역은 바로 제국신민으로서 특권이므로 이에 대한 반대급부로서 참정권 운운은 있을 수 없다'는 입장을 표방했다. 그러나 전쟁 말기에 들어서자 상황이 달라졌다. 1944년 징병제 실시에 즈음해 조선총독부 입장은 무조건 반대급부에 대한 조선인의 요구를 묵살하기보다는 적절한 수용을 통해 부작용을 최소화하고 전쟁수행을 원활하게 하도록 하는 것으로 바뀌었다. 조선총독을 지낸 국무대신 고이소(小磯國昭)가 1945년 3월 제국의회에서 한 발언 내용을 통해 알 수 있다. "조선, 대만 동포에게도 국정의 중추에 참가한다는 지상의 감격을 주어 진정으로 황국신민이라는 긍지로 그 향상된 자질과 그 집적된 실력을 다하여 더욱 성업의 완수에 매진하는 것이 긴요하다고 생각합니다. 이리하여 황국 동포의 1/4를 점하고 있는 그들의 진지한 마음을 확실하게 파악하여 포용하는 것이 전쟁 목적 완수 상 불가결하고 긴요한 일이라고 굳게 믿어 의심치 않습니다."

　일본정부는 1944년 7월 고이소(小磯國昭)내각이 출범하면서 종전(終戰)대책을 심의해왔고, 이를 위해 공식적·비공식적 외교루트를 통해 평화 교섭을 하기도 했다. 그러나 식민지 독립문제는 전혀 고려하지 않았다. 1945년 4월에 출범한 스즈키(鈴木貫太郎)내각에서도 마찬가지였다. 그러나 패전에 임박하자 식민지에 대한 국민적 권리부여가 언급되는 것은 불가피했다. 조선총독을 거친 고이소 수상은 1944년 9월에 열린 제85회 제국의회에서 당면한 전국(戰局)에 응하기 위한 시책의 일환으로 "조선 및 대만인의 처우개선 문제에 대해 정부가 구체적인 정책을 세우겠다"고 밝힘으로써 식민지민들의 정치적 권리관계를 개선할 것임을 비쳤다. 식민지민들의 정치상 처우개

선문제로 등장한 것은 바로 '참정권 부여정책'이다.[14]

그해 12월에 열린 각료회의에서 「조선 및 대만동포에 대한 처우개선에 관한 건」이 결정되고 이어서 정치상 처우개선을 위한 '조선 및 대만 주재민 정치처우 조사회관제'가 결정되어 칙령 제671호로 발표되었다. 조사회는 당사자인 조선인이나 대만인이 포함되지 않은 채 구성되었다. 조사회가 마련한 '중의원의원 선거법 중 개정안'은 1945년 3월에 제86회 제국의회에 회부되어 가결되었다. 개정안의 내용을 보면, '조선 및 대만의 제국신민으로서 25세 이상의 남자로 선거인 명부조정 기일까지 계속 1년 이상 국세 15엔 이상을 납부한 자'가 선거권을 갖는 것인데, 조선은 23명, 대만은 5명이 배당되었다.

일본 내각이 이와 같은 정치상 처우개선을 추진하게 된 목적은 세 가지로 볼 수 있다. 첫째는 군부 측(특히 육군)의 의도로서 일본본토결전을 대비하는 상황에서 한반도에도 결전의 태세를 갖추게 하고자 하는 것이었다. 조사회 마지막 총회에서 시바야마(柴山兼四郎) 육군차관은 "조선인을 일만지(日滿支)를 중심으로 하는 본토결전체제에 편입시킬 것"을 목표로 보다 많은 수의 의원선출을 제안했다. 둘째는 전황이 불리해짐에 따라 조선에서 발생할지 모를 폭동에 대한 불안을 감소시킬 목적이다. 셋째는 조선의 내선일체론자를 비롯한 지도층의 계속적인 참정권 요구에 대한 호응이다. 전쟁협력에 대한 실질적인 대가가 참정권 부여로 이어진 것이다.[15]

아시아태평양전쟁의 전황이 악화되고 통제경제가 강화되며 식민지 인력동원의 증대와 함께 '내외지일원화'를 지향하는 과정도 참정권 부여문제와 무관하지 않다. 내지와 외지의 구분을 유지한 채 전쟁을 이끌어나가는 것은 무리였다. 1942년 9월에 내외지행정일원화가 각의에서 결정된 이후, 호적법

---

14) 淺野豊美, 『最初にして最後の日本帝國再編 : 大東亞新政策と 朝鮮臺灣民族問題』, 東京大學 박사학위논문, 1992, 93~108·127·137쪽(최영호, 「일제의 신민화 정책에 관한 연구」, 294쪽 재인용).

15) 최영호, 앞의 글, 1996, 294~295쪽.

개정(1944년 12월)과 외지참정권 부여(1945년 3월 7일 각의결정, 의회결의를 거쳐 4월 1일에 공포), 조선과 타이완에 대한 외지호칭 폐지 결의(1945년 3월 26일)로 이어졌다. 물론 이러한 조치는 부분적·제한적이며 그나마 일본의 패전으로 인해 식민지에서 제대로 시행되지 못했다. 결국 일본은 1945년 8월 패전을 맞을 때까지 내외지 구분을 유지하며 차별과 배제의 통치로 일관했다.

3. 식민지시기 일본의 재일한인 통치 정책

일본당국의 재일한인에 대한 정책은 크게 도항정책과 거주 한인에 대한 통제정책으로 구분된다. 이 가운데 통제정책은 한인도일사와 깊은 관련을 맺는다. 도일 한인이 증가하자 일본당국은 통제정책의 필요성을 인식하게 되다. 1910년대까지 일관된 통제정책이 수립되지는 않았으나 일본 내무성을 중심으로 당시 상황에 따라 대응시책을 마련하여 실시했다. 1910년 한국병합과 관련한 「조선인인구 직업별인구표의 건」이나 「조선인명부 조제(調製)의 건」, 「요시찰조선인시찰내규」 등 조선인을 대상으로 하는 관리체제가 바로 그것이다. 또한 1921년에 결성한 상애회(相愛會)는 일본당국의 한인 통제정책을 충실히 대행해 나갔다.

그러나 이러한 일본당국의 통제정책은 관동지진의 발발로 인해 재정비가 불가피해졌다. 3·1운동으로 민중의 저항력을 실감한 일본당국은 관동지진 당시 행해진 한인학살사건이 재일한인에게 미칠 영향에 대해 고민했다. 그 결과 탄생한 것이 내선협화회(內鮮協和會)와 '대책조직'이다. 일본당국이 한인 학살을 은폐하고 나아가 한인 사회를 통제하며, 임금과 노동조건을 둘러싼 한인의 투쟁을 약화시키고 한인 노동자를 저임금노동 구조 속에 묶어두기 위해서는 좀 더 체계화한 정책을 전개할 필요가 있었기 때문이다.

1924년 5월에 오사카부청(大阪府廳) 내에 설치한 오사카부 내선협화회는 한인의 복리증진과 내선융화를 표방했음에도 불구하고, 한인의 외면과 경제 공황, 당국의 운영 미숙 등으로 인해 별 다른 성과를 거두지 못했다. 한인의 양적 증대와 함께 조직력이 확대하고, 조선부락을 바탕으로 한인이 민족운동을 활발히 전개하면서 일본당국이 주도하는 관변단체는 더욱 한인의 호응을 얻지 못하고 도리어 타도의 대상이 되었다.

내선협화회의 결성과 아울러 각 지역의 경찰서가 중심이 되어 조직한 '대책조직'도 결성 초기부터 경찰기능의 대행과 한인 교화 기능을 수행했다. 그러나 이 조직도 재일한인의 호응을 전혀 얻지 못했다. 따라서 경찰당국은 늘어나는 한인에 대한 효율적인 통제를 담당할 새로운 조직체계를 필요로 하게 되었다.

〈표 1〉 재일한인의 정주화 현상

연도	거주 한인수			(4)정주인원 비율(%)	(4)비정주 인원(명)	(4)비정주 비율(%)			
	(1)	(2)	(3)			전국	大阪府	東京府	福岡縣
1920	30,189	40,755	40,755	16.44	26,505	83.56	93.49	66.25	98.76
1925	129,870	187,102	214,657	22.53	105,909	77.47	84.29	78.02	66.95
1930	298,091	419,009	419,009	44.86	158,628	55.14	59.37	56.72	49.92
1934	537,695	689,651	559,080	65.25	186,848	34.75	43.80	41.97	27.65
1935	625,678	720,818	615,869	75.26	154,785	24.74	23.23	33.30	29.68
1936	690,501	780,528	657,497	75.83	166,898	24.17	23.06	33.23	27.71
1937	735,689	822,214	693,138	77.02	169,031	22.98	24.91	32.46	25.25
1938	799,878	881,347	796,927	73.88	208,945	26.12	28.07	32.44	26.44

(1) 『日本帝國統計年鑑』 해당연도.
(2) 朴在一, 『在日朝鮮人に關する綜合調査研究』, 新紀元, 1957, 23~29쪽.
(3) 田村紀之, 「內務省警保局調査による朝鮮人人口(1)」, 『經濟と經濟學』 46, 1981, 58쪽.
(4) 內務省警保局, 『朝鮮人槪況』1920; 『社會運動の狀況』 해당연도(外村大, 『在日朝鮮人社會の歷史學的研究』, 綠陰書房, 2004, 93쪽 표 2-26, 2-27 재인용 및 수정).

일본 당국의 재일한인에 대한 통제정책은 1931년 중국을 대상으로 한 침략전쟁이 시작되면서 변화했다. 더욱이 1920년대 통제정책의 실패는 새로운 정책 출현에 대한 요구를 강화했다. 특히 경제공황을 겪는 가운데 일본인의 일자리를 잠식하는 한인에 대한 국내 여론을 무마하고 국민적 일체감을 도모하기 위해서도 재일한인의 격증에 대한 대응책 마련은 시급한 상황이었다. 그 결과 탄생한 것이 1934년 10월 30일 각의결정 「조선인이주대책 (朝鮮人移住對策)의 건」과 그 실천항목인 「조선인이주대책요목」이다.16)

조선인이주대책요목은 "1. 조선 내에 조선인을 안주시킬 조치를 강구할 것, 2. 조선인을 만주와 북선(北鮮)지방에 이주시킬 조치를 강구할 것, 3. 조선인의 내지(內地) 도항을 감소시킬 것, 4. 일본에서 조선인의 지도 향상과 내지 융화를 도모할 것" 등 4개 항목으로 이루어져 있다. 이 가운데 1~3항은 한인의 이주와 관련된 내용이고 4항은 재일한인에 대한 통제에 대한 내용이다. 이 제4항은 이후 재일한인에 대한 통제정책의 기본 방향으로 자리한다. 제4항의 자세한 내용을 살펴보면, "(1) 조선인 보호단체의 통일 강화를 도모함과 동시에 그 지도, 장려, 감독의 방법을 강구할 것, (2) 조선인밀집지대의 보안, 위생 기타 생활상태의 개선 향상을 도모할 것, (3) 조선인을 지도 교화하여 내지에 동화시킬 것" 등 세 가지 내용이 포함되어 있다.

각의 결정은 조선총독부와 내무성 사회국·경보국·척무성 등 재일한인 관계 관청의 협의에 의해 작성되었으므로, 한인에 대한 일본 당국의 통일적 방침이라고 할 수 있다. 그 내용의 핵심은 재일한인을 사회적 불안요인으로 판단하고 통제의 대상으로 삼았다는 점이었다.

이러한 통일된 방침을 실천하기 위해서는 내선협화회를 보완할 수 있는 조직이 필요했다. 계속되는 경제공황으로 인해 1929년과 1930년에 일본경제상황이 악화되자 증가하는 일본인 실업자문제를 해결하기 위한 방안이 대두되기 시작했다. 이 과정에서 일본인의 일자리를 점하던 한인노동자문제는 다시 사회의 주목을 받게 되고, 그 결과 1934년부터 이 문제에 대해 적극적인 해결책이 나타났다.

이러한 배경 아래 나타난 조직이 1934년 4월에 설치된 대판부내선융화사업조사회(大阪府內鮮融和事業調査會, 이하 조사회로 약칭)이다. 조사회는 '조선인의 보호와 내선융화방책에 관한 중요한 사항을 조사, 심의'한다는 목

---

16) 內務省 警保局, 「特高警察通牒」, 『在日朝鮮人關係資料集成』(이하 集成) 3, 三一書房, 1975, 12쪽.

적 아래 대판부 고시로 설치되었다. 조사회는 대판부내선협화회 기능이 약화되어 있는 상황에서 오사카에 거주하는 다수의 한인을 통제하기 위한 필요성에서 「조선인이주대책의 건」이 결정되기 이전에 만들었다. 조사회의 결성으로 재일한인 문제를 협의하고 검토하기 위한 기능은 조사회가 담당하고, 시행기관은 내선협화회가 담당하게 되었다.

1934년부터 1937년간 조사회 총회의 결의 사항을 보면, 조선인 도일저지와 관변단체 및 교육기관을 이용한 한인의 동화가 주된 내용을 이루었다. 구체적으로 검토된 문제들도, "바라크 건축의 절대금지나 바라크 주택 철거, 조선인용 물건을 취급하는 시장의 금지, 조선식 식당 금지, 우량단체에 대해서는 적극적 조성방법을 강구하고 불량단체에 대해서는 단속 강화, 조선인아동만의 집단적 교육을 금지하고 정신적 훈육에 비중을 둔다" 등이었다.

이 내용을 통해 조사회가 한인들이 조선부락을 중심으로 민족적 아이덴티티를 보존하고자 하는 노력을 억압하고 한인의 집단거주지를 철폐하고자 하는 목적을 그대로 드러냈음을 알 수 있다. 또한 한인 단체를 불량단체와 우량단체로 구분하여 관변단체를 제도적으로 보호하고 민족운동적인 성향을 나타내거나 저항적 요소가 있는 단체는 억압하겠다는 의지를 엿볼 수 있다. 특히 당국은 아동 교육에 비중을 두고 한인 아동에게 일본사와 일본어 등 정신교육을 통해 일본사회에 동화되도록 했다.

조사회 활동의 성과 가운데 하나는 생활개선조합 교풍회(矯風會) 결성이다. 교풍(矯風)이란 '나쁜 풍속을 고쳐서 바로 한다'는 의미의 용어로써, 일본당국은 한인의 풍속을 나쁜 풍속으로 간주하고 동화시키려는 의도에서 사용했다. 교풍회는 1934년 7월에 개최된 조사회 제5분과위원회 결의사항에서 '생활개선조합 조직 결성'의 필요성이 제기된 이후, 결성작업에 들어가 1935년에 결성되었다.[17]

교풍회는 대판부 내선협화회조직으로써 세 군데 경찰서 관내(今宮・鶴

---

17) 樋口雄一, 『協和會資料集』 4, 社會評論社, 1991, 121~130쪽・218쪽.

橋·泉尾)에 설치되었는데, 회장은 경찰서장이 겸임했다. 교풍회의 활동 내용도 역시 내세우기는 직업소개·상담지도·보호·진료·주택·보육소·간이학교·교화시설 사업 등이지만 실제 활동은 '일본 국기게양 장려·조선풍습 금지·강연회와 영화회의 개최·교풍회 하부조직강화' 등이 중심이었다. 이와 같이, 교풍회 활동은 실제로 한인의 경제적인 이익을 도모하기보다 풍속개선과 생활개선, 교육을 통한 일본인화, 교화에 두었다. 여기에는 한인의 풍습과 생활방식은 반드시 개선해야 한다는 전제가 깔려 있다.

오사카 지역의 조사회와 교풍회 활동에 힘입은 일본 당국은 1936년에 지도방침을 정하고 내무성 사회국을 중심으로 전국적 사업으로 협화회 조직을 확립해 나갔다. 그 일환이 8월 「협화사업실시요지(協和事業實施要旨)」 발표이고, 그 해 9월에 설립된 중앙협화회이다. 당국은 「협화사업실시요지」를 발표함으로써 지방청에서 본격적으로 협화 사업을 실시했다.[18]

일본당국은 이 같이 관변조직을 구성·운영함과 동시에 한인 사회에 온존하던 동화·융화단체를 적극 활용해 한인 사회의 결속력을 약화시키고 일본 사회에 동화시키고자 했다. 이들 단체는 당국의 지원을 받아 회보나 기관지를 발간하며 당국의 한인정책을 수행하기 위해 노력했다.

1927년에 강기생(姜己生)이 사이타마(埼玉)현에서 결성한 내선융화단체인 근친동맹회는 1930년 12월에 회보를 발간하고 "인류애를 위해 내선융화사업에 전력하고 있으며, 근친동맹회가 지방 융화를 어떻게 추구할지에 관해 선배의 지도를 받고 후진에게는 내선융화에 관해 알리고자" 기관지를 발간한다고 밝혔다. 당시 회원은 100명이었다. 회보 발간사나 강기생이 1933년 1월 31세의 나이로 사이타마현 가와구치(川口)시회의원에 출마해 낙선한 점을 볼 때, 근친동맹회가 당시 일본당국의 한인정책수행과 관련성 여부를 가늠할 수 있다. 이 단체는 회보 발간 외에도 영화회와 강연회를 상연했다.

---

18) 내선협화회와 협화회 등 통제조직에 관한 상세한 내용은 樋口雄一, 『協和會─일제하 재일조선인 통제조직에 관한 연구』, 사회평론사, 1986(정혜경·동선희·김인덕 번역, 『협화회─일제하 재일조선인 통제조직』, 선인, 2012) 참조.

회보에 의하면, 1930년 5월 7일에 혼무라(本村)소학교에서 열린 조선영화상영회와 강연회는 '천황 폐하 만세 3창'으로 폐회했는데, 일본학교에서 행사를 한 것으로 볼 때, 홍보 대상이 한인 사회가 아닌 것으로 보이며, 한인 사회와 거리감을 추측할 수 있다.[19]

1930년대 일본 당국이 파악한 오사카 지역 한인 단체를 살펴보면, 한인단체 가운데 융화친목단체 대부분은 일본 당국이 직접 결성하거나 적극 지원하던 단체들이다. 이는 다른 지역에서도 큰 차이를 보이지 않는다. 시기가 지나면서 전체적으로 한인단체 조직률은 감소되었는데, 1930년대 초반에 수백 개의 융화단체가 난립하고 있었음을 알 수 있다. 1930년대 후반에 이르러 당국이 내선협화회와 협화회로 통합을 추진하면서 이들 융화단체는 급속도로 쇠퇴하고 있다. 이는 융화단체의 활용도가 현저히 떨어졌기 때문이다.[20]

〈표 2〉 1930년대 오사카 지역 주요 한인 단체별 소속인원수 변화[21]

연도	국가사회주의단체		융화친목단체		일본전국노동자협의회 계통(극좌파)		기타	
	단체	인원	단체	인원	단체	인원	단체	인원
1931			134	22,880	5	650	16	2,010
1932			149	26,580	9	3,844	15	1,960
1933	2	150	186	38,880	13	694	18	1,774
1934	11	1,453	199	56,870	14	650	16	1,266
1935	8	513	192	16,466	13	812	14	1,055
1936	3	180	75	6,736	11	331	8	645
1937	1	120	28	3,193	1	20	11	970

*자료: 內務省 警保局, 「社會運動の狀況」, 『集成』 2, 602~615 · 319~326 · 393~414쪽; 內務省 警保局, 「在留朝鮮人運動」, 『集成』 3, 52~74 · 277~298 · 467~482 · 670쪽.

---

19) 「근친동맹회회보」(정희선·동선희 편, 『문헌으로 보는 일제강점기 재일코리안 역사와 문화』 1, 선인, 2012, 278~312쪽).

20) 일본 내무성 경보국은 재일한인 단체를 공산주의계(극좌파, 좌익파), 사회민주주의계, 국가주의 내지 국가사회주의계, 무정부주의계, 민족주의계(주로 유학생, 종교단체), 융화친목계 및 기타 등 총 6개로 구분해 매년 현황을 보고했다. 이 가운데 가장 다수는 융화친목계 및 기타 단체이다.

21) 위 표에는 재단법인 大阪府協和會나 相愛會, 재단법인 大阪府 融和會 등의 단체는 포함되어 있으나 소속원수는 생략되어 있다.

융화친목단체 가운데에는 순수하게 '친목'만을 내세운 단체도 포함되어 있지만 내선협화회와 상애회 등 일본 당국의 전폭적인 지원을 받는 단체가 중심을 이루고 있다. 1934년 오사카 지역의 경우에도 융화친목단체 199개 가운데 가운데 친목단체는 3개이고 회원수도 730명에 불과하다. 친목 표방 단체를 제외한 대부분의 단체는 지역 경찰서장이나 지사, 지역 유지(일본인 포함)가 단체장을 맡고 있다.22)

〈표 2〉의 단체 현황 가운데 융화단체 소속 인원은 소수의 친목단체를 제외하고는 자신의 의지와 무관하게 '가입된' 회원들이므로 회원수 자체는 의미가 없다. 그러나 이들은 당국에 의해 관리되고 있으며, 통제와 동화의 대상이다.

이러한 활동으로 인해 근친동맹회는 비판의 목소리를 넘어서 사무소 습격 등 과격한 공격을 받기도 했다. 회보는 '다소 불량성을 띠는 회원들의 소행'으로 평가 절하하고 '가와구치정의 모 신문이 근친동맹회 비판 기사를 게재'한 사례를 간단히 언급했다. 그러나 강기생이 시의원 선거에서 겨우 22표를 얻는데 그칠 정도로 근친동맹회에 대한 한인 사회의 반응은 냉담했다.23)

또한 일본 사회는 물론 일본인 개인들 가운데에도 당국의 한인 통제정책에 적극 참여하는 인물이 있었다. 대표적인 인물은 교육 사업을 내걸고 한인 통제정책을 주도한 고다 다마(幸田 タマ)와 협화회를 통해 한인 통제정책에 참여였던 야나기하라 기치베(柳原吉兵衛)이다.

사가(佐賀)현 출신의 고다 다마(幸田 タマ)는 평소 '교화 사업'에 관심을 가지고 '조선인에 대한 교화 시설이 필요하다'고 확신했다. 고다는 자신과 자신의 두 자매의 거출금 500엔으로 1922년 9월 야하타(八幡)시 마에다쵸자정(前田長者町)에 선인야학교를 개교했다. 고다가 밝힌 개교 목적은 '선인들

22) 內務省 警保局, 「在留朝鮮人運動」, 『集成』 3, 67~68쪽.
23) 「근친동맹회회보」(정희선·동선희 편, 2012, 선인, 295쪽).

이 폐하의 대어심을 깨달아 학대받는다는 오해를 바로 잡도록'하기 위한 것
이었다. 이 학교는 경찰서장과 제철소 당국의 지지와 지원을 받아, 학생은
서장이 추천했고, 도서는 조선의 사이토 총독이, 오르간은 야하타제철소 부
장이 기증했다. 이 학교는 고다의 의도를 넘어 서장의 치안대책에 이용되고
제철소 당국의 안전한 노동력 확보에 협력하게 되었다. 고다의 활동은 당국
으로부터 높은 평가를 받아 1925년 10월에는 마루야마정(丸山町)에 시 소유
가옥을 무상으로 빌려 학교 명칭을 마루야마학원으로 바꾸었고, 1926년 1월
에는 제철소에서 43명용 조선인 노동자용 숙소를 제공하기도 했다. 1928년
에는 궁내성 하사금과 내무성 장려금 지원을 받았고, 1935년에 큰 교화시설
로 자리 잡았다.

　이와 같은 일본인의 활동에 대해서도 재일한인 사회는 적극 대응했다.
한인 노동자 조직이 발전함에 따라 고다의 활동에 대한 한인의 비판의 목
소리가 높아졌다. 한인들은 차별에 반대하는 입장에서 마루야마학원을 반
대하고 설립 시에는 '난폭한 선인들이 몰려들어 칼을 번득'일 정도였다. 학
원에 수용된 노동자에 대한 설득작업도 강렬해 2명만 남을 정도도 있었다
고 할 정도로 한인 측의 대응은 강력했다.

　그럼에도 멈추지 않고 고다는 다음 계획에 돌입해, 조선총독부 지원으로
한인 소년들을 모아 소련과 조선 국경 근처에 농장을 개설하고 내선일체를
구현하는 활동을 시작하고자 학원을 후쿠오카 사회사업협회에 넘겼다.
1937년 야하타협화관으로 병칭을 바꾼 마루야마학원은 더욱 강력하게 한인
통제와 교화를 강행하는 기관으로 자리 잡게 되었다. 고다가 사적으로 설립
한 교육기관은 국가 차원의 정책기관으로 전환되었다.[24)

　야나기하라 기치베는 1924년 일본 최초의 재일한인 대책조직으로 설립된
오사카부내선협화회 설립에 전력을 다한 인물이다. 그는 1939년에 결성된

---

24) 樋口雄一, 「보론－일본인의 재일조선인에 대한 대응」, 『協和會－일제하 새일조선인 통제조직
　　에 관한 연구』, 사회평론사, 1986(정혜경·동선희·김인덕 번역, 선인, 2012, 231~240쪽).

중앙협화회 결성대회에서 재일한인 '보호와 선도'의 공을 세워 표창을 받기
도 했다. 그는 사회사업가적 성격을 띠면서 재일한인 통제, 동화정책에 깊
이 관여했다. 특히 기독교신자이자 공장 경영자였던 야나기하라는 강제병
합 이전 시기에 부모로부터 물려받은 염색공장의 활로 개척을 위해 조선을
시찰하면서 조선과 접하게 된 후 강제병합 이후에 '내선융화'를 목적으로
한 여러 단체(이왕가어경사기념회 등)를 설립 운영했다. 야나기하라도 역시
재일한인 교화 방법으로 택한 것은 교육 사업이었다. 특히 여성교육에 관심
을 보이고 글을 발표하기도 했다. 그는 일본당국의 한인통제단체 설립 과정
에서 적극적으로 나서 1927년에 오사카부 사카이(堺)에 여학교를 설립하고
협화회 설립에 적극 참여했다.[25]

4. 재일한인사회의 적극 대응 양상

　한인들의 정주화가 진행되면서 한인사회는 이와 같이 일본당국과 일본사
회의 적극적인 통제, 동화정책에 대응해야 하는 어려운 상황에 놓이게 되었
다. 일본 당국이 재일한인을 바라보는 시각은 이중적이었다. 조선인을 일본
일 노동자보다 낮은 임금을 받고 있으므로 생활수준이 낮았고, 그 원인은
편견에 의한 민족 차별을 토대로 하고 있었다. 그런데 일본 당국은 민족차
별을 개선하려는 노력을 하지 않고 오히려 '조선인의 생활양식, 풍습, 언어
등 특수한 성질의 이문화(조선인 고유문화)'와 '이문화를 고집하는 조선인의
자세'탓으로 돌리고 '내지에 적응시켜야 하는 대상'으로 강한 인식을 유지했
다.[26] 이러한 인식에 토대를 둔 일본당국의 재일한인 정책에 대해 한인사
회는 조선부락을 토대로 결속력을 가지고 적극 대응했다.

---

25) 樋口雄一, 위의 글(240~253쪽).
26) 허광무, 『일본제국주의 구빈정책사 연구』, 선인, 2011, 176쪽.

1) 조선부락의 성격과 역할

조선부락은 일본사회의 차별과 배제가 나은 산물이다. 일본인 사회는 한인의 주거상황에 대한 극히 부정적인 인식을 토대로 일본인 거주 지역에 한인이 진입하는 것에 대한 거부감이 강했다. 일본당국도 한인 집단 거주지에서 "조선인의 밀집생활이 많은 범죄와 부도덕·불위생 등 모든 사회악을 양성(釀成)하며 내선융화에도 큰 장애가 되고 있다"고 평가했다.[27]

일본당국의 한인주거상황에 대한 인식은 주택문제의 원인을 민족차별이나 저임금에 두지 않고 한인들에게 돌리려는 의도가 강하게 내포되어 있었다. 이러한 인식은 조선부락의 성립에 영향을 미쳤음은 물론이고, 빈번한 주택분쟁을 야기했다. 재일한인의 주택분쟁은 1924년 오사카시에서 일어난 분쟁에서 시작되었는데, 1927년경에는 전국적으로 빈번히 발생하면서 분쟁 회수가 증가했다.

이 같이 도일한 한인들이 저임금과 민족차별 속에서 생존해 나가는 과정에서 자연스럽게 형성된 것이 조선부락이다. 조선부락은 밀집한 한인이 마을을 형성하고, 본국에서 도일한 한인들이 숙박지와 직업을 구하기 위해 동향인을 찾으면서 확산되었다. 그러므로 조선부락은 한인노동자들이 취로하는 사업장(공장이나 공사장)을 중심으로 형성되어 있었다.

조선부락의 성립 경로는 네 가지이다. 첫째는 함바(飯場, 노동자 숙소)나 회사사택에 살기 시작하여 이를 거점으로 성립한 경우이다. 둘째는 도지소유자가 명확하지 않은 저지대나 습지·하천변 등에 스스로 임시 가옥(바라크, 假小屋)을 만든 경우이다. 셋째는 일본인이 살지 않는 빈집을 거점으로 형성한 경우이다. 넷째는 나가야(長屋, 집단 주택) 등을 빌려 그곳을 중심으로 마을을 형성한 경우이다.[28]

27) 大阪市社會部, 「本市に於ける朝鮮人住宅問題」, 『集成』 2, 1193쪽 ; 大阪市社會課, 「朝鮮人勞動者の近況」(1933), 『集成』 5, 805~806쪽.
28) 樋口雄一, 「在日朝鮮人部落の成立と展開」, 『在日朝鮮人』, 新人物往來社, 1978, 553쪽.

〈그림 1〉 1924년경에 탄생한 도쿄 도시마구(豊島區) 히노데쵸(日之出町) 소재 조선부락
(在日韓人歷史資料館, 『在日韓人歷史資料館圖錄』, 2008, 34쪽)

 비교적 이른 시기부터 조선부락이 만들어진 지역은 오사카이다. 히가시
나리구(東成區) 히가시오바시쵸(東小橋町) 157번지에 소재한 조선부락(일명
朝鮮町)은 1907년에 건설되어 점차 확산되었다고 한다. 조선부락은 오사카
외에 교토나 도쿄·가나가와(神奈川)·요코하마(橫浜)·규슈(九州) 지역에도
형성되었다. 규슈도 초기에 한인 인구가 밀집했던 지역이었으므로 조선부
락의 형성시기가 다른 지역보다 빨랐다.[29]

〈표 3〉 1930년대 주요 지역의 조선부락 형성 상황

지역 및 장소	조사 시기	부락수	세대수(명)	세대원/인구수 (명)	거주한인수 대비(%)
東京市*	1939	26	1,468	5,740	10.71
橫浜市	1935	14	264	749**	

29) 樋口雄一, 앞의 글, 1978, 550쪽. 1920년대 형성된 대표적인 조선부락 형성 상황은 樋口雄一,
   앞의 글, 1978, 551~552쪽 참조.

| 京都市 | 1935 | 31 | 862 | 5,898 | 14.0 |
| 大阪府 | 1933 | 109 | 5,602 | 29,739 | 26.6 |

* 조사대상이 이전 시기 통계에 비해 제한적인 통계로 평가
** 미확인 세대원수 다수 포함
자료: 外村大, 『在日朝鮮人社會の歷史學的硏究』, 綠陰書房, 2004, 44쪽, 120~130쪽에서 편집.

그러나 일본의 빈민가를 형성한 조선부락에 대해 일본사회는 결코 달가워하지 않았다. 자신들이 사용하지 않아 버린 땅이지만 한인들이 모여서 공동생활을 하는 것은 두려운 일이기도 했다. 배격하고 쫓아내야 할 대상이었다. 일본당국이 택한 대표적인 방법은 주택분쟁으로 대변되는 추방운동이다.

<표 4> 1920년대 오사카의 주요 한인 주택 분쟁 사례[30]

발생 시기	분쟁 사례 제목	분쟁 사례 내용
1926년 11월	미나미오사카(南大阪) 강제퇴거사건	신진회 회장이던 이춘식(李春植)이 미나미오사카 방면에서 집을 빌려 조선 엿 제조업을 하였는데, 주인이 집을 더럽힌다는 이유로 퇴거를 명하였으나 이춘식은 급작스런 퇴거는 곤란하다고 퇴거를 하지 않자 집주인이 아베노(阿部野) 경찰서에 고발하여 11일 부(府)특고과에서 이춘식과 동료들을 검거
1928년 1월	미나토구(港區) 후나마치(船町) 9,10,11번지 토지명도사건	1928년 1월 24일 오사카시장이 미나토구 후나마치 9,10,11번지에 움집을 짓고 사는 한국인 김성평(金城坪) 외 13명을 상대로 오사카지방재판소에 토지명도(土地明渡)소송을 제기. 이 토지는 시유지였는데 국제비행장 기지로 편입되었으므로 1927년 2월 이래 허가 없이 움집을 짓고 살아온 한인들이 퇴거해야 하는 상황이 됨. 오사카시장은 4월까지 이 토지를 처분하기로 하고, 가집행처분을 구함과 동시에 한인들에 대해 1평당 1개월 15전씩 손해배상도 청구.
1928년 6월	히가시나리(東成) 주택 분쟁	히가시나리구 가모쵸(蒲生町) 거주 한인 주택분쟁이 발생하였는데, 분쟁과정에서 집주인이 폭력단을 동원하여 물건을 압류하는 등 격렬. 그러나 대판조선노조 동북지부를 비롯한 4개 관련단체가 연명으로 격문을 발표하고 적극 대응. 6월 27일 오사카(大阪) 차가인동맹본부의 알선으로 집주인측이 ① 모씨의 물건을 전부 반환할 것 ② 종전대로 거주를 인정할 것 ③ 이후에는 절대로 불법행위를 하지 않을 것 등 세 가지 조건을 수용하여 해결.

30) 『조선일보』 1926년 11월 15일; 1929년 7월 14일, 9월 26일, 11월 1일, 11월 2일; 『동아일보』 1928년 1월 27일; 1929년 11월 3일; 『日本勞働通信』 130호, 1928년 7월 4일 「東成借家爭議解決」; 『日本社會運動通信』 9호, 1928년 7월 13일 「東成借爭議家主の謝罪にて解決」; 『日本社會運動通信』 8호, 1928년 7월 6일 「家主の暴力団と抗爭する大阪借家人同交會」.

1929년 6월	사카이시(堺市) 이마이케쵸(今池町) 주택 분쟁	1929년 6월 23일 이마이케쵸 사격장 부근에 거주하는 한인 200여 명에 대해 관할경찰서가 철거명령을 내림. 이 지역은 한인들이 10여 년 전에 지주의 승낙을 얻어 1년에 6원씩 지세를 내고 거주하고 있었는데, 지주가 바뀜에 따라 발생. 이에 거주민 대표 이기진(李畜進)·김상선(金尙善)은 철거하겠다는 서약서를 거절하고 대판조선노조 사카이시지부의 도움으로 격문을 돌리며 반대하다가 5명이 검거되기도 했음.
1929년 7월	미나토구(港區) 국제비행장 거주 한인 강제철거	1929년 7월 17일 한인노동자가 거주하는 임시가옥 15호(60가구, 200명 거주)를 비행소 당국에서 철거. 당국은 10월 31일 내선협화회의 주선으로 한인들을 인근 지역(恩加島町)으로 강제 이전.
1929년 7월	미나토구(港區) 고바야시쵸(小林町) 거주 한인 강제철거	1929년 7월 21일 지주인 토지회사가 일본인노동자를 파견하여 92명이 거주하는 한인의 바라크를 철거.

한인이 집단 거주하는 조선부락이 철거되는 원인은 세 가지이다. 첫째, 일본정책과 행정조치로 철거되는 경우이다. 내무성의 다마가와(多摩川) 자갈(砂利)채취금지령으로 도쿄의 조선부락을 철거하거나 도시미관을 더럽힌다는 이유로 철거한 경우도 있었다. 둘째, 일본 당국의 자료에 가장 많이 등장하는 사례로써 하천변이나 해안 등 국유지·사유지의 불법점거, 차지차가(借地借家)에 의해 쫓겨나는 경우이다. 집주인에 의한 추방과 당국의 행정조치 등이 모두 포함된다. 셋째는 일본인 주민들에 의한 조선부락철거 요구이다. 일본인 집주인들은 가옥수선이나 여러 구실을 내세우거나 한인들이 잡거생활을 하고 위생풍속사상이 저급하다는 이유로 퇴거를 요구하기도 했다.

조선부락을 몰아내려는 주체는 지자체와 경찰 등 행정당국이 더욱 큰 비중을 차지하고 있다. 이들은 조선부락의 근거지가 국유지임을 내세워 행정력으로 조선부락을 몰아내고자 했다. 일본 당국의 통계에 의하면, 1933년에 발생한 차지차가분쟁은 5,505건(참가인원 12,144명)에 달할 정도이다. 한인들은 사회운동단체의 도움을 받아 소송을 하는 등 적극적으로 대응했다. 1933년에 최고에 달하던 분쟁은 점차 감소하다가 1939년 이후에는 통계에서 찾을 수 없다. 이는 주택문제가 해결된 것이 아니라 '행정조치'에 의해 '처리'되었기 때문이다. 특히 1939년에 중앙협화회 탄생 이후에는 한인들의

〈그림 2〉 1936년 오사카시 이카이노(猪飼野) 상점가 모습
(在日韓人歷史資料館,『在日韓人歷史資料館圖錄』, 2008, 39쪽)

조직적 저항이 불가능하게 되었다. 조선부락은 거주자 전원이 강제적으로 주택건설적금을 내야 했고, 임시가옥(바라크) 건설이 금지되었다.[31] 그럼에도 재일한인들은 조선부락을 지키면서 민족적 아이덴티티도 함께 지켜나가고자 했다.

조선부락은 주거문제 해결이 계기가 되어 탄생했지만, 단지 주거문제 해결이라는 의미에 그치지 않았다. 밀집이라는 특성을 토대로 민족공동체의 역할을 담당하게 되었다. 물론 자체 내에 조직체계를 갖춘 것은 아니었지만, 몇몇의 리더를 중심으로 한인의 일본 정착을 돕고 나아가 민족의식을 공고히 하는데 노력을 기울였다. 조선부락은 한인의 언어 · 풍습을 그대로

---

31) 상세한 내용은 樋口雄一,「在日朝鮮人部落の積極的役割について」,『在日朝鮮人史硏究』1, 1977; 樋口雄一, 앞의 글, 1978 참조.

보존하고 민족교육을 실시하던 민족공동체였으므로, 일본당국이 지향하는 재일한인의 동화정책에 위배되는 곳이었다. 특히 한인들은 조선부락에서 철저하게 모국의 옛 풍습을 지켜 나가고자 했다.

> "일상생활의식부터 관혼상제의식에 이르기까지 모국의 관례가 오로지 중시되었다. … 특히 관혼상제의 경우, 서로의 혈연적 관계가 존중되었다. 따라서 근친결혼은 물론이고 본관이 동일한 사람끼리의 동성결혼도 도리에 어긋난다 하여 기피했다. 출생신고까지 음력으로 하는 사람도 있었다. … 이 모든 것은 모국의 습관이기 때문이다. 얼핏 보아 완고하게 비치는 사람들의 태도에는 민족의 전통을 존중하고 잃어버리지 않으려고 고집하는 절실한 심정이 나타나 있었다. 나아가 잃어버린 모국의 역사를 자랑스럽게 만회할 수 있는 그 날을 남몰래 기다리는 희망이 배어 있었던 것이다."[32]

김태생(金泰生)의 회고에서 알 수 있는 바와 같이 이들이 지키는 모국의 관례는 단순한 습관이나 생활상 편의 때문이 아니었다. '민족의 전통을 잊지 않으려는 절박함과 모국의 역사를 만회할 그 날을 기다리는 희망'을 담은 숭고한 행위였다.

일본당국이 내선협화회 → 교풍회 → 협화회로 이어지는 통제조직을 통해 한인의 민족적 정체성을 말살하고자 하는 상황 속에서 한인들이 이를 고수하는 데에는 적지 않은 노력과 의지가 필요했다. 그 울타리가 된 곳이 바로 조선부락이다. 한인들은 조선부락을 토대로 일본당국의 한인 통제정책에 적극 대응해 나갔다.

그러나 총동원체제가 본격화된 1930년대 말부터 한인 사회는 극심한 외압에 시달렸다. 총동원체제기에 재일한인은 중앙협화회의 통제 아래 놓여 있었다. 경찰기구의 하나로 운영된 중앙협화회는 당시 '여권'과 같은 기능을 가진 '협화회 수첩'을 통해 한인의 취업과 이동을 통제했다. 이러한 통제체

---

32) 金泰生,『私の人間地圖』, 靑弓社, 1985, 78~79쪽(尹健次, 하종문 · 이애숙 옮김,『일본-그 국가, 민족, 국민』, 일월서각, 1997, 262쪽, 재인용).

제는 1944년 11월 중앙협회회가 중앙흥생회로 바뀌었으나 재일한인의 통제
기구라는 점에서는 변함이 없었고, 오히려 통제체제는 더욱 강화되었다.

그럼에도 조선부락은 일본에 비협조정책을 유지함으로써 전쟁에 협력하
기를 거부하기도 했다. 조선부락에서는 당시 엄격히 금지되었던 우리말을
사용하고 있었고, 심지어 교육까지 실시하고 있었으며, 전시이입노무자를
숨겨주었고, 다른 일리를 소개해주기도 했다. 이들은 징용을 면제받는 방법
등 총동원체제의 틈새를 공유했다. 조선부락은 전시이입노무자가 일단 들
어서면, 일본 당국이 발견하는 것이 불가능한 해방구였다. 전쟁승리를 기원
하던 일본 사회나 일본인과는 전혀 다른 '반전(反戰)적'이라고도 할 수 있는
사회가 바로 조선부락이었다.[33]

조선부락의 일본에 대한 비협조와 한인 지원 노력은 강제동원 된 한인노
무자의 저항을 뒷받침해주기도 했다. 파업이 금지된 총동원체제기에 한인
들은 무려 2,554건의 노동운동을 일으켰고, 그 가운데 강제로 동원 된 노무
자들이 일으킨 파업과 태업은 1,784건에 달했다. 이러한 성과는 전전(戰前)
기 재일한인운동의 성과가 있었기에 가능했다.[34]

아시아태평양전쟁이 말기에 이르면서 빈번해진 연합군의 일본본토공습
을 일본 당국은 조선부락을 해체하는데 활용했다. 본토 공습이라는 혼란시
기에 당국은 한인의 집단거주지를 '소개(疏開)와 마을 철거'라는 방법으로
괴멸(壞滅)시키고, 한인들의 구심점을 없애고자 했다.

---

33) 상세한 내용은 樋口雄一, 「協和會と朝鮮人の世界−戰時下在日朝鮮人の抵抗について」, 『海峽』
6, 1977 참조

34) 강제동원된 전시이입노무자와 일반도일한인의 관계에 대해서는 정혜경, 「식민지시기 조선인의
도일과 강제동원−일반 도일조선인과 일제 말기 강제동원의 관계를 중심으로」, 『재일코리안
디아스포라의 형성−이주와 정주를 중심으로』(재일코리안 연구총시 1, 신인, 2013)에 상세히
언급되어 있음.

〈표 5〉 1939~1944년 한인의 노동운동

연도	일본지역 파업 상황 (조·일 총수)		재일한인의 파업							일본인의 파업	
			건수				참가인원				
	건수	참가 인원	한인 전체	일반 도일자	전시노무자 파업	전시노무자 태업	한인 전체	일반 도일자	전시 노무자	건수	참가 인원
1939	1,305	142,034	185	153	32 14	3	13,770	9,630	4,140	1,120	128,264
1940	1,419	96,735	687	349	338 60	48	41,732	18,349	23,383	732	55,003
1941	933	55,788	588	96	492 14	11	38,503	4,997	33,526	334	17,285
1942	735	38,878	467	172	295 48	68	24,505	8,499	16,006	268	14,373
1943	741	31,484	324		324 36	41	16,693		16,693	417	14,791
1944	599	25,292	303		303 32	35	15,230		15,230	296	10,062

자료 : 內務省 警保局, 『社會運動狀況』 ; 『특고월보』, 해당 연도.
주: 1944년은 11월 말까지의 통계.

1945년 3월부터 본격화한 연합군의 일본본토공습은 일본의 주요 도시를 대상으로 하고 있었다. 후생성기록(육해군관계문서)에 의하면, 전쟁기에 일본 전국에서 한인 이재자는 239,320명으로 알려져 있다. 이재자 가운데 도쿄공습의 희생자와 히로시마(廣島) 등 이입노무자가 포함된 지역도 있었으나 대다수 이재자는 일반도일한인이었다. 조선부락은 대도시에 형성되어 있었고, 작업장 부근에 분포되어 있었기 때문이다. 특히 군수공장 부근이나 공장시설 부근에는 조선부락이 있었으므로 조선부락은 직접적인 공습의 피해를 당했다. 한인이재자의 지역별 분포에서 만 명 이상을 차지한 지역은 오사카(83,900명), 도쿄(51,300명), 효고(20,500명), 히로시마(12,900명), 후쿠오카(10,200명), 가나가와(10,100명)이다. 이 지역 가운데 히로시마를 제외하면, 모두 대단위 조선부락이 형성된 지역이다.35)

---

35) 상세한 통계 내용은 樋口雄一, 『日本の朝鮮韓國人』, 同成社, 2002, 135쪽 참조.

공장 자체를 공습으로 지키기 위해 조선부락을 철거하는 일도 있었다. 즉 군수공장을 지키기 위해 인근에 화재가 날 만한 요인을 없앤다는 취지의 '중요시설소개공지(重要施設疏開空地)' 작전이다. 가나가와현의 가와사키(川崎)시 소재 일본강관주식회사 부근에는 약 450호가 거주하던 조선부락이 있었다. 이 거주지는 1944년 8월에 철거되었다. 가와사키시의 기록(川崎空襲, 戰災의 기록)에 의하면, "소개 지도는 상당히 어려움이 있었으나 경찰의 지도로 철거가 시행되어 중요국책사업만이 지켜야할 대상"이 되었다. 거주민들의 저항에도 불구하고 '경찰의 지도(?)'라는 강압적 방법에 의해 조선부락은 철거되었고, 오랫동안 조선부락을 지켜왔던 한인들은 각지로 흩어졌다. 이런 건물소개피해 사례는 가와사키 외에도 여러 곳에서 일어났다.

2) 언론 · 교육기관과 협동조합을 통한 한인 사회의 대응

한인들이 일본 당국의 정책에 대응하는 가장 큰 근거지는 조선부락이다. 일본 당국 입장에서 조선부락을 통한 민족적 정체성 유지는 정책 운영에 가장 큰 걸림돌이었다. '한인의 풍습과 생활방식을 붕괴하고 일본인화를 지향'했던 당국은 조선부락의 결속력을 약화시키고 한인 공동체 자체를 붕괴시키려 노력했다. 그러나 한인들은 다양한 협동조합과 언론 · 교육기관 운영을 통해 더욱 결속력과 민족적 아이덴티티 강화와 민족운동의 경제적 토대를 마련하는데 노력함은 물론, 항일민족운동 세력의 연락처로서 역할을 담당했다. 특히 협동조합은 생활공동체로서 경제적인 도움을 주는 역할을 넘어서 한인들의 민족적 아이덴티티를 강화시키는데 크게 영향을 미쳤다.

① 협동조합을 통한 대응

한인 사회의 협동조합은 상호 부조적인 기능과 경제적 필요성에서 출발했다.[36] 1920년대 중반까지는 공동구매나 계(契) 형태가 조선부락의 주요한 경제적인 역할이었다. 그러나 1920년대 후반에 결성되기 시작한 소비조합이 조선부락을 연계한 조직으로 확대되면서, 협동조합은 조선부락에서 비중 있는 경제 활동이 되었다.

재일한인이 협동조합에 관심을 갖게 된 것은 노동자의 생활향상을 위한 수단으로써 소비조합에 대한 지식을 접하게 되면서부터이다. 1910년대 이후 일본유학생과 일부 노동운동가들 사이에서 노동자의 생활 향상을 위한 방법의 하나로 소비조합이 소개되고 필요성이 언급되었다.[37]

일본 전역에서 조선부락이 확산되고 공동구매가 중시되면서 재일한인 소비조합은 점차 결성되고 활발히 운영되었다. 특히 1929년 6월에 오사카(大阪)조선노동조합 센슈(泉州)지부 사무실에서 창립한 조선노동소비조합(또는 재대판조선노동소비조합. 1930년에 대동소비조합으로 명칭 변경)은 각 조선부락을 연계한 소비조합이다. 한인 소비조합운동은 1930년대에 더욱 활발히 전개되었는데, 이 시기에는 소비조합이 경제적인 이익 도모를 넘어서 민족운동의 경제적 토대를 마련하고 항일민족운동세력의 연락처로서 역할을 하였으므로 심한 탄압 아래 부침(浮沈)을 거듭했다.[38]

한인사회의 결속력을 대내외에 드러낸 대표적인 협동조합은 선박협동조합인 '동아통항조합(東亞通航組合)이다. 동아통항조합은 1920년대 후반 재일한인의 자체역량이 확충된 하나의 사례이다. 1928년부터 결성준비가 시작되었다. 1923년 제주도~오사카 간 직항로가 개설된 이후 제주도민들의 도일은 급증했다. 이 노선은 일본인이 경영하는 조선우선회사(朝鮮郵船會社)와 아마가사키회사(尼崎會社)가 항로 개설 이후 독점 운행하고 있었는데 1928년에 들어서 뱃삯이 대폭 인상되었다. 이들 기선회사는 제주도~일본 간 유일한 교통수단으로 독점권을 장악하고 있었으므로 뱃삯 인상은 제주

---

36) 樋口雄一, 앞의 글, 1977, 28~29쪽.
37) 자세한 내용은 정혜경, 「1910년대 재일유학생의 경제문제인식 – 학지광을 중심으로」, 『청계사학』 13, 1997 참조.
38) 1930년대 오사카지역 한인 소비조합 현황은 정혜경, 「1930年代 초반 오사카지역 協同組合과 朝鮮人運動」, 『한일민족문제연구』 1, 2001, 92쪽 참조.

도민에게 경제적 부담을 주었다. 이와 같은 두 회사의 횡포에 분개한 재일 제주도민들은 1928년 4월, 오사카에서 제주도민대회를 열고 이 두 회사에 대해 운임인하와 대우개선을 요구했다. 그러나 회사 측은 이 요구를 '새가 되어 날아갈 것인가. 물고기가 되어 헤엄쳐 갈 것인가' 라고 조롱하며 거절했다. 이에 이 대회를 주도한 김달준(金達俊)과 문창래(文昌來), 대표적인 한인운동가 김문준(金文準)은 '우리는 우리 배로!' 라는 슬로건을 내 걸고, 자주운항운동을 전개했다.[39]

동아통항조합은 개인가입방식이 아닌 지구(地區)가입방식을 채택하여 한인 120지구가 참가했다. 이러한 지구가입방식은 오사카 각지의 조선부락을 토대로 가능했다. 창립 당시에 이미 13개 지부가 조직되었는데 한인의 호응도는 점차 높아져 1932년 말에는 조합원이 무려 2만 여 명에 달했다. 이러한 노력과 호응에 힘입어 1930년 11월 1일에 첫 배(蛟龍丸, 3700톤급)가 취항했다.[40]

그러나 한인들의 높은 호응에도 불구하고 동아통항조합의 운영은 순조롭지 못했다. 조합이 부딪친 가장 큰 어려움은 경제적인 문제였다. 오사카거주 한인들의 헌신적인 출자(出資)에도 불구하고 재일한인의 경제력만으로 선박조합을 운영하는 것은 무리한 상황이었다. 일본의 경쟁 선박회사들은 임금을 파격적으로 인하하여 운영에 어려움을 주었고, 일본당국의 방해로 선박구입도 쉬운 일이 아니었다. 여기에 가장 큰 타격은 거듭되는 선박이 좌초였다. 1931년 12월과 1932년 4월, 거듭되는 좌초와 선박 수리는 조합원들의 경제적인 어려움을 가중시켰다.

특히 '도항 자유, 민족적 차별 철폐, 조선독립, 타도제국주의'를 슬로건으로 내걸면서 더 이상 합법적 차원의 조합으로 존재할 수가 없었다. 더구나 일본당국이 동아통항조합을 일본공산당의 산하단체로 인식한 이후에는 검

---

39) 朴慶植, 『在日朝鮮人―私の靑春』, 三一書房, 1981, 166~167쪽.
40) 『조선일보』 1930년 6월 18일; 『동아일보』 1930년 11월 1일; 岩村登志夫, 『在日朝鮮人と日本勞働者階級』, 橋昌書房, 1972, 236쪽.

거가 심해졌다. 1932년 후반기부터 운동가들이 검거되기 시작하여 11월 대
탄압을 기화로 조합의 존속자체가 어려워졌다. 여기에 조합원의 반감(半減)
으로 7만 3천 원에 달하는 거액의 부채를 자력으로 해결하기에는 역부족 상
태가 되어 그 해 12월에 운항이 정지되었고, 1934년 2월에는 조합의 문을
닫았다.

동아통항조합은 제주도와 오사카를 왕래하는 한인의 편익을 위해 오사카
거주 한인들이 결성한 선박협동조합이다. 그러나 동아통항조합은 재일한인
과 일본당국에게 단순한 선박협동조합으로서만 인식되거나 기능하지 않았
다. 오사카의 재일한인들은 1920년대에 전개했던 합법운동의 역할을 동아
통항조합을 통해 구현하고자 노력했고, 동아통항조합을 통해 한인의 민족
적 정체성과 단결력을 강화하고자 했다.

선박협동조합과 다른 또 하나의 협동조합은 오사카에서 운영되었던 조선
무산자진료소(朝鮮人無産者診療所)이다. 물론 조선무산자진료소(이하 진료
소)는 조합원의 출자로 운영되는 조합은 아니다. 그러나 질병발생이 용이한
상황 아래 생활하는 오사카 거주 한인들이 언어가 통하는 한인의사에게 치
료를 받을 수 있도록 하기 위해 한인 스스로의 노력으로 만든 일종의 의료
조합이다. 그동안 조선부락에서 한인의 진료는 조선부락 내 한약방에서 담
당하고 있었는데, 한약방이 치료할 수 없는 경우는 귀국할 수밖에 없었다.
특히 한인노동자들은 위험하고 위생시설이 열악한 작업장에서 일하고 있었
으므로 질병에 걸릴 위험은 항시 상존하고 있었다. 게다가 일본 의료시설에
서 종종 발생하는 한인 진료거부도 한인들의 생존권을 위협하는 일이었다.
이러한 어려움을 극복하기 위해 만든 것이 진료소이다.

1930년 1월초에 정구충(鄭求忠, 오사카의대 출신) 등이 중심이 되어 '실비
진료소'를 개설하기로 하고 30여 명으로 후원회를 조직했다. 실비진료소는
정구충과 민찬호(閔贊鎬) 등 한인 의사와 간호사를 갖추고 2월에 개업하였
는데, 개업 당일부터 60여 명이 몰려 성황을 이루었다고 한다.(北區 吉山町
소재) 진료소는 1인당 진료비와 약값이 각각 10전으로 매우 저렴했다. 특히

조선일보는 보도기사를 통해 진료소를 '조선인무산대중의 힘으로 결성된 유일한 기관이므로 동아통항조합의 결성과 함께 오사카 거주 조선인사에서 가장 크게 기록할만한 일'이라고 특별한 의미를 부여했다.

실비진료소는 1년간 운영한 후 '오사카조선인무산진료소'로 이름을 변경 했다. 진료소는 1931년 2월 2일에 설립 1주년을 맞이하여 정구충이 '진료소를 조선인무산자대중에게 제공'한다고 발표하고 이를 위해 실행기관을 조직하여 운영하기로 하였다. 이 때 명칭도 오사카조선인무산자진료소로 개칭되었다(집행위원장 정구충). 진료소는 설립 직후인 2월 하순부터 의료 확장을 위해 조선부락에 격문과 포스터를 붙여서 2,000원의 기금을 모금하였다. 또한 그 해 8월 21일에 열린 실행위원회 임시대회에서는 조선인이 다수 밀집한 니시나리구(西成區)와 히가시나리구(東成區)에 분원을 설치하기로 했다. 그러나 진료소는 당국의 폐쇄조치를 받게 된다. 분원은 9월에 개원하기로 예정되어 있었는데 단체설립허가를 받지 않았다는 이유로 9월 11일에 경찰에 폐쇄명령을 받고 간판까지 압수당한 후, 13일에 확대위원회 결정에 따라 문을 닫았다. 당국의 폐쇄 이유는 허가 위반이었다. 그러나 실제 이유는 '무산자진료소가 진료소라는 이름을 내걸고 조선독립기념일에 격문을 뿌리고, 진료소의 이익금으로 한인아동교육기관을 운영하는 등 실제로는 민족운동을 했기 때문'이다.[41]

② 언론기관을 통한 대응

조선부락에서 중요한 역할을 담당한 언론 매체로서 신문이 있다. 오사카의 민중시보(民衆時報)와 도쿄의 조선신문이 대표적이다. 이 가운데 민중시보를 살펴보면, 한인의 구심적 지도단체인 재일본조선노동총동맹이 1929년에 해산된 이후 일본지역 거주 한인의 이익과 단합을 위한 목적으로 결성

---

41) 『동아일보』1931년 3월 2일;『조선일보』1930년 1월 25일, 2월 1일, 2월 21일; 1931년 3월 5일, 6월 22일, 8월 27일;『大阪朝日新聞』1931년 9월 13일.

되어, 민족정신을 고취하고 일본당국의 내선융화정책에 대항하며 한인의 단결을 공고히 하는 데 주도적인 역할을 담당했다. '일본 내에 거주하는 조선인 민중의 생활권 확립과 그 옹호 신장에 이바지할 것' 등을 강령으로 내걸고 1935년 6월 창간했다.

발간 동인은 대표간사인 김문준을 비롯해 김경중(金敬中, 阪神소비조합회장), 정재영(鄭在英, 대동소비조합회장), 金達桓(泉州일반노동조합), 박봉주(朴鳳柱, 神戸합동노동조합·阪神간 재류조선인단체연합기성회), 정태중(鄭泰重, 京都조선인친목회집행위원장), 홍순일(洪淳日, 신간회 大阪지회) 등이 있고, 그 외 김광수(金光洙, 조선일보 大阪지국장), 김정국(金廷國, 동아일보 大阪지국장), 이호태(李鎬泰, 매일신보 大阪지국장), 박윤석(朴尹錫, 중앙일보 大阪지국장) 등 대표적인 오사카 한인 단체장들이다.

이 가운데 실제적인 중심인물은 김문준이다. 오사카지역에서 한인노동자들과 함께 노동자 파업을 주도하고 노동조합운동을 전개한 김문준은 東成區지역의 고무공총파업을 주도하다가 검거되어 투옥생활을 한 이후 합법운동의 한계를 절감하고 민족운동의 방법으로 언론활동을 택했다.[42] 발간 당시에는 월 2회 발간되었고, 4×6판 8면으로 가격은 10전이었다.[43] 그러나 7월부터 발간 회수가 월 3회로 늘어났다.

민중시보의 주요 기사를 살펴보면 다음과 같다. 첫째, 정주 한인의 생활권을 옹호하기 위한 내용이다. 도일 후 일자리와 주택을 구하는 문제부터 공동구매 요령, 소비조합 이용법, 법률문제, 건강 상식 등 일본에서 생활하는데 필요한 여러 사항을 문답식이나 기고의 형식을 통해 상세히 보도했다. 특히 주택분쟁에 대해서는 상세한 보도기사를 통해 일본당국과 일본인에게 반성을 촉구했다. 둘째, 반봉건적 유습 철폐이다. 이를 위해 미신 타파와 조

---

42) 김문준은 이미 국내에서 활동하던 시기에 교육과 언론활동을 담당한 경험이 있었으므로 언론활동이 갖는 영향력과 역할에 대해 인식하였다. 1997년 9월 12일 제주도 제주시 김봉옥 인터뷰(1997년 9월 12일, 제주도 제주시).

43) 『민중시보』 1호, 1935년 6월 15일.

혼 금지 등에 관한 글을 실었다. 셋째, 한인의 대동단결을 도모하고 동화단체를 배격하는 내용이다. 그 외 고국 소식과 한인의 강제송환이나 경찰의 탄압을 고발하는 내용도 빠질 수 없는 내용이었다.

민중시보는 기사의 근저에 민족의식을 깔고 있었고, 또한 민중시보의 활동으로 인해 재일한인의 단결이 공고화되는 결과를 낳았으므로 일본당국의 탄압을 피하기 어려웠다. 또한 한글신문이 한인 어린이들에게 한글을 가르치는 효과를 가져왔으므로 민중시보의 발간은 내선융화를 지향하는 일본당국에게는 반드시 제거해야 할 대상이었다.[44]

1936년 5월 22일, 민중시보 창간자인 김문준이 사망하고 민중시보 기자였던 이신형(李信珩)이 운영을 맡았으나 1936년 9월 25일 특고경찰은 이신형 주간과 한진섭(韓辰燮), 이면호(李眠鎬)를 비롯한 기자들을 모두 검거하고 9월 21일, 제27호로 폐간 처분했다.

일본경찰은 검거와 폐간에 대한 이유를 "좌익조선인의 지원 아래 운영되며, 민족운동의 지도적 역할을 담당하고, 민족운동의 주체를 결성하는데 광분"했으며, 가장 교묘한 전술을 채용하여 신문기사에 의해 선전활동을 하고 이면으로는 조직 활동을 통해 한인 각층을 장악하고자 했다고 지적했다. 또한 1936년 5월 25일 김문준의 사망 이후 이신행이 주간이 되면서 활동이 더욱 노골화되어 각 친목단체나 노동단체 등의 대동단결을 기도하고 민족운동의 주체를 결성하고자 노력했다고 보았다. 또한 도항문제·차가문제·기타 내선교풍회의 동화정책의 폭로·민속수의단체를 결성함과 동시에 阪神소비조합·노농구원회를 통해 공산주의운동에 의해 대중획득을 하고 이를 민족운동에 결집하고자 노력했다고 파악했다.[45]

---

44) 민중시보는 당시 당국의 동화정책을 주도하는 융화단체의 비리를 고발하고 일본당국이 강조하는 동화정책에 직접적으로 위배되는 기사를 실었다. 즉 1936년 1월 1일에서는 「각계인사의 연두소감」이라는 지면을 통해 한국어 교육을 강조했다. 글을 기고한 李民善과 金善嬉는 「한글을 직히자」와 「자녀에게는 조선문과 조선어를」이라는 글에서 한국어 교육의 필요성을 지적하고 실천을 촉구했다. 『민중시보』 6호, 1935년 9월 15일; 8호, 10월 15일; 1936년 1월 1일.

45) 『特高月報』 1936년, 11월분 553쪽.

비록 일본당국이 주장한 내용의 많은 부분이 『민중시보』를 발간 금지하고자 하는 명목이라 하더라도 당시 한인사회에서 민중시보가 담당한 역할이 적지 않았음을 알 수 있다. 민중시보의 폐간 이후 조선인의 단합과 이익을 도모하는 여러 단체에 대한 탄압도 이어져 이후부터 한인 자신의 자주적 활동은 더욱 불가능하게 되었다.

③ 교육기관을 통한 대응

교육기관은 언론과 함께 한인들의 민족적 결속력을 강화시키고 일본당국의 재일한인 정책에 적극 대응하는데 가장 중요한 역할을 담당했다. 교육기관의 설립은 특별히 교육문제에 관심이 높은 한인 사회의 특성과 관련되면서 효과를 거두었다.

1920년대에 한인들은 자신의 교육문제에 관심을 기울였다. 고학생 생활을 하다가 생활의 어려움으로 학업을 포기하고 노동자가 된 경우도 많았고, 도일 당시부터 학업을 목적으로 한 노동자도 적지 않았기 때문이다. 이들은 노동자 야학이나 야간대학을 통해 학업의 갈증을 해소했다. 특히 오사카에 거주한 한인들은 국내에서 하지 못한 학업의 꿈을 이루기 위해 5~6군데의 심상소학교를 이용했다. 그 가운데 136명은 1924년에 제미(濟美)제4심상소학교 조선인특별학급(2학급)에 배치되어 교육을 받았다. 그러나 1930년대에 들어서면서 한인의 정주화가 강화되자 아동 교육이 한인 사회의 새로운 문제로 대두되었다. 1932년 오사카시의 경우에는 7세부터 17세까지 학령아동 7,225명 가운데 48%인 3,437명이 취학하고 있었던 것으로 나타났다. 1933년에도 14,052명이 취학대상아동인데, 이 가운데 6,583명(46.9%)이 취학하고 있었다.[46]

이와 같이 증가하는 학령대상아동을 위해 1920년대에는 노동조합이 조선

---

46) 朝鮮總督府 庶務部, 「朝鮮人勞動者の敎育施設」, 『在日朝鮮人』, 315~317쪽; 大阪府, 「朝鮮人に關する統計表」, 『朝鮮硏究叢書』 3, 37~38쪽; 大阪府 學務部, 「在阪朝鮮人の狀況」, 『朝鮮硏究叢書』 3, 1981, 100~101쪽.

부락의 아동을 대상으로 학교를 세워 운영하기도 하였고, 일본학교에 아동을 취학시키는 경우도 있었으나 경제난으로 미취학아동이 늘어나자 조선부락 부근에 야학과 학원을 설립하여 교육을 담당했다. 오사카의 사례를 살펴보면 다음과 같다.

1928년에 나니와구(浪速區)에 거주하는 한인들이 낭화(浪華)야학을 설립하고 후원회를 조직하여 학교운영을 담당하였다. 1930년에는 고노하나구(此花區) 오히라키쵸(大開町) 부근 조선부락에 거주 여성과 아동을 위한 야학이 문을 열었다. 나카가우치군(中河內郡) 후세쵸(布施町)에 거주하는 한인들도 1930년 10월 16일에 공제(共濟)학원을 개교하여 미취학 한인 아동에 대한 교육을 실시하였다. 공제학원은 별도의 교사를 갖추지 못하고 개교하였으나 아동이 50명으로 늘어나자 1931년 10월에 학원신축위원을 선정하고 300원을 모금하여 12월 16일에 낙성식을 가졌다.

1930년대 초반에 오사카에 설립된 대표적인 교육기관은 관서공명(關西共鳴)학원(원장 김상구)이다. 공명학원은 몇몇 조선부락이 연합하여 설립한 학교라는 점에서 의미가 있다. 또한 각지의 조선부락이 설립한 야학은 여럿 있었으나 한인의 기금으로 교사(校舍)까지 마련한 학교는 최초였다. 최대의 한인이 거주하는 히가시나리구 관내 3개 조선부락에 거주하는 한인 2만여 명은 1931년 4월에 관서공명학원을 세우기로 결의하고 4월 28일, 정철(鄭澈), 신경규(辛璟奎), 김재수(金在秀)를 비롯한 10여 명이 모임을 조직했다. 이늘은 모금한 1,700여 원으로 기타나카하마쵸(北中濱町)에 건물(건평 37평)을 세워 그 해 12월 1일에 낙성식을 갖고 이듬 해 1월에 개교식을 가졌다. 이 건물에서 150명의 아동을 교육하였는데, 유지회의 후원 아래 운영되었다. 당시 한인들은 공명학원을 '관서(關西)의 자랑'이라고 부를 정도로 자부심을 보였다. 그러나 1932년 2월 1일 당국에 의해 학생 3인이 검속된 후 7월 25일에는 폐쇄되었다. 1935년 5월 히가시나리구에 문을 연 동광(東曠)야학소도 한인아동을 대상으로 교육하였는데, 당국의 탄압으로 8월 23일에 폐쇄되었다.[47] 오사카 외에 주요 도시에서도 조선부락을 중심으로 한인 교육기관이 설립 운영되었다.

3) 재일한인사회의 대응과 한인 지도자

재일한인사회가 일본 당국의 통제와 동화정책에 적극 대응할 수 있었던 또 다른 힘은 한인지도자들의 강력한 리더쉽이었다. 이들은 초기에 노동운동에서 출발했으나 1930년대 중반까지 노동운동을 포함해 한인 사회를 이끌었다. 이들 한인 지도자들은 한인 사회가 결속력을 강화하는데 큰 도움을 주었다. 특히 1920년대에 노동운동을 이끌던 각지의 한인운동가들은 반일투쟁 외에 임금과 민족차별, 주택분쟁 등 한인 노동자의 생존권을 지키는 노력을 동시에 수행해나가며 한인사회의 전폭적인 지지를 얻게 되었다. 이들의 노력으로 인해 1920년대 중반부터 시작된 정주 한인들은 정착에 큰 도움을 받았고, 조선부락을 통해 생존권과 조선 관습을 온존해나가는 힘을 얻었다. 그러므로 1920년대 말에 총검거를 통해 많은 운동가들이 옥고를 치르면서 공백현상을 맞았으나 자생력을 발휘할 수 있다.

지역적으로 보면, 1920년대에는 도쿄지역 한인운동가들의 활약이 두드러졌으나 1928년 총검거를 거치면서 한인 단체가 지하화한 후 관서지역 운동가들이 맥을 이었다. 1920년대 대표적인 한인운동가이자 도쿄지역의 한인운동가는 김천해(金天海, 본명 金鶴儀)이다. 통도사에서 수행을 하고 중앙학림에 입학했던 김천해는 1922년에 도일해 노동운동에 입문한 후 재일한인 노동단체는 물론 조선공산당 간부로 활동했다. 1928년 조선공산당 일본총국 책임비서가 되었으나 10월에 피체되어 징역 5년을 언도받고 출옥한 후 1936년 8월에 다시 피검되어 징역 4년의 판결을 받았고, 형기 종료 후에도 예방구금으로 구금되어 1945년 10월까지 수감생활을 했다.[48]

---

47) 『조선일보』 1930년 7월 29일; 31일; 1931년 11월 28일; 1931년 12월 23일; 『중앙일보』 1932년 2월 8일; 『조선중앙일보』 1932년 1월 6일; 『민중시보』 1935년 9월 15일.
48) 김천해의 생에 대해서는 樋口雄一, 『金天海』, 社會評論社, 2014 참조.

1930년대에 일본당국의 한인 정책이 강화되면서 한인 사회의 대응력도 다양성을 띠었다. 합법운동을 이끌던 운동가들 가운데 일부가 한인 사회에서 당국의 정책에 대한 견제 역할을 이어나갔다. 몇몇 인물을 살펴보면 다음과 같다.

나고야(名古屋) 지역의 박광해(朴廣海)는 1930년대 한인 사회의 리더로 활약한 인물이다. 1902년 함남 함흥에서 태어난 박광해는 3·1운동의 영향을 받고 1920년 도일해 1922년 김천해와 만나 노동운동가의 길을 걷게 되었다. 중국 만주 간도와 러시아 극동지역에서 활동하다가 1924년에 다시 일본으로 돌아온 박광해는 도야마(富山)현 등에서 한인 노동운동을 주도하고 1928년에는 니가타(新潟)현으로 가서 재일본조선노동총동맹 산하 니가타현 조선노동조합에, 1930년에는 아이치(愛知)현 산신(三信) 철도파업을 지도했다. 이 파업으로 인해 피검되었으나 출옥 후 1934년에 일본인을 포함한 나고야 합동노조를 조직해 활동하고 기후(岐阜)현에서 한인 단체를 조직해 활동하다가 1938년에 다시 투옥되어 1941년까지 옥고를 치뤘다.[49]

한인사회를 이끈 리더 가운데 가장 대표적인 인물은 오사카의 김문준(金文準)을 꼽을 수 있다. 1894년에 제주도 조천리에서 태어나 제주농림학교를 졸업한 김문준은 1920년대 중반에 오사카로 도일해 고무공장에서 일하면서 노동운동을 주도했다. 1927년에 재일본조선노동총동맹 산하 오사카조선노동조합집행위원과 신간회 오사카지회 결성을 주도했고 1928년에 주택분쟁을 승리로 이끌었디. 김문준은 1928년 7월 오사카조선인거주권획득동맹을 조직하고 연설회 등을 개최했다.[50]

특히 김문준은 주택 분쟁 문제 해결을 통해 일본지역 중 최대의 한인 사회를 구성한 오사카를 비롯한 관서지역 한인들의 자생력과 역량을 배양하고 1930년대 관서지역 한인 사회가 역동성을 갖는데 기여했다. 앞의 〈표 3〉

---

49) 박광해의 활동에 대해서는 「朴廣海氏勞働運動について語る」, 『在日朝鮮人史研究』 19·20·22호, 1989~1992 참조.

50) 朴慶植, 『在日朝鮮人運動史 −8.15 解放前』, 三一書房, 1979, 374쪽.

에서 살펴본 바와 같이 오사카는 한인수 뿐만 아니라 조선부락이 109개소로 도쿄의 31개소의 3배에 이를 정도로 많았다.[51]

김문준은 1929년에 오사카조선소년동맹과 오사카고무공조합을 결성했다. 오사카고무공조합은 창립대회에서 채택한 14개 의안에 '최저임금제 확립, 실업수당법 제정, 8시간 노동법의 즉시 실시, 청부임금제 철폐, 민족적 임금차별 철폐, 민족적 차별철폐 특수**근절, 여성 및 청소년노동자 특별보호법 실시, 건강보험법의 철저 개정' 등을 포함하여 노동현실을 개선하고 노동자의 이익을 고수하기로 결정하고 이를 관철하기 위한 투쟁을 전개하기로 함에 따라 한인노동조합에 대한 지도와 지원을 적극적이고도 활발히 전개했다.[52]

1930년에 재일본조선노동총동맹(재일노총)이 전일본노동조합 전국협의회(전협)에 해소될 때 과정을 둘러싸고 논쟁을 이끌기도 했다. 김문준은 도쿄의 한인노동운동가들과 '산업별 재정리가 우선이냐 아니면 노총해산, 전협 합류가 우선이냐 하는 문제에서 나타난 입장 차이'가 가장 컸다. 재일노총 해산주도세력(김호영, 김두용)은 공장을 기초로 조합을 재조직한 이후 노총 해체와 전협 가맹을 주장했다. 산업별위원회를 산업별지방협의회로 결합하

---

51) 연도별 한인 거주 순위를 보면, 오사카지역은 1925년 이후 최대의 한인 거주지역이다.

〈표〉 재일한인의 연도별 거주 지역 순위

연도 \ 순위	1913	1917	1920	1921	1925	1928	1930	1933
1	東京	福岡	福岡	福岡	大阪	大阪	大阪	大阪
2	福岡	大阪	大阪	大阪	福岡	東京	東京	東京
3	大阪	北海道	兵庫	長崎	東京	福岡	愛知	愛知
4	兵庫	兵庫	北海道	東京	愛知	愛知	福岡	京都
5	北海道	東京	長崎	兵庫	京都	京都	京都	福岡
6			東京	山口	兵庫	兵庫	兵庫	兵庫
7		山口	北海道	神奈川	神奈川	山口	山口	山口
8		京都	廣島	山口	山口	北海道	北海道	廣島
9			京都	北海道	北海道	神奈川	神奈川	神奈川
10			大分	廣島	廣島	廣島	廣島	岐阜

〈자료〉 內務省 警保局,「朝鮮人槪況」(1920년),『集成』1, 83쪽; 金正明,『朝鮮獨立運動』3, 1967, 848~855쪽; 內務省 警保局,「朝鮮人近況槪要」(1922년),『集成』1, 120쪽; 朝鮮總督府,「阪神京浜地方의 朝鮮人勞動者」1924년,『集成』1, 398~399쪽; 東京府 社會課,「在京朝鮮人勞動者의 現狀」1929년,『集成』2, 934쪽; 內務省 警保局,「在留朝鮮人運動의 狀況」,『集成』3, 39~42쪽.

52) 『조선일보』1929년 10월 23일.

고 이를 통해 공장 내 활동을 전개하면서 전 세력을 집중함과 동시에 전협 각 지방조직에 직접 참가하도록 한다는 것이다.[53] 이에 대해 김문준은 '즉시 재일노총 해산, 전협 가입'의 입장을 견지하였다. 즉 한인 계급운동과 노동 계급의 이익을 위해 혁명적 좌익노동조합에 들어가야 하는 것이 결정된 이 상, 재일노총의 해산과 전협 합류는 시급히 추진해야 할 사안으로 생각했 다.[54]

김문준은 전협 해소 이후 오사카고무공조합을 전협일본화학산업노동조 합 오사카지부로 개편하고 같은 해 8월에 고무노동자들의 파업을 준비하던 중 치안유지법 위반으로 체포되어 징역 3년 6개월을 언도받고 출옥 후 1935 년 6월에 민중시보를 간행해 일본당국의 내선융화정책에 저항하는 활동을 그치지 않았다. 그러나 옥중에서 받은 고문 후유증과 폐결핵으로 1936년 5 월 사망했다. 김문준은 관서지역의 대표적인 한인 지도자로써 민중시보 외 에 동아통항조합과 노동조합 등 관서지역 한인 단체 결성과 운영에 막대한 영향력을 행사했다.

5. 맺음말

일본은 홋카이도(北海道)와 남사할린, 류쿠(琉球) 등 영토를 확장하고 타 이완과 조선 등 식민지를 확보해나가면서 지역의 특성에 맞춰 통치 정책을 세웠다. 일본당국과 일본사회는 증가하는 재일한인 수 및 정주화 경향에 거 부감과 위기의식을 느끼고 통제정책을 강화해나갔다. 1930년대에는 내선협 화회 →교풍회 →중앙협화회→중앙흥생회로 이어지는 통제기관을 설립 운 영했고, 각지에 융화단체를 결성·지원하면서 한인사회의 해체를 지양했다.

---

53) 金正明, 『朝鮮獨立運動』 4, 原書房, 1967, 949~954쪽.
54) 전협 해소 과정에서 김문준의 입장은 정혜경, 『일제시대 재일조선인 민족운동연구－오사카를 중심으로』, 국학자료원, 2001, 301~308쪽 참조.

그러나 한인사회는 1920년대 활발한 한인운동을 토대로 1930년대에는 조선부락을 중심으로 한 결속력을 강화해나갔다. 특히 1920년대 오사카와 도쿄 등 한인이 밀집한 지역에서 전개한 재일한인운동은 한인단체의 활동내용을 통해 구체화되었다. 이 시기 재일한인단체가 중심이 되어 전개한 한인운동의 비중은 단체별 활동보다는 연대투쟁이었다. 출판활동이나 강연, 연구 활동, 노동자 일상투쟁지도 등 단체의 성격에 따른 독자적인 활동도 존재하지만, 연대투쟁의 성격을 띤 활동이 2/3 이상을 차지한다. 연대투쟁은 개별적인 활동보다 재일한인의 운동역량을 결집시킬 뿐만 아니라 일본 당국에 강력한 위협이 되었다. 이러한 재일한인 운동의 토대는 조선부락이었다. 〈표 3〉에서 살펴본 바와 같이 조선부락 거주 한인 비율이 가장 높은 오사카는 한인운동이 가장 활발한 지역이기도 하다. 1920년대에 결성되는 노동조합은 조선부락을 중심으로 조직되었으며, 노동조합이 주도하는 여러 활동에서 조선부락 조선인은 주요한 동력이었다. 따라서 1920년대 이후 노동조합과 각종 단체가 주도하는 각종 대중시위에 참가하는 한인들도 조선부락 거주 한인이 중심이었다. 1920년대 노동운동을 비롯한 한인운동을 주도한 한인 지도자들의 역할이 컸다.

1930년대에 들어서면서 재일한인운동의 지형은 변화하게 된다. 독자적인 한인 단체의 해산과 극심한 당국의 탄압으로 인한 일본사회운동의 쇠퇴·소멸, 한인 정주화의 강화 등 세 가지 이유 때문이다. 당국의 탄압은 1920년대 후반부터 강해져서 1931년 만주침략 발발 이후에는 최고조에 달했다. 당국은 만주침략 이후 대륙침략정책을 본격적으로 추진하면서 본국과 식민지에 대한 저항세력을 억압하고자 총력을 기울였다. 1928년 '3·15 대검거'에서 시작된 탄압은 1929년부터 더욱 강력해져서 메이데이 투쟁도 이어가기 어려웠다. 1932년부터 시작된 전향정책으로 일본공산당은 세력을 잃었고, 일본 노동운동계는 '파업절멸선언'을 통해 파쇼정책에 전폭적인 지원을 맹세하였다. 이러한 상황 하에서 재일한인에 대한 통제와 억압은 더욱 강화되었다.

특히 총동원체제가 본격화된 1930년대 말부터 한인 사회는 극심한 외압에 시달렸다. 총동원체제기에 재일한인은 중앙협화회의 통제 아래 놓여 있었다. 경찰기구의 하나로 운영된 중앙협화회는 '협화회 수첩'을 통해 한인의 취업과 이동을 통제했다. 그럼에도 조선부락은 일본에 비협조정책을 유지함으로써 전쟁 협력을 거부하기도 했다. 이에 대해 일본당국은 아시아태평양전쟁 말기에 빈번해진 연합군의 일본본토공습을 조선부락 해체에 활용했다. 본토 공습이라는 혼란시기에 당국은 한인의 집단거주지를 '소개(疏開)와 마을 철거'라는 방법으로 괴멸(壞滅)시키고, 한인들의 구심점을 없애고자 했다.

　일본당국이 통제조직을 통해 한인의 민족적 정체성을 말살하고자 하는 상황 속에서 한인들이 이를 고수하는 데에는 적지 않은 노력과 의지가 필요했다. 한인들은 조선부락을 토대로 일본당국의 한인 통제정책에 적극 대응해 나갔다. 또한 교육기관과 협동조합, 언론기관을 통한 한인 사회의 역량 강화는 한인들이 일본 당국의 통제 정책 대응에 크게 기여했다. 한인의 일본국민화를 꾀하던 일본 당국에게 한인 사회의 이 같은 민족적 아이덴티티 온존은 큰 부담으로 작용했다. 이같이 1930년대부터 강화된 일제의 통제정책 속에서 조선부락을 중심으로 민족적 정체성을 지키는 일은 한인들의 민족의식을 보존하고, 민족운동의 토대를 제공한다는 점에서 민족운동의 한 요소로 평가할 수 있다. 조선부락과 우리말·조선 관습은 명맥을 유지되어 해방을 맞이한 후에는 민족학교로 이어져갔다.

■ 정혜경

제2차 세계대전 말기
재일한인에 대한 일본의 감시 태세

1. 과제의 설정

이 글은 아시아태평양전쟁이 종결되기 직전의 시기, 즉 미군의 일본열도에 대한 공중 폭격이 본격적으로 실시되던 시기에 일본 경찰이 재일한인들에게 어떤 인식을 하고 있었는지를 구명하고 그 의미를 고찰하고자 하는 것이다.

물론 당시는 그 전쟁 수행을 위한 총동원 제세하에서 일본인들도 병력 및 노동력으로 동원되었으며, 특고나 헌병에 의해 항상 감시당하고 있었다. 하지만 그러한 일제 권력 측의 대국민 감시구도의 말단에 식민지 출신의 한인이 위치하고 있었다. 그런 점에서 한인들은 전시동원의 이중 구조의 하부에 처해 있었다고 할 수 있다.[1]

---

1) 이러한 시점에 관해 필자는 「1945년 전반의 일본육군 농경근무대와 피동원 한인」(『한일민족문제연구』 제19호, 2010년 12월)이라는 논문에서 일본인들도 열악한 환경에 처해 있었지만 피동원 한인들은 그들의 지휘 및 삼시를 받는 하부에 위치해 있었다고 지적한 적이 있다.

본고와 유사한 주제에 대해서는 이미 1980년대에 박경식, 히구치 유이치 (樋口雄一)의 선행연구가 있고, 필자도 2003년에 연구노트의 형태로 정리한 적이 있다.[2] 이하에서는, 필자의 2003년 연구노트를 심화하는 형태로, 미군 의 일본열도 공습이 시작된 1944년 전후를 중심으로 일본 치안당국의 재일 한인에 대한 감시 태세를 조명하고자 한다. 그를 통해 당시 일제 권력이 한 인에 대해 가진 인식의 본질에 접근할 수 있을 것이다.

2. 전시기의 재일한인 감시 체제

1) 협화회 체제

일본정부 차원의 재일한인에 대한 감시 체제에 대해 말할 때에 가장 먼 저 협화회를 들지 않을 수 없다. 1930년대 들어서 재일한인의 인구가 급격 히 증가하자, 일본의 치안을 담당하는 내무성은 일본 내의 한인이 실업 및 치안 문제를 심화시키는 원인이 된다고 인식하고 본격적인 대책을 강구하 게 된다. 그 결과 1934년 4월 7일에 열린 정부 내 관련부처의 연석회의에 내 무성 사회국에서 국장과 부장이, 동 경보국에서 도서과장과 사무관이, 탁무 성에서 차관과 관리국장이, 조선총독부에서 정무총감과 학무국장, 외사과 장 등이 일제히 참석하여, 일본 내에 한인이 증가하면 "실업, 주거확보 곤 란, 민족간 마찰 등의 사회문제를 일으키는 원인"이 되므로 조속히 대책을 세우는 한편, 한인의 "일본화"에 주력해야 한다고 합의했다.[3] 그 후 같은 해

---

2) 朴慶植, 『天皇制国家と在日朝鮮人』, 社会評論社, 1976; 樋口雄一, 『協和会』, 社会評論社, 1986; 김광열, 「1940년대 전반 일본경찰의 재일조선인 통제체제」, 『패전 전후 일본의 마이너리티와 냉전』, 보고사, 2006.

3) 김광열, 「1940년대 일본의 渡日한인 규제정책에 관한 연구」, 『韓日民族問題研究』, 제10집, 2006년 6월. 원 자료는 国策研究会研究資料第八号「内地在住半島人問題と協和事業」, 1938年 3月, 20쪽.

의 10월 30일, 오카다(岡田 啓介) 내각은 각의에서 관련 부처 실무자들이 합의한 것을 토대로 「조선인 이주대책 요목」을 결정하였다. 일본정부 차원에서 처음으로 재일한인에 대한 통일된 정책이 수립된 것이다. 그 내용은 한인 도일방지책 강화와 재일한인의 감시 및 동화 강화책으로 나눌 수 있다. 후자에 대해서는 이미 난립해 있던 친일 '융화단체'를 통합하여 감독이 용이하게 함과 동시에 한인 집중거주 지역에 대한 감시를 철저하게 한다는 것이었다. 이 후자의 방침이 그 후 일본 정부 주도로 중앙 협화회가 설립되는 논리적 근거가 된다.

1936년 8월 내무성이 각 지방장관에게 송부한 「협화사업 실시요지」라는 통첩에서 "동화를 기조로 하는 사회시설을 철저히 강화함으로서 국민생활의 협조 개화(協調諧和)에 보탬이 되게 하고, 공존공영의 결실을 거두"자는 기본 이념을 지시하였는데, 그 "협조 개화"를 줄여서 '협화'라는 조어가 만들어진 것이다4). 이는 역시 협화회 자체가 사업의 요지를 가장 먼저 "일시동인(一視同仁)의 성지(聖旨)를 봉체(奉体)하여 이를 사업의 출발점으로 하고, 지도정신으로 하고, 또한 귀착점으로 한다"5)라고 강조하였다. 이를 통해, 협화회 사업은 재일한인을 천황제 체제에 귀속하게 하는 황민화 정책의 결정판이었다는 것을 알 수 있다.

이후, 협화 사업은 1936년말부터 37년에 걸쳐 일본 내 주요 부현으로 확대되어 30개 단체가 설립되었는데, 오사카(大阪)부, 가나가와(神奈川)현, 효고(兵庫)현, 나가사키(長崎)현 등은 기존 단체를 개조하는 형태로, 기타 22개 단체는 사회사업협회 안의 협화부로서 설치되었다.6) 1938년 11월 9일에 내무성의 주도로 중앙협화회를 창립하기 위한 발기인회가 열렸고, 이듬해 1939년 6월 28일에는 간다(神田)의 학사회관에서 후생대신, 내무대신, 탁무대신 등이 출석한 가운데 중앙 협화회의 창립총회가 개최되었다. 중앙 협화

4) 小沢有作, 「'協和'を忘却の淵から掬いだすために」, 『協和会関係資料集』, 社会評論社, 1990.
5) 財団法人 中央協和会, 『協和事業年鑑』, 1941년판, 1쪽.
6) 朴慶植, 앞의 책, 1976, 181쪽.

회의 이사장으로는 귀족원의원이자 전 조선총독부 학무국장인 세키야 데자부로(關屋 貞三郎)가, 고문으로 조선총독, 후생대신, 내무대신, 탁무대신이, 당연직 이사로는 후생성 사회국장, 내무성 경보국장, 조선총독부 내무국장이, 기타 이사로는 귀족원의원이자 전 조선총독부 정무총감인 이마이다 기요노리(今井田 淸德)외 전 조선총독부 고급관료 2명, 그리고 내무, 탁무, 후생 각성의 차관, 경시총감, 도쿄부와 오사카부의 지사가 임명되었다. 평의원으로는 조선의 유력회사 사장, 조선농회 회장, 동양척식회사 총재, 한인 유력자, 전 조선총독부 경무국장 마루야마 츠루키치(丸山 鶴吉) 등이었으며, 지방의원에는 각 부현에서 직접 해당 지역의 한인에 대한 업무를 하는 사회과장과 특고과장으로 구성되었다. 중앙 조직에서 실무를 담당하는 참사(參事)에는 내무성 보안과장과 후생성 생활과장 등으로 구성되었다. 이 내무성 보안과장은 전국의 특별고등경찰(이하, 특고)의 실제적 최고 책임자인데, 중앙의 협화회에 이렇게 중앙정부 당국의 실무 책임자가 포진되어 있었던 것은 일본 전국의 협화회 지부의 조직이 해당 지역의 특고 경찰과 후생행정이 지도적 역할을 하였기 때문이었다.

그럼 이 시기에 협화회의 중앙조직이 설립된 이유는 무엇일까. 이미 1937년 7월에 발발한 중일전쟁으로 인해 시작된 전면적인 전시체제는 1938년 5월 국가총동원법의 시행으로 인해 한층 본격화되고 있었다. 더욱이 1939년 7월에는 「국민징용령」이 시행되고 '제1차 노무동원계획'이 각의에서 결정되어 전체 113만 9천명의 동원계획 중에 한인이 8만 5천명(7.5%)이 할당된다. 이 노무동원은 군수 기업이 필요한 인원수를 신청하여 그 수만큼 조선에서의 노동자 모집을 허용하는 이른바 "모집" 형태였다.

즉 협화회를 설립한 목적은 일본제국이 본격적인 전쟁 체제의 수행을 위해 노동력이 부족한 일본내의 군수사업체에 식민지 조선으로부터 한인들을 동원해야 하는 현실 아래, 그들과 기존의 재일한인 전체를 망라하여 통제할 수 있는 틀을 수립하기 위해서였다.

2) 한인에 대한 지원병 제도 개방

일본제국 정부는 한인에 대한 징병제 개방의 사전 단계로서 1938년 1월부터 한인을 대상으로 한 지원병 제도를 실시하였다. 재일한인들도 그 대상에 포함되므로, 이미 전국 각지에 설립되어 있던 협화회를 중심으로 그에 대한 대응을 하지 않을 수가 없었다. 그러한 한인들을 특고는 주도면밀하게 감시하고 있었다.

> (지원병) 실시 발표 후 경찰서, 헌병대, 시구정촌市区町村 사무소에 출두하여 지원 수속에 대한 교시 또는 그 수속 알선을 하겠다고 하는 자가 교토(京都), 오사카(大阪), 시가(滋賀), 기후(岐阜), 이시카와(石川), 돗토리(鳥取), 오카야마(岡山), 히로시마(廣島), 야마구치(山口), 와카야마(和歌山), 도쿠시마(德島), 에히메(愛媛), 고치(高知), 후쿠오카(福岡), 오이타(大分), 사가(佐賀)의 각 현하에서 속출하여 그 수 150명에 달하는 상황이다. 그래서 이들 중에는 일시적인 흥분에 치닫거나 매명 행위라고 인정되는 자도 있으나, 태반은 지극히 진지하게 국방 제일선에 참가하기를 열망하고 있다. 하지만 그 교육 정도 등을 보면 적격자는 극히 소수라고 보여진다.[7]

이를 보면 "지원병 제도"가 한인에게도 적용되자마자 일본 전국적인 규모로 각지 거주의 한인들에 의한 지원병 희망자들이 나타났으나, 특고는 그 대부분이 군대 생활을 할 수 있을 정도의 교육 수준이 되지 않음을 우려하고 있었던 것을 확인할 수 있다. 그것은 특고에게 각시에서 하층민으로서 겨우 생계를 이어가고 있던 한인들의 생활 상황에 대한 이해가 부족했기 때문의 판단이라고 말하지 않을 수 없다. 또한, 1938년 당시 재일한인의 인구가 약 80만 명에 달하였다는 점을 고려할 때에 전국에서 150명 정도의 자원 인원수는 결코 많다고는 할 수 없었다.

하지만 이렇게 재일한인에게도 실시된 지원병 제도는 실제의 지원자도

---

7) 内務省警保局, 『特高月報』 1938年 1月.

합격자도 매우 소수였다고 판단된다. 그 이유 중의 하나는 지원을 위한 사무 수속을 본적지나 경성(서울)에서만 취급하고 있었으므로 일본에 살고 있던 한인 청년들에게는 힘든 일이었기 때문이었다. 본적지 면장의 보증서를 받고, 지원서를 제출하러 가기 위해, 수 차례 조선을 왕복해야 했으나, 관련 비용은 모두 지원자 본인의 부담으로 하고 있었기 때문에, 상식적으로 생각해도 지원자가 적을 수밖에 없었다. 더욱이 당시 재일한인 청년들은 설사 돈이 있다 하더라도 지역별 노동력 확보의 차원에서 자기 멋대로 조선행 선박을 탈 수 없었다. 거주지 경찰이 발행하는 "일시귀선증명"과 취업장 책임자의 허가를 필요로 했다. 따라서 1940년도 전기에 지원병에 합격한 양덕조(梁德祚)가 "내지에서 5번이나 조선을 왕복했고 다수의 지원자 중에서 합격했다"[8]고 자랑하듯이 극소수의 열렬한 친일 분자를 제외하고는 거의 없었다. 더욱이 그러한 열렬 분자들의 지원이 성취되기까지는 각지의 협회의의 후원이 있지 않으면 불가능한 일이었다.

　그러나 일본은 미군을 중심으로 한 연합국의 맹공에 직면한 결과, 1942년 6월의 미드웨이 해전 이후 연속하여 패퇴하였고, 전선은 점차 일본열도를 향해 축소되고 있었다. 대동아공영의 지도자가 되겠다는 광신적인 자기도취에 빠져 경제적인 상황 등의 전쟁 수행에 필요한 현실적인 판단을 하지 못하였기 때문이었다. 그와 같은 무모한 전쟁을 강행하는 가운데 한인에 대한 감시 태세는 한층 강화되었다.

3) 징병제 개방과 협화회

　1942년 전반의 일본군은, 1월의 마닐라 점령, 동 2월의 싱가폴 점령, 동 3월의 버마와 자바 점령 및 동부 뉴기니아 상륙 등과 같이, 동남아시아와 남태평양 지역에서 빈약한 식민지 방어군의 허를 찔러 일시적으로 승리에

---

8) 中央協和会, 『協和事業』 1940年 11月, 12月号.

도취했다. 따라서 일본제국 정부는 병력의 부족을 보충하기 위해 1942년 5월 한인에 대한 징병 개방을 44년부터 실시한다고 각의 결정을 하였다. 그에 따라 1943년 3월에는 병역법이 개정되었고, 재일한인에 대한 호적 정비도 실시되었다.

한인을 병력으로 동원하기 위한 프로파간다에 역시 협화회 조직이 가동되었다. 협화회는 1943년 8월부터 징병제 실시에 즈음하여 "조선동포에 대한 징병제 실시에 감사하고 회원으로 하여금 진충보국을 지성으로 발양하게 하고 광대무변한 황은(皇恩)을 받"든다는 명목으로 병제(兵制)발전 기념 행사를 실시하였다. 구체적으로는 "장정 사기앙양대회, 병제발전 대강연회" 등을 개최하였고, 모든 미디어를 동원하여 징병실시를 선전하였고, 일본문학보국회 회원을 동원하여 "결전하의 조선을 말하는 밤"이라는 행사도 실시하였다. 또한 전국 각 부현의 협화회 지회에서 "징병제실시 감사대회"를 열게 하고, 1일 입영체험과 병영 견학, 상이병사 위문 및 위문품 우송, 근로 봉사 등등의 행사도 실시하였다.[9] 재일한인 청년들의 징병검사 적령자들 대상으로 황민화의 연장선상에서 전쟁 분위기를 세뇌시켰던 것이다.

또한 중앙 협화회는 전국의 조직을 통해 한인 청년들에게 징병 준비를 시키기 위해 정신적 및 육체적인 훈련시키는 제도 만들기에 분주한다. 1943년 5월 11일에는 후생성 생활국장 및 내무성 경보국장이 연명한 통달 「내지 재주 조선인장정 연성(鍊成)에 관한 건」이 경시총감과 지방장관 앞으로 통지되었는데, 그 내용은 중앙협화회가 관계관청의 협력 하에 만든 「장정 연성요강」을 지방의 협화회와 피동원 한인을 사역시키는 군수 사업체에게 그 목적을 철저히 이해시키라는 것이었다. 목적이란 "내지재주 조선인 청년에게 심신의 단련, 국어의 습득 숙련, 기타 황국신민으로서 필수적인 훈련을 실시하여 장래 군무에 복역할 경우에 필요한 자질을 연성하고자 하는 것"이라 하였고, 17세에서 21세의 재일한인 남자를 대상으로 하되, 중등학교 이

---

9) 内務省警保局, 「協和事業關係書類」, 1943.

상 재학자 및 졸업자, 청년특별훈련 경험자, 육해군 군속, '이입노무자훈련' 경험자 등은 제외한다고 하였다[10].

4) 새로운 관리 체제, 흥생회 설립

1944년에 미군을 중심으로 한 연합군은 대일 공세를 한층 강화하여, 동년 2월에 마샬군도 점령, 6월 마리아나군도의 사이판 점령, 7월에 임펄 작전 실패, 괌 섬의 점령 등과 같이 일본군의 수비 범위는 더욱 좁아졌다. 이렇게 연합군의 공격이 점차 본토와 가까워지자 일본정부는 전쟁 수행을 위해서는 식민지출신자들에게 협조를 구할 수밖에 없게 되었다. 1944년 7월, 불리한 전황이 계속된 책임을 지고 물러난 도조(東條) 내각 대신에 고이소(小磯)내각이 성립되었다. 그 고이소 정권에 의해 재일한인을 포함한 식민지 출신자들을 선동하는 새로운 체제가 시작된다.

1944년 11월 4일, 고이소 내각은「조선 및 대만 재주민의 처우개선에 관한 건 취급 방침」및「조선 및 대만 주민 처우조사회를 조속히 설치하고, 귀족원의원 선임, 중의원의원 선거에 관한 건」을 결정했다. 그리고 다음달 12월 22일에「조선 및 대만 동포에 대한 처우개선에 관한 건」을 각의 결정했고, 같은 시기에 열린 제85회 제국의회 임시의회에서는 식민지 출신자에게 중의원 참정권을 개방하는 등의 처우개선을 속히 실천하자고 합의했다. 특히 한인과 관련해 정해진「내지재주 조선동포에 대한 처우개선요령」을 보면, "①일반 내지인의 계몽, ② 내지 도항제한 제도를 폐지, ③ 경찰업무 상의 처우개선, ④근로 관리의 개선, ⑤흥생 사업의 쇄신, ⑥대학 및 전문학교 입학자는 내지인과 동등히 대우한다는 진학의 지도, ⑦취직의 알선, ⑧이적(移籍)의 길 개방"[11] 등등을 골자로 한 내용이었다. 이중에서 ⑤를 제외한 나머지 7개 항목은 그 이전부터 한인들이 평소에 개선되어야 할 사안이

---

10) 中央協和會,『壯丁鍊成要綱』, 1943년 5월.
11) 樋口雄一, 앞의 책, 1986, 190~191쪽.

라고 상당한 불만을 표하고 있었던 것이라고 추측된다. 하지만 종래에 한인 자치주의자가 아무리 요망해도 들어주지 않았던 그러한 사안들을 일본정부가 이 시기에 '처우개선'이라는 명목으로 발표한 것은 나름대로의 이유가 있었다. 이미 같은 해 11월 29일에는 미국 폭격기에 의한 수도 도쿄에 대한 첫 공습이 있었다. 즉 다분히 전쟁동원을 위해 다급히 재일한인의 협력을 구하지 않으면 안 될 상황에 처하였으므로, 더 이상 식민지출신자에 대한 처우개선을 미룰 명분이 없어졌던 것이다.

그 이후 "처우개선 요령"은 각지의 협화회 조직을 탈바꿈하는 형태로 실행되었다. 중앙 협화회는 1944년 11월 20일에 중앙 흥생회(興生會)로 개편되었고, '협화사업'은 '흥생사업'으로 개칭하였다. '흥생'이란 "내지에 재주하는 외지 동포를 황국신민으로서 물심양면에 걸쳐 생활을 진흥하고 한층 완전한 황민이 되게하는 것"이라 한다. 여기에서는 역시 "한층 완전한 황민이 되게"한다는 대목이 가장 핵심이다. 이어 중앙 흥생회는 전 조선군사령관 나카무라 코타로(中村 孝太郎)가 회장으로, 전 남양청장관 곤도 슌스케(近藤 俊介)가 이사장으로 취임하였고, 후생성에 건민국(健民局) 민생과(民生課)를 신설시켜 이를 경보국과 함께 주무부처로 하여, 협화회가 종래에 전개하던 사업을 인수하여 전술한 처우개선을 명분으로 하여 대 한인 황민화정책을 강화하고자 하였다. 전황이 결정적으로 불리해짐에 따라 식민지출신자의 인적 및 물적 자원을 한층 착취하기 위해 흥생회를 만들었으나, 이미 패색은 짙어져 되돌릴 수 없는 상황이 되었다.

5) 특고의 감시

이상에서 본 것과 같이 전시체제 하에서 특별고등경찰은 문제를 일으킬 가능성이 있는 존재로서 재일한인에 대해 변함없이 철저한 감시를 하고 있었다. 그러한 상황을 여실히 나타내는 사례를 하나 보도록 하자. 1940년 3월 5일 나라(奈良)현 경찰부에서 도쿄 경시청의 특고부 내선과장으로 근무하던 에노모토 사부로(榎本 三郎)가 나라현 특고 경찰들을 대상으로 특강을 실시하였다. 어떤 내용인지 아래에 그 강연의 일부를 인용하여 보기로 한다.

> …내선(內鮮)일체라는 견지에서 내지(內地: 일본)에 있는 조선인의 내지화 문제에 대해서는 아무쪼록 지도 교화시키고자 노력하지 않으면 안 되고, 우리 경찰관은 치안문제에 제일 중점을 두지 않으면 안 됩니다. 최근 여기저기에서 조선인도 어지간히 내지화가 되었다고 합니다. 그러나 저는 아직도 그들 일부는 불평을 품고 있다고 생각합니다. … 이들 불령자에 의해 일부가 부서진다면 내선 일체는 기대하지 못한다, 장래 영원히 그 일체화를 이룰 수 없다는 것입니다. 따라서 우리는 오른편에는 정의의 칼을 들고 왼편에는 자애(慈愛)의 구슬을 들면서, 선량한 자는 어디까지나 보호하는 동시에 불령자는 단호히 검거하여 그 근절에 기하지 않으면 안 됩니다. … 그 풍속 습관 등에도 밝아야 한다고 생각합니다. … 조선인은 민족성이 매우 비뚤어져 있다. 바꿔 말하면, 겉과 속이 다릅니다. 이를 잘 살펴보지 않으면 그 시찰 단속이 곤란할 것입니다.[12]

에노모토는 1920년대부터 일본 경찰의 대 한인 전문부서인 특고 내선과(內鮮課)에서 20년간 근무한 경력자이며 특고 내에서 한인 전문가로 손꼽히는 존재였다. 위에서 보았듯이, 그는 항상 한인들 중에는 민족 해방의 기회를 노리는 세력이 존재하고 있다는 의심을 품고 있었다. 따라서 특강 대상자들에게 대 한인 업무를 항상 의심하는 자세에서 해야 하며, 언제든지 일본의 통치에 저항하는 자들이라는 인식 아래 강력한 처벌도 불사해야 한다고 전달한 것이다.

당시는 이미 총동원법에 의거해 1939년도에만 약 5만 명의 한인들을 일본의 군수사업장으로 동원하고 있었던 상황이다. 하지만 이후 시기의 재일한인에 대한 특고의 감시 자세를 보면, 에노모토와 같은 한인에 대한 감시 경험이 풍부한 선배의 "조언"이 각지의 특고 경찰에게 충실히 전해졌음을 어렵지 않게 상상할 수 있다.

---

12) 榎本三郎, 「居るぞ!不逞鮮人」, 『警察叢書第45輯』, 奈良県警察部, 1940, 1~2쪽. 荻野富士夫 編, 『特高警察関係資料集成』 第3巻(不二書店, 2003)에 수록.

3. 일본열도 공습 중에 이루어진 한인 감시

1) 미군의 공습 정책

아시아태평양전쟁에서 일본이 패전하기 직전인 1945년 전반은 미공군에 의한 일본 도시지역 및 군사시설에 대한 폭격이 격심했다. 여기에서는 먼저 미합중국 전략폭격조사단의 기록13)을 빌려 1944년 말에서 1945년 8월까지 미군의 대일 폭격에 관한 정책과 실상을 파악하고자 한다. 폭격이 있었던 지역에서는 일본인뿐만 아니라 재일한인들도 막대한 피해를 입었다. 따라서 그들이 그 전쟁에서 어떠한 상황에 처해 있었는지에 대해 객관적으로 알 필요가 있다.

미군의 대일 공격에서 가장 비중을 두었던 것이 항공전이었다. 일본의 방어선이 주로 본토 가까지 설정되어 있었고, 공업 생산도 본토에 집중되어 있었기 때문에 연합국 공군이 일본의 전쟁 경제에 본격적인 공격을 했던 것은 1944년부터였다.

미국의 대일 전쟁에 관한 기본적인 전략은 마지막 단계에 일본열도에 육군이 상륙하여 진격하는 데에 설정되어 있었다. 따라서 1944년 6월부터 시작된 일본 본토에 대한 폭격은 미 육군이 일본에 상륙할 때에 얼마나 피해를 줄일 수 있는가에 초점이 맞추어져 있었다. 일본의 전쟁경제 파괴를 목적으로 한 미 공군의 폭격은 (1) 대 선박 공격 등 봉쇄에 기여하는 것, (2) 공업적 목표, (3) 도시 지역으로 나뉘어져 있었다. 일본열도에 대한 공습목표는 첫 번째가 항공기 공장, 육해군 공장, 전기기계 공장 및 기타 병기 공장이었다.14)

1944년 6월부터 중국의 기지(成都)를 사용하게 된 미국 제20폭격 사령부

---

13) アメリカ合衆国戦略爆撃調査団 著, 正木千冬 訳, 『日本戦争経済の崩壊 ―戦略爆撃の日本戦争経済に及ぼせる諸効果―』, 日本評論社, 1950.
14) 위의 책, 72쪽.

는 장거리 폭격기인 B29을 사용하여 북 규슈(九州)의 군사 시설 및 군수 공장을 폭격하였다. 이 제20폭격 사령부의 임무는 만주 및 북 규슈의 제강공장을 파괴하는 것이 주된 임무였는데, 규슈에는 야하타(八幡) 제철소를 2회, 만주국 안산(鞍山)의 소화(昭和)제강소를 3회 폭격하였다. 1944년 10월말부터 공격의 중요 목표는 항공기 공장이 되었다. 나가사키(長崎)현의 오무라(大村)의 항공기 조립공장은 1944년 7월부터 45년 1월까지 약 500톤의 폭탄이 투하되었다. 그 이유는 성도에서 폭격할 수 있는 사정권에 있는 유일한 항공기 공장이었기 때문이다. 또한 1944년 7월과 8월에는 사세보(佐世保)의 해군 공창에 36톤, 나가사키시에 56톤의 폭탄을 투하하였다.[15]

1944년 11월 24일 이후, 미공군은 마리아나 제도의 기지에서 B29를 출격할 수 있게 되면서 일본 열도의 산업 시설에 대한 폭격을 한층 강화하였다. 동 기지에서 출격한 B29가 11월 24일에 최초의 도쿄 공습을 실시하였다. 1945년 3월 9일까지 대부분 항공기 공장을 목표로 공습을 감행했으나 정밀 폭격을 하지 못했고, 일본군의 치열한 반격으로 그다지 효과를 거두지 못했다. 그러나 미군은 1945년 3월 초순 이후, 야간에 고도 5천~8천 피트 정도의 비교적 저공에서 주요 도시를 폭격하는 것을 결정하였다. 미군이 주요 도시를 폭격하고자 했던 이유는 다음 네 가지라고 한다.

첫째, 일본의 도시는 매우 화재에 약한 목조 건축물이 많다.
둘째, 일본 도시의 작은 공장이 일본의 전쟁경제에 중요한 역할을 하므로 도시에 대한 소이탄 공격은 독일에서의 경우보다 훨씬 산업에 미치는 영향이 크다.
셋째, 주요 도시지역의 파괴는 항공기 공업의 회복을 막고, 다른 공업 특히 공작기계 공업이 항공기 공업으로 전환하는 것을 막을 수 있다고 판단함.
넷째, 인구가 많은 도시를 공격하면 일본 국민과 일본 정부의 항전 의욕을 약화시킬 수 있다.[16]

---

15) 위의 책, 75쪽.
16) 위와 같음.

상기 이유에 근거하여, 1945년 3월 9일부터 4월 16일까지 도쿄, 가와사키(川崎), 요코하마(横浜), 나고야(名古屋), 고베(神戸), 오사카(大阪)에서 야간에 저공비행을 하면서 대량의 소이탄 폭격을 실시하였고, 4월 중에 다시 이전과 같이 군수산업에 대한 정밀 폭격으로 전환되어, 주로 항공기 공장에 대한 공격이 집중되었다.[17] 이와 같은 과정을 통해, 해당 도시들이 불바다가 되었고 그 속에서 수많은 한인을 포함한 일본 민간인들이 희생된 것이다.

2) 동요하는 한인과 감시

아시아태평양전쟁 기에 한민족의 입은 피해로서 총동원 체제에 의한 노무 및 병력(군속 포함) 동원이라든지, 일본군 위안부 등의 형태가 일반적으로 거론되고 있으나, 전쟁 종결 직전에 일본 열도의 도시부에 가해진 폭격으로 발생한 사상자도 결코 적지 않았다.

일반적으로 항공기 폭격으로 인한 피해는 폭발로 인한 사망 및 부상 그리고 건물의 파손 및 도괴, 화염으로 인한 사망 및 부상, 화재로 인한 가옥 및 건물의 파괴 등이라 할 수 있다. 수도 도쿄의 예를 들면, 1944년 11월 24일에 사이판 섬에서 출격한 B29 폭격기가 도쿄를 본격적으로 공습한 이후, 일본의 각 도시에 대한 공습으로 확산되었다. 도쿄에 대한 미공군의 공습은 총 122회라는 놀랄만한 횟수에 이르렀고, 막대한 인적, 물적 피해를 입혔다. 특히 1945년 3월 9일 밤부터 다음 10일에 걸쳐 실시된 대공습은 진소(全燒) 가옥 26만 7천 호, 사망자 8만 4천 명이나 되었을 정도였다. 목표지 주위에 소이탄을 투하하여 화재를 일으켜서 주민들의 퇴로를 막아놓은 다음, 안쪽에 무차별적으로 폭격을 가한 방식으로 엄청난 사망자가 발생하였다.[18] 그러나 이러한 비무장 민간인에 대해 잔인하게 실시된 폭격은 그 전략적 의도가 효

---

17) 위의 책, 77쪽.

18) 일본정부 總務省의 인터넷 홈페이지(http://www.soumu.go.jp/main sosiki/daijinkanbou/sensai/ situation/state/index.html) 중의 「国内各都市の戰災の状況」를 참조.

과가 있든 없든 1급 전쟁 범죄에 해당하는 비판받을 행위이다. 그런데 그 피해자들 속에는 한인들이 포함되어 있다는 사실을 간과하면 안 된다.

재일한인의 폭격 피해는 아직 구체적으로 밝혀지지 않았다. 하지만 전쟁 종료 후에 전쟁 재해를 입은 사람에 대한 일괄 조사 중에 한인도 포함되어 있으므로, 대략적인 전체 피해는 추측할 수 있다. 일본 패전 이후 GHQ가 몰수한 문서 중『協和會關係書類』중에「내지재주 조선인 전재자 개수(內地在住朝鮮人戰災者槪数)」(1945년 9월 작성)가 바로 그것이다.[19]

아래는 앞에서 언급한 1945년 9월에 조사한 일본 각지에서 공습 피해를 입은 인원과 그 중의 한인 피해자의 상황을 나타낸 것이다.

〈표〉태평양전쟁기 일본 거주 한인의 공습 피해 상황

부현명	한인 공습피해자	지역별 피해자 총수	한인비율(%)
北海道	300	13950	2
青森	200	77265	0.3
岩手	200	20220	1
宮城	200	39300	0.5
秋田	300	830	36
山形	0	30	0
福島	0	8700	0
茨城	60	101990	0.1
栃木	600	46420	1.3
群馬	100	61176	0.2
埼玉	500	61176	0.8
千葉	500	87556	0.6
東京	51300	2578150	2
神奈川	10100	440064	2.3
新潟	100	45696	0.2
富山	600	92700	0.6
石川	0	0	0
福井	3500	139150	2.5
山梨	600	75000	0.8
長野	0	3500	0
岐阜	2200	89130	2.5
静岡	2500	29200	8.6

---

19) 樋口雄一, 앞의 책, 1986, 196쪽에서 소개됨.

愛知	22009	550000	4
三重	1600	113280	1.4
滋賀	0	400	0
京都	600	1390	43
大阪	83900	1025036	8.2
兵庫	20500	512875	4
奈良	0	560	0
和歌山	2900	123510	2.3
鳥取	0	250	0
島根	0	300	0
岡山	2200	131600	1.7
広島	12900	359000	3.6
山口	7500	74500	10.1
徳島	200	84300	0.2
香川	500	86400	0.6
愛媛	700	68850	1
高知	400	62300	0.6
福岡	10200	176230	5.8
佐賀	0	200	0
長崎	7900	204900	3.9
熊本	700	57850	1.2
大分	400	18350	2.2
宮崎	200	16900	1.2
鹿児島	900	150500	0.6
計	250069	8045094	3.1

*출전: GHQ가 몰수한 문서 마이크로필름 『協和會關係書類』.

이 표를 통해 당시의 미군의 폭격에 의한 한인의 피해에 관해 다음과 같은 것을 알 수 있다. 첫째, 전체 폭격 피해자 중의 한인 피해는 약 3% 정도이었으나, 그 인원수는 25만 명에 이를 정도로 많았다. 둘째, 도시 지역과 공장(군수) 밀집지역 등 일반적으로 폭격 피해가 많았던 지역에서 한인의 피해도 많았다.

내무성 경보국 조사에 의하면 1944년 12월 말의 총인구가 191만 명에 달했는데, 그 10분에 1이 넘는 25만 명이라는 막대한 인원이 공습의 피해를 입었던 것이다.

한인의 공습 피해가 컸던 이유는 크게 2가지로 나눌 수 있다. 첫째, 일본 거주 한인의 집중 거주지는 일본 내의 주요 공업지대에 인접한 도시 지역

이라는 점. 둘째, 대부분의 일본거주 한인들이 공습의 가능성이 낮은 농촌
지역에 연고자가 없어서 소개(疏開)를 갈 수 없었기 때문이다.

공습을 결정적으로 막을 수단이 없었던 일본정부는 1943년부터 인적 자
원을 보호하기 위해 도시의 인구를 농촌으로 분산시키는 소개정책을 취했
다. 그 해 10월25일의 차관회의에서 중요 도시의 인구를 농촌 지역에 소개
하는 "임의의 인구 소개"를 권장하는 안을 채택했고, 12월 21일 정부 각의에
서 「도시 소개 실시요령」을 정하여 도쿄도, 요코하마시, 가와사키시, 나고
야시, 오사카시, 고베시 등을 소개 대상지구로 정했으나, 소개 희망자는 전
체의 12%밖에 되지 않았다고 한다.[20] 실제는 각자가 연고에 의존하여 알아
서 소개하라는 것이어서, 가족의 분리에 따른 불안과 생활 문제 등이 해결
되지 않으므로 제대로 된 인구 분산이 되지 않았던 것이다.

특히 공습 피해를 줄이기 위해 차세대 국민들 즉 초등학생 이하 연령을
대상으로 한 학동(學童) 소개는 비교적 적극 추진되었다. 1944년 4월 1일 현
재, 국민학교 저학년(3~6학년) 학동 중에서 시골에 연고 소개를 간 것은 전
체의 9.3%에 지나지 않았다는 것이 확인되자, 내무성은 4월 2일에 도쿄도
의 초등학교 3~6학년생 중에서 20만 명에게 1개월 생활비 20엔 중에 절반을
국고 부담으로 하여 주변의 현으로 1년간 소개한다는 제안을 내각에 하였
고, 그 결과 같은 해 6월 30일의 각의에서는 「학동 소개 촉진요항(学童疎開
促進要項)」을 결정하여 발표하였다. 그리하여 1944년 8월 4일에는 도쿄도
이타바시(板橋)구의 가미이타바시(上板橋) 제3국민학교의 생도들 대부분이
군마(群馬)현으로 소개하였다.[21]

상기한 소개는 학동뿐만 아니라, 일반인들도 도시 지역의 공습을 피해 자
발적으로 농촌지역의 친척 집에 일시적으로 이동해 있었다. 그러나 이러한
소개는 일반적으로 일본인에 해당한 것으로서, 농촌에 친척이 없는 대부분

---

20) 逸見勝亮, 『写真・絵画集成 学童疎開 2 ひもじさに耐える』, 日本図書センター, 2003.
21) 위의 책.

의 재일한인들에게는 해당되지 않았다.

재일한인들의 주된 거주지는 대부분 일본의 공업도시였기 때문에, 미군의 공습이 시작된 1944년 이후 재일한인은 매우 동요했다. 한인들은 당연히 생명에 위협을 느꼈기 때문에, 한반도의 고향으로 돌아가고자 하였다. 아래의 인용은 1945년 7월 당시 특고가 감시한 재일한인의 일반적인 동향인데, 이를 통해서도 그와 같은 분위기가 전해지고 있다.

> … 초기 공습 이후 일반적으로 냉정하였고 각각의 직업에서 성전(聖戰)의 수행에 협력하여 거의 내지인과 다름없이 봉공하고 있었으나, 특유의 민족적 편견과 강한 이기심에 의한 망동은 공습이 격화와 더불어 서서히 특이한 동향으로 드러났고 … 5월 들어 피해는 급증하여 이재(罹災)호수는 26,292호, 이재 인구는 110,793명, 사망자 2,601명으로 산출되어, 이재자 수는 재주조선인 인구의 약 5%에 달한다. … 이들은 도시거주 조선인들이라 농촌에 소개(疏開)할만한 연고지가 적다. 조선이 공습에 안전하다고 맹신하고 있으며 일시귀선증명서 제도의 철폐 등도 원인이 되어 귀향열은 지극히 강열하다. … 전쟁 피해를 호기(好機)로 삼아 직장을 떠나 안전 지역으로 도피하려는 경향이 강하고 … 일부 유식 조선인들은 전후의 조선 처리문제에 관해 진지하게 논의하는 것을 볼 수 있어 특히 경계를 요한다. … 극히 전의(戰意)가 낮고 오직 자기본위이며 패전 염전(厭戰) 사상이 점차 보편화하려는 위험성을 내포하고 있다.[22]

이 1945년 5월 당시의 특고 조사에 의한 한인 폭격 피해자 수 11만 명은 앞의 표에서 소개한 25만 명에 비하면 절반도 되지 않는다. 그만큼 6~8월 동안의 도시 지역에 가해진 폭격은 더욱 맹렬했고 훨씬 더 피해가 컸다는 것을 의미한다.

하지만 이 조사를 통해 당시 일본에 거주하던 한인들은 일본인 이상으로 혹독한 상황에 처해 있었다는 것을 알 수 있다. 생활난을 해결하고자 고향을 떠나 일본에 살고 있던 대부분의 한인들은 일본인들처럼 농촌의 지인을

---

22) 「在留朝鮮人運動の状況」, 『特高月報』 原稿, 1945(朴慶植 編, 『在日朝鮮人關係資料集成』 第5卷, 三一書房에 수록).

의지해 소개할 수도 없었기에, 폭격의 위험을 알면서도 도시의 빈민촌에 살고 있었다. 그러나 한인들은 점차 미군의 공습이 일본의 도시부에 본격적으로 실시되자 생명에 위협을 느껴, 안전한 곳으로 도피하거나, 고향으로 돌아가고자 했다. 1945년 전반에 일본거주 한인들이 얼마나 고향으로 돌아가고 싶어 했는지에 대해서는 다음과 같이 특고의 감시를 위한 조사를 통해서도 잘 알 수 있다. 1945년 3~5월에 귀국선을 탄 사람이 2만 2,466명이었고, 출발하는 시모노세키와 모지 같은 항구에 "조선인 체류객이 일시적으로 수천 명에 달하여 상당히 혼잡"했으며, 그 외에도 "한신(阪神) 방면의 도선(渡船)장과 선착(船着)장을 물색하여 조선행의 어선이나 기범선에 편승하려고 광분한다든지, 어선을 비정상적인 가격으로 구입하거나, 또는 병역 징병에 관한 각종 공문서들을 위조하여 귀선(歸鮮)하고자 광분하는 조선인 동료들에게 폭리를 취하고 매각하는 자도 있는데, 귀선을 위해서는 수단을 가리지 않는 상태이다"[23]

폭격으로 인해 일본인이나 한인이나 주변인들이 죽어가는 모습을 보며 다 같이 생명의 위협을 느끼는 것은 당연한 것이었다. 그러한 현실에서는 누구라도 생존을 위해서 안전한 곳에, 폭격이 없는 조선의 고향에 돌아가고 싶어 하는 것은 인간의 본능이다. 그러한 강한 염원이 그들로 하여금 조선행 선박이 있는 일본의 항구에 집중되게 하였던 것이다.

또한 전쟁을 혐오하거나 한시라도 빨리 전쟁이 끝났으면 좋겠다는 생각을 갖는 것이 매우 자연스런 현상이라 할 수 있다. 그러나 특고는 그러한 한인들의 생존을 위한 본능적인 태도에 대해 통제망을 벗어나 혼란을 일으킨다며 마치 "반역"의 기미라도 발견한 듯이 과도한 경계 자세를 취하였던 것이다.

---

23) 樋口雄一, 앞의 책, 1986, 196~197쪽(원자료는 위의 「在留朝鮮人運動の狀況」, 『特高月報』 原稿, 1945).

4. 맺음을 대신하여 – 항복 선언 직전의 감시

1945년 7월 28일, 스즈키 칸타로(鈴木貫太郎) 수상은 연합국 측이 대일 항복조건으로 제시한 포츠담선언에 대응하지 않는다는 성명을 발표했다. 그후 8월 6일에 히로시마에 원자폭탄이 투하되었고, 8월 8일에는 전쟁이 종결한 유럽에서 극동지역으로 병력이동을 마친 소련이 대일 선전포고를 하였다. 또 8월 9일에는 나가사키에 두 번째의 원자폭탄이 투하되었다. 도저히 항전할 상황이 아니었음에도 불구하고, 일본의 무책임한 군인 정권은 인민의 생사에는 아랑곳하지 않고 전쟁을 계속하고자 하였다.

같은 시기인 8월 10일, 내무성 경보국 전국 각 현의 경찰부장에게 2개의 암호 전문[24]을 타전했다. 아래에서 그 내용을 보자.

제85호
소련이 대일 宣戰을 한 현 정세에 비추어 다음 각 항에 유의하여 치안확보에 만전을 기하기를 바란다. …(중략)… 2, 要비상조치자의 시찰 내탐 중 용의자(반전평화분자, 좌익, 內鮮, 종교)에 대해서는 정세의 추이에 따라 즉시 비상조치를 완료하게끔 만반의 구체적인 준비를 할 것. 3, 조선인 및 華人 노무자의 집단가동 장소에 대해서 경계를 강화하고 불온 행동의 방지에 힘쓸 것.…

제86호
…(중략)…
5. 일반 거수 조선인의 동향에 관해서는 특히 정확하게 파악함과 동시에 시찰과 내탐을 강화하길 바란다. 6. 내선의 대립을 격화시킬 우려가 있는 언동의 단속은 유감없이 기해야 한다. …

패색이 짙어진 것을 파악하고 있으면서도, 특고는 오로지 요 감시대상 인물과 함께 재일한인 전체의 언동에 대해 감시를 강화하면서 본연의 임무에 충실하고 있었던 것이었다.

---

24) 『在日朝鮮人關係資料集成』 第5卷, 55쪽.

또한 천황의 항복 선언 하루 전날인 8월 14일에는 특별고등경찰 부장이
각 경찰서 앞으로 「조선인에 관한 비상 기타의 조치에 관한 건」[25]이란 통
첩을 발송하였다. 이 통첩의 서문에는 "중대한 현 시국에서 자칫하면 조선
인과 일본인과의 사이에 감정상 대립 분쟁을 약기할 우려가 있으므로 다음
의 조치를 취하라"고 하며, "1) 일반 조선인에 대한 조치, 2) 이입노무자에
대한 조치, 3) 함바(飯場)에 대한 조치, 4) 밀집 거주지역에 대한 조치, 5) 기
타"로 분류하고 있다. 이 통첩을 한층 더 자세히 보면, 1)에서는 "각 흥생회
지회에서는 즉시 총회 또는 보도원회를 열어 조선인의 생명 신체 재산 등
은 경찰 당국에서 완전히 보호해야 하므로 어디까지나 당국을 신뢰하고 그
지시에 따라 행동할 것을 지시하고 그들의 불안감을 제거하기에 노력함과
동시에 경거망동하는 일 없게끔 이해를 철저하게 시킬 것" 이라고 생색을
내었고, 2)에서는 해당 지역에서 한인과 일본인의 접촉을 금하게 하라는 내
용의 지시가 실려 있다.

즉 특고는 한·일 양 민족의 충돌로 인해 대 혼란이 발생할지 모른다는
것만 걱정하여 한인과 일본인을 서로 격리하는 데에 급급했다. 전쟁 종결이
예상됨에 따라 일본 내의 한인들이 통제 불능의 상태가 되지 않을까 우려
하고 있었던 것이다. 따라서 전국의 흥생회 지회의 감시 기능을 총동원하여
경찰에 의한 장악을 시도하였던 것이다.

이러한 특고의 조치는 그들이 한인을 치안상의 위험요인으로만 인식하고
있었다는 것에 기인한다. 이미 당시 일본열도에는 일부 농촌을 제외하고는
도시부를 비롯한 군수산업이 소재하는 모든 지역에 미공군의 폭격이 되풀
이 되고 있었다. 당시 일본열도에 사는 인간들은 한인이건 일본인이건 당연
히 생존에 대한 "불안감"을 느꼈을 것이다. 일본 내에서 절대적 소수로서 존
재하던 한인들은 신변의 불안을 느끼는 현상은 절대적 다수인 일본인들이
한인을 무시하고 차별하는 태도에서 비롯된 것이다. 그럼에도 불구하고 특

---

25) 『在日朝鮮人關係資料集成』 第5卷, 57쪽.

고는 1945년 8월 15일에 무조건 항복 직전까지 소위 "일시동인"의 대상인 한 인들이 얼마나 불안해하는지 그 원인을 파악하고 해소하고자 노력을 하기 는커녕, 그들이 통제를 벗어나는 행위를 야기하여 문제 발생시키는 소재로 만 인식하고 있었다.

■ 김광열

전후 식민청산 결여와 재일조선인의 미해방[*]

1. 머리말

1945년 8월 15일은 식민지 조선의 민중들에게는 해방을 의미했다. 그렇지만, 일본에 있던 재일조선인들에게 그것은 미완의 해방이었다. 그들은 전승국들에겐 전후처리의 대상이었고, 일본에게는 국민 만들기의 배타적 제외 대상이었다. 재일조선인 스스로는 승전국의 일원으로 귀국하고자 했지만, 그들에겐 승리한 조국이 없었다. 자신의 귀환을 도와줄 정부도, 귀환을 결정할 권한도 없었던 것이다.

전쟁이 끝난 후에도 한동안 그들은 엄연히 일본인이었다. 적어도 천황 히로히토에 의한 마지막 칙령인 「외국인 등록령」이 공포된 1947년 5월 2일까지는 그랬다. 물론 조선인들은 1904년 민적법, 1923년의 조선호적령(조선총독부령 제154호)에 따라 일제시기에도 일본 호적이 아닌 조선호적에 편입되었고, 해방 후 조선인 차별의 근거로 작용했다. 또 1945년 선거법 개정에서는 국정참정권을 박탈당했다.[1] 일본정부는 일제시기에도 그들을 동등

---

[*] 이 논문은 『한국근현대사연구』 제85집, 2018년 여름호에 실렸음.

[1] 조경희, 「남북분단과 재일조선인의 국적 ─ 한일 정부의 '조선적'에 대한 해석을 중심으로」, 『동일인문학』 58, 2014, 257쪽.

한 일본 국민으로 생각하지 않았고, 받아들일 생각도 없었다. 그 같은 차별
의식은 해방이 되자마자, 참정권 박탈로 나타났고, 곧바로 국적 없는 외국
인의 지위로 만들어 버렸던 것이다.

　기존의 연구에서 재일조선인의 특수한 지위와 관련한 연구는 대부분 일
본의 차별정책과 샌프란시스코 강화조약으로 대변되는 승전국의 전후처리
와 일본의 전후체제에 그 초점이 맞추어져 있다고 할 수 있다.[2] 이 논문은
기존의 연구 성과를 바탕으로 연합국 측의 전후처리와 소련의 전후처리, 그
리고 신생독립국으로 등장한 남과 북의 재일조선인 인식과 함께 일본의 국
민 만들기 과정의 배제 대상이라는 차원에서 재일조선인의 국적과 지위 문
제를 재구성해 보고자 한다. 이를 통해 전후 재일조선인의 국적문제와 법적
지위 문제가 식민주의 청산의 결여에서 비롯되고 있음을 밝히고자 한다.

　다만, 이 글은 각 해당 주체의 식민주의 청산에 관한 구체적인 과정이나
본질적인 분석에는 이르지 못하고 있다. 기존의 연구 성과들을 다른 각도에
서 재조명하고, 북조선에서의 식민 청산 노력과 재일조선인 정책에 관한 새
로운 사실을 중심으로 문제제기하는 성격을 띠고 있다.

2. 미·소의 식민청산 인식 결여

　해방 직후 재일조선인에 대한 처리는 일본을 점령한 미국이 주도할 수밖
에 없는 상황이었다. 그렇지만 그것은 미국과 소련에게 일본의 일부로 인식

---

2) 재일조선인의 지위와 관련한 연구는 주로 국적문제와 한일회담에서의 한일정부의 인식 등을
　중심으로 진행되었다. 대표적으로 田中宏, 「日本の臺灣·朝鮮支配と國籍問題」, 『法律時報』 47
　卷4号, 1975; 松本邦彦, 「在日朝鮮人の日本國籍剝奪－日本政府による平和條約對策研究の檢討」,
　『法學』 52-4, 1988; 金英達, 『日韓國交正常化と在日朝鮮人の國籍』, 明石書店, 1992; 장박진, 「한
　일회담 개시 전 한국정부의 재일한국인 문제에 대한 대응 분석: 대한민국의 국가정체성과 '재
　일성(在日性)'의 기원」, 『아세아연구』 52-1, 2009; 이성, 『한일회담에서의 재일조선인의 법적지
　위 교섭(1951~1956년)』, 성균관대학교 박사학위논문, 2013; 조경희, 「남북분단과 재일조선인의
　국적－한일 정부의 '조선적'에 대한 해석을 중심으로」 등이 있다.

되고 있던 한반도 북부를 점령한 소련과의 협의를 필요로 하는 일이었다. 비록 당시 재일조선인의 고향이 대부분 38선 남쪽이었지만, 북쪽으로 돌아가야 할 사람들도 있었기 때문이었다. 뿐만 아니라 그들이 돌아갈 조국은 남북으로 나뉘어 있지 않았기 때문이었다.

동시에 그들의 귀환은, 비록 패전했지만 정부를 유지하며 행정을 담당하고 있던 일본과도 협의해야 하는 상황이었다. 한편으로 재일조선인 귀환 문제는 재외 일본인의 귀환 정책과 맞물려 있었고, 일본의 국민 만들기 정책과 밀접하게 연결되어 있을 수밖에 없었다.

미국은 전후 처리 방침을 논의하면서 재일조선인들에게 국적선택의 기회를 주어야 한다는 입장을 취했다. 미국은 1943년 12월 카이로 선언을 통한 연합국의 전후처리 방침 표명을 전후해 전후처리에 관한 본격적인 구상을 시작했다. 재일조선인 문제는 1943년 10월 국무부 산하에 설치된 과간극동지역위원회(Inter Divisional Area Committee on the Far East)와 1944년 1월 설치된 전쟁난민국(War Refugee Board)을 중심으로 다루어졌다. 이들 기구들의 재일조선인 처리 문제에 대한 몇 가지 안은 1945년 2월 하순경부터 좀더 구체적인 정책안으로 입안되었다. 7월에 이르러 이 안은 'K7'이라는 정책안으로 확정되었다.[3]

이 문서는 "재일조선인 거주자의 국제적 지위는 일본제국에 대한 군사점령의 영향을 받지 않고, 일본 국적의 조선인은 일본신민의 지위를 유지할 것이다. 단지 조선이 일본에서 분리되면, 일시적으로 거주하고 있던 조선계의 일본국적자(중일전쟁 이후의 거주자)는 자동적으로 조선 국적을 획득"한다고 규정하고 있다. 나아가 "통상적으로 국제법 하에서, 일본 정주의 일본국적자는 일본으로부터 조선이 분리된 이후에도 다분히(presumably) 일본국

---

3) K7 Preliminary, Korea: Repatriation of Koreans in Japan, April 25, 1945; K7, Korea: Koreans outside Korea: Repatriation of Koreans in Japan, July 6, 1945(Box 12, RG 59, *The Records of the Office of Assistant Secretary and Under Secretary of State Dean Acheson, 1941-1946*, The Diplomatic Branch, National Archives).

적을 계속 유지할 것"이라고 규정했다. 또한 새로 수립되는 조선정부 또는 정부 수립 이전의 책임 있는 행정기관이 실시하는 재외국민등록에 의해 조선국적을 선택할 수 있도록 규정했다. 문서는 "사실상 그것을 희망하는 모든 조선인은 조선국적을 획득할 것"이라고 규정하고 있다.[4)]

미국의 이 같은 방침은 독일과 오스트리아의 경험을 적용한 것이었다. 나찌 독일에 병합되었던 오스트리아의 국민은 병합과 함께 독일 국적을 부여받았다. 전쟁이 끝나고 독일 내에 거주하는 오스트리아인들의 국적이 문제가 되었을 때, 그들에게는 독일 국적과 오스트리아 국적을 선택할 수 있는 권한이 주어졌다. 독일에 합병되어 있던 오스트리아는 연합국이 점령한 후 오스트리아 국적이 인정되었고, 그것은 독일에 있는 오스트리아인들에게도 적용되었다. 나아가 그들에게는 독일 국적 선택권도 함께 주어졌던 것이다.

그러나 미군은 일본을 통치하면서 조선국적의 자동 회복이라는 초기의 방침을 실행하지 않았다. 추축국의 일원이었던 오스트리아인들과 식민지 조선인들을 동일하게 취급하지 않았던 것이다. 재일조선인들은 일본 국적을 가지고 있었지만, 전후에 그것을 유지할 수 있는 권한이 주어지지 않았다. 그렇다고 그들이 다른 국적을 선택할 수도 없었다. 정부 수립 이전엔 선택할 국적이 없었고, 한일수교가 이루어질 때까지 한국 국적도 취득할 수 없었다. 그들은 식민지배의 피해자라는 상황이 전혀 고려되지 않은 채 국적 없는 '외국인'이 되어야 했던 것이다.

이 같은 정책은 샌프란시스코 강화회의에서 한국이 배제되고, 식민지 지배에 대한 청산 문제가 전혀 논의되지 않는, 소위 말하는 전후 체제가 만들어지면서 구조화되었다. 결국 일본의 기이한 정책이 전승국 연합국 측의 합의에 의해 구조화, 법제화 되었던 것이다.

---

4) 김태기, 「미국무성의 대일점령정책안과 재일조선인 정책 – 일본통의 재일조선인에 대한 인식과 정책결정 과정을 중심으로」, 『한국동북아논총』 제33집, 2004, 136쪽에서 재인용. 미국의 초기 재일조선인정책에 관해서는 이 논문을 참조함.

한편, 전후체제의 또 다른 한 축을 이루는 소련의 전후 정책에 대해서는 아직 논의가 충분하지 않다. 거의 연구가 진행되지 않았다고 해도 과언이 아니다. 소련의 대일 조선인 정책을 직접 보여주는 자료도 아직 구체적이지 않다. 이 글에서는 재북일본인에 대한 정책과 북조선 당국의 식민주의 청산에 대한 태도를 살펴봄으로써 그들이 식민주의 청산의 수혜 대상인 재일조선인에 대해 어떤 입장을 취하고 있었는지를 유추해 보고자 한다.

38선 이북을 점령한 소련군은 재북일본인을 대하는 태도에서, 38선 이남을 점령한 미군과 두 가지 조건에서 확연한 차이가 있었다. 그 하나는 이들이 미군과 달리 한반도 내에서 전투를 치르고 전사자를 내면서 진격해 들어왔다는 점이다. 두 번째는 이들이 직접통치가 아닌 간접통치를 선택했다는 점이었다. 일본의 무조건 항복이후 일본군의 무장해제를 이유로 38선 이남을 점령한 미군과는 달리, 소련군에게 한반도는 적군인 일본군이 주둔하고 있는 전투지였던 것이다. 한편 일본인에 대한 정책을 일방적으로 결정하는 것이 아니라 북조선 당국자들의 결정을 존중하면서 조정하는 태도를 취하고 있었다.[5]

이 같은 상황은 종전 직후 재북일본인에 대한 인식과 정책을 결정짓는 매우 중요한 요인이 되었다. 특히 간접 통치라는 조건은 일본인 기술자 활용 등 재북일본인 관련 정책의 기획과 실행에 조선인들의 의사가 반영되었을 가능성이 매우 컸다는 것을 의미했다.[6]

---

[5] 물론 일본인 관료들의 체포 등을 소련군이 주도했다는 주장(김재웅, 「재북한 일본인들의 사회경제적 지위와 북한의 일본인 기술자 정책(1945~1950)」, 『동북아역사논총』 44호, 2014)도 있지만, 소련군이 직접 개입한 것은 반소행위자들에 대한 처벌과 소련으로의 압송에 국한되었다. 일본인 관료들의 투옥과 재판 등은 인민위원회 주도하에 이루어졌다. 이에 관해서는 뒤에서 다시 살펴보기로 한다.

[6] 김일성은 북조선임시인민위원회 위원장 자격으로 일본인 기술자 대표들을 초청한 만찬을 열어주기도 하는 등 일본인 기술자들을 붙잡아 두기 위한 다양한 노력을 기울였다. 이에 관해서는 森田芳夫, 『朝鮮終戰の記錄』, 巖南堂書店, 1964, 805쪽. 이외에도 재북일본인들의 귀국 후 기록들을 통해 확인할 수 있다. 재북일본인 기술자에 대한 정책에 관해서는 김재웅, 「재북한 일본인들의 사회경세석 지위와 북한의 일본인 기술자 정책(1945~1950)」 참조.

소련이 일본과 전면전을 시작한 것은 1945년 8월 9일이었다. 그리고 하루 만인 10일에 북조선지역에서 일본군과의 첫 전투를 치렀다. 이후 계속되는 크고 작은 전투에서 소련은 승승장구하면서 북조선에 입성했다. 가장 큰 규모의 전투였던 청진전투는 일본이 무조건 항복을 선언한 이후인 16일에야 마무리 되었다. 그 이후로도 10여 일 동안 소련군은 일본군과 전투를 치르면서 북조선 각지를 점령해야했다. 이 과정에서 소련군은 200여 명의 전사자를 포함해 1,900여 명의 사상자를 내게 되었다.

한편, 일본군은 전투에서는 소극적인 저항을 하면서도 소련군의 점령이후를 대비해 자신들의 군사기지들을 파괴하기 시작했다. 그런데 이들은 직접적인 군수물자만을 파괴한 것이 아니었다. 북조선 전역의 산업시설을 파괴했다. 특히 중화학공업 공장들과 탄광 등 지하자원과 관련된 시설이 많았기 때문에 집중적인 파괴의 대상이 되었다. 다만, 이 같은 파괴행위에 대한 구체적인 자료는 남아있지 않다. 일본 정부와 군이 패전을 전후하여 관련 자료를 모두 파기했기 때문이다. 일본군은 항복 이후에도 자료 파기를 계속했다. 예를 들어, 8월 23일 일본군 제17방면군 사령부 산하의 서울 군수품 창고에서 진주의 군수품 창고로 서한을 보내 "7월 이전의 모든 기록과 장부를 태워버릴 것을 지시했는데, 8월의 기록을 고치고 모든 자금을 없애며 이 자금에 대한 기록 역시 소각할 것"을 지시했다.[7]

자신들의 피난 과정과 소련군과 조선인의 약탈 등에 관해서는 그림까지 그려서 꼼꼼한 기록을 남겨 놓은 일본 민간인들도 자신들의 파괴행위에 대해서는 기록을 거의 남기지 않았다. 해방직전 강제 징집된 후 북조선 나남 (羅南)주둔 일본군 신병부에 배속되어, 청진에서 노역을 당하다가 8월 12일 부대를 탈출한 주영복은 15일 밤에 일본군의 군사기지 파괴를 목격했다. 그의 기억에 따르면 나남군은 15일 밤 '최후의 파괴작전'을 세워 전시(全市)의

---

7) 국사편찬위원회, 『주한미군사1』(Historical Section, G-2, *History of United States Army Forces in Korea Part 1* 의 번역 본), 2014, 165쪽(원자료 XXIV Corps G-2 Periodic No. 33, 13 Oct. 1945, p. 2).

군사시설에 불을 지르고 폭파했다. 그들은 제19사단 사령부, 여단본부, 보병 연대를 비롯해 탄약고와 방대한 창고군(群)은 물론이고, 1천 호(戸)를 넘는 군관사 등에 일시에 불을 지르고 파괴했다. 불길은 밤새도록 계속되었다.[8]

일본군의 이 같은 파괴는 해방 직후 북조선 지역의 물자부족과 심각한 주택난을 불러일으키는 가장 큰 요인 중의 하나가 되었다. 물론 식민지 시기부터의 주택난, 전쟁으로 인한 만성적 물자부족, 조선인들의 귀환, 만주로부터의 피난 등의 요인으로 인해 물자부족과 주택난은 전한반도적인 것이었지만, 북조선 지역이 특히 심각한 주택난에 시달리게 된 것은 일본군의 이 같은 파괴행위가 중요한 요인이 되었다.

한편, 일본군은 물밀듯이 진격해 오는 소련군 앞에 급속히 붕괴되었고, 항복 후의 상황에 대한 공포로 인해 병사들은 부대를 이탈해 도망가기 시작했다. 그런데 이들은 인적이 없는 곳으로 숨거나 일본을 향해 도망치지 않았다. 그들은 민간인들 속에 숨어들어 신분을 위장했다. 그런데 일본군들의 이런 선택은 소련군으로 하여금 민간인 사이에서 일본군을 색출하는 작업을 정당화시키는 역할을 했다.

당시 재북일본인들은 소련군의 일본군 체포 작전을 대대적인 남자 사냥(男狩り)으로 표현했다.[9] 소련군은 1945년 8월부터 1946년 2, 3월까지 18세~40세의 남자들을 검문하고, 그 중에 전현직 군인과 식민지 관료들을 체포해 분리 수용했다. 그리고 그들 중 전현직 군인들을 시베리아 등지의 노동현장으로 보내버렸다. 그리고 나머지 일본인들의 38선 남하를 허용하지 않고 집단 수용했다. 이 같은 소련군의 행위가 재북일본인들의 눈에는 '사냥'으로 보였던 것이다.

이연식은 이 같은 소련군의 방침을 '압송 · 억류 정책'으로 표현했다. 크게

---

8) 주영복, 「6 · 25 북에서 본 증언 1」, 『경향신문』 1980년 6월 9일.

9) 若槻泰雄, 『戰後引揚の記錄』, 時事通信社, 1991(신판 1995), 206 · 370쪽; 이연식, 2009, 『해방후 한반도 거주 일본인 귀환에 관한 연구―점령군 · 조선인 · 일본인 3자 간의 상호작용을 중심으로―』, 서울시립대학교 대학원 국사학과 박사학위논문, 118쪽에서 재인용.

보아 남자는 압송하고 여자는 억류한 것으로 해석한 것이었다. 그는 이 같은 압송과 억류가 소련군의 주둔비용 조달이 현지 조달을 원칙으로 삼고 있었고, 2차대전 기간 동안 2천만이 넘는 사상자를 내고 막대한 경제적 손실을 입었기 때문에 나타난 현상으로 해석했다. 부족한 노동력을 일본인 남성들을 통해 해결하고자 했다고 본 것이다. 더불어 전리품으로 약탈한 산업시설 등을 운반하는 일과 캄차카 등지의 어업에 일본인 남성들을 활용하려고 했다는 것이다.[10]

그런데 소련의 일본군 포로 '압송과 억류'를 노동력 활용정책으로만 평가하는 것이 타당한 것일까? 소련의 입장에서 보면, 우선 그들은 러일전쟁에서 패하면서 빼앗겼던 남사할린을 회복하겠다는 의지가 있었다. 그리고 러시아혁명 당시 일본군의 백군 지원 이후, 2차대전 직전의 상호불가침 조약 체결 이전까지 지속적이고 역사적인 적대의식을 가지고 있었다.[11] 이 같은 적대의식은 그들이 한반도 북부지역을 전투를 통해 점령하면서 극대화되었다는 점을 고려할 필요가 있다.

게다가 일본군이 한반도에서 운영하고 있던 세 개의 포로수용소 중에서 함흥 근처의 호남(湖南)수용소의 상황은 가장 열악했다. 또 포로들의 노동력을 착취하고 있었다. 이 수용소는 전체 3개 막사로 구성되어 있었다. 두 개의 막사는 4개의 방으로 이루어져 있었고, 방마다 40명의 포로들이 수용되어 있었다. 그리고 한 개의 막사에는 29명이 수용되어 있었다.[12] 이들 포로들은 추위에 시달리며 심각한 중노동에 동원되었다. 1944년 5월부터 이들은 하루 24시간 노동하며, 13일 동안 불과 8시간씩 3번을 쉴 수 있었다. 그리고 14일째 되는 날 12시간씩 교대 근무를 했다. 그리고 15일 째 되는 날

---

10) 이연식, 『해방후 한반도 거주 일본인 귀환에 관한 연구- 점령군·조선인·일본인 3자간의 상호작용을 중심으로-』, 제2장, 제3절 소군정의 압송·억류 정책.

11) 소련이 일본군을 얼마나 경계하였는지는 연해주와 사할린 등 소련의 극동지역 거주 한인들을 일본의 스파이 활동을 우려해 중앙아시아로 강제이주시켰던 행위만으로도 충분히 설명이 된다.

12) 국사편찬위원회, 『주한미군사1』, 236쪽.

비로소 휴일을 가질 수 있었다.[13]

이 같은 상황에서 소련군이 민간인들 사이에 섞인 일본군인들을 체포한다는 구실로 남자들을 전쟁포로로 삼고, 시베리아로 이송하거나 노동력을 활용한 것을 미국과의 비교를 통해 '부당한' 억류 조치로 단순화하기에는 무리가 있어 보인다. 게다가 소련과 일본 간에는 포로에 관한 협정이나 항복 조건 등이 담긴 협정은 체결되지 않았고, 미군을 통해 조정되고 있는 상황이었다는 점도 고려되어야 할 것이다. 일본군에 대한 시베리아로의 유형이나 강제노역의 문제와 별개로 일본군이 연합군 측에 공식적으로 항복한 9월 2일 이전의 상황을 어떻게 해석할 것인가의 문제는 또 다른 영역의 문제로 남아있다.

소련군의 일본군 색출 조치는 군인뿐 아니라 민간인들에게도 부정적 인식을 안겨주었다. 해방 직후에 일본인 경영의 공장에서 일하던 노동자들은 소련군 진주이전의 상황에 대해 대체로 평온했었다는 증언을 남기고 있다. 신의주 근방의 미츠이알루미늄 공장 기술자였던 나가노는 조선인들이 일본인에게 "동정적이고 폭행을 하지 않았"는데, 소련군 진주와 함께 모든 것이 갑자기 변했다고 증언한다. 그는 소련 진주와 함께 사택에서 조선공원(工員) 숙사로 이사를 당했고, 그날 밤 소련군이 "여자를 요구해서 십 수 명을 지명해서 제공"했다고 증언했다. 또 일본인들이 어려운 생활로 인해 물품을 돈으로 교환하여 매식하는 것은 절대로 금지하였다고 한다. 그리고 이 같은 소련인들의 익압에 소선인 공산주의자들이 동참하면서 일본인에 대한 폭행과 금품 강요, 여자 상납 등이 격화되었다고 증언하고 있다.[14]

소련과 공산주의에 대한 반감이 그 바탕에 깔려 있다고 하더라도, 이 같은

13) 국사편찬위원회, 『주한미군사1』, 249쪽.

14) 「전신사본 K3003, 총번호 378 쿠」(1947)년 1월 16일 야마나카 관리국장에게 니시카와 관방성 연락원이 보낸 전신), 『소화 22년 1월, 소련지구 나인(邦人) 인양(引揚) 각지 상황 : 북조선의 부 제3권』. 이 문서는 일본의 인양관련 자료집 등을 통해 아직 일빈에 공개뇌어 있지 않지만, 한국 국가기록원에 수집되어 있다. 기록원 문서관리 번호 CTA0003411.

증언은 소련군에 의한 일본인 학대가 실재했음을 알 수 있게 한다. 결국 소련군에게 재북일본인은 시베리아로 유형 보내야 할 전쟁포로, 그리고 강제수용하고 억류해도 되는 적국의 민간인으로 인식되고 있었다고 할 수 있다.

다시 말해 소련은 북조선 지역을 식민지에서 해방시켰지만, 그들의 의식 속에는 식민지 해방에 대한 인식보다 일본과의 전쟁 수행이 더 중요했고, 전승국으로서 전후처리가 더 중요했던 것이다. 이 같은 입장은 뒤에서 살펴볼 북조선 당국자들의 식민주의 청산을 위한 노력을 중단시키는 요인으로 작용하게 된다. 나아가 이 같은 인식은 결국 재일조선인이 식민주의 청산의 입장에서 귀환문제를 제기하지 못하게 하는 장애요소가 되었다.

결국 소련의 전후처리 우선의 정책은 재일조선인의 귀환보다는 재북일본인의 귀환을 매개로 한 전후보상을 더 중요하게 생각하게 하였고, 미군정과의 협의에서 재일조선인 문제에 대해 소극적으로 임하게 되는 결과를 초래하였다고 평가할 수 있다. 이는 소련의 전후처리 또한 샌프란시스코 강화조약을 통해 식민주의 청산을 구조적으로 봉쇄해 버린 미국의 전후처리와 마찬가지로 식민주의 미청산이라는 공통의 성격을 가지고 있음을 의미한다.

3. 전후 일본의 재일조선인 '처리'

1945년 8월 일본이 패전할 당시 일본 땅에 있던 약 200만 명의 재일조선인들은 대부분 귀향의 꿈에 부풀었다. 그들은 고국에 가까운 항구로 몰려들었다. 그런데 정작 귀환의 책임이 있는 일본 정부는 이들을 자신들의 비용으로 귀환시킬 생각이 없었다. 히가시쿠니노미야(東久邇宮) 내각은 해방된 한반도가 여전히 일본의 식민지라는 인식에서 벗어나지 못했다. 따라서 이들은 재일조선인들을 귀환시키기보다는 '관리'하려는 정책을 유지했다. 재일조선인들이 사회의 혼란을 초래할 수 있다는 우려에 따라 일본 정부는 이들의 이동을 통제하고 종래의 관리체제를 유지하려고 애썼다.[15)]

8월 말에 일본에 들어왔지만, 10월에 이르러서야 연합군 총사령관 맥아더를 총사령관으로 하는 SCAP(Supreme Commander Allied Powers)를 설치해 본격적인 일본 통치를 시작한 미군 역시 재일조선인에 대한 명확한 정책을 제시하지 못했다. 이들 역시 식민지 처리문제에 대한 인식을 가지고 있지 않았고, 조선인들의 귀환 문제에 무관심했기 때문이었다. 미군정이 재일조선인 문제에 관심을 가지게 된 것은 일본 각지에 파견된 미군이 재일조선인들의 귀환요구와 저항을 보고하면서였다. 미군정은 점령 직후인 9월 22일자 지령에서 '금, 은, 증권 및 금융상의 제증서의 수출입 통제'를 일본 정부에 지시한 바 있었는데, SCAP은 10월 23일에 이르러 재일조선인을 포함한 귀환자들의 지참금을 1,000엔으로 한정하는 조치를 취했다.

귀환자들의 지참금 문제는 최종적으로 워싱턴의 지령에 의해 결정되었다. 그러나 일본 정부의 의견이 반영된 것도 분명한 사실이다. 당시 일본 후생성은 재일조선인의 지참금을 제한하지 않을 방침이었지만, 전후 복구를 위한 재정 유출을 우려한 대장성은 2,000엔으로 제한할 것을 제안했다. 일본의 전후복구를 염두에 둔 이 같은 의견은 미국 측에 전달되었고, 미국은 최종적으로 SCAP의 ESS(Economic and Scientific Section)를 통해 일본인과 재일조선인 등 귀환 대상자 전체에 대해 1천 엔으로 결정하였던 것이다.[16]

이 같은 조치는 미국이 일본의 식민지배 청산이나 전후처리보다 일본의 전후복구에 더 중점을 두고 있었음을 의미했다. 또 일본을 미군정이 직접 통치하지 않고 일본 정부의 행정부 기능을 그대로 인정하는 통치 방식을 취하고 있었던 점도 영향을 미쳤다.

각지에서 재일조선인 귀환문제가 점점 심각해지고, 지참금 규모에 대한 방침이 확정되자, SCAP은 11월 1일자 지령을 통해 재일조선인의 귀환을 위한 항구의 숫자를 늘릴 것과 귀환자가 몰려 있는 지역의 귀환자를 신속히

---

15) 김태기, 「GHQ/SCAP의 대 재일한국인정책」, 『국제정치논총』 38(3), 1999, 249쪽.

16) 이에 대해서는 김태기, 「GHQ/SCAP의 내 재일한국인정책」, 251쪽 참조.

귀환시킬 것, 한국인 노동자 등의 귀환을 우선할 것을 지시했다.[17] 이때부터 미국은 상륙용구축함(LST)을 동원해 재일조선인들의 귀향을 지원했다.

SCAP 지령이 내려진 일주일 후인 11월 8일에는 미국정부의 대일기본점령정책을 담은 「일본점령 및 관리를 위한 연합국최고사령관에 대한 항복 후 초기의 기본지령」이 SCAP에 전달되었고, 12월 8일에는 「재일난민」(JCS 1550, 1945.12.7) 정책이 전달되었다. 후자의 문건에는 재일조선인의 법적 지위에 대한 내용이 포함되어 있었다. 관련 문건에서 규정하고 있는 재일조선인의 지위는 다음과 같다.

> (1) 총사령관은 타이완계 중국인과 한국인을 군사상 안전이 허락하는 한 해방민족(liberated Peoples)으로서 취급해야 한다. 그들은 본 서명에 사용되는 '일본인'이라는 용어에는 포함되지 않는다. 그러나 그들은 지금까지 일본신민이었으며, 필요한 경우에 적국민으로 취급해도 된다. 그들의 국적, 주소, 그리고 현재의 위치를 확인해야 한다. 그들은 만약 본인이 희망한다면 총사령관이 정하는 규칙에 따라 귀환될 수 있다. 그러나 귀환의 우선권은 연합국민에게 부여된다.[18]

미군정은 재일조선인들을 '해방민족'이라고 표현하고 있지만, 연합국민으로는 인정하지 않았다. 게다가 필요할 때는 적국의 국민인 일본인으로 관리하겠다는 의지를 표명하고 있다. 다만, 같은 문서 제5항에서 "타이완계 중국인과 조선인은 적의를 가지고 있는 일본인으로부터 보호해야한다. 총사령관은 일본의 행정기관이 대만계 중국인과 조선인이 귀환할 때까지, 실질적으로 그들의 보호, 안전 그리고 복지를 위한 적절한 조치를 취하도록 해야 한다"고 규정해 일본 정부의 재일조선인 보호 의무를 규정하고 있다.

결국 '해방민족'이라는 규정은 일본 국적도 조선국적도 부여하지 않으려

---

17) SCAPIN 224(1 November 1945)GC, Subj. : Repatriation of Non-Japanese from Japan. 김태기, 「GHQ/SCAP의 대 재일한국인정책」, 250쪽에서 재인용.

18) Incoming Message from Washington(from the Joint Chiefs of Staff) to MacArthur, Dated 8 Dec. 1945, KK/ESS-00643; 김태기, 「GHQ/SCAP의 대 재일한국인정책」. 250쪽.

는 인식이 반영된, 아무런 법적 권리도 보장되지 않는 임시적인 용어에 불과했다. 이 같은 성격은 미군정의 지참금 제한과 한반도의 혼란한 상황 등으로 인해 1946년 귀환자가 급격히 줄어들고, 재일조선인이 점차 '관리'와 통제의 대상으로 전환되면서 좀 더 명확해졌다. 일본 정부는 일본에 잔류한 재일조선인들을 보호해야 할 '해방민족'으로 대하기보다는 일본 사회의 혼란을 초래할 예비 범죄자로 인식하기 시작했고 미국 또한 암묵적으로 인정해 나갔던 것이다. 이 같은 인식은 1947년에 이르러 점차 법제적 성격을 띠기 시작했다.

1947년 5월 2일 일본 히로히토 천황은 새로운 헌법(평화헌법) 시행을 하루 앞두고, 메이지 헌법하의 마지막 칙령으로 「외국인 등록령」을 공포했다. 이 법은 그날로 시행되었다. 칙령 제11조에서 "조선인은 이 칙령의 적용으로 외국인으로 간주한다"라고 규정되었다. 칙령에는 재일조선인을 '일본 국적을 가진자'로 법적지위를 부여하면서도 '외국인'으로 간주한다라고 선언했다. 아직까지 일본 국적을 가졌지만, 일본이 보호해야 할 '국민'이 아닌 '외국인'이 된 것이다. 게다가 이들은 일본에게 식민지배 청산의 책임이 있는 피식민 국가의 국민인 외국인도 아니었고, 피해배상의 책임이 있는 전승국 국민인 외국인으로도 규정되지도 않았다. 이로써 일본 정부는 조선에 대한 식민지배와 전후 책임은 물론이고, 재일조선인의 귀환 책임도 지지 않겠다는 입장을 천명한 셈이었다.

1952년 4월 28일 샌프란시스코 강화조약이 발효되면서 일본이 주권을 회복하자, 일본정부는 「외국인 등록법」을 공포하고, 당일로 시행했다. 또 재일조선인들에게 지문날인의 의무를 지도록 했다. 당시 지문날인은 일본 국민들에게는 해당되지 않는 의무였다. 새로운 국가의 국민들과는 구별되는 존재들에게만 지문날인을 강요한 것은 재일조선인과 재일중국인 등을 국민으로부터 확고하게 배제하겠다는 선언이었다.

동시에 이 조치는 당시 재일조선인을 범죄시하던 일본사회의 분위기와 무관하지 않았다. 당시 도시 길거리의 벽이나 전봇대에는 재일조선인을 범죄자로 취급하는 포스터를 쉽게 찾아볼 수 있었다. 일본 정부는 재일조선인들을 국민에서 제외하는 것은 물론 일본인을 위협하는 예비 범죄 집단시하기에 이른 것이다. 물론 이 조치는 즉각 시행될 수 없었다. 재일조선인들이 격렬히 저항했기 때문이었다. 그렇지만 1955년, 3년 전 시행했던 외국인 등록증의 갱신기간을 맞아 전격적으로 시행되었다. 이로 인해 재일조선인 사회에는 지문날인 거부 운동이 생겨났다. 20명이 지명날인을 거부했고, 246명은 등록 갱신 자체를 거부했다. 상시휴대 의무를 위반한 사람도 122명이었다.[19] 이렇게 재일조선인은 미해방된 '해방민족'에서 일본의 '특별 관리 대상'으로 전락했다. 조선인은 언제든지 추방할 수 있는 대상으로 인식되었고, 국가 권력의 감시하 통제의 대상이 되었던 것이다.

4. 남·북의 재일조선인 정책

1) 대한민국의 재일조선인 정책

6·25 남북전쟁이 한창이던 때, 재일조선인들 중 일부는 한국정부를 지지하고 직접 전쟁에 참전하기까지 했다. 1952년 4월 일본에 잔류한 의용군들이 모여 재일한교학도의용대를 조직했다. 그리고 같은 해 10월에는 일본에 귀환한 회원들이 도쿄 대한민국거류민단 본부 산하에 재일재향군인회 일본지회를 조직했다.[20] 한국 정부 수립 이후 가시적인 정부의 지원은 이들 의용군에 대한 것 정도가 눈에 띤다. 안보논리와 반공정책에 기반한 인식만이 보이는 것이다. 전쟁으로 인해 지원 여력이 없기도 했지만, 기본적으로 정

---

19) 재일대한기독교회 지문거부실행위원회 엮음, 이종원 외 7인 옮김, 『재일 한국인 지문 거부 운동－법정진술 모음』, 정암사, 1987, 6쪽.

20) 재일학도의용군 관련 활동에 대해서는 http://www.koreansvjmemo.or.kr(재일학도의용군동지회 홈페이지) 참조.

책의 미비는 재일조선인사회에 대한 불신에 기반 해 있었다고 해도 과언이 아니었다. 그 같은 정책은 전쟁 후에 더욱 노골화되었다.

전쟁 후 한국정부의 첫 재일동포에 관한 정책은 1954년 한국의 총선거와 관련된 것이었다. 당시 이승만은 일본에 거주하는 재일동포들 중 일부가 5월 총선거에 입후보를 기도하고 있다며 경계심을 드러냈다. 그는 이들이 친일파, 공산주의자들로 한국의 선거에 개입할 우려가 있기 때문에 총선이 끝날 때까지 일본과의 왕래를 금지할 것을 명령하는 담화를 4월 30일자 신문을 통해 발표했다. 이승만은 또 재일동포 중 일부가 아편과 군기 등을 몰래 매매해서 지하공작을 하고 있다고 주장하기도 했다.[21]

이승만은 이 같은 자신의 논리를 합리화하기 위해 일본의 태도를 문제 삼았다. 일본 정부가 한국 재산의 85%가 자신들의 재산이라고 주장하고, 어업선(이승만라인)을 거부하고 우리의 어장을 약탈하려 한다고 주장했다. 나아가 일본 해군이 언제든지 한국과 싸울 준비가 되어 있다고 공언하고 있다고 주장했다. 또 그들이 친일파를 보호하고, 총선거에 대응해 물자를 잠입시키고, 친일파를 내세워 한국 선거에 출마하게 하여 한국의 정권을 노린다고 주장했다. 이승만의 재일조선인 친일파 출마 주장은 터무니없는 것이었다. 그에게 재일동포들의 존재는 선거 승리를 위한 도구 정도에 불과했다고 해도 과언이 아니었다.

전쟁 직후 이승만의 재일동포에 대한 시각은 공산주의에 대한 경계로 가득 차 있었다. 이 같은 상황에서 재일동포에 대한 긍정적인 정책이 만들어지기는 매우 어려웠다. 이승만이 우려하는 재일동포의 상황은 1955년 통계를 통해 알려졌다.

한국 정부가 재일동포 현황에 대해 공식적으로 밝힌 것은 1955년 7월 외교부 방교국(邦交局)에서 발행한『주간 정보』를 통해서였다. 당시 정부는 1954년 9월 현재 재일동포는 약 556,750명이라고 밝혔다. 또 당시 전체 재외

---

21) 「이대통령, 재일교포 출마에 談」,『조선일보』1954년 4월 30일 2면.

동포는 559,669명으로 파악했다. 즉, 재일동포가 전체 재외동포의 약 99.5%에 달했다.

또 정부는 재일동포 중 28.7%인 159,950명이 주일한국대표부에 등록하고 있다고 밝혔다. 대표부에 등록한 교포들이 30%에도 미치지 못한 이유에 대해서는 언급을 회피했지만, 미등록자 대다수가 "북한괴뢰집단의 사수에 응하고 있다"는 사실을 부인하지 않았다. 재일동포들의 직업은 토건업과 자유업 15만 5천명, 회사원과 출판서적업 1만 5천명, 그리고 118,282명이 무직이었다.[22] 30%에 육박하는 동포들이 막노동을 하거나 개인행상 등 상업에 종사하고 있고, 21%를 넘는 동포들이 무직 상태에 있었다. 그렇지만, 정부는 이들 동포들을 위한 정책을 별도로 발표하지는 않았다.

한국 정부의 이 같은 입장은 1965년 한일협정이 체결되는 시점까지 크게 변화하지 않았다. 물론 중간 중간 한국정부는 재일교포 교육을 위한 인원 파견 등을 고려하지만, 그것이 실질적인 의미를 가지는 정책으로 발전하지는 못했다. 결국 재일조선인 사회에서는 한국 정부의 정책을 기민정책으로 이해하게 되었다.

2) 조선민주주의인민공화국의 재일조선인 정책

북조선 정권은 해방직후부터 재일조선인들을 활용하기 시작했다. 가장 먼저 눈에 띠는 것은 재일동포 중 일부를 귀국시켜 북조선에 남아있던 재북일본인들에게 선전활동을 하도록 한 것이다. 당시 북조선은 산업 복구를 위해 일본인 기술자들을 최대한 많이 남겨 두기 위해 노력했다.

북조선 당국은 일본인 기술자들을 잔류시키기 위해 많은 노력을 기울였다. 그 논리는 두 가지였다. 먼저 경제적 지위를 보장하는 방식이었다. 이를 위해서 다른 일본인들과는 차별되는 우대조건을 제시했다. 또한 조선인

---

22) 「등록한 건 28%」, 『조선일보』 1955년 7월 29일 3면.

들보다 월등히 좋은 조건들이 제시되었다. 그리고 미국과 교섭하는 소련의 입장을 고려하여 그 같은 정책실현 과정에서 강제적인 방식은 배제되었다.

재일조선인들은 일본인 기술자들에게 일본의 비참한 현실을 전달하는 역할을 했다. 이들은 일본의 상황을 설명하는 강연을 하고, 기록물을 보여주기도 했다. 예를 들면, 1947년 8월 기술자연구회에서 재일 귀환자 해방신문 편집국장 김두용(金斗鎔)이 일본인 기술자들을 상대로 강연을 했다. 4월 28일에는 북조선로동당 일본인부 주최 '일본인기술자가족위안회'에서 국립영화제작소가 제작한 「재일동포」를 상영했다.[23] 이처럼 북조선에서 재일조선인 공산주의자들의 일부를 활용하는 정책은 시행되었지만, 재일조선인 전체에 대한 정책은 마련되지 않았다.

한편, 북조선은 식민주의 청산을 위한 노력을 시도했다. 38선 이북에서의 식민지 청산은 조선인들에 의해서 주도되었고, 그것은 주로 조선인 친일민족반역자들에 관한 것으로 알려져 왔다. 그런데 소련군 점령 초기에는 식민지 시기 관료들이 전쟁범죄자 겸 식민지배 범죄의 혐의로 체포되었다. 그 대상은 조선인보다는 일본인들이었다.[24]

평안북도 내무부장 다카하시(高橋榮夫)는 1945년 9월부터 1947년 3월까지 총 네 차례에 걸쳐 241일 동안 구금과 조사를 받았다. 그가 처음 연행된 것은 1945년 9월 2일부터 3일까지였다. 당시 평안북도 임시인민위원회 보안부장은 소련군의 명령이라며, 9월 2일 신의주 거주 일본인 유력자 사십 수 명(다카하시 포함)을 소환, 보안부 유치장에 유치해서 전범자로서 평양 가까이 송치할 뜻을 알려주었다. 이들은 예고대로 연행되어 같은 날 밤 연행자 중 평북지사는 평양으로 송치되었다. 나머지 사람들은 그 다음날 경징계를

---

23) 이에 관해서는 森田芳夫, 『朝鮮終戰の記錄』의 「제12장 北朝鮮に殘る日本人技術者と南北殘留者の引揚」 참조.

24) 최근 김재웅의 「재북한 일본인들의 사회경제적 지위와 북한의 일본인 기술자 정책(1945~1950)」은 재북일본인 문제에 대해 본격적으로 다루고 있다. 다만, 일본인 관료들을 대상으로 한 식민청산 문제에는 많은 관심을 기울이고 있지 않다. 일본인 관료에 대한 '처리'는 다양한 형태로 나타나고 있는데, 이 글에서도 본격적으로 다루지는 않는다. 다음의 과제로 남겨둔다.

결정 받아 석방되었다.

그런데 이들은 11월 3일 다시 신의주시 보안과장으로부터 출두 명령을 받았다. 출두 대상은 일본인 전관공리, 군인들이었다. 이들 중 삼십 수 명은 보안서 유치장에 유치되고, 다른 사람은 귀가 명령을 받았다. 유치된 삼십 수명은 어떤 조사도 없었고, 11월 5일에 이르러 그 중 5, 6명을 제외하고 석방되었다.

함께 석방되었던 다카하시는 1946년 7월 29일 평안북도 검찰소로부터 다시 출두 명령을 받았다. 그는 조선에서의 발령과 역할 등에 관해 가벼운 조사를 받고 보석조치 되어 귀가했다. 그렇지만, 그는 8월 6일 재소환 되어 똑같은 조사와 보석조치를 받았다. 8월 8일에 이르러 그는 "일본인의 유력관리를 불구속하여 취조한 것에 대해서 조선인 측 친일반동 분자를 구속하는 것과 어울리지 않는다는 이유에 의해서 조선인 측으로부터 비난이 있기 때문에 어쩔 수 없이 당분간 구속한다"라는 통보와 함께, 신의주 민(民)교화소(구형무소를 개칭한 것)에 강제 수용되었다.

10월 10일 다카하시는 "조선에 있어서 중요관직을 역임하고 그 직무를 수행해서 조선인민을 압박 착취를 행한 것은 일본인 악질전직의 죄를 구성한다"라는 이유로 기소되었다. 이어서 10월 11일에는 평안북도 재판소에서 징역 1년 6개월(검사 2년 구형)의 형을 언도 받았다. 판결의 이유는 기소이유와 함께 "일본제국주의를 조선에 시행하는 관리의 대표로서"라는 내용이 부가되었다. 그리고 그는 11월 하순경부터 부역에 종사하게 되었다.

12월 25일 그른 다른 일본인수형자 6명과 함께 호출되었는데 "오늘 소련 **회 사람들에 의해 일본인 수형자 중 징역 2년 이하의 사람은 그 죄상이 대부분 경미하기 때문에 형 집행을 정지하고 일본에 송치하기로 했다"는 취지로 당일에 석방되었다. 그 후 그는 함경남도 본궁에 도착해 여러 수용소에서 96일간 억류되었다가 귀환선을 타고 귀환했다.[25]

---

25) 『보고서(전 평안북도 내무부장 조선총독 시절 내무관 高橋榮夫가 외무성 관리국장에게 보내

다카하시의 경우에서 일본인 관리들이 수차례의 조사와 기소를 거쳐 정식 재판을 받아 처벌되었음을 알 수 있다. 그리고 그것은 소련군보다는 조선인들이 일본인 관료들에 대한 처벌에 강경한 입장을 취했음을 알 수 있다. 소련군의 경우에는 식민지 지배에 대한 직접적인 관계가 없었고, 그것을 처벌의 대상으로 삼아야 할 법적 근거도 없었다. 또한 미국을 통한 일본인 귀환요구를 무시할 수도 없는 처지였기 때문에 그들의 처벌에 동조하기가 어려웠음을 보여주고 있다. 이 같은 사례는 아직 깊이 연구된 바 없지만, 세계 최초로 이루어진 식민주의자 청산 사례가 아닐까 한다. 또한 이 사례는 남한에서도 볼 수 없는 사례라는 점에서 세계사적인 의미를 가진다고 할 수 있을 것이다.

주지하다시피 북조선에 진주한 소련은 조선인 스스로의 자치권력이었던 인민위원회의 존재와 역할을 적극적으로 인정하는 간접통치의 방식을 택하였다. 이후 정부수립 이전까지 북조선의 기본 정책은 이들 두 주체의 협의에 따라 생산되고 실행되었다고 할 수 있다. 대표적으로 토지개혁 관련 정책 생산과정을 들 수 있다. 대일정책의 생산과정도 이와 비슷한 과정을 거쳤을 것으로 짐작되지만 아직 그 과정에 대한 연구는 충분치 않다.

대일정책과 관련된 협의는 소련이 미국과의 협의를 통해 기본 방침을 정하였고, 큰 틀에서의 정책은 그것을 크게 벗어날 수 없었을 것이다. 일본인 기술자들의 귀환에 관한 문제도 기본적인 방침은 미군과 소련군 간의 협의에 의한 것이었다. 1947년 소련 측은 미국 측과 일본인 기술자들의 귀환에 합의했다. 일본인 기술자들이 자신들의 인양(귀환) 결정을 알게 된 것은 1946년 11월 말이었다. 그런데 소련군은 이 결정을 일본인들에게 그대로 알리지 않고, 소련군 관할하의 일본인을 그 자유의사에 기초하여 인양하기로 하였다. 그 결과 일본인 기술자는 선택에 따라 조선에 체류할 수 있게 되었다. 북조선 당국은 이들 기술자들을 그대로 잔류시켜 조선의 건국에 협력시

는)』, 1947년 4월 10일.

키고 싶어 했다.[26]

이 같은 정책 집행 구조에 따라 북조선 당국에 의해 식민 통치의 책임에 따라 감옥에 갇혔던 일본인들도 소련의 지시에 의해 석방되었던 것이다. 그렇게 석방된 사람은 신의주와 평양형무소에서 각각 10명과 22명이었다. 1947년 현재 석방된 사람은 형기 2년 이하의 판결을 받은 사람으로 북조선 측 당국의 설명에 의하면 이들의 석방은 소련 측의 지령에 의한 것이었다.

한편, 소련군과 북조선 당국은 소위 반동분자들을 시베리아로 유형 보내거나, 감옥에 가두는 정책을 시행했다. 1945년 9월부터 10월에 걸쳐 각 관청의 책임자 경찰관, 형무소직원 등 2천 명 이상이 소련군에 의해 평양 교외의 삼합리에 집결되었다가, 10월말부터 11월초에 걸쳐 연길에 보내졌다. 이들 외에 약 1천명의 일본 민간인들도 한꺼번에 같은 지역으로 보내졌다. 일본은 그들이 12월 31일에 이르러 일부는 석방되고 일부는 북조선에서 사역을 당하다가 대부분 시베리아에 보내진 것으로 파악했다. 이런 경우에 속하는 사람에 대한 취급에 관해서도 지방에 따라 몇 가지의 상이점은 있지만, 소위 반동분자라고 간주된 사람들이 주가 되었다.

신의주를 예로 들면, 먼저 지사, 경찰부장, 지방법원장, 검사, 세무서장, 형무소장, 압강신문 사장 등 12명이 해당자로 지목되었다. 다음으로 형사, 총사, 경찰서장 이하 서원과 형무소 직원이 소련군에 인도되었다. 그들 중 경찰서와 형무소직원을 제외한 대부분 사람들은 1945년 12월 말로 석방되었다. 이송 대상자들에게는 방한구와 식량 이외의 것은 휴대가 허락되지 않았고, 대부분은 도보로 나진을 출발하여, 잠시 군용열차로 편승이 허락되었지만 도중의 무리(無理)로 인해 다수의 사망자를 냈다. 이들 중 병약자는 연길에 잔류했다. 또 북조선에서 사역을 당했던 것은 53명으로 모두 건강한 젊은이였지만 장질(티프스)과 이질에 50명이 쓰러져서 생존자는 겨우 3명

26) 「전신사본 K3003 秘, 총번호 007171 亞」(1947)년 3월 25일 사세보인양원호국 사와 노보리(沢登) 외무성 연락원이 보낸 전신사본)

만 남아 시베리아로 보내진 것으로 파악되었다. 그 이후 소식은 파악되지 않았다.[27]

이 같은 사례는 전승국이 아닌 피식민 독립국가의 입장에서 식민주의 청산의 과제가 가지는 한계를 잘 보여준다. 식민주의 청산의 제한은 재일조선인들을 식민주의의 피해자로 인식하지 못하게 하는 한계로 작용했다. 결국 북조선 당국자들도 재일조선인들을 식민지배의 피해자로, 새로 건국될 국가의 국민으로 편입시켜야 할 구성원으로 인식하기보다는, 조국건설의 보조적인 역할을 수행하는 존재로 인식하는 결과를 초래했다.

그 같은 인식은 김일성이 1946년 12월 재일조선인들에게 보낸 서한에 잘 드러나고 있다. 그는 이 시점에 이미 재일조선인들의 귀환을 공식적으로 유보하고 있다. 그는 재일조선인들에 대해 "동포들도 굴욕과 학대의 비인간적인 생활에서 해방된 민족으로서 이제는 명랑한 활동을 전개하고 있으리라고 믿습니다. 동포들은 … 무한한 애국감과 동포애로써 고향땅의 새로운 운명에 모든 관심을 집중시키고 있을 줄" 안다며 이들을 '해방된 민족'으로 칭했다. 그렇지만, 그는 "우리 조선은 아직 민주주의적 민족통일정부를 세우지 못하였으며, 따뜻한 고국에 돌아오려고 하는 재일 100만 동포를 곧 맞아들일 준비가 되어있지 못합니다"라고 고백했다. 그러면서 그 원인이 "국제적 반동파의 지지와 원조를 받고 있는 친일파, 친미파, 민족반역자들의 책동으로 말미암아 조선의 자주적독립과 민주주의적 발전을 보장함 데 대한 모스크바3상회의결정을 실전하는 사업이 지연되고 있기 때문"이라고 주장했다.

김일성의 주장은 당시 통일국가 수립이 지연되면서, 자신들이 협상의 주체가 되고 있지 못한 상황을 반영하고 있다고 할 수 있다. 그럼에도 불구하고 그가 일본과의 협상의 필요성이나 식민주의 청산의 책임을 강조하기보

---

27) 「쇼와 22(1947)년 3월 29일 사세보인양원호국내 종전연락사세보사무국 연락반 사와 노보리 부영사가 외무성 오노 국상에게 보내는 보고서」, 41~42쪽.

다는 일본 내에서의 활동을 강조하고 있다는 점은 그 역시 식민주의 청산
에 관한 인식이 뚜렷하지 않았음을 의미한다. 그는 재일조선인의 귀국 시점
에 대해 "전민족의 통일적 민주건국은 반드시 획득될 것이며 그것은 멀지않
은 장래에 이룩되고야 말 것입니다. 그 때에 우리 조국은 강대한 위력으로
써 동포들에게 힘을 주고 동포들을 돌보아 줄 것이며 모든 준비가 갖추어
져 동포들을 따뜻이 맞아들일 수 있게 될 것"이라고 주장했다.

그때까지 재일조선인의 임무는 "일본제국주의를 타도하기 위하여 일본의
진실한 민주주의인사들과 협력"하고 '반동'들의 거점이 되고 있는 일본에서
"반동들의 국제적 결탁과 그 고리들을 더욱 약화시키"는 것이며, "100만 재
일동포들은 자기들에게 중대한 임무가 지워져 있다는 것을 알아" 줄 것을
호소하고 있다. 나아가 "아세아의 영원한 자유와 평화가 오고 우리 인민이
평화와 자유를 향유하며 우리 조국이 무궁한 번영과 부강과 찬란한 문화로
빛날 날이 올 때까지 같이 분투하기를 기대"한다고 밝혔다.[28]

이처럼 해방 직후 북조선 당국은 재일조선인들의 귀환을 위한 노력보다
는 공산주의의 국제주의에 입각하여 일본 혁명에 복무할 것을 요구했다. 그
리고 그들의 귀환은 통일국가 건설 이후로 미루어졌다. 이 같은 정책은 기
본적으로 소련과 일본 공산당과의 협조에 기반 한 국제주의 노선에 기인한
것이라고 할 수 있었다. 하지만, 북조선에서의 식민주의 청산이 미완에 그
침에 따라 재일조선인에 대한 일본의 식민지배 책임 추궁으로까지 나아가
지 못하게 되었다는 점도 주목할 필요가 있다.

한편, 6·25남북전쟁과 분단의 고착화는 이후 북조선의 인식도 남한의 그
것과 마찬가지로 이념대결의 도구로 전락하게 하는 역할을 하였다. 북조선
의 재일조선인 정책은 결국 공산주의 국제노선이 약화되고 조선로동당과
일본공산당의 관계가 악화되었을 때, 그리고 전후복구가 어느 정도 진행되

28) 이상 인용은 김일성, 「재일 100만 동포들에게(재일동포들에게 보낸 서한 1946년 12월 13일)」,
『조선해외교포운동에 대하여』, 조선로동당출판사, 1985, 1~2쪽.

고 재일조선인들의 노동력과 자산이 절실해졌을 때, 귀국운동으로 전환되었다.

5. 맺음말

재일조선인도 한반도의 한인들과 함께 해방을 맞았지만, 그들을 국민으로 귀국시킬 수 있는 국가가 없었다. 이들의 귀환은 전후처리의 일환으로만 이해되었다. 미군정 당국은 점령 초기에 재일조선인들을 해방민족으로 규정했지만 그것은 임시방편에 불과했다. 그들의 조치는 전후 독일에 거주하고 있던 오스트리아인들에게 독일과 오스트리아 국적 선택의 권리를 준 것과 유사한 것이었지만, 실제의 점령정책에서 재일조선인들은 추축국 국민보다도 못한 적국민이거나 식민지민으로 취급되었다. 그들에게 최우선의 정책은 일본의 전후복구였다. 일본 정부에게 재일조선인의 귀환 책임은 인정되지 않았고, 귀환 시 지참할 수 있는 재산도 재외 일본인들과 마찬가지로 천 엔으로 제한되었다. 결국 재일조선인들은 일본 내에서 예비 범죄집단으로서 '관리'와 통제의 대상으로 전락하고 말았다.

남한과 달리 38선 이북에서 식민주의를 청산하려는 움직임을 보이기도 했지만, 소련은 일본군과 반동분자 처단이라는 명목으로 제한적인 선에서만 그것을 허용했다. 결국 식민주의 청산은 제대로 시행되지 못했고, 북조선 당국 역시 재일조선인들을 식민주의의 피해자로 인식하거나, 새로운 국민의 구성원으로 인식하지 못했다. 나아가 김일성은 재일조선인들에게 일본 혁명에 종사할 것을 요구했다.

남북 모두에서 재일조선인의 귀환을 협상할 수 있는 정부가 수립되었을 때, 두 국가는 전쟁의 소용돌이에 빠져들었고, 재일조선인들은 남북 모두에게 안보를 지탱하는 보조적 수단으로만 인식되었다. 전쟁이 끝났지만, 이승만에게 재일조선인 사회는 공산주의자들이 판치는 불순한 세계였다. 그에게 재일조선인은 공산주의의 위험성을 인식하는 도구로 인식되거나, 친일과 일본 재침략의 간첩 정도로 인식되었다. 그는 그러한 인식을 선거 전략의 일환으로 활용하기도 했다.

이러한 상황 속에서 재일조선인은 미국과 연합국의 전후보상의 대상에서 배제되었고, 소련에서도 전후처리의 대상 이상으로 인식되지 못했다. 남한과 북조선의 당국자들도 그들을 새로운 국민의 구성원으로 인식하거나 식민주의청산의 주체로 인식하지 못했다. 결국 일본은 이들을 국적 없는 '외국인'으로 자리매김하고 냉전식민주의의 희생자로 남겨두는 정책을 사용할 수 있게 되었다. 그 영향은 현재까지의 차별로 이어지고 있다.

■ 이신철

제2부_
미디어와 공적서사가
만들어낸
재일조선인 담론

전후 미디어를 통해 본 재일조선인의 담론
―야마구치현(山口縣) 내 언론을 중심으로―

1. 머리말

본고에서는 주로 야마구치현(山口縣) 내에서 발행된 3대 신문인『防長新聞』,『馬関毎日新聞』,『関門日日新聞』지면에 있어서 재일조선인이 어떻게 그려졌는가에 관해서 전전기의 동화정책 하에서의 호칭이나 밀항, 그리고 노동자관을 바탕으로 제2차 세계대전 종료 직후(1945~1949)에 일본인에서 외국인으로 바뀌는 과정에서 일본인들 사이에서 전전의 관점이 어떻게 작용하는가에 주목하여 검토하는 것을 과제로 삼는다.

야마구치현에 주목한 이유는 해방 후의 조선인의 귀환에 있어서 중요한 장소이며, 또한 한반도의 정세에 따라 남북 간의 대립이 첨예화한 장소이기도 하다. 더욱이 재도항(밀항)의 상륙과 단속이 이루어진 장소이기도 하며, 그리고 '한신교육투쟁'과 같은 조선학교 폐쇄와 관련해 맹렬한 저항이 일어난 장소이기도 하기 때문이다. 관련 문제에 관한 연구사나 자료는 각각의 해당 부분에서 언급하기로 한다.

2. 전전기의 미디어에 나타난 재일조선인관

1) 호칭의 변천

조선인의 차별적 호칭에 관해서는 우쓰미 아이코(内海愛子)의 연구[1]가 있다. 야마구치현에 관해서도 거의 우쓰미의 지적대로 변천했다고 보아도 좋다.

조선인 혹은 일본거주 조선인에 대한 기사는 야마구치현 내의 기사에는 러일전쟁 무렵부터 등장하게 된다. 그 경우의 호칭은 대한제국이라는 국명으로부터 '한인' 혹은 '한국인'이라고 불리는 경우가 많았다. 처음에는 조선 내의 조선인에 대한 것이 대부분으로『馬関毎日新聞』의 1905년 7월 기사「滿韓視察談」,[2] 1906년 12월 기사「馬山電報」[3]에서 '한인은 항상 흰옷을 입는다'라든가, '한인의 폭행' 등과 같은 표현이 확인된다. 1907년 1월 1일 같은 신문에는 '조선의 정월'이라는 제목으로 '한인'이라는 호칭 하에 일본인에게 고용되어 있는 '子ンガー', 'チョンガー'라는 표현은 있는데, 조선의 정월(음력)의 풍습을 삽화를 넣어 소개하고, 異文化의 실태를 전달하려고 하고 있다.

이 시기에 일본으로 일을 하기 위해 도일한 조선인에 대해서는 1907년부터 1908년에 주로 철도공사 노동자로서 시모노세키에 상륙한 사람들에 관한 기사가 보이며,[4] 거기에서의 호칭도 역시『防長新聞』1907년 6월 기사에서「한인의 노동자사역」,「한인노동자 오사카행」,「한국노동자 내일」,「한국의 노동자 또 온다」라고 되어 있고, 한인 내지 한국노동자라는 호칭이 사용되었다.[5]

---

1) 内海愛子,『朝鮮差別とことば』, 明石書店, 1986.
2)『馬関毎日新聞』1905년 7월 8일.
3)『馬関毎日新聞』1906년 12월 12일.
4) 木村健二・小松裕,「四一道府県における在留朝鮮人」,『史料と分析「韓国併合」直後の在日朝鮮人・中国人』, 明石書店, 1998.
5)『防長新聞』1907년 6월 9일, 13일, 23일, 25일.

이것이 1910년 8월의 '한일병합' 이후는 '한'이라는 표현이 사용되지 않게 되고, '조선'이라는 표현으로 바뀌어 간다. 그리고 병합 직후인 1910년 9월부 터 『防長新聞』에는 「주의할 만한 조선인의 동경행」이나 「조선의 기묘한 부 인일행 상륙」 등이라고, 내용은 '기묘함'이라고 하더라도 '조선'이라는 표현 이 사용되었다.[6] 그러한 표현이 재일조선인에 대해 '선인'이라는 표현으로 바뀌는 것은 『防長新聞』에서는 1912년 3월 기사인 「선인도둑공판」이 최초 이다.[7]

이러한 변화를 생각함에 있어서 1911년 10월 같은 신문의 「선인교육의 방침」이라는 기사가 참고가 될 것이다.[8] 이 기사에는 같은 해 11월 1일에 시행되는 '조선교육령'을 언급하며, 담당자였던 문부관료 이케다(池田)의 말 을 빌려, 조선에 '내지인과 동등의 진보된 교육을 실시한다'라는 것은 오해 이며, 일본인과는 별개로 일정 부분의 개선을 행하는 '선인교육'을 시행하는 것이라고 설명하고 있다. '한일병합'이라고는 하지만, 일본인과 한국인의 차이 가 없으면 안 되는 것이었다.[9] 당연히 이때부터 호칭이 바로 「선인」으로 바뀐 것은 아니고, 서서히 바뀌었다고 해야 할 것이다.

1919년의 3·1독립운동 시절, 또 1923년의 관동대지진 시절에는, 안드레 헤이그가 지적한 것처럼[10] 일본인에게 불안과 공포를 주는 존재로서 '불령 선인'이 사용된다. 무엇보다, 관동대지진 때에는 안드레가 말하는, 내무성 경보국과 경시청이 내놓은 조선인에 관한 기사를 일절 게재하지 않도록 하 라는 9월 3일의 '경고서' 이후에도 『馬関毎日新聞』 등에서는 '초토가 된 거리 를 배회하는 일부 선인들의 무리'(9월 3일자), "불령선인 우리 피난민을 습

6) 『防長新聞』 1910년 9월 10일, 10월 14일.
7) 『防長新聞』 1912년 3월 16일.
8) 『防長新聞』 1911년 10월 11일.
9) 이승엽, 「『顔が変る』-朝鮮植民地支配と民族識別」(竹沢泰子 編, 『人種の表象と社会的リアリ ティ』, 岩波書店, 2009에서 재인용).
10) アンドレ・ヘイグ, 「近代メディア・文化における, 『不逞鮮人』像」, 『朝鮮史研究会会報』 第184 号, 2011年 8月 1日.

격」,「도쿄부 근에서 선인과 우리 군대의 충돌」(9월 4일자),「선인 하치오지마치(八王子町)를 습격」,「요코하마에서도 계엄령 선포, 불령선인 망동 때문인가」(9월 4일자 석간),「불령선인이 열차에 폭탄을 투척한다.」,「불령선인의 근거지 하치오지(八王子) 부근으로 판명」,「불령선인 4백 명 대오를 짜서 도코로자와(所沢) 비행대를 습격」(9월 5일자),「선인 탈옥수 등 흉폭단 나마무기(生麦) 부근을 약탈」,「불령선인단 무전국 습격」(9월 6일자)이라고 거의 9월 6일까지 이어진다. 이에 대응해서 시모노세키에서는 「도래 선인에 대해 철저한 경계를 한다」(쓰쓰이(筒井) 시모노세키 육상서장, 9월 4일자 석간)나,「선인 단속의 훈전 철저히 경계할 터」,「시모노세키 역 부근을 예의 주시」(나카야마(中山) 헌병대장, 9월 5일자),「사쿠라야마(櫻山)를 중심으로 시모노세키에 있는 선인 온순하지만 그 수는 1천 5백을 넘을 예상」(9월 5일자) 등이며, 안드레가 언급한 것처럼, '"불량선인"을 둘러싼 의식은 그 말과 함께 집단적 기억에 뿌리 깊이 남아 있었던' 것이다.

「선인」이라는 호칭은 그 후 1930년대에 걸쳐 사용되었다. 예를 들면 1930년에는 「선인노동자 일시 귀선증명서 교부에 대해」(防長新聞, 7월 24일)나 「도둑 선인 검거」(防長新聞, 11월 2일),「선인선원 절도」(防長新聞, 11월 10일),「우베(宇部)시동화회(市同和会) 보조금 신청」('선인융화기관', 馬関毎日新聞, 1935년 7월 2일),「좌경선인인가 가명으로 승선」('괴선인', 防長新聞, 7월 13일),「선인 5명 송국 우베서로」(防長新聞, 7월 18일)),「재시모노세키 선인동화회(鮮人東和会) 발회식」(防長新聞, 7월 21일),「한센병 부부 등 선인 20여 명, 모지쿠(門司)에 밀항」(防長新聞, 7월 31일) 등이다. '내선융화'라고 하더라도 엄연한 차별 하에 있었다는 것을 알 수 있다.

중일전쟁 이후가 되면 지원병, 노동동원, 창씨개명 등의 정책이 연이어 실시된다. 그 과정에서 여전히 '선인'의 호칭도 계속되었으며, 특히 '반도동포'나 '반도인'이라는 호칭이 눈에 띈다. 그것은 민족성을 무시하고, 조선을 단순히 지리적으로 위치시킨 것으로서 사용된 것이며, 민족성을 은폐하여 황국신민화정책=동화정책에 보다 강하게 호응한 것이라고 할 수 있다. 구체적으로는 기무라(木村健二)의 연구11)에 제시되어 있지만, 「남양 개척을 위해 반도인 출범」(関門日日新聞, 1939년 1월 28일자), 「히가시오쓰보(東大坪) 반도인 부락 어젯밤 약 50호 소실」(関門日日新聞, 2월 19일), 「동화회원이 『황도일본』관람」('반도출신자 단체', 関門日日新聞, 2월 27일), 「반도 부인의 복장개선강습회 개최」(関門日日新聞, 3월 21일), 「근로봉사반 결성 반도인의 총후봉사대」(関門日日新聞, 5월 28일), 「내지인과 반도인 어느 쪽이 일을 잘하는가 다키베손(滝部村)에서 능률조사」(関門日日新聞, 6월 21일), 「반도지원병 첫 전사자」(関門日日新聞, 7월 9일), 「반도인으로 보충 히가시미조메(東見初) 탄광노동력」(関門日日新聞, 11월 12일) 등이 있다.

그런데 1943년경이 되면 이와 같은 '반도'라는 호칭도 계속되지만, 종종 '조선'이라는 호칭도 다시 생겨나서 「조선동포에게 국어강습회」(3월 17일자)나 「조선 장정 연성 고구시서(小串署)에서 입소식」(8월 10일자), 「조선동포의 징병제실시」(8월 15일자) 등으로 사용된다. 이와 같은 일은 나중에 나타나는 노동동원 후의 증산이나 징병제의 실시의 과정에서 동화에 우선하는 목적달성이 요구되었기 때문이라고 판단된다. 적절한 이유인가, '조선(せん)'이라는 것처럼 '선'에만 후리가나가 붙어 있어 부자연스러움을 떨칠 수 없다.

더욱이 어느 경우에도, 조선거주 조선인도 내지거주 조선인도 같은 표현이며, '재일조선인' 등의 양자를 구분하는 표현은 하지 않았다. 그것은 언젠가 돌아갈 사람으로 판단되어, 혹은 명확한 인격을 가진 사람으로서 인정되지 않았음을 반영한 것이라고 할 수 있다.

2) 밀항에의 대응

조선인의 밀항에 대해서는 1925년 10월의 부산해양서에서 5항목의 조사(무허가 노동자 모집에 응한 자, 취식 불확실한 자, 국어를 해독할 수 없는

---

11) 木村健二, 「1939年の在日朝鮮人－関門日日新聞にみる下関地域の動向 －」, 『地域共創センター年報』 Vol.7, 下関市立大学地域共創センター, 2014年 8月.

자, 여비 이외에 소지금 10엔 이하인 자, 모르핀 환자)에 의해 해당자는 도항할 수 없게 되었다. 이것은 1928년 7월 이후 조선총독부 통첩에 의해 현지 저지로 변경되었고, 결국 이에 해당하는 자가 일본 내지에 들어간 경우는 밀항으로 간주한 것이다.

밀항자가 빈번히 상륙하는 야마구치현에 대해서는 1929년 상반기에 7개 사례에 대해 그 경위와 일람표를 정리해 두었다.(〈표 1〉 참조)

이 〈표 1〉에 의하면 1929년 시점에서는 밀항이라고 하더라도 심각하게는 받아들이지 않았고, 조선으로 돌아가게 한 경우는 1차례뿐이며, 그 다음은 '목적지로 가게 한다'든가 그것이 불확실한 경우에는 도요우라군(豊浦郡) 아가와(阿川)의 철도공사를 알선하거나 시모노세키 시내의 쇼와관(昭和館)에 수용한다거나 해서 처분되는 일은 없었다. 이때의 밀항 사유로서는 '도항을 저지당한 것에 의함'(2건), '도항 저지될 것을 걱정해서'(5건)라고 하는 점을 들 수 있다.

<표 1> 1929년 상반기 밀항 사례

번호	출발지	도착지	인원	선박	목적구분	소지금	조치
1	全南 麗水	下関	9	발동선	5명 확실 4명 불확실	2~5엔	목적지로 향함 소화관으로
2	釜山	下関	11	조선우편선	불확실	7엔	목적지로 향함
3	木浦	豊浦郡 黒井村	17	조선우편선	불확실	1~15엔	10명 귀국, 7명 취직알선, 그 외 소재불명
4	慶北 陽北	豊浦郡 角島	40	발동선	14명 불확실 26명 확실	12~30엔	아가와촌(阿川村)철도공사로 목적지로 향함
5	慶北 迎日	豊浦郡 黒井村	28	발동선	13명 불확실 15명 확실	불지참 6, 30전~1엔	아가와촌(阿川村)철도공사로 목적지로 향함
6	釜山에서 津島経由	下関	1	쓰시마기선	불확실	불지참	소화관에서 직업소개
7	釜山	下関	2	관부연락선	불확실	1엔 30전	목적지로 향함

*『長官事務引継』 1929년 7월부터 작성.

이것이 1932년이 되면, 집단적 밀항이 20회, 503명에 이르고, 1933년 7월 말까지는 30회, 263명에 이르렀다고 한다. 더욱이 밀항에 준하는 부정도래

자도 타인의 밀항 소개장의 매수, 일본 사립학교에의 입학 허가, 타인의 학생신분증의 차용, 일본인으로 위장, 내지시찰단체에 참가, 허위 도항소개서, 선원으로 위장, 연락선 등으로 잠입·편승 등의 방법으로 증가하였고, 1932년도에는 110명에 달했으며, 1933년 7월 말까지 149명에 이르렀다고 한다. 그리고 '불령도배가 밀항으로 내지에 잠입하는 일은 상상하기 어렵지 않은 일'이고, 또 사상적으로 그 외의 용의가 없더라도 '그대로 방치하는 것은 도항제도의 취지에 반한다. 물론 도항자를 조장하는 폐해에 빠질 우려가 있기에 가급적 본적지로 귀환시킬 방침을 취하고 있다'라고 하고 있다. 단지, 돌아갈 여비가 없는 경우는 현비, 쇼와관 예산, 그리고 총독부의 보조에 의하는 수밖에 없다고 하며, 이들의 조치에 곤란함을 내비치고 있었다는 것이었다.[12]

이렇게 해서 야마구치현 내의 신문기사(関門日日新聞)에서 다루어진 건수는 1939년에는 31건에 달한다. 그 해의 당국에 의한 대처방식을 살펴보면, 부산항에서의 적발과 브로커의 검거, 그리고 야마구치현 측에서는 밀항자에 대한 그때마다의 송환이 특징적이었다고 볼 수 있다. 다음해 1940년에는 16건으로 감소하고, 1941년 이후는 적어도 신문기사로서는 다루어지지 않게 된다.[13] 그것은 1939년 이후에 노무동원정책의 실시를 위해 동원지 이외에서의 고용방지를 철저화하려고 한 것, 그리고 그 후의 철저한 노동력 배치정책의 실시에 의한 것이라고 할 수 있다.

이와 같은 상황에 대해 『関門日日新聞』 지상에는 「밀항 조선인 문제」라는 제목으로 재일조선인으로 보여지는 인물에 의한 투서가 게재된다. 1939년 10월 22일자(기오츠생), 1940년 3월 9일자(시모노세키 박기을) 투서 중 특히 후자에서는 "황기 2천 6백년을 맞은 오늘날에『관문』과 같은 무용지물이『내선일체의 진로』를 가로막고 있다", "천황 폐하가 계시는 일본에 도항

---

12) 『知事交迭事務引継書』 1933년 8월.

13) 1941년에 1건 「밀항자 송환」 고쿠라시(小倉市), 6월 22일자, ㄱ 후에는 유일하게 1943년 5월 6일자의 기사 「밀항선인 설도」가 있었지만, 이것은 절도사건도 관계되었다.

하는데 왜 '반도 출신자에 한해서' 도래 증명이 필요한가? 우리는 이해하기 힘들다'고 쓰고, '밀항선인' 적발에 대해 항의의 목소리를 표하였다. 전자에 대한 반론으로서 1939년 11월 7일자에 시모노세키시 · T생이라는 인물의 투서가 게재된다. 그 내용에는 조선인의 '자유도항'은 재고될 필요가 있고, 내선일체라는 국책에서 볼 경우 제도 도항이 바람직하다면서, "노동력, 두뇌력이 결핍된 각종 직장에서 집단적으로 가족이주를 채택해야 한다. 농촌은 일손이 부족하다", "정부가 일자리를 줌과 동시에 일본인으로서의 국민교육을 실시하여 동화의 실현을 거두어야 한다"고 지적한다. 자유도항에 의한 집단이주로는 시일이 지나더라도 동화가 진전되지 않으며, 일자리도 부족한 곳으로 보내야 한다는 주장이다. 후자와 같은 거듭된 항의에도 불구하고 밀항의 적발기사는 계속되었고, 제도적 자유화는 1944년 12월까지 기다려야 했다.[14]

3) 조선인노동자의 평가

조선인노동자에 대한 평가에 대해서는 세기전환기의 조선의 사례에 대해 정리한 것이 있다.[15] 재일조선인 노동자는 제1차 세계대전 무렵부터 그 수가 증가하고, 1920년에 4만 명대, 1930년에 42만 명, 1940년에 120만 명이 되었다. 이에 따라 재일조선인 노동자에 대한 평가도 각계에서 활발해진다. 예를 들면 『社会政策時報』 1929년 12월호에 게재된 아키야마 오노스케(秋山斧助)의 「선인노동자와 실업문제」라는 논고에서는 "과격 · 불쾌 · 불결 또는 위험한 노동을 싫어하지 않는 것은 분명히 선인노동자의 특징"이라고 하면서 현대의 3D라고 불리는 직종에 이 무렵부터 종사했다는 것을 알 수 있다.

그 동안 미디어에서 다루어진 조선인 노동자관은 인건비가 싸고 유능한

---

14) 木村健二, 앞의 글, 2014年 8月.

15) 木村健二, 「開港から併合直後における朝鮮人労働者」, 高秉雲 編著, 『朝鮮史の諸相』, 雄山閣出版, 1999.

조선인 노동자의 도입은 장점이 있다는 주장과 일본 노동자에게 있어서 임금 면에서 악영향이라는 단점도 있으며, 또 실업 조선인에 대한 보호책을 촉구하는 일도 공안상 우려할 만하다는 관점에서 나온 것이다(『大阪每日』, 『大阪朝日』, 『福岡日日』 등). 또한 각계에서는 조선인 노동자의 대량 유입에 대해 임금의 하락, 노동시장에서의 경쟁, 실업의 증대, 노동자 간 대립 등을 거론하는 한편, 대응책으로서 조선의 원활한 통치라는 관점에서 일본 노동자와 구별 없이 보호해야 하며, 그러나 무엇보다 해야 할 일은 조선에서 취직할 수 있도록 해야 한다든가(河津暹), 조선이 조선인을 위해 살기 좋은 땅이 되지 않는 한 조선인 노동자의 유입을 방지할 수 없다(安部磯雄)라는 의견, '내선융화'의 관점에서 일본인의 조선 이주를 그대로 두면서 조선인 노동자에게만 일본 도항을 금지하는 것은 공평하지 않다 라든가(善生永助), 거주 이전에 대해 차별적인 대우를 하지 말고 정연하게 갖추어진 직업소개 제도를 수립해서 실업방지를 위한 공공사업을 조선에서 진행해야 한다는 의견(守屋栄夫), 또 좌익운동 측에서는 일본 자금을 조선에 투자해서 노동력 수요를 환기해야 하고, 또 고도한 사회정책을 조선에도 실행해야 한다든가(櫛田民蔵), 동일한 노동에 대해 동일한 보수를 한다든가(山川均, 片山潜), 모든 차별대우의 배제(青木邦夫) 등이라고 주장한다.[16]

　야마구치현 내의 신문에서 조선인 노동자에 관한 기사가 등장하게 된 것은 러일전쟁 이후의 일이다. 앞서 기술한 「한인의 노동자사역」(『防長新聞』 1907년 6월 9일자)이라는 기사에서 지쿠젠에다미쓰(야하타)제철소(筑前枝光 (八幡)製鉄所)에 노동자로서 9명이 일한다는 것을 전하고 있다. 그 직후에 「한인노동자 오사카 행」(『防長新聞』 1907년 6월 13일자)에서는 '최근 노동을 위해 한국인의 도일이 점차 증가'라고 되어 있으며, 또 6월 25일자 「한국의 노동자 또 온다」에서는 '근래 한인의 노동자 속속 도일'이라고 되어 있다. 주

---

16) 木村健二, 「『国際化』と在日アジア人労働者観の歩み」, 尾関周二ほか 編著, 『国際化時代に生きる日本人』, 青木書店, 1992.

로 서일본(西日本) 각지의 철도공사 현장으로 가는 한국인 노동자가 증가하고 있는 것을 담담하게 기술하고 있다.

전시 하의 일본 노동시장에 있어서 노동력 부족은 기타규슈(北九州) · 야마구치 지구에 있어서도 아주 심각하였으며,[17] 『関門日日新聞』에는 기타규슈에서는 '산업전사의 부족으로 고민하는 야하타제철소 구내운반 청부업자 간에는 올 가을 10월부터 제철소의 대확장 공사로 인해 더욱 일손부족이 초래됨으로 마침내 조선으로 건너가 현지의 조선인을 대량 모집하기로 하고 후생성에 허가를 얻기 위해 동 조합대표 오카자키(岡崎), 쇼지(庄司), 이리에(入江) 3명은 최근 상경하여 열심히 활동 중이다'(1939년 7월 25일자)라든가, 노가타(直方)에서는 '비상시국 하의 노동력 부족을 완화하기 위해 석탄광업 호조회는 반도 동포의 유입. 부인 및 소년광부의 갱도 투입 해금 등을 겸해서 주무관청에 진정요망 중. 모두 주부관청의 양해가 있을 것. 가까운 시일 내에 발령이 나올 예정'(1939년 8월 22일자) 등으로 보도하고 있다. 또 고다마(児玉) 후쿠오카현(福岡県) 지사도 '노동력 부족의 완화책으로서 조선인의 유입 문제는 종래의 제한령을 넘어 상당히 많은 수의 유입을 인정하게 되었다. 인원수는 현재로서는 비밀에 부치겠지만 광산용 토목사업은 대부분 이쪽 사람들의 직장이 될 것이다'(1939년 7월 22일자)고 말하고, 운반 · 토목 · 갱내작업 등의 부분에서 조선인 노동자가 대부분을 차지하게 될 것이라고 하고 있다.

야마구치현에서도 우베에서 "히가시미조메 탄광에서는 전시하의 노동력 부족을 반도인의 집단모집에 의해 보충해야 한다고 해서 공사비 8천 엔을 들여 반도인 전용의 합숙소, 30명 수용용 두 개동을 건설, 침구류와 같은 것도 거액을 들여 준비하고 담당자를 조선에 파견하여 모집 중이었는데 제1반 반도인 29명은 9일 밤, 제2반 33명은 10일 밤 도착했다. 탄광 측은 환영

---

17) 이 시기에 동원된 조선인 노동자와 협화회와의 관계에 대해서는 山田昭次 · 古庄正 · 樋口雄一, 『朝鮮人戦時労働動員』, 岩波書店, 2005을 참조.

다과회를 열어 환대했으며, 앞으로 전임자를 두고 철저히 지도할 방침인데 그 성과가 기대된다"고 하고 있다(1939년 11월 12일자). 오노다(小野田)에서도 "탄광 측에서는 구인난을 한탄 푸념하면서 조선동포 대량 도항의 허가를 얻어 당장 하루 이틀 사이에 100명이 모토야마(本山) 탄광에 고용되기로 되었다"고 한다(1940년 1월 10일자). 역시 탄광의 노동력 부족을 조선인노동자로 채우려고 한 것을 알 수 있다.

또 간몬(関門)철도 터널의 굴착 최종단계에서 "더욱 만전을 기하기 위해 □□공기 내□□에서 작업할 수 있는 인재를 얻기 위해 조선으로 건너가", "거기에서 사지, 오체, 내장기능 등에서 한 군데라도 결점이 없는 강철 반도인 50여 명을 얻었다"고(1940년 10월 31일자) 튼튼한 조선인 노동자를 채용했다는 것, 시모노세키시에서는 분뇨처리 인부 부족에 대해 시의 위생과장은 "장마철을 대비해 그냥 둘 수 없는 일로 관계 당국에 의뢰해서 상당수의 인부를 반도에서 빼내주기로 했다"고 하여(1940년 6월 5일자) 일손 부족 때에 이를 조선인 노동자로 채울 계획이라는 것을 지적하고 있다.

또한 식량증산의 관점에서 농촌의 노동력 부족도 심각하여 조선에서 '농업보국대', '반도증산부대'의 초빙이나,[18] 조선농학교 학생의 근로봉사,[19] 재일협화회원에 의한 농작업 근로봉사[20] 등이 이루어졌다.

노무관리면에 관해서는 오로지 이동의 방지, 취업률의 향상, 능률의 향상이라는 것이 지향되었다.[21] 1939년에는 도요우라군 다키베손을 중심으로 도쿄대 농학부 경제과의 조수(崎山(혹은 崎村인지 불확실), 川野)와 학생에 의해 '농업경영상, 일본인 소작인과 조선인 소작인 중에 어느 쪽이 일을 잘 하는가'라고 해서 능률비교연구가 이루어졌다고 한다(1939년 6월 21일자). 그 결과는

---

18) 『関門日日新聞』 1940년 5월 16일, 7월 10일; 1941년 4월 26일, 5월 29일, 6월 3일 · 5일 · 8일 · 13일 · 22일자.

19) 1940년 12월 1일자.

20) 1940년 10월 25일자.

21) 조선인의 노동동원에 관련한 각종 조사나 논고에 대해서는 庵ざこ由香, 「解說」, 『『朝鮮労務』 別冊解說 · 総目次 · 索引』, 緑陰書房, 2000을 참조한 것.

불명하지만, 그러한 조사가 이루어지게 되었다는 것은 결코 우열이 정해져 있었던 것이 아니었다는 것을 나타내어 흥미롭다. 앞서 기술한 관몬터널 · 실드공법에서 조선인 노동자를 선발해서 투입한 점에서도 그러한 것은 엿볼 수 있다.

이동의 방지에 대해서는 현내 협화회의 각 지회에 있어서 보도원 집회 등에서 경찰서원에 의한 이동의 파악이나 방지권고가 이루어지는 한편 (1942년 12월 17일자), 1941년 7월부터 「국민노무수첩법」을 시행함으로써 수첩을 소지하지 않은 노무자는 취업할 수 없도록 했다. 실제 운용사례로는 협화회 무로즈미(室積)지회에서 '근로보국노무수첩'을 교부하고, 거기에 본적 · 현주소 · 이름 · 년월일 · 직력과 함께 감독자가 매일 출근 성적을 증명하고, 매월 20일 이상 근속자로 소행선량 · 성적우수자를 표창했다(1942년 10월 22일자).

또 취업률에 대해서는 공장노무자의 무결근취업을 장려하고, 1943년 1월의 통계에 의하면 전년대비 3~5포인트 향상을 나타냈다고 되어 있으며, 어떤 공장에서는 출근율 95%라는 신기록을 달성했다고 한다(1943년 2월 4일자). 이에 대해서 탄광의 조선인 노무자의 이동률은 8%에서 5 내지 6%로 저하하였고, 가동률은 70%에서 80 내지 85%로 향상되었다고 한다(1943년 2월 21일자).[22]

게다가 조선인 노무자 대상의 「노무훈련소」를 후생성과 현당국에 의해 (따라서 야마구치현 사회과 시모노세키 출장소가 중심이 되고 쇼와관도 협력해서) 시모노세키에 설치할 계획이 대두되었다. 그것은 노무훈련소에 2,3개월 훈련 · 육성해서 각 방면으로 배치할 것을 목적으로 하였다. 그 때문에 농촌 방면으로도 노동력을 공급할 수 있도록 되어 있다고 한다(1940년 5월 15일자)). 이것은 1944년 말의 기사에서 겨우 설치가 결정된 것이 나와 있으

---

22) 조선인의 근무상황에 관한 조사보고서로서 광산업의 사례가 있다. 労働科学研究所報告, 『半島労務者勤労状況に関する調査報告』, 1943.

며, 그때에는 3박 3일의 단기훈련뿐이었다(1944년 12월 29일자).

그런데, 우베의 오키노야마(沖ノ山) 탄광에서 노무관리에 관해 흥미로운 보고서가 있다.[23] 거기는 당면한 노무관리의 문제는 기술이나 이론상에 있는 것이 아니라 결국 사람의 문제로 귀착되는 경우가 많으며, 훈련이나 황민화를 서두르는 것은 오히려 결과가 좋지 않아서 그들의 민족적 특징인 폭력에 대한 선천적 혐오와 강한 조상숭배 내지 경로의식을 무시하면 의외의 반발에 직면하게 되는 경우가 있다고 하고, 이 점을 고려해서 지도해야 한다고 한다. 즉 조선인의 특징을 면밀히 파악하고 그것을 노무관리에 잘 활용하라는 것이다.

다만, 가지마구미노무부(鹿島組労務部)가 편찬한 『朝鮮人労務者の管理に就て』(1942년 12월)에서는 조선인 노무관리의 가장 중요한 점으로서 「황국신민으로서 길러내어 일본인에 완전히 동화시키는 것과 대동아전쟁 하에서 각 방면에 증산이 요구되는 오늘날 능률이 낮은 노무자로 하여금 산업노무자로서 도움이 되는 유능한 노동자로 길러내야 한다」(3쪽))라는 두 가지의 측면이 있다고 하면서 궁극적으로는 동화지만, 당장의 증산을 위해서는 조선인의 특징을 잘 파악한 후에 유능한 산업전사를 육성해야 한다고 하고 있다.

『関門日日新聞』 지상에서는 1941년경이 되면, 협화회지회(岩国・小野田・徳山)의 반도스모(씨름)대회의 실시(1941년 3月 29일자, 8月 17일자, 10月 19일자))나 「연예위문단 반도반」의 결성(1941년 9月 23일자), 「반도의 무희 최승희」이 우베 시모노세키에의 내연(1943년 3月 18일자), 「반도에서 온 위문대 우베로」(「연출물은 전부 조선의 고향색을 띤 것으로 되어 있다」 1944년 6月 6일자) 등에 의해 위안을 위한 조선문화의 용인도 나타나게 되었다. 앞서 호칭에서 보여지는 '조선(せん)'의 부활과 함께 증산의 달성이나 징병의 실시를 위해 당국관리하에 조선문화의 부분 도입이 일시적으로 기획된 것으로 볼 수 있다.

---

23) 「오키노야마 탄광의 반도인 노무관리를 살펴본다」, 『内外労働週報』 476호, 1941년 10월 17일.

3. 제2차 대전 종전 직후에 나타난 미디어의 재일조선인관

　제2차 세계대전 후의 재일조선인 노동자에 대한 평가를 잘 나타내는 것
으로서 후생차관이 각 지방장관에게 보낸 「후생성발 노무 제36호 조선인,
대만인 및 중국인 노무자의 급여 등에 관한 건」(1946년 6월 21일)이라는 문
서가 있다. 거기에는 연합국최고사령부의 각서(1945년 11월 28일자 「직업정
책에 관한 건」)의 취지를 감안하여, 1946년 1월 10일 후생성령 제2호 「노무
자의 취직 및 종업에 관한 건」에서 ① 사업주는 사용하는 노무자의 임금,
급료, 취업시간 등의 노동조건에 관해 그 국적, 종교 또는 사회적 지위를 이
유로 해당 노동자에 대해 유리 또는 불리한 차별적 대우를 해서는 안 된다
(위반 시에는 3천 엔 이하의 벌금), ② 지방장관은 필요할 경우 관계자로부
터 보고를 요구할 수 있다는 점이 제시되어 있다. 그리고 6월 21일의 문서
에서, 하지만 실제로는 지금까지 철저한 시행은 이루어지지 않았으며, 특히
임금노무시간 그 외의 노동조건에 대해서 일본인의 일반수준에 비해 차이
가 있었으며, 후생성령 제1조를 완전히 이행하도록 철저하게 하려고 하고
있다.[24] 더욱이 여기에서 노동조합법 제2조의 규정에 해당하지 않는 노동
조합, 조선인연맹 그 외의 유사단체는 조선인, 대만인 및 중국인을 위한 임
금에 관해서 사업주와 교섭할 권한이 없으며, 또 금전을 모을 권한도 없다
(민법에 의한 위임을 받은 경우를 제외).

　전후의 밀항에 대한 정부의 평가로서는 1946년에 오무라 세이치(大村清
一) 내무대신(1946년 5월 22일~1947년 5월 24일)으로부터 '밀입국의 박멸을
기한다'라고 하는 의회 답변이 이루어졌다(『防長新聞』 9월 11일자). 그 때,
기송환자(한 번 귀국한 자)가 9할 이상이며, 역밀항의 원인으로서 한반도의
치안이 좋지 않고 고물가로 생활이 어려우며, 또 친일파로 인식되어 냉대를

---

24) 또한 퇴직수당에 대해서는 1945년 9월 2일까지는 소급하지만 그 이전에는 소급하지 않으며,
　　임금에 대해서는 같은 해 11월 27일 이전은 소급하지 않는 것으로 하고 있다.

받는다는 점을 들면서도(그러한 조선인을 양산한 것이 다름 아닌 자신들이었다는 것에는 언급하지 않고), 그러나 입국을 간과할 수 없는 이유로서 치안상·방역상의 문제를 제시하고 있다.

제2차 세계대전 후의 『防長新聞』 지상에 나타난 재일조선인 기사로서는 크게 나누어 귀국·잔류에 관한 것, 밀항에 관한 것, 밀조·밀수·싸움 등에 관한 것, 조선인연맹이나 민단, 그리고 그 대립·충돌사건에 관한 것, 조선인 교육문제에 관한 것, 배급 등의 생활권에 관한 것 등이 있었다. 1945년 8월 16일부터 1949년 말까지 연차별 기사를 나타낸 것이 〈표 2〉이다.

〈표 2〉 『防長新聞』으로 보는 재일조선인관련기사(1945~1949)

기사＼연차	1945	1946	1947	1948	1949	계
귀국·잔류	18	7				25
등록·조사		1		1		2
주의·단속·송환	4	3		4	1	12
밀항		22	12	9	23	66
배급부정·암거래·기타	2	1	2		2	7
밀수		3	3	2	2	10
밀주조				3	2	5
그 외의 범조	1	6		2	7	16
조선인단체설치·활동	4	4	1	4	3	16
조선인단체충돌		1	1	1	8	11
조선학교·교육문제				8	9	17
생활권문제		1		2	2	5
계	29	49	19	36	59	192

*『防長新聞』 각 연도별. 1945년은 8월 16일자 이후이다.

이들은 대부분 사실관계를 보도한 것에 불과하며, 기사에 나타난 재일조선인상을 나타내는 것에 지나지 않지만, 그 가운데는 일정한 가치기준 하에 쓰인 것도 확인할 수 있다. 이하에서는 연차별로 기사 내용을 추적함으로써 전쟁 종결 직후의 야마구치현의 조선인관을 살펴보고자 한다.

1) 1945년

1945년에는 8월 15일의 전쟁 종결 이후가 되지만, 먼저 조선인에 대한 '주의'로 8월 22일자 「반도인에 주의 시모노세키경찰서에서」의 '경찰은 제군의 신분 모두를 보장할 테니 안심하라, 또한 다음 사항에 주의 할 것'이라고 해서 첫째, 의문점은 모두 경찰에 상담할 것, 둘째, 언동에 충분히 신중을 기해 분쟁을 만드는 일이 없도록 한다는 것이 있었다. 또 구다마쓰(下松)경찰서에서는 종전과 동시에 홍생회 지부회원을 모아서 경과에 대한 설명과 함께 귀국은 전부 자유에 맡긴다는 취지를 발표하자 지도원들은 이구동성으로 끝까지 내지에서 열심히 일본 재건에 매진하려고 하는 국민적 정렬을 보였다고 한다(9월 16일자). 우베경찰서 홍생계에 의하면 당국의 지시가 없기 때문에 뭐라고 할 수는 없지만, 홍생회는 종전 후 개점휴업의 형태로 조선귀환자의 상담소와 같은 양상이다. 재류조선인은 일본 정부의 지시가 있을 때까지 종래의 직무에 종사해야 한다(9월 23일자)고 하고 있다. 게다가 17년간 재류했다는 홍생회 야마구치지회 보도원장은 「조선인은 침착하게」라는 제목으로 같은 동양인으로서 마음마저 헤어질 수는 없다, 보다 침착하게 할 일을 하자, 내지에 머무르면서 평화를 위해 더욱 노력하자라고 말했다고 한다(9월 29일자). 결국 홍생회의 지도적 입장에 있었던 사람은 쉽사리 귀국할 수는 없었으며, 그러한 것을 패전 직후의 일본인이 이용하는 모양새였다는 것을 알 수 있다. 조선에서는 테러의 대상이 되기 때문에 야마구치에 나타난 박춘금에 대해서도 '마음의 결합은 계속된다'라는 내용을 말하게 하고 있다(9월 16일자).

그러나 이상의 4건 이외에는 18건으로 압도적으로 한반도로의 귀국에 관한 기사가 많았으며, 어떻게 귀국이 진행되었는가나 극심한 혼잡으로 인해 야마구치현으로 들어가는 것이나 시모노세키역 구내로의 출입을 금지한 기사 등이 이어졌다(10월 16일, 11월 15일, 11월 16일자)). 또 이 시기가 마침 벼 수확기이기도 해서 귀국에 맞춰 밭떼기 매매에 관한 기사도 3건 볼 수가 있으며(9월 23일, 10월 3일, 10월 12일자), 매수인이 직접 생산자가 되는 것을 조건으로 농업회나 부락장의 입회하에 매매하고, 식량증산·공출에 지장이 없도록 해야 한다고 하고 있다. 그 외에 재일조선인 단체의 대동단결에 의해 조선인연맹을 결성하고, '일본 측도 깊이 반성하게 하고 싶다, 지금이야말로 상호우호의 정신으로 협조해 가야 한다'라는 권 부위원장의 담화를 게재하고 있다(9월 23일자).

2) 1946년

1946년이 되자 귀국에 관해서는 7건으로 감소하는 한편 한반도에서의 집단밀항이 4월 26일 이후 나타나며(「선인이 밀항상륙」 4월 30일자)), 그 때의 표현은 역밀항, 역상륙으로 그 해에는 22건에 이른다. 이에 대해 「주체 못할 밀항 선인」이라는 제목으로 '최근 현 관할 산인□에서는 밀항 조선인이 날로 급증하고 있으며 모두가 식량통장도 없이 여기저기 농촌에 잠복하고 있고, 지금의 식량사정이나 치안확보라는 점에서 우려할 만한 일이기 때문에 현경찰부에서는 점령군과 밀접한 연락하에 철저히 단속을 실시한다'(7월 20일자)고 하고 있다.

때마침 밀항자 중에 콜레라 환자가 포함된 적도 있어서(7월 20일, 8월 1일, 8월 4일자), 밀항은 부정적으로 표현되었으며, 그 때의 호칭도 귀국하는 경우는 '조선인'이라고 했지만, 밀항이나 '범죄'의 경우는 '반도인'이 아니라 '선인'이라고 붙었다. 또 7월 16일자에는 「잔류조선인의 생활안정에」라는 기사가 보이며 생활권의 요구도 있었다는 것을 알 수 있다.

3) 1947년

1947년은 여전히 밀항이 12건으로 많았으며, 그 때의 비용은 한 사람당 1,500엔에서 1만 엔(6월 3일자)이나 5천 엔에서 1만 엔, 3천 엔에서 1만 5천 엔(8월 1일자) 등으로 되어있다.

또, 구인된 사람은 시모노시키역 앞 기관차고지의 수용소에 수용되었다고 하는데 자세한 내용은 명확하지 않다. 그 외에 고구시(小串)에도 수용소가 있었지만(8월 21일자), 수용소에 수용할 수 없을 만큼 숫자가 많았던 것 같으며, 더욱이 구인하더라도 경찰관의 부족으로 압송 중에 도망치는 경우도 많았다는 등 밀항자의 적발이 쉽게 진행되지는 않았던 것으로 보인다.25)

그 외 밀수가 공책·문방구·조선지폐(6월 3일자), 플러그·인쇄용지 등 수 백만 엔분(10월 10일자)의 조선반입이나 생선 4만 5천 엔분의 일본 반입(12월 20일자) 등이 있고, 또 배급관련 기사로서 '유령인구'를 설정하여 쌀 배급을 받은 사례(7월 4일자)나 식량배급용으로 사진을 구매한 사례(9월 5일자)가 있었다. 기본적인 수입이 없는 상황 하에서의 행동이었다고 할 수 있지만, 그러한 기사는 거의 볼 수 없었다.

4) 1948년

1948년에는 밀항이 약화되어 9건이었다. 그런 한편 이 시기에 교육문제가 새롭게 등장했다.26) 그에 관한 최초의 기사는 4월 1일자의 「교육 간섭 절대반대, 조선인의 데모」라는 기사이다. 조선인학교 폐지지령에 대해 재일조선인연맹 야마구치현지부 주최로 야마구치시의 경제전문학교 운동장에서 1만 명이 모인 집회와 데모이다. 이 활동은 다음날에도 계속되었다. 현 당국과의 교섭의 결과, 즉시 현 관할 33개의 조선학교에 대해 교육행정관을 파견해서 실정을 조사하고, 적합한 것은 존속시키고, 부적합한 것은 폐교시키기로 했지만, 그 결정 때까지는 존속시키는 것으로 이때는 결말을 내리고 있다(「철야투쟁 조선인학교 폐쇄 반대」 4월 2일자). 4월 하순에는 일본 각

---

25) 또, 1952년에 「악질조선인」의 수용시설을 시모노세키시 히코시마(彦島) 후쿠우라(福浦)지구에 건설할 계획이 대두되었지만, 지역민의 반대로 실현되지 않았다.

26) 야마구치현의 조선인 교육문제에 대해서는 上杉幸恵, 「解放後の山口県における民族教育擁護運動」, 『橘史学』 第4号, 1989; マキー(藤原)智子, 「在日朝鮮人教育の歴史: 戦後日本の外国人政策と公教育」, 北海道大学 博士学位論文, 2014를 참조한 것.

지의 조선인 자제 교육을 둘러싼 분쟁상황이 전해짐과 동시에 조련 야마구치현지부의 요구사항으로

> 하나, 일본의 교과서를 조선어로 고쳐 쓸 것
> 하나, 조선인초등교재편찬위원회에서 재일조선아동에게 적합하도록 편찬할 것
> 하나, 경영관리는 학교단위로 조직한 학교관리조합에서 행한다.
> 하나, 일본어를 정규과목으로서 채택한다.

의 4개항이 있었다고 소개되어 있다(「조선인학교 어떻게 되나」 4월 30일자). 이렇게 해서 오노다조련초등원, 오노다조련아리호, 모토야마, 아사(厚狭)분교, 이와쿠니학원, 이쿠타(生田), 후나키(船木), 오노다청년동맹의 각 학원에 폐쇄지령이 내렸다(5월 3일자). 때마침 남한의 총선거 실시에 대한 조련의 「조선통일정부의 수립을 요망」한다는 성명이나 「제주도에서 전투 발생」 등의 보도가 연이어 나왔으며(5월 1일자), 어수선한 상황이 계속되었다.

5월 28일자에는 조선인학교의 시설에 대해 5월 25일에 현당국과 협의를 한 것이 보도되었다. 구체적으로는 사립학교로서의 인가문제, 설치기준, 교과내용, 교원자격 등에 대해 협의하고, 신청의 결과, 8월 7일에 현 관할 18개교(ㄱㄱ27), 초등학교만 통합하는 방향으로 시모노세키·우베·오노다·이와쿠니의 본교 4, 그 외에 분교 16, 분실 5)가 인가되었으며, 아동 수 2,392명, 자격소지 교원 67명으로 자재·급식도 제공되었다고 한다(8월 29일자).

이 밖에 등록위반으로 퇴출도 1건 있으며(1월 23일자), 밀조주도 3건 있었다. 또 11월부터 12월에 걸쳐 시모노세키에서는 배급에 관해 감자(고구마) 15일분, 쌀 8일분, 밀가루 4일분으로는 부족하다고 해서 식량공단 시모노세키지소에 항의했으며(12월 1일자), 도쿠야마(德山)에서는 생활방위 조선인대회를 역 앞 광장에서 800명이 모여 개최하였고, 참정권의 부여, 조선학교 경비보조, 부당과세 및 부당탄압 절대반대를 결의하였다(12월 21일자).

---

27) 원문의 표기 그대로임.

이 무렵부터 '범죄'와 관련되더라도 호칭은 '조선인' 혹은 'カン国人'[28])이라고 되어 있다. 다만 그러한 것이 완전히 사라지는 것은 보다 긴 세월이 걸렸다.

5) 1949년

1949년에는 다시 밀항이 급증하여 23건에 으른다. 한반도 정세의 긴박화가 배경에 있었다고 할 수 있다. 그와 함께 남북 간의 충돌사건도 증가하고,[29]) 소위 '시모노세키사건'(20일 오전 3시경 발발)에 관한 기사도 8월 21일자 「잠자던 민단이 습격당하다」라고 하고, 「관련자 300명이 죽창, 곤봉」, 「용의자 30명을 체포조사」, 「경찰본부 검거 개시」, 「가네모토(金本) 부장 등의 체포장을 청구」, 「역, 선착장에서는 엄중한 방비」라는 기사가, 또 22일자 「시모노세키소요사건」이라고 하고 「불온분자의 도량을 용서하지 않는다」, 「경관대의 가택수사」, 「조련본부장 등 74명을 검속」이라는 기사가 줄지어 나왔으며, 동 사건 관련기사는 9월 2일까지 계속되었다.

교육문제는 9월 8일의 조선인연맹 해산에 따른 재산접수에 의해 20개교(전년도 인가분)이, 또 조련 이외의 학교에서도 무인가 학교에 대해 5개교(시모노세키·우베의 중학교와 도미타·하기·센자키의 소학교)가 해산 명령을 받았다(「현관할 25개교 폐쇄완료」 10월 20일자). 그 후의 대책으로서 시모노세키시에서는, 아동 880여 명에 대해 20명에 교사 1인의 비율로 배치하고, 시내 7개교(무카이야마·간제이·혼무라·에노우라·오즈키·□治·죠후)에 수용할 계획을 세우고, 특히 무카이야마교는 688명이나 되기 때문에 그때까지의 조련소학교로서 사용했던 구 쇼와관을 활용할 방침(시모노세키

---

28) 'カン国人'이라는 표기는 특별한 의도가 있는 것이 아니라, 한문의 활자가 없어 가타카나를 쓴 것인지도 모른다.
29) 1948년 8월 30일에도 시모노세키시에서 조선인연맹과 한국대동회의 충돌사건이 있었다. 10월 17일자 「공판개시」.

시 교육과장, 10월 24일자)이라고 했다. 이에 대해 조선인 측은 '어디까지나 조선문화를 수용한 교육을 원한다'(시모노세키시 내 조선인부형 및 학동대표)라든가, '조선민족으로서의 교육을 실시하기를 원하며, 입학하면 교육을 따로 하고, 교사도 조선인으로 하길 바란다'(전 오노다소학교교원 및 학동대표) 등의 요망을 전하고 있으며(위와 동일, 10월 24일자), 또 이와쿠니에서는 과외수업으로 조선어를 가르칠 것을 요망하고 있다(11월 14일자). 또한 시모노세키에서는 입학 수속에 등록증과 식량통장을 필요로 한 것에 대해 입학시키고 나서 조사하라고 수백 명이 시청으로 항의하러 갔다고 한다(11월 22일자). 결국 시모노세키에서는 12월에 520명이 수속을 완료했다(12월 2일자). 그러나 그 동안 밀항자의 체포나 밀조주의 적발(11월 20일자), 조선인 대절도단의 검거(12월 2일자)등의 보도가 병행해서 이루어졌으며, 조선인 자녀의 교육권에 대한 여론을 크게 후퇴시켰다고 할 수 있다.

4. 맺음말

이상에서 살펴본 바를 정리하면, 전전기의 차별적인 호칭은 그 후에도 일본인들 사이에서 쉽게 불식되지 않았으며, 전시하의 협화회제도 하에서 조선인 동화 추진과 부분적 조선문화 용인은 애매한 상태로 변화되었고, 해방 후의 일부 조선인에게 '일본의 평화적 재건을 위한 공헌'이라는 형태로 남아있었다. 결국 동화의 대척점에 있는 이문화 이해나 취직 차별 및 차별용어가 밀항·밀수·밀조주 등의 '범죄'보도 하에서 전후일본인들 사이에 침투하게 된 것은 1980년대가 되어서의 일이다.

또 조선인 노무자에 관한 기사에 대해서는 그 동안에는 전무했지만, 그 존재와도 관련 있는 기사로서 「『재일조선인은 돌아가라』 이와쿠니에서 각처에 선동? 삐라」(1952년 7월 26일자)가 게재되었고, 그 삐라에 자극된 조선인 수십 명이 경찰서를 방문하였지만, 경찰 측은 '누군가를 위한 선동'이라고 보고 범인조사에 임하겠다고 답해 그 자리는 수습되었다고 한다. 그 동안의 '내선일체'라는 사상정책, 노동력이나 병사로서의 공헌 등을 무시한 평가도 나타나게 되고, '귀화하면 해결된다'라는 문제가 아니었음을 되새겨야 할 것이다.

■ 기무라 겐지

〈부록〉

제2차 세계대전 직후의 『防長新聞』 지상의 재일조선인(1945-49)

1945年

1945.8.22.	반도인에게 주의, 시모노세키경찰서로부터
	하나, 의문점은 모두 경찰서에 상담하게 할 것
	하나, 언행을 삼가고 분란을 일으키지 말 것
1945.9.6.	귀국 조선인을 선착순으로 우송
1945.9.16.	내지에 머물며 일본 재건을, 구다마쓰(下松) 거주 조선인의 희망
1945.9.16.	일본조선 '마음의 통합'은 계속된다, 박춘금 의원 야마구치에 방문
1945.9.23.	호양우의(互讓友誼)정신으로 일본 측도 깊이 반성하길 바람, 조선인연맹으로부터 희망
1945.9.23.	대부분이 귀국(우베의 2만 명)
1945.9.23.	야마구치시에서 귀국 10가구
1945.9.23.	귀국자의 농지가 30여 정보(오노다(小野田))
1945.9.23.	임시선박 4척, 시모노세키에 2만 명
1945.9.29.	청결을 되찾은 시모노세키역, 히로시마에서 배를 기다리기 위해 운집한 조선인을 정리
1945.9.29.	조선적의 □□로 이중으로 배급
1945.9.29.	조선인은 냉정하게
1945.10.3.	미수확 농작물 매매는 금지, 조선인에게 구입하더라도 공출시킨다.
1945.10.7.	본 현 경유의 대륙 귀국자, 9월 중에 12만 4천여 명, 귀국 조선인은 10만 1,600명
1945.10.12.	오고리(小郡)의 조선인 귀국 준비 진행
1945.10.12.	미수확 농작물 매매 30정보(우베시)
1945.10.16.	눈에 거슬리는 조선인의 혼란, 로빈슨소장으로부터 주의
1945.10.17.	조선인의 승차 금지, 미군 지령으로 10일간
1945.10.17.	사법성에서 조선인이 시위선술(모든 정치범을 해방하라)

1945.10.22.   조선인과 중국인 수십 명이 난투, 제압에 진주군
1945.10.28.   훔친 쌀 16표 판매
1945.10.28.   시모노세키의 "암시장"을 철거, 매석부대의 전과품도 압수
1945.10.31.   귀국조선인의 등록제를 단행
1945.11.15.   증명서 없는 조선인의 입현(야마구치, 후쿠오카)를 금지, 부산
　　　　　　　행 연락선 10척 배치
1945.11.15.   시모노세키 센자키 두 항구의 채류자 일단 정리, 할당 결정은
　　　　　　　일주일 후
1945.11.16.   시모노세키역 구내에 조선인의 출입금지, 정문 현관에 담장
　　　　　　　설치
1945.12.9.   조선인연맹 현본부 해산
1945.12.17.   조선인연맹 현본부 새롭게 발족
1945.12.23.   귀국 조선인 체류는 감소, 센자키-부산 간에 3척 증편

1946年
1946.1.1.   조선인귀국자에 대한 공지 야마구치현 시모노세키인양원호사
　　　　　　　무소
1946.2.24.   시모노세키 조선인연맹지부 결성대회
1946.3.6.   한산한 센자키항, 귀국선 흥안호도 큰 하품
1946.3.7.   치안을 해치는 조선인 점령군과 협력해서 즉시 본국 송환
1946.3.25.   조선인연맹 우베지부에 합류
1946.3.27.   합류는 오류, 조선인청년동포 현본부는 활발한 활동
1946.4.11.   위협사격으로 중태, 시모노세키에서 조선인 단체와 경찰대 충돌
1946.4.17.   시모노세키 경찰서 밀항 밀매 조선인을 소환
1946.4.27.   조선인의 귀국계획 수송, 5월 1일부터 야마구치시에서 증명서
　　　　　　　발급
1946.4.30.   조선인이 밀항상륙(오츠군大津郡)
1946.5.1.   시모노세키에 밀항 조선인
1946.5.7.   단체 수송만으로 조선인 등의 본국 귀국
1946.5.9.   금요일에 집단수송, 도쿠야마(德山)의 조선인 귀국
1946.5.13.   조선·대만인의 검문, 각서에 통보
1946.5.19.   시모노세키 검차구의 조선인 고발(폭행공갈용의)

1946.5.20.	조선에서 밀선
1946.6.3.	다수의 조선인의 역상륙, 기타우라(北浦) 일대에서 특별경계
1946.7.2.	재일조선인연맹이 조선인의 유령인구를 적발
1946.7.8.	조선인의 화물검사는 단호하게 일본경찰이 검문
1946.7.13.	밀수입선을 나포
1946.7.13.	오시마(大島) 앞바다에서도
1946.7.13.	역밀항 118명을 검거
1946.7.16.	잔류조선인의 생활안정에
1946.7.20.	속 썩히는 밀항조선인
1946.7.20.	센자키의 콜레라는 역밀항자
1946.7.20.	역밀항 230명, 감시경관 연이어 쓰러짐
1946.7.26.	센자키 또 봉쇄, 역밀항조선인 진성콜레라
1946.7.30.	밀항자가 급증, 도요우라(豊浦)의 기타우라(北浦)일대 해안
1946.8.1.	센자키항에 역송, 시모노세키 구류 중 역밀항 조선인
1946.8.1.	콜레라 간염 조선인 22명 발생, 공포를 실어 나르는 역밀항선·고구시(小串)
1946.8.3.	우츠이(内日)농업창고 침입 조선인 1명을 구속
1946.8.3.	조선인 2백 명 상륙, 170명은 시내에 침입(고쿠라小倉)
1946.8.3.	조선인 30명이 가세, 난투로 중상(우베)
1946.8.4.	역밀항 조선인으로부터 또 콜레라(오쓰군히시우미촌大津郡菱海村)
1946.8.4.	밀항 조선인 60명이 두 곳으로 상륙(시모노세키)
1946.8.7.	골치 아픈 조선인 역밀항, 현에서 3만 엔가량의 간리비 등을 청구
1946.8.9.	벗겨진 변장, 2세를 가장한 조선인 검거
1946.8.12.	고구시경찰서 관내의 밀항조선인 수
1946.8.19.	조선인의 불법입국
1946.8.21.	위조 3만 엔을 밀수 조선인 소지
1946.9.3.	무장해적단을 체포, 그 중 조선인 4명 관문해협에 출몰
1946.9.9.	조선인의 계획송환 결정
1946.9.11.	시모노세키역에서 조선인 자유, 오늘부터 담장 제거
1946.9.11.	조선인 밀입국으로 쇄국적인 그물망

1946.9.22.	식량부정수급 박멸을 위해 이와쿠니조선인연맹도 협력
1946.9.26.	재현외국인의 재조사를 실시
1946.10.2.	약점을 잡아서 공갈, 하기(萩), 이구모(生雲)경찰서가 조선인연맹원을 검거
1946.10.4.	전등선 절단 제1단 탈주, 센자키 수용의 역밀항조선인
1946.10.26.	밀항조선인 감소, 시모노세키 해상경찰서는 안도의 한숨

1947年

1947.1.27.	조선인연맹이 자금을 기부
1947.6.3.	조선으로 입국 직전 검거
1947.6.3.	밀수(항)선 검거(시모노세키시)
1947.6.3.	밀항조선인을 체포(시모노세키시)
1947.6.18.	수용 중이던 밀항조선인 39명 탈주(시모노세키)
1947.7.4.	유령인구 2건(우베시)
1947.7.4.	야나이(柳井)에서 조선인이 대난투
1947.7.5.	조선인의 밀항(아부군阿武郡)
1947.7.25.	밀항조선인 대거 상륙(아부군阿武郡)
1947.8.1.	압송 중이던 조선인 도망
1947.8.1.	처자가 그리워 도피, 금년에 이미 4천 백 명, 밀항선 기카우라·산인에 빈번
1947.8.1.	요시모(吉母)에 밀항선
1947.8.21.	일본에서 공부하고 싶다고 밀항선에 맡긴 학구욕, 고구시수용소에서 말하다
1947.8.21.	밀항조선인 호송 중에 도주(시모노세키시)
1947.8.21.	시모노세키에도 상륙
1947.9.5.	부정수배용으로 사진을 사 모으는 조선인의 새로운 수법(우베시)
1947.10.10.	수백만 엔의 밀수압수, 도주한 조선인 25명 일망타진(하기시)
1947.12.22.	조선인 20명 밀항(시모노세키시)
1947.12.22.	선어 4만 5천 엔어치를 두고 도주, 불법 조선선박

1948年

1948.1.17.	밀항 조선인 체포(고구시경찰서)

1948.1.23.	지사 이름으로 퇴거령, 등록위반 조선인 5명
1948.2.2.	조선인 2명을 찌르다(우베경찰서)
1948.4.1.	집단조선인의 폭행(아부군)
1948.4.1.	교육간섭 절대 반대, 조선인 데모
1948.4.2.	철야 시위, 조선인학교 폐쇄 반대
1948.4.2.	하기(萩)의 중과세 반대운동
1948.4.10.	밀항조선인 31명을 체포(시모노세키해상경찰서)
1948.4.10.	불법 선박 중단하라
1948.4.26.	폐쇄명령을 철회, 조선인집단 효고현청을 포위
1948.4.27.	밀항(나고(奈古), 시모노세키시, 선내)
1948.4.28.	재일본조선인 법령준수 의무 있음, 학교문제 소요사건으로 정부성명
1948.4.29.	조선인소란사건, 만연의 징조 없다고 아시다 수상 국회에서 설명
1948.4.30.	차차 폐쇄지령 발표, 오사카, 고베의 폭력행위는 슬프지만, 조련 끝까지 투쟁 주장
1948.4.30.	조선인학교 어떻게 되나(시모노세키시, 야마구치시, 도쿠야마시, 도요다시)
1948.5.3.	조선인학교 8개교에 폐쇄 지령
1948.5.6.	조선인대회를 위해 시모노세키에서 임시열차
1948.5.7.	조선인 데모를 금지, 제8군의 통달에 의해 현지사 포고
1948.5.7.	교육문제가 아니다, 조선인민대회에서 석명(야마구치, 시모노세키)
1948.5.11.	조선인 데모 금지를 해제(야마구치현 지사)
1948.5.28.	조선인학교 시설, 25일 현측에 협의
1948.5.28.	막걸리 창고 급습(시모노세키 나가사키초)
1948.6.22.	게릴라화 하는 공산당, 향보단(鄕保団)과의 사이에서 분쟁(밀항조선인이 이야기하다)
1948.6.22.	무로쓰(室津)에 밀항 16명
1948.6.27.	비웃는 안전지대, 밀항의 아성 요시모해안
1948.6.27.	밀수품을 압수(무카쓰쿠손向津具村)
1948.6.28.	밀항조선인 검거(시모노세키 니시경찰서)

1948.8.29.   18개교를 인가, 조선인학교
1948.10.8.   간다마손(神玉村)에 밀항, 조선인 30명
1948.10.11.   조선인민공화국경축 각지에서 대회
1948.10.17.   조선인난투사건의 공판 개시
1948.11.22.   아케보노호가 조선인을 구조
1948.12.1.   감자로 영양실조, 쌀을 달라고 조선인 요구
1948.12.4.   밀조주 압수(야마구치시)
1948.12.11.   밀조주를 적발, 조선인이 경찰서에 몰려들다
1948.12.21.   부당탄압 절대반대, 도쿠야마에서 생활방위조선인대회

1949年
1949.1.17.   밀수선 되돌려 보내다, 그 속에 편승한 조선인 18명(시모노세
              키시)
1949.2.15.   납세촉진연맹, 우베조선인으로 결성
1949.2.24.   밀항 조선인 6명 체포(아부군 산미손)
1949.2.26.   밝은 납득, 아사(厚狹)조선인문제(초민세문제)
1949.2.26.   불법열차 급습(야마구치역)
1949.2.28.   조선인데모 행진을 허가(시모노세키공안위원회)
1949.3.12.   참을 수 없는 조선, 향학일심으로 부모를 설득, 소년 밀항선으로
1949.4.17.   밀항의 바다와 싸우다(기타우라제일선의 경찰관)
1949.5.19.   밀항 조선인 67명, 배와 함께 검거(시모노세키)
1949.5.26.   등록신고 없는 절도조선인(우베시)
1949.5.26.   밀항성 압류, 도요우라 간타마손에서
1949.6.4.   밀고했다고 감금, 폭행, 아부군 오가와손에서 조선인 관계자
              조사
1949.6.20.   밀거래조선인 검거(시모노세키)
1949.6.23.   일본의 패전으로 조선도 전락, 조선인단체성명
1949.7.7.   밀항조선인의 절도(시모노세키)
1949.7.9.   밀항조선인 검거(도요우라 니시경찰서)
1949.7.13.   조선인 25명 밀항, 구로사키 해안에서 16명 체포
1949.7.30.   "식량을 건네라", 조선인 2백 명 밀려들다(시모노세키)
1949.8.17.   조선인데모 행진(시모노세키)

1949.8.17.　밀항선 시오다로 상륙(후쿠오카)
1949.8.19.　쌍방 리더를 상해죄로 체포?(오노다(小野田)시의 조선인사건)
1949.8.20.　밀수 소가죽을 압수(태풍으로 우베해안에 좌초)
1949.8.20.　□를 저당으로 사기(시모노세키)
1949.8.21.　잠자는 민단을 습격하다, 관련자 3백 명이 죽창, 곤봉(시모노세키)
1949.8.22　시모노세키소요사건
1949.8.23.　경찰은 공정하게 단호하게 규명, 시모노세키시당국 성명 발표
1949.8.25.　가두벽보신문에서 철저조사, 소요 이미 5일을 경과하다
1949.8.26.　시모노세키사건, 경시청으로부터 상황을 조사, 한국대표부도 상황을 청취
1949.8.28.　우쓰가(宇津賀)에 30명 상륙(12명 체포), 조선인 1만 명 밀항으로 센자키해상보안서 긴장
1949.8.28.　시모노세키사건, 「미리 인지하고 있었다」 김대표들 기자단과 회견
1949.9.2.　조선인사건, 경비비는 수천만 엔, 시모노세키시 중앙에 지출을 요청
1949.10.20.　현 관할내 25개교 폐쇄 완료(조선인학교)
1949.10.24.　20명에 교사 1명의 비율로 7개교에 수용, 시모노세키시 조선인 아동대책
1949.10.24.　일본인과는 별도로 오노다시의 학생 수용
1949.10.25.　신청 전혀 없음. 조선인학동 수용에 시모노세키시 소와관 접수
1949.11.10.　소동을 부린 홍수상태 청년을 강제송환(조선인밀항자)
1949.11.10.　일본인 3백 명이 섞인 아카다(垢田)해안에서 밀항조선인 체포
1949.11.12.　조선인학교를 무카이야마(向山)교 분교로(시모노세키)
1949.11.14.　무카이야마분겨 발족, 전 시모노세키조선학교
1949.11.14.　교육문제요청, 이와쿠니의 조선인
1949.11.15.　시모노세키 오도(小門)해안에도(밀항조선인)
1949.11.16.　범인 및 밀항조선인의 취급
1949.11.16.　차용증으로 일본화폐, 밀항자의 교묘한 환전
1949.11.18.　"밀항선의 내 것", 도난당한 소유자 신고서 제출
1949.11.19.　쓰노시마(角島)항에서 밀항조선인 17명 체포

1949.11.20.	두 사람의 가짜, 진짜 구로다가 대결, 야나이세무서원을 상해 치사
1949.11.20.	밀항조선인 일가에 의외의 거주 허가, 여학교의 급우가 서명 탄원
1949.11.20.	아가와(阿川)의 밀항조선인 2명을 기소
1949.11.20.	조선인 150명 몰려들다. 밀조부락 급습으로 세무서로
1949.11.20.	쓰노시마항의 밀항선은 역밀항인가
1949.11.22.	조선인 수백 명 시모노세키시청으로(입학수속 문제)
1949.11.24.	부정입국 조선인을 검거(오고리(小郡))
1949.12.2.	5백 2십 명이 입학수속 완료, 조선인 학동(시모노세키)
1949.12.2.	조선인 대규모 강도절도단, 경시청 오늘 아침을 기해 일제 검거
1949.12.3.	강도, 강간의 조선인에게 7년의 판결(미네군(美祢郡) 아키요시손(秋吉村))
1949.12.10.	정체를 드러낸 밀항조선인 3명
1949.12.24.	집단절도 조선인 4명에게 판결(야마구치)
1949.12.29.	조선인 6명을 검거(오노다의 밀조부락 급습)

동아연맹운동과 해방 후 재일조선인 보수계운동

－조영주를 중심으로－

1. 머리말

1945년 8월, 일본의 패전에 의해 조선은 식민지로부터 해방되었다. 공산주의계 조선인운동가의 주도로 1945년 10월에 결성된 재일조선인연맹(조련)은, 창립 초기에 친일파나 민족주의자를 배제하면서 재일조선인 대중 속에서 조직기반을 구축하였다. 한편, 민족주의자·친일파는 건국청녕동맹(건청, 1945년 11월 결성), 신조선건설동맹(건동, 1946년 11월 결성)으로 결집하여 1946년 10월 재일본조선거류민단(후에 재일본대한민국거류민단, 이히 민단)을 결성하기에 이른다. 본 연구는, 후자의 보수계운동을 담당한 친일파의 동향을 특히 조영주(曹寧柱, 1913~1996)를 중심으로 검토하고자 한다. 조영주는 이시와라 간지(石原莞爾)가 주창한 동아연맹운동에 해방 전부터 참가하였고, 전후에도 이 운동의 중심적인 인물이 되었다. 그와 함께 해방 후의 보수계운동에 초창기부터 관여하였으며, 1960년대 이후, 민단단장도 역임하였다.

이 문제를 통해 주로 다음의 두 가지 점에 대해 고찰하고자 한다. 하나는 해방 후 재일조선인 보수계운동의 형성과정에 있어서 친일파의 역할이다. 종래, 해방 후 재일조선인운동의 연구는 공산주의계의 조련을 중심으로 이루어졌으며, 보수계운동의 실태해명은 뒤늦게 시작되었다. 그러한 가운데 최근 박열(朴烈)이나 원심창(元心昌) 등의 민족주의계 독립운동가를 축으로 해서 보수계운동단체의 창설과정을 분석하려고 하는 연구가 나타난 것은 주목할 만하다.[1] 그러나, 보수계운동을 구성한 또 하나의 주요세력인 친일파에 대해서는 등한시 되어왔다. 이러한 연구상황을 염두에 두면서 박열과 함께 건청·건동의 결성에 관여하였으며, 후에 박열을 물러나게 하고 민단 단장이 된 조영주의 행적을 조사하고자 한다.

또 하나는 전후 동아연맹운동과 조선인의 관계에 대한 검토이다. 동아연맹운동이란 만주사변(1931년)을 계획·실행한 이시와라 간지가 중일전쟁기에 주창한 전시기의 사회운동이다. 연맹을 구성하는 국가의 '정치의 독립', 식민지 조선에 대한 '자치'론을 주창한 이 운동에는 전향사회주의자나 과거 민족주의자였던 조선인이 적지 않은 관심을 가지고 참가한 것에 대해서는 이미 필자가 논한 바 있다.[2] 그러나 전후의 동아연맹운동에 대한 연구는 빈약하며, 더욱이 재일조선인운동과의 관계를 지적한 연구도 전무하다.[3] 그러나 중일전쟁기에 교토에서 조선인유학생을 조직하여 동아연맹운동을 전개한 조영주를 비롯해 전후에도 이 운동에 관계한 조선인은 적지 않다.

이상과 같이 본고에서는 조영주를 축으로 보수계운동에 있어서 친일파의

---

1) 이호령, 「박열의 무정부주의 사상과 독립국가 건설 구상」, 『韓国学報』 第23巻 第2号, 1997; 성주현, 「아나키스트 원심창과 육삼정 의열투쟁」, 『崇実史学』 第24集, 2010; 金太基, 「아나키스트 朴烈과 解放後 在日韓人 保守団体」, 『韓日民族問題研究』 第27号, 2014.

2) 松田利彦, 「東亜連盟論における朝鮮問題認識－東亜連盟運動と朝鮮·朝鮮人(1)」, 『世界人権問題研究センター研究紀要』 第1号, 1996; 「植民地末期朝鮮におけるある転向者の運動－姜永錫と日本国体学·東亜連盟運動」, 『人文学報(京都大学人文科学研究所)』 第79号, 1997; 「曺寧柱と京都における東亜連盟運動－東亜連盟運動と朝鮮·朝鮮人(2·完)」, 『世界人権問題研究センター研究紀要』 第3号, 1998; 「東亜聯盟運動に参加した朝鮮人－曺寧柱と姜永錫」, 趙景達ほか 編, 『東アジアの知識人』 第4巻, 有志舎, 2014; 『東亜聯盟運動と朝鮮·朝鮮人』, 有志舎, 2015.

3) 우익연구의 틀에서 동아연맹운동의 조직변천에 대해 堀幸雄, 『増補 戦後の右翼勢力』, 勁草書房, 1993; 木下半治, 『日本右翼の研究』, 現代評論社, 1977가 언급하고 있는 정도이다.

위치, 동아연맹운동의 영향 등의 문제점을 중심으로 해방 후 재일조선인운
동을 새로운 시각에서 살펴보고자 한다.

2. 조영주와 동아연맹운동

1) 전전 교토의 동아연맹운동

이시와라 간지는 1937년, 중일전쟁이 전면전으로 치달을 무렵 전쟁확대
불가론을 주장한 것을 계기로 참모본부(제1부장)에서 물러났다. 육군 내에
서의 실각에도 불구하고 이시와라는 중국과의 정전을 실현하고 천황을 맹
주로 하는 일본·중국·'만주국'의 연맹에 의하여 '세계최종전'에 대비하자는
동아연맹론을 정비하였다. 동아연맹론은 형성단계에 있어서는 조선문제는
안중에 없었다. 하지만, 이시와라가 1939년경부터 동아연맹론에 관심을 가
진 조선인과 접촉을 함에 따라 식민지 조선에 있어서 황민화정책이나 '내선
일체'론을 문제시하고 비판을 가하며 조선'자치'론을 주장하게 되었다. 그
때문에 조선총독부로부터는 일찍부터 경계를 받았으며, 1941년 초 이후에
는 조선론에 대한 공격이 일본정부나 언론계에도 확대되었다.

그러나 동아연맹운동이 조선지배정책 비판론을 제시했다고는 하지만, 그
것은 '내선일체화'정책의 급진적인 전개방식에 개선을 요구하는 것이며, 정
책의 근간인 동화주의에 대해 원리적 비판을 가한 것은 아니다. 또한, 조선
'자치'론은, 조선독립을 지향한 것이 아니며, 그 때문에 일부에서는 조선인
과의 사이에서 오해를 불러일으키기도 하였다. 게다가 동아연맹운동 측에
서는 1941년 이후 조선독립운동을 억제하자라는 주장을 전면에 내걸고 조
선통치정책비판을 후퇴시켰다.[4]

---

4) 松田利彦, 앞의 글, 1996 참조.

　이와 같은 동아연맹운동에 가장 경도된 조선인의 한 사람이 조영주였다. 조영주는 전전뿐만 아니라 전후에도 동아연맹운동을 아주 신봉하였으며, '동아연맹운동을 가장 열렬하게 지지 선전한 조선인의 이른바 삼총사'[5]의 한 사람이라고 알려져 있다. 그리고 조영주는 1939년부터 42년에 걸쳐 재교토 조선인 유학생을 끌어들여 조직적인 운동을 전개하였다. 일본 국내에서 조선인이 담당한 동아연맹운동 중 조직인원·운동의 지속기간 등의 점에서 가장 영향력이 강했던 것은 교토에서의 운동이었다. 조영주와 그 운동에 대해서는 이전 필자가 고찰한 바 있기 때문에 자세한 것은 생략하고 개요만 소개하자면 다음과 같다.[6]

　조영주는 1913년 2월에 경상북도 예천에서 태어났다. 1925년경 경성고등보통학교에 입학하였고, 학습회를 통해서 사회주의이론을 배우고 광주학생운동(1929)에도 참가하였다. 1932년 4월에 19세 나이로 일본으로 건너왔다. 사립교토중학교를 졸업 후, 리쓰메이칸(立命館)대학 예과를 거쳐 리쓰메이칸대학 법경학부 법률학과에 입학하였다. 교토를 선택한 것은 '좌익학자의 전통이 있고 공부하기에도 좋았으며, 근처에는 노동도시인 오사카가 있었기 때문에 조합운동의 실천에도 참가가 가능했다'는 것이 이유였다.[7] 그리고, 일본공산당의 외곽단체인 일본적색구원회에도 가입하여 제일선의 행동대로서 삐라(전단)를 돌리고 가두데모 등에도 참가하였다.

　그러나 그 활동은 오래 지속되지는 못하였다. 일본으로 건너와서 1년 후인 1933년에 감옥에 있던 일본공산당 간부의 전향성명, 이어서 줄을 잇는 당원들의 대량 전향이 일어났다. 조영주에게 있어서 이것은 청천벽력과도 같았다. 1930년대 중반의 수년간 조영주는 공산주의자로서 남으려고 하면서도 조직의 괴멸이나 주위의 계속된 전향에 패배감이 깊어졌다. 관헌자료

5) 坪江汕二, 『朝鮮民族独立運動秘史』(改訂増補版), 巌南堂書店, 1966, 246쪽.
6) 이하는 松田利彦, 앞의 글, 1998 참조. 또 같은 논문 간행 후, 김희주, 「中日戰爭期在京都朝鮮人의 東亜連盟運動과 趙恩済」, 『慶州史学』 第27輯, 2008도 나왔다.
7) 曹寧柱, 「入信の動機」(一), 『王道文化』 第10巻 第2号, 1949, 9쪽.

에서도 조영주가 "리쓰메이칸대학 예과 재학 당시 우리나라(일본－필자주)
에 혁명의 실현 불가능함을 자각하였지만 여전히 조선독립의 의도를 청산
할 수 없다"[8]고 되어있다.

　　그러던 중 조영주는 유도 스승이었던 후쿠시마 세이자부로(福島淸三郞)
를 통해 이시와라(당시 마이즈루(舞鶴) 요새 사령관)을 면회하였다. 1939년
1월 27일의 일이다. 이시와라는 이 때 '조선은 일본에 있어서 생명선이다'라
고 하면서 '조선인만큼 정치를 좋아하는 민족은 없다. 정치의 자유를 인정
하고 싶다. 여론의 수렴이기도 하다'고 말했다고 전한다.[9] 조영주는 주저하
면서도 이후 이시와라・동아연맹론에 경도되어 갔다.

　　1939년 초에 이시와라를 방문한 조영주는 같은 해 연말 이후 재교토조선
인유학생의 조직화에 착수하였다. 11월과 12월에 두 번에 걸쳐 조은제(趙恩
濟, 리쓰메이칸대학), 양인현(梁麟鉉, 도시샤(同志社)대학)과 회담하고, 동아
연맹론의 보급에 대해 약속하였다. 조영주를 포함한 이들 유학생들은 이듬
해 1940년에는 잇달아 교토에서 조선인유학생운동의 지도적 위치에 서 있
었다. 5월에 교토 조선학우회 임시총회가 개최되고 조영주가 회장으로 선
임되었다. 또한 조은제는 리쓰메이칸조선학우회장으로, 양인현은 도시샤조
선학우회장으로 취임하였다(양인현은 다음해 조영주에 이어 교토조선학우
회장이 된다). 그리고 그들은 유학생들에게 동아연맹운동을 확대하고자 2
년간에 걸쳐 운동의 지도를 맡았다.

　　동조자의 확보는 종종 유학생 단체의 행사나 회합을 이용해서 이루어졌
다. 주된 활동은 조영주를 필두로 하는 의방회(義方会, 후쿠시마 세이자부로
가 주제한 유도도장)에 부설된 협화숙(協和塾)에서의 학습회였다. 10명 내
지 20명 정도의 규모로 1940년, 41년에는 1년간에 약 60회라는 상당한 빈도
로 모임을 가졌다. 학습회는 텍스트로 기관지 『東亞聯盟』이나 『東亞聯盟建

8)「曹寧柱, 趙恩済に対する判決」(1943.12, 京都地方検察庁 所蔵) 2丁.

9) 曹寧柱,「石原莞爾の人と思想」(石原莞爾生誕百年祭実行委員会 編, 『永久平和への道－いまな
　　ぜ石原莞爾か』, 原書房, 1988, 203쪽).

設要綱』이외에 동아연맹협회 편간의 『昭和維新論』(초판은 1940년 3월 간행), 이시와라 간지 『世界最終戰論』(리쓰메이칸출판부, 1940년 9월) 등을 이용한 이론학습이 중심이었다. 이러한 활동에는 일본인은 거의 포함되어 있지 않고, 운동은 조선인유학생만으로 독자적으로 진행되었다는 성격이 강했다. 이러한 활동의 결과 교토에서는 잠재적인 조선인 동아연맹운동 동조자가 상당수 생겨났지만, 전국적으로 보면 이것은 특이한 현상이었다. 나중에 1943년경이 되면 나고야·오사카 등에서도 조선인을 주체로 한 동아연맹운동의 조직이 나타나지만, 40년경의 시점에서 그러한 조직이 확인되는 것은 교토뿐이다.

그러면, 조영주의 사고에 있어서 민족의식과 동아연맹운동의 이론이 어떻게 공존하였는가. 조영주가 1940년 2월에 동아연맹운동의 준기관지라고 할 만한 『王道文化』에 발표한 「日鮮雜考」라는 기고문에는 매일 접하는 조선인동포의 차별·편견을 해소하고자 하는 의식을 강하게 가지고 있으며, 동아연맹운동이 설파하는 조선론을 차별의 존재조차 인식하지 못하는 일본인들에 대한 비판의 근거로 삼고 있었다는 것을 알 수 있다.[10] 다만, 그 발상은 '내선협화'를 불가피하다고 인식하고 조선인의 독립운동에 대해 부정적인 입장을 취한 것이었다. 이러한 민족차별의 해결을 위해서라면 종래의 조선독립론의 포기도 정당화될 수 있다는 논의는 조선에서 동아연맹운동의 조직을 지도한 강영석(姜永錫)이나 공산주의로부터 전향한 조선인 일반들에게 확인되는 것이었다.[11] 객관적으로는 조영주도 독립운동가로서의 정체성을 버리고 이러한 전향자 집단에 가담하였다고 할 수 있다.

여하튼 조영주의 생각에는 동아연맹론을 조선인차별비판의 근거로 삼으려는 방향, 조선독립론의 부정 내지 공격을 지향하는 방향, 동아연맹론에 있어서 조선론 그 자체에 내포된 두 가지의 벡터를 확인할 수 있다. 그리고,

---

10) 이하 曺寧柱, 「日鮮雜考」, 『王道文化』 第3卷 第1号, 1940. 『王道文化』를 간행한 일련주의계 단체 정화회(精華会)와 동아연맹운동의 관계에 대해서는 후술하고자 한다.

11) 松田利彦, 앞의 글, 1997 참조.

1941년 이후 동아연맹론으로의 경도가 심화되는 것에 비례해서 후자의 조선독립론 부인의 경향이 선명하게 나타났다. 이시와라와 빈번하게 접촉하면서 동아연맹론이 '박해'를 받고 있다고 느끼고 그것을 '정론이기에 받는 '박해''라고 보았던 것이다.[12]

1942년 초에 조영주가 『동아연맹』지에 기고한 「京都に於ける內鮮協和運動の手記」라는 글을 살펴보자.[13] 2년 전의 「日鮮雜考」와 비교하면, 조선독립론이 지금 몰두하고 있는 동아연맹운동의 목적과 적대관계라는 인식이 전면에 나타나 있다. 그 대신에 일본에 의한 조선인 동화정책으로의 비판은 사라졌다. 오히려 당국의 동화정책을 인정하면서 동시에 철저한 정책의 실시를 요구한 것이다. 이시와라가 조영주의 사상편력에 대해 평했듯이 '조군은 처음에는 부당한 민족차별에 분개해서 독립운동가가 되었'지만, 동아연맹론을 배우면서 ''정말 그렇다. 조선의 독립같은 것은 시대착오의 죄악이다'라고 확신했기 때문에 … 군국을 위해 조선동포에게 그 신념을 선전'하게끔 되었다.[14] 이와 같은 조영주의 친일적 사상은 동아연맹운동에 참여한 많은 민족주의적인 조선인유학생들에게는 공유될 리가 없었고, 둘 사이에는 간극이 있었지만, 이 점에 대해서는 졸고를 참고해 주기를 바란다.[15] 이후, 1942년 3, 4월에 조영주 등 6명이 검거되었다. 동아연맹운동을 이용해서 조선독립운동을 전개하였다고 하여 치안유지법 위반이 적용되었다. 조영주를 대신할 지도자가 없었던 이 교토의 운동은 이로 인해 종결되었다. 그러나 징역2년 · 집행유예2년의 판결을 받고 1944년 초에 석방된 조영주는 도쿄본부로 거점을 옮겨 전후에도 이 운동에 깊이 관여하였다.

---

12) 曺寧柱, 「石原莞爾の人と思想」(앞의 책, 228쪽).

13) 曺寧柱, 「京都に於ける內鮮協和運動の手記」, 『東亞連盟』 第4卷 第3号, 1942.

14) 石原莞爾, 「国民社会主義ドイツ労働党初期の運動」(一), 1944.3(石原莞爾全集刊行会 編刊, 『石原莞爾全集』 第7卷, 1976, 186쪽).

15) 松田利彦, 앞의 글, 1998, 47~50쪽.

2) 전후의 동아연맹운동

전후, 동아연맹운동의 활동은 단기간에 아주 활성화되었다. 이시와라 간지는 일본각지에서 정력적인 강연을 하며 수만 명의 청중을 모았다. 그러나 1946년 1월에 동아연맹동지회가 연합국군최고사령관총사령부(GHQ/SCAP)의 해산지정을 받은 것을 계기로 사회적 영향력을 가진 운동으로서는 사실상 막을 내렸다. 게다가 1949년 8월에 이시와라 간지가 사망하면서 운동조직은 구심점을 잃고 분열하였다. 이러한 와중에도 조영주를 필두로 일부의 재일조선인은 동아연맹운동을 유지하려고 하였다.

1946년 초의 동아연맹동지회의 강제해산 및 다음 해 11월의 간부들의 공직추방 후, 여러 단체가 동아연맹동지회의 후계단체 역할을 담당하려고 하였다. 종래의 연구에서는, 1946년 1월에 동아연맹동지회가 해산하자 공직추방을 면한 회원들에 의해 국민당이 만들어지고(1946년 5월), 그 후 추방 해제됨에 따라 복귀한 구 동아연맹동지회 회원들이 합류해서 협화당(協和党)이 결성되었다(1951년 9월)고 논의되어 왔다.[16) 그러나, 전후의 동아연맹운동의 조직변천은 그 정도로 단선적이지 않다. GHQ/SCAP의 민정국(GS)에서 파악하고 있던 1948년 8월의 정보에 의하면, 구 동아연맹동지회에 관계가 있다고 생각되는 단체는, 정화회(精華会)·자급비료보급회·일본국체학회·신일본사 등 12개가 있다.[17)

그런데 일본 패전 당시 조영주는 군마(群馬)에 있었다고 되어있지만, 바로 이시와라가 있었던 야마가타(山形) 현 쓰루오카(鶴岡)로 왔다는 설도 있다.[18) 여하튼 패전 직후부터 이시와라와 접촉한 것은 틀림없다. 이시와라가

---

16) 堀幸雄, 앞의 책, 1993, 12·16~17쪽; 木下半治, 앞의 책, 1977, 156~157쪽.

17) From Director, Special Examining Bureau, A. G. Office to Major Napier, Govenment Section, G.H.Q., "Report on the Investigation Effected as to Shin Nihonsha and 11 other Organizations Connected with the Tōa Renmei", Aug. 7 1948, in *Toa Renmei(East Asia Federation), 1945-1952*, RG331 Box2275Y, United States National Archives and Records Administration(NARA). (이하 *Toa Renmei(East Asia Federation), 1945-1952*의 폴더는 *Toa Renmei*으로 약기한다).

18) 権逸, 『権逸回顧録』, 権逸回顧録刊行委員会, 1987, 88쪽; 『祖国への念願』, 松沢書店, 1959, 17쪽.

은거한 야마가타현 아쿠미(飽海)군의 니시야마(西山)개척농장을 조영주는 종종 방문하였다.[19) 이시와라의 일기에는 조선인과의 면회가 기록되어 있는데 조영주가 압도적으로 많다(표 1).

〈표 1〉 이시와라 간지 「일기」에 나타난 조선인 면회자(1945년 8월~1949년 6월)

일기 날짜	이시와라의 동정	성명	성만 기록되어 있는 자
1945년 8월 15일~ 12월 31일	1945년 8~12월 東京·山形·岩手· 京都·九州 등지에서 강연	金東根(1)	曺(2)
1946년 1월 1일~ 6월 30일	1946년 1월 동아연맹동지회 해산	朴烈(2), 許雲龍(1)	曺(19), 李(3), 曺 부인(1), 岩村(4)
7월 1일~ 12월 31일	1946년 10월 西山 개척지에 이주	朴烈(1)	曺(13), 岩村(2), 李(1), 許(1), 朴(1)
1947년 1월 1일~ 6월 30일	1947년 5월 극동국제군사재판 酒田 법정에 증인으로 출석.		曺(14)
7월 1일~ 12월 31일			井上(2), 曺(1)
1948년 1월 1일~ 6월 30일			曺(7), 岩村(2), 曺 부인(1)
7월 1일~ 12월 31일		新井克輔(1)	曺(9), 岩村(1), 荒井(1), 曺 부인(1)
1949년 1월 1일~ 6월 30일	1949년 8월 사명		曺(12)

출전: 野村乙二朗 編, 『東亞聯盟期の石原莞爾資料』(同成社, 2007)에 수록된 「日記」.
주: 1. 괄호 안의 숫자는 만난 회수를 나타낸다.
    2. '성만 기록되어 있는 자' 중, 岩村는 岩村博文(許利玉), 新井는 新井克輔(朴泰錫)으로 추측된다. 다만 다른 사람일 가능성이 높은 경우(예컨대 '岩村'가 岩村有恒를 가리키는 것으로 생각되는 경우)는 회수에 포함하지 않았다.

그리고, 1946년 1월의 동아연맹동지회의 상제해산 후에도 조영주는 남은 중진간부의 한 사람으로서 운동의 유지를 도모하였다.

두 저서에는 조영주는 군마에서 일본패전을 맞이하고, 천황의 라디오방송을 권일과 함께 들은 것으로 되어있다. 다만, 石原莞爾平和思想研究会 編, 『石原莞爾戦後著作集 人類後史への出発』, 展転社, 1996, 9쪽의 이시와라 로쿠로의 기술에 의하면, 패전 직후 조영주는 '야마가타현] 쓰루오카에 달려가', 8월 15일 저녁에 사카다시 교외에서 열린 이시와라의 강연을 필기하였다고 되어있다. 패전 직전에 조영주는 본문에서 구술한 일심회에서 권일과 행동을 같이 하고 있기 때문에 전저의 기술이 맞는 것이 아닌가라고 추측지만, 확정은 없다.
19) 武田邦太郎, 「曺寧柱先生追悼」, 『永久平和』 第40号, 1996, 1쪽.

첫째로 동아연맹운동의 후계단체로서 정화회의 조직을 지키기 위해 애썼다. 앞서 기술하였듯이, 구 동아연맹동지회회원들 중 공직추방을 면한 사람들에 의해 1946년 5월에 국민당이 만들어졌지만, 조영주는 참가하지 않았다. 오히려 활동의 거점으로 삼은 것은 정화회였다. 일련교(日蓮教) 단체인 정화회는 전시기 동아연맹운동에 활동의 장을 제공하고, 조영주도 여기에 참가하였다.[20] 전후 1946년 6월에 나라(奈良)에서 개최된 대회부터 활동을 재개하였고 나중에 오사카로 연락사무소를 옮겼으며,[21] 1948년 6월에는 기관지 『王道文化』를 복간하였다. 1949년 봄에는 오사카정화회는 '거의 조선청년'이 차지하고 있었으며, 전전의 동아연맹운동 오사카청년부에 참가했던 기미모토 마사히사(君本昌久=李昌久), 이와무라 히로부미(岩村博文=許利玉), 미쓰이(三井=玄公植) 등이 모였다.[22]

그러나 정화회는 앞서 기술한 바와 같이, GHQ/SCAP 당국으로부터 동아연맹운동을 계승하고 있는 것이 아닐까라는 의심을 받고 있었으며, 1946년 6월에는 GHQ군정부가 이시와라를 취조하러 왔다. 8월에는 도쿄정화회의 대표가 극동군사재판검사장(조셉 키난)에게 소환된 것에 대해 이시와라는 아시다 히토시(芦田均) 수상에게 항변하였다.

이 때 조영주는 법무부와의 교섭역할을 맡았다. 8월 27일 법무부의 요시하시 토시오(吉橋俊雄) 조사과장을 방문해서 칙령 제101호(「정당, 협회 그 외 단체의 결성의 금지 등에 관한 건」)의 해석을 문의했으며, 순수한 종교

---

20) 정화회는 이시와라 간지가 가르침을 받은 일련주의자 다나카 지가쿠를 창설자로 한 국주회에서 1934년에 파생한 조직이다.(田中香浦 編, 『国柱会百年史』, 国柱会, 1984, 254~257쪽). 국주회의 젊은 일련교 신자에 의해 만들어진 정화회는 동아연맹운동에 대한 정부계의 압박이 강해지는 1941년경부터 동아연맹운동의 별동대로서의 역할을 담당했으며, 조영주는 1941년경부터 정화회의 간부가 되었다.

21) From Director, Special Examining Bureau, A.G.Office to Major Napier, Government Section, G.H.Q., *ibid.*.

22) 石原莞爾 앞 曺寧柱 서한, 1949.4.5(野村乙二朗, 「史料紹介 石原莞爾関係書簡(IX-5)」, 『政治経済史学』 第445号, 2003.9, 35쪽). 전후의 정화회의 전체적 상황에 대해서는 野村乙二朗, 「解題 「毅然たる孤独」(東亜連盟期の石原莞爾日記及び書簡・文書)」(野村乙二朗 編, 『東亜聯盟期の石原莞爾資料』, 同成社, 2007, 729쪽) 참조. 이하 동 자료는 『野村資料』라고 약기한다.

단체인 정화회는 동아연맹운동과는 '하등의 관계도 없다'라고 주장하였
다.[23] 그 후에도, 법무부 관계자와의 교섭에 나섰다.[24] 9월 13일에는 정화
회와 동아연맹운동, 이시와라와의 관계에 대해 자세히 설명한「精華会に関
する件」을 요시하시 조사과장에게 제출하였다. 결국, 11월에 조영주가 정화
회 간부에서 동아연맹운동관계자를 제외하고, 동아연맹운동과는 관계도 갖
지 않는다는 서약서를 제출하는 것으로 정화회는 해산을 면하였다.[25] 사실
상 동아연맹운동의 중요 후계조직이었음에도 불구하고 정화회가 존속되었
던 것은 조영주의 활동에 힘입은 바가 컸다.

둘째로 동아연맹운동이나 일련교에 관한 텍스트의 개정과 출판에 힘썼
다. 조영주는 패전 직후부터 이시와라 간지 및 이시와라 로쿠로(石原六埌,
간지의 동생) 와 함께『昭和維新論』(초판은 1940년 간행) 의 개정작업에 착
수했으며, 같은 해 9월에 동아연맹동지회로부터 개정판을 간행하였다. 또
1947년 2월 이후 조영주는 고이즈미 기쿠에(小泉菊枝) 등과 함께 일련(日蓮)
의『御遺文集』초안을 고안하였다.[26] 게다가 1948년 가을 이후 이시와라가
3명의 동지(조영주·고이즈미 기쿠에·다케다 구니타로(武田邦太郎)에게 맡
긴『日蓮教入門』(1949)의 공동집필에도 참가하였다.[27]

셋째로 조영주는 다방면에서 이시와라 사상의 실천자였다. 예를 들면,
'도시해체, 농공일체, 간소한 생활'이라는 이시와라의 이념을 본받아서 농장
에서의 공동생활을 생각하였다. 1947년부터 이듬해에 걸쳐 미시마(三島), 스
사이(周西), 무시시사카이(武蔵境) 등지에서 농장을 개장하려고 시도했으며,

---

23) 武田邦太郎 앞 曺寧柱 서한, 1948.8.28(『野村資料』, 575~579쪽).

24) 石原莞爾 앞 曺寧柱 서한, 1948.10.8(『野村資料』582~593쪽) 및 Nei-chu to Investigation Section,
   Special Examining Burea, Attorney Office, "Report about the "Seika-kai"", 13 Sept. 1948, in *Toa
   Renmei*.

25) 武田邦太郎 앞 曺寧柱 서한, 1948.11.15(『野村資料』, 600~602쪽).

26)『御遺文集』의 집필에 대해서는 石原莞爾 앞 武田邦太郎 서한, 1947.3.14; 石原 앞 曺寧柱 서한,
   同 4.2; 石原 앞 小泉菊枝 서한, 同 4.3 등. 다만, 출판은 실현되지 않았다.(石原 앞 曺寧柱 서한,
   1947.7.21; 同 10.12; 1948.1.7). 이상『野村資料』, 474 · 479 · 484 · 502 · 511 · 556쪽.

27)「日蓮教入門」(石原莞爾平和思想研究会 編, 앞의 책, 1996, 298~303쪽).

이와무라 히로부미(岩村博文, 許利玉. 전전, 동아연맹동지회 오사카 청년부 책임자) 등 오사카정화회의 조선인청년을 그곳에 보내려고도 했지만, 성공하지 못했다.[28] 1948년부터 다음 해에 걸쳐 조영주가 집필한 문장에는 공산주의에 대한 비판이 많이 나타나고, 일본공산당원과의 토론의 양상을 기록한 것도 있다.[29] 정화회에서는 1948년 4월에 '조 선생을 총지휘관'으로 해서 '크리스트교와 마르크스주의의 절복(折伏), 특히 마르크스주의의 타도에 주력한다'는 지침을 정하였다.[30] 이시와라가 설파한 마르크스주의 '석복(釈伏)'[31]을 조영주 나름대로 실천한 것일 것이다.

이상과 같이, 조영주는 이시와라의 옆에서 그림자처럼 붙어 다니는가 하면 정화회를 거점으로 동아연맹운동의 유지와 기본텍스트의 출판을 도모하면서 농업에 기초한 공동생활이나 반공 등 이시와라사상의 실천에 힘썼다.

그런데 이시와라의 사망 후, 동아연맹운동계 조직은 이합집산을 반복하는데 조영주의 동향은 어떠한 것이었을까. 조영주는 이시와라의 사망 후에도 정화회에 관여하였는데,[32] 서서히 독자적인 단체의 결성을 위해 활동하였다. 협화당 결성의 과정을 살펴보자. 구 동아연맹동지회 관계자에 대한 대부분의 공직추방이 해제된 1951년 8월에 구 동아연맹동지회 회원 중 원로 60명이 니시야마농장에서 개최된 전국협의회에서 국민당(구 동아연맹동지회회원 중, 공직추방 대상외가 된 회원이 1946년 5월에 결성)의 당원 30명 정도가 합류하여 협의되었다. 전국협의회에서는 조영주·다케다 구니타

---

28) 石原莞爾 앞 小泉菊枝 서한, 1947.10.10; 同 12.2; 1948.1.2; 3.21; 1948.1.7; 同 3.21 石原 앞 曹寧柱 서한, 1948.10.27(『野村資料』, 508·514·553·593쪽); 石原 앞 曹寧柱 서한, 1948.4.7(鶴岡市 郷土資料館所蔵, 『石原莞爾資料』 手紙 1035-1). 이하 『石原莞爾資料』는 『鶴岡資料』로 약기한다.

29) 「二つの世界」(『自由朝鮮』 第2巻 第7号, 1948.7); 「マルクス主義」(上)·(下), 『王道文化』 第3·4号, 1948.8.10); 「日蓮教と日本国」, 同前, 第274号, 1949.4); 「共産党員との対論」, 同前, 第275号, 1949.6; 「マルクス宗を救済せよ」(上)·(下), 同前, 第10巻 第7·8号, 1949.12, 1950.2.

30) 『精華会会報』 第17号, 1949.6, 1쪽.

31) 曹寧柱, 「石原莞爾の人と思想」(앞의 책, 256쪽).

32) 조영주는 정화회도쿄본부에서 小泉菊枝·武田邦太郎 등과 함께 중앙위원의 한 사람이 되었다(『特審月報』 第1号, 1950.11, 58쪽). 1951년 8월에는 정화회의 대표자로 선출되었다(『特審月報』 第32号, 1951.9, 1~2쪽).

로·와다 긴지(和田金次) 세 명이 당중앙위원에 선출되었다.[33] 또한, 협당조직에 대해 조영주는 '이 조직이 천황을 중심으로 하는 정치의 부활중략을 목적으로 하고 있는 것은 말할 필요도 없다', 그러나 이와 같은 입장을 밝히면 '이 조직이 우익단체로 보여질 우려가 있다'고 주장하였다고 한다. 또 법무부 특별조사국(후에 공안조사청)에 의하면, 조영주는 신당의 운동은 '아시아 여러 민족의 협력에 의하지 않으면 안 되기 때문에' 조선인인 자신도 협화당에 참가한 것이라고 했으며, 당 조직은 공산당에 대항하기 위해 '세포조직과 닮은 것'으로 한다고도 말하였다.[34] 같은 달 15일에 신당명을 '協和党'으로 하기로 하고, 이시와라의 3주기에 해당하는 이 날에 협화당의 결당대회가 230명의 참가자로 개최되었다.[35]

협화당은 소규모였다고는 하지만 그 내부를 살펴보면 일치단결한 조직이었다고는 할 수 없다. 국민당이 '구 동아연맹계의 사람들과 만나는 것은 처음이며, 그 때문에 그들의 인상은 항상 호의적이었던 것은 아니었다'는 것이다. 다만, 조영주 등 중앙위원이 된 구 동아연맹동지회 회원은 '인격자(men of character)이고 전반적으로 사람들의 존경을 받았다'고도 한다.[36] 협화당을 종합하는 데 있어서 오랜 운동력과 이시와라와의 친분으로 쌓아 온 조영주의 권위가 도움이 되었다고 할 수 있다.

이렇게 해서 협화당은 '자본주의가 아닌, 공산주의가 아닌 천황을 중심으로 하며, 높은 세계관으로 맺어진 국민조직을 가지고 진정한 민주적 통제주의를 실현'한다는 것을 목표로 출발하였다. 그 중에서도 특이하다고 할 수 있는 주장은, 일본의 재군비 반대이며 '전쟁포기, 엄정중립, 향토방위'라는 3

---

33) 中央事務所, 「協和党小史」(一), 『協和党報』 第44号, 1957.4, 7~9쪽.

34) 『特審月報』 第2巻 第9号, 1952.9, 14쪽.

35) Mitsusada Yoshikawa of Special Investigation Bureau, Attoney-General's Office to G.S, G.H.Q, "Dissolution of KOKUMIN TO (The People's Party) and Formation of KYOWA TO (The Coperative Party)", Sep. 10 1951, in Kyowa To(Cooperative Party), August 1951-November 1951, RG331 Box2275JJ, NARA. (이하, Kyowa To(Cooperative Party), August 1951-November 1951의 폴더는 Kyowa To로 약기한다).

36) "Matters Concerning the KYOWA TO(Conservative Party) - 2nd Report", in Kyowa To.

원칙을 내세운 것이다.[37] 협화당 결성에 의해 '전후의 우익 중에 최대의 단체가 태어날 것이다'[38]라고 주목받았지만, 조직을 유지하는 데는 난관이 있었다. 결당 후 6개월이 지나도록 기관지 『協和黨報』는 5호밖에 나오지 않았고(합병호를 포함), 도쿄의 '중앙사무소는 20만 엔이 넘는 부채'를 안고 있었다.[39] 1951년 11월 시점에서 등록당원은 295명이었다.[40] 명목상으로는 전국단체였다고는 하지만 실태는 동북지방을 중심으로 한 소규모의 조직이었다.

이러한 난관을 가속화시킨 것은 조직의 분열이다. 협화당의 재군비 반대론에 동조하지 않은 원로 멤버들은 1952년 7월에 도쿄에서 '자위중립ㆍ정치독립ㆍ경제자립ㆍ아시아해방'을 내세운 동아연맹동지회를 결성하였다(구 동아연맹동지회와 구별하기 위해 이하에서는 그 당시의 통칭 '신동련(新東連)'을 사용한다). 조영주도 이러한 이반조직에 합세하였으며, 중앙고문, 본부상임위원을 맡았다.[41] 그 외에 공직추방 해제 후에도 협화당과는 다른 활동을 전개한 기무라 다케오(木村武雄)ㆍ와다 게이(和田勁) 등 전전의 유력 활동가가 신동련의 중심이 되었다. 신동련의 회원은 공식적으로 4,000명이었다.[42] 이렇게 해서 '이시와라 문하가 이분'[43]되는 상태에 빠진 것이다.

더욱이 신동련에서도 1953년 8월에 '자위중립'을 주장하는 쓰지 마사노부(辻政信)가 분리하여 자위동맹을 결성[44]하였다(조영주는 이 때 신동련에 남았다). 자위동맹의 이반 이후 신동련도 조직의 약체화와 자금난으로 어려움을 겪었다. 난관의 타개를 위해 협화당과 신동련은 여러 차례 합세를 시도하고,[45] 조영주 자신도 1969년 가을에 각지의 동지들을 찾아가 의견을 모으고

37) 木下, 앞의 책, 1977, 157~158ㆍ183쪽.
38) 「抬頭する右翼」, 『サンデー毎日』 第30卷 第42号, 1951.10, 14쪽.
39) 杉沼三郎, 「中央事務所日記」(1), 『協和黨報』 第33号, 1955.6, 16쪽.
40) 『特審月報』 第2卷 第12号, 1952.12, 33쪽.
41) 『公安調査月報』 第2卷 第2号, 1953.2, 71쪽; 第2卷 第9号, 1953.9, 190쪽.
42) 위의 책, 第2卷 第1号, 1953.1, 75쪽.
43) 『協和黨報』 第5号, 1952.8.
44) 木下, 앞의 책, 1977, 191쪽.

운동조직의 통일을 도모하였지만, 결국 실현되지 못했다.46) 다음해 1970년
에 조영주는 전전의 동아연맹운동에 관계한 인사들과 함께 아시아신생회의
라는 단체를 결성하지만, 조영주에게는 만족할 만한 것이 아닌 듯하였다.47)
이러한 가운데 조영주는 이시와라에 관한 글을 적지 않아 남기고 있다.48)
1996년에 타개하기 전까지 이시와라에 대한 존경은 평생 계속되었다.49)

───────────

45) 소견에 의하면, 신동련은 1953년 5월에 협화당과의 대동단결을 결의하였고, 이후 합동문제의
의논이 활발히 이루어진 것 같다. 1954년 7월과 12월에 협화당과 신동련 사이에서 합동을 위
한 공동연구회를 가졌지만, 재군비문제로 일치점을 보지 못했다. 다음해 와다 게이(신동련)와
다케다 구니타로(협화당)이 회담하고, 와다는 협화당·동아연맹 어느 쪽도 아닌 당명으로 합
동을 제안하고 있다. 1958년에는 신동련의 대표가 된 이토 로쿠쥬지로가 전국 순행을 하고,
협화당과의 연락협조를 제안하였다. 이상은『公安調査月報』第2卷 第6号, 1953.6, 146쪽; 杉沼
三郎,「協和党小史覚え書」,『協和党報』第42号, 1957.2, 6~7쪽; 協和党出版部,『石原主義』, 第59
号, 1958.9, 5쪽에 의한다.

46) 조영주는 먼저, 1969년 9월 말에 전전 때부터의 옛 동지를 롯본기에 모아서 회담을 했는데 '무
시하는 경향이 많았으며, 실망감을 느끼지 않을 수 없었다. 그 때문에 동지들과 개별적으로
만나서 논의하는 편이 유리하다고 판단한 조영주는 전국 각지로 '재회를 위한 여행'을 떠났다
(石原六垸 앞 曺寧柱 서한, [1969년?] 9.24; [1969년?] 10.2;『鶴岡資料』23-50-57-3; 23-50-57-3).
1969년 10월 21일부의 조영주의「순회보고」(『協和新聞』第596号, 1969.11)에 의하면, 조영주는
고치, 오사카, 시즈오카, 후쿠시마, 야마카타, 히로사키의 동지와 간담한 것을 보고하고 있다.
그러나 이것도 각 지역의 운동을 협화당으로서 전개할까, 신동련으로서 전개할까는 '각지의
자주적인 방법에 위임한다'는 결론밖에 나오지 않았다.

47)「風塵雑記」,『新勢力』第131号, 1970.4에 의하면, 아시아신생회의는 와다 시로와 조영주가 결탁
하여 마치이 히사유키를 '후원자'로 해서 결성했다고 되어있다. 와다 시로는 전전의 동아연맹
동지회의 마지막 대표회장이었던 와다 게이의 아들이다. 마치이 히사유키(정건영)는 전전 조영
주로부터 동아연맹운동을 배웠고, 1957년에 반공폭력단·동성회를 조직하였다. 신생아시아회
의는 마치이가 설립한 동아상호기업주식회사에 있었다. 또 조영주는 신생아시아회의의 기관지
『新生アジア』에 대해서, 조영주는 '신생 아시아지는 나 스스로 머리를 갸우뚱하는 경우도 많다'
고 서술하고 있다.(石原六垸 앞 曺寧柱 서한, [1970년?]4.28,『鶴岡資料』23-50-57-7).

48) 대부분은 극동국제군사재판 사가다 법정(1947년)에서의 이시와라에 대한 회고적 성격의 것이
다.「石原将軍の思出」(一)(二)(『真世界』第3巻 第7·9号, 1952.8·10),「共産党が天下をとれば」,
『王道文化』第14巻 第6号, 1952.11),「陸軍中将石原莞爾」(亜東書房 編刊,『十人の将軍の最後』,
1952),「終戦後の石原将軍」(『共通の広場』第2巻 第4号, 1953.4),「最近の韓国事情」(『東亜連盟』
第1巻 第6号, 1953.10),「戦後の石原さん」(『曙』第3巻 第4号, 1954.4),「戦後の石原さん」(村上一
郎 編,『ドキュメント日本人』第4巻, 学芸書林, 1969),「東京裁判証人尋問の一証言録」(武田邦
太郎·菅原一彪 編,『永久平和の使徒 石原莞爾』, 冬青社, 1996).

49) 조영주는 1976년부터 다음해에 걸쳐 간행된『石原莞爾全集』全8巻(石原莞爾全集刊行会編刊)
의 편집위원 및 이시와라 탄생 100주년에 맞춰서 1988년에 간행한『永久平和への道－いま, な
ぜ石原莞爾か』(石原莞爾生誕百年祭実行委員会 編, 原書房刊)의 편집위원에 이름을 올리고 있

3. 조영주와 재일조선인보수계운동

1) 조영주와 건청 · 민단

1945년 10월에 결성된 재일본조선인연맹(조련)과 조영주의 관계를 살펴보자. 조영주는 공산주의자에 대한 불신으로 조련에는 처음부터 참가하지 않았지만,[50] 대일협력의 의심이 있는 사람에 대하여 엄격한 자세를 취했던 조련 측도 조영주를 받아들일 여지는 없었다. 즉 조련은 제10회 확대상임위원회(1945년 11월)에서 '친일민족반역자의 철저조사'를 정했고, 36명의 대상자 중에는 동아연맹운동 간부 3명도 포함되어 있다.[51] 조영주 자신도 '일본 국체를 신앙하는 우리 조선인은 감정적인 동포로부터 친일가로 매도되어 앞으로 수년간은 많은 박해를 받을 것이다'고 자각하고 있었다.[52]

이 결과, 전후 재일조선인운동에 있어서 조영주가 활동의 장을 발견한 것은 민족주의자나 친일파를 결집한 우파 · 보수계 진영이었다. 조영주는 1945년 11월에 결성된 조선건국촉진청년동맹(건청)의 중심인물이 되었고,[53] 46년 1월에 신조선건설동맹(건동)에 기획위원으로 참가, 같은 해 10월에 재일본조선거류민단(민단) 결성에 즈음해서는 준비위원의 한 사람으로 무임소부장에 취임하였다.[54] 대중적인 기반이 약하고, 오랜 기간 감옥에 있었던 박

다. 또 1980년대 말에는 이시와라 간지의 묘소의 이전 문제 때문에 분주했다(1993년에 새로운 묘소로 이전).

50) 조영주 씨의 필자에 대한 담화(1996.2.21), 長坂覚, 「韓国人と日本人－曹寧柱氏に聞く」(『中央公論』 第94巻 第8号, 1979.8, 278쪽.

51) 坪井豊吉, 『在日同胞の動き』, 自由生活社, 1975, 88쪽.

52) 曺寧柱, 「日教義と日本国体」, 1946.7.8; 『鶴岡資料』 19-4.

53) 1945년 말 조영주는 건청의 중앙청년훈련소 내에 永和空手研究所를 만들었다. 小島一志 · 塚本佳子, 『大山倍達正伝』, 新潮社, 2006, 170~171쪽에 의하면 조련과의 항쟁에 대비해 건청이나 건동의 '전투부대를 육성하는 훈련장'이라는 성격의 시설이고, 교토의 의방회도장 이래로 지인인 大山倍達도 동연구소에서 가라테의 지고를 받았다고 한다.

54) 在日本大韓民国居留民団 編, 『民団二十年史』, 同中央本部宣伝局, 1967, 25 · 447쪽; 民団三〇年史編纂委員会 編, 『民団三〇年史』, 在日本大韓民国居留民団, 1977, 33쪽. 이하 조영주의 경력에 대해서는 이들 도서에 의한다.

열을 중심으로 그 측근이 모여서 만들었다고 알려져 있는 초기 민단에서, 조영주는 민단의 '숨은 총참모격'이라고 할 만한 위치를 차지하고 있었다.[55] 그 배경에는, 조선에서 보통학교를 다녔을 무렵 조영주가 박열의 후배였다는 인연도 있었지만,[56] 조련과 강하게 대립하던 보수계에 있어서 일단 공산주의를 배웠지만, 이시와라 사상으로 전환한 조영주가 적합한 이념주의자였다는 것도 사실일 것이다.

그러나 조영주는 보수계 재일조선인운동과 한때 관계를 끊고 있었다. 1947년 10월의 이시와라 앞으로 보낸 서간에 의하면 '박열 일파와의 관계가 좋지 않으며, 조선단체의 세계관이 결여된 무절조함에 단념하고 물러나기로 하였다'고 기술하고 있다.[57] 박열은 친일파에 대해서도 규탄하지 않고 포용적인 태도를 취했다고는 하지만,[58] 그렇다 하더라도 원래 무정부주의자와 천황숭배론자라는 대조적인 위치에 있었던 박열과 조영주가 사상적으로 타협하는 것이 무리였다는 것은 쉽게 상상할 수 있다. 조영주의 이름이 다시 확인된 것은, 1949년 4월의 민단6전대회이며, 이 때 조영주는 민단청년부장이 되었다.[59] 민단6전대회에서는 박열이 단장으로 재선되지 않자 한국으로 귀국해 버려서 민단의 지도체제의 전환점이 된 것으로 알려져 있다. 『민단30년사』에 의하면, 이 대회에 있어서 박열 단장 몰아내기는 조영주를 비롯한 12명의 유지에 의한 사전협의에 의한 시나리오에 기초한 것이었다고 되어있다.[60] 박열과 교체되듯 조영주는 보수계 재일운동의 무대에 재등장한 것이다.

이후, 조영주는 민단기획실장(1949년 10월), 대한학생동맹(1949년 결성)

55) 鄭哲, 『民団今昔―在日韓国人の民主化運動』, 啓衆新社, 1982, 19쪽.
56) 長坂覚, 앞의 글, 1979.8, 288쪽.
57) 石原 앞 曺寧柱 서한, 1947.10.12(『野村資料』, 511쪽).
58) 金太基, 앞의 글, 2014, 101쪽.
59) 在日本大韓民国居留民団 編, 앞의 책, 1967, 25·451쪽.
60) 民団三〇年史編纂委員会 編, 앞의 책, 1977, 62쪽.

상무이사,[61] 한국주일대표부 자문위원회 정치부 상임위원(1950년 6월) 등
많은 중책을 역임하였다. 1950년경의 좌파계인 재일조선통일민주전선(민전)
의 자료에 의하면, 대한주일공사처·민단·건청 등 몇 개 단체의 고문의 직
함과 함께 사회민주동지회라는 조직의 회장을 맡았으며, '매주 1회씩 회의
를 소집해서는 폭력단의 양성과 민주진영에 대한 파괴공작의 교육'을 실시
했다고 되어있다.[62]

게다가 1950년 8월에는 건청을 해산하고 보수계 조선인의 전국적 청년단
체가 된 대한청년단의 단장을 지냈다(1951년 5월부터는 조직부장도 겸임).
대한청년단에 부설된 대한청년훈련소에서는 '국방론', '반공론', '건설론'의
강의를 담당했다고 되어있다.[63] 그 내용은 상세하지 않지만, '국방론'은 이
시와라 간지의 『国防論』(리쓰메이칸출판부, 1941)에 기반을 둔 것일지도 모
른다. 대한청년단은 한국전쟁에 백여 명의 의용군을 파견하는 등의 활동을
전개하였다.

그러나 대한청년단을 둘러싼 조영주의 평가는 녹녹치는 않다. 보수계 재
일조선인청년운동에서 건청의 창설부터 관계하여 대한청년단준비위원장도
지낸 홍만기(洪万基)에 의하면, 대한청년단장에 추대된 조영주는 '일찍이 청
렴결백의 지사로서 … 많은 청년들로부터 존경을 받았지만' 결국, '무능무책
으로 일관하고 아무런 업적도 남기지 못했다'고 되어있다. 게다가 조영주가
'건청에는 보이지 않았던 파벌항쟁까지 가지고 왔다'는 것을 비판하였다.[64]
좌파계 조선인의 시각에서 보더라도 거의 비슷하였다. 대한청년단에서는

61) 「反動陣営의 最近動向 "主로 解放戦争以后"」, 1950年 8月 20日 現在; 朴慶植 編, 『在日朝鮮人関
係資料集成 戦後編』 第4巻, 不二出版, 2000, 11쪽.

62) 在日朝鮮統一民主戦線中央準備委員会, 「在日悪質売賊徒의 経歴とその罪悪」, 1950년?; 朴慶植
編, 전게 『在日朝鮮人関係資料集成 戦後編』 第4巻, 4쪽.

63) 「大韓青年団第2期訓練生方名録/訓練規定/受講課目及講師」, 1951년?; 朴慶植 編, 전게 『在日朝
鮮人関係資料集成 戦後編』 第3巻, 265쪽.

64) 洪万基, 「建青創設回想録」(23), 『韓国新聞』 1975. 6. 21. 동 기사에는 조연주 단장 하에서의 대
한청년단에서 파벌을 만든 장본인으로서 강인석, 신희, 최선 등의 이름을 제시하고 있다.

몇몇의 파벌이 '일대격투'의 대립을 하였으며 '조영주파'도 그 하나였다.[65]

이후, 조영주는 1960년 7월부터 다음 해 5월까지 민단단장이 되었다. 또한 조영주는 1976년부터 79년까지 다시 민단단장을 역임하였다. 민단단장으로서의 조영주에 대한 평가는 권력의존체질을 비판한 것, 재일본조선인총연합회(총련)와의 정상회담을 제안해서 성사시켰다는 점을 일정부분 평가하는 등 다양하다.[66]

2) 보론 – 윤상원과 조선청년동맹

전후의 동아연맹운동에 조영주만큼 깊이 관여하였으며 또한 재일조선인 보수계운동에도 중요한 위치를 차지한 인물을 찾아내는 것은 어려운 일이다. 그러나 몇 명인가는 동아연맹운동에 참가한 경험도 있으면서, 해방 후 재일조선인운동에도 관계한 것을 확인할 수 있다. 조영주와 같은 고향 출신으로 해방 전의 친일활동이나 해방 후의 보수계운동에서도 종종 같은 행동을 취한 권일(權逸)도, 만주국의 사법 관료였던 시절에 이시와라의 동아연맹운동을 알게 되어 동조하였다.[67] 또한, 해방 직후 건동 결성에 참가하지만 나중에 조련에 관계한 최은환(崔殷桓)도, 1940년 전후, 도쿄에서 동아연맹운동의 간부를 지냈다고 한다.[68] 전전의 교토에서 조영주와 함께 동아연맹운동에 관여한 조은제(趙恩済)도, 전후, 민단교토부지방본부(1947년 결성)의 초대 사무총장을 지냈다.[69](다만, 얼마 후 곧 사망했기 때문에 활약은 하

---

65) 앞의 「反動陣営의 最近의 動向 "主로 解放戦争以后"」. 동 문서에 의하면, 대한청년단의 다른 파벌로서는 김용태 등 「통일파」, 최맹호(大山倍達의 별명) 등 「백무파」가 있었다고 되어있다.

66) 鄭哲, 앞의 책, 1982, 19쪽; 朴慶植, 『解放後在日朝鮮人運動史』, 三一書房, 1989, 457쪽.

67) 1938년경에 민주국사령부의 조선인관료였던 권일은 대동학원에서 이시와라의 강연을 들었지만, 이시와라가 "만주에 있는 일본인을 가차없이 매도하기 시작해", "일본인들은…만주를 일본의 식민지처럼 해 버렸다"고 기술한 데 대해 "강한 인상을 받았다"라고 한다(權逸, 앞의 책, 1987, 62~63쪽).

68) 해방 전 서울에서 동아연맹운동에 참가한 김용제는 회상록에서 최은환은 도쿄사무소의 「간사급의 활동을 하고 있었다」고 기술하고 있다.(金龍済 자필고, 「地下灯－朝鮮東亜連盟の独立運動と日本東亜連盟の石原莞爾将軍」 1991년?, 47~5쪽).

지 못했다).

그 중에서도 윤상원(尹相源)은, 나고야에 있어서 동아연맹운동에서도, 해방 후 재일조선인운동에서도 조직적인 활동을 전개하였다. 이하, 그 활동을 간단히 추적하고자 한다.

나고야의 동아연맹운동은 일련교 신도인 여성을 모아서 고이즈미 기쿠에(小泉菊枝)가 1939년에 국주회(国柱会)라는 지부조직을 결성한 것으로부터 출발하였다. 이어서 고이즈미를 실무적인 측면에서 도왔던 이토 슌이치(伊藤春一)가 이 조직을 이어받았고, 1943년에는 조직의 세력확장을 위해 동아연맹동지회 나고야청년부를 만들었다.

나고야청년부의 중심이 된 것은 윤상원을 비롯한 당시 10대 후반의 조선인청년들이었다. 일본사회에서의 조선인 차별을 직접적으로 체험한 그들은 동아연맹운동이 설파하는 '민족협화'에 그 해결책을 찾고자 하였다.[70] 일제의 한국강점 이후에 태어나서 민족운동의 경험도 없었던 그들은 조영주처럼 민족독립론과 동아연맹론의 모순에 대한 고뇌 없이 동아연맹론을 받아들였다. 윤상원도 주위의 일본인 동지를 '친구' '누나'라고 따르며 그와 같은 신뢰관계를 기초해서 '민족협화'의 이념을 신봉하였다. 그들은 이토 슌이치를 스승으로 하는 학습회나 조선총독부의 연수생을 받아들인 농장(아이치현 지타(知多)군의 구노 쇼타로(久野庄太郎) 농장)에서의 근로봉사 등의 활동을 전개하였다. 또한, 오사카나 고베에서도 동아연맹운동의 청년부 조직을 만들고, 전국의 청년부 조직의 중심적 역할을 담당하였다. 그러나, 1944년 1월에 윤상원 외 5명이 '동아연맹을 이용한 독립운동'의 혐의로 치안유지법 위반으로 검거되어 운동은 단기간에 끝났다.[71] 그러나, 나고야청년부(및 밀접한 관계에 있었던 오사카청년부)에서 활동한 조선인청년의 개개인에게

---

69) 民団三〇年史編纂委員会 編, 앞의 책, 1977, 355쪽.

70) 井上義郎,「私」,『王道文化』第5巻 第8号, 1942.8, 20쪽;「昭和の若人」,『王道文化』第6巻 第8号, 1943.8. '井上義郎'는 당시 윤상원이 사용한 통명이다.

71)『特高月報』; 朴慶植 編,『在日朝鮮人関係資料集成』第5巻, 三一書房, 1976, 331쪽.

있어서, 아직 10대이면서 사회운동에 관여한 것은 결코 작은 경험은 아니었다. 전후 일본에서 재일조선인운동에 관여하는 계기의 하나가 되었다고 할 수 있을지 모른다.

윤상원은 1945년 9월 말에 동아연맹동지회본부의 회의에 참석하고, 본부원으로서 청년대의 공작을 담당하게 되었다.[72] 실제로 하코다테(函館)에서의 강연회 개최에 도움을 주었다. 이 공작의 보고문에서 윤상원에는, 홋카이도에서는 조선인의 '일부 노동자와 일본인 사이에 작은 폭동'이 일어난 것에 대해 언급하며, '동양의 민족은 이제 서로 남을 비방하지 않고 스스로를 깊이 반성하며 이를 바탕으로 세계에 왕도의 아성을 건설해야 한다'고 기술하고 있다.[73]

또 윤상원은, 이시와라 간지나 고이즈미 기쿠에 등 동아연맹운동 관계자와의 교류도 계속 이어갔다.[74] 윤상원에게 있어서 동아연맹운동이나 그로 인해 얻게 된 인맥은 전후에도 조금도 부정할만한 것은 아니었으며, 실제로 전전의 동아연맹운동에 대해 '아시아인의 혼의 결합으로서 영원히 기억해야만 할 역사적 장관'이라고 평가하였다.[75] 단지, 윤상원은 일본의 식민지 통치에 대해 통렬한 비판도 남기고 있다. 윤상원은 '식민지기의 일본의 개발의 수익자는 일본인이었다', '이승만을 '반일가'로 만든 것은 일본이며, 함부로 비판하는 것은 맞지 않다. 식민지 지배에서 '한민족이 일본으로부터 받은 민족적 모욕'은 전후의 재일조선인의 '횡포'에 비교가 되지 않는다'고 기술하고 있나.[76] 이 점은 '친일파'를 자인한 조영주와는 다르다.

윤상원은 동아연맹운동을 변함없이 신봉하면서 전후 재일조선인 보수계 운동에도 참가하였다. 가장 잘 조직된 그룹으로서는, 1945년 10월에 나고야

72) 東亜連盟同志会石巻支部, 「参与会員会議「議事録」」, 10쪽(真山文子 제공).
73) 井上義郎(尹相源), 「北海道へ工作して」, 『東亜連盟同志会会報』 東北第1号, 1945.10.25, 4~5쪽; 『鶴岡資料』, 7-29)
74) 石原 앞 小泉 서한, 1947.4.3(『野村資料』, 485쪽). 尹相源 씨에 내한 필자 인터뷰(1997.3.16).
75) 尹相源, 「韓国人の要望」, 『東亜連盟(戦後版)』 第2巻 第9号, 1954.9, 19쪽.
76) 尹相源, 위의 글, 20~21쪽.

에서 결성된 조선청년동맹(청동)을 들 수 있다.[77] 청동은 1946년 11월에 기관지 『조선청년』을 간행했는데 여기에 의하면, 이와무라 히로부미(岩村博文)(허리옥(許利玉))·강태수(姜太洙)·현공식(玄公植) 등이 참가한다고 되어 있다. 모두 전전의 동아연맹동지회 오사카청년부의 멤버였던 사람들이다. 청동은 교토·오사카에 지방본부를 두고 있다.

청동 기관지인 『조선청년』 창간호에는, 허리옥의 「斷想」, 강태수의 「在日運動に就いての所感(재일운동에 대한 소감)」 등이 수록되어 있는데 모두 조선인운동의 '통일', '대동단결'을 주장하는 내용이다.[78] 물론 이러한 주장은 액면대로 중립적인 대동단결노선을 지향한 것이라고 받아들일 수는 없다. 전후의 재일조선인운동에 있어서 좌파인 재일본조선인연맹이 보수계 진영을 압도했던 상황을 고려하면, 청동의 '대동단결'론은, 재일조선인운동의 주류가 좌파에게 지배되고 있는 사태를 비판하고, 소외된 세력에게도 적절한 발언권을 부여하자라는 보수계 측의 논의로서 이해해야 할 것이다. 단지, 조련계의 조선민주청년동맹(민청)은, 필시 이러한 청동의 운동통일론에 관심을 가졌을 것이다. 청동을 '건청과는 조금 질이 다른' 단체로 보고 통일을 제안하였다. 그러나, 청동 측은 전혀 양보할 기색이 없었기 때문에 민청은 1947년 6월에 임시대회를 열고, 청동의 '일부 악질간부만을 고립시켜 광범위한 통일전선을 구성'하기 위한 대책을 강구하였다.[79]

이러한 좌파세력의 침투공작은 청동간부에게 강한 저항을 받았다. 1947년 후반이 되어 민청의 공세에 의해 청동은 기본요강과 활동방침을 좌파경향으로 전환했지만, '내부의 동아연맹일파의 분열책동과 건청의 회유책동'[80]은 쉽게 수습되지 않았다. 청동의 이와 같은 분규에 대해서는 조련기관지 『해

<hr>

77) 尹相源은 위의 담화에서는 전전, 동아연맹운동에 관계한 시기에 서백수라는 민족운동에 관계한 인물과 알게 되었지만, 전후 서백수가 조선청년동맹을 노노미야(오카자키시)에서 조직하여 연락해왔기 때문에 참가하였다. 청동은 건동과 같은 성격의 조직이었다고 기술하고 있다.
78) 『朝鮮青年』第1号, 1946.11; 朴慶植 編, 『在日朝鮮人關係資料集成 戰後編』第9卷, 271~279쪽.
79) 『民青時報』第1号, 1947.7; 朴慶植 編, 『在日朝鮮人關係資料集成 戰後編』第8卷, 37쪽.
80) 『朝連中央時報』1948.3.5.

방신문』(1948년 2월 25일)에 실린 「舊東亞連盟一派에 斷－靑同良心派肅淸에
蹶起」라는 제목의 기사가 비교적 상세하게 전하고 있다. 기사에 인용된 조
선청년동맹 「경과보고서(요약)」(1948년 1월 19일부)는, 청동 '전 오사카지방
본부일파'인 윤상원(전 부대표위원)·허리옥(전 선전부위원)·박현일(전 선
전부위원후보)·현공식 등 동아연맹운동의 나고야·오사카청년부 출신자의
이름을 거론하고 있고, 그들이 '반조련, 반민청', '민단건청과는 제휴'를 내세
우며, 실은 전국의 구 동아연맹운동 동지의 규합을 도모하였다라고 하고 있
다. 그리고, 「경과보고서」에 의하면, 조련계인 민청에 주도권을 빼앗긴 그
들은 조직탈환을 위해 전국대회개최를 방해하려고 한다고 해서 퇴장당하였
다. 그러나, 오사카·교토의 약 40명을 동원해서 회장 내에 배치하고, 더욱
이 인원을 늘려 현 중앙상임위원을 감금하고 동시에 민청의 지부장이나 조
직부장에게 폭행을 가하며 반격에 나섰다. 또한, '八紘一宇の基点としての日
本(팔굉일우의 기점으로서의 일본)' 등을 강조한 팸플릿을 청동멤버에게 배
부한 것도 판명되었다.

　「경과보고서」는 이러한 점을 열거한 후, '최근 항간에 들고 있는 청동과
민청의 공동투쟁은 현단계에 있어서 청동 내에 있는 일본팟쇼 구 동아연맹
일파에 대한 투쟁임을 인식하고 그 잔재세력 일소'를 위해 활동을 강화한다
고 결론짓고 있다.[81] 요컨대, 나고야·오사카의 동아연맹운동 참가경험자
를 모체로 해서 전후 곧바로 나고야에서 결성된 조선청년동맹에는 점차 좌
피계의 영향력이 침투되었기 때문에 1948년에는 좌우의 내부항전이 격화되
었지만, 결국, 구 동아연맹운동 관계자는 배제되기에 이른 것이다.

　이렇게 해서 청동은 구 동아연맹운동가의 손을 떠나게 되었지만, 윤상원
은 민단에서 활동을 계속하였다. 조영주가 단장으로 선출된 1960년 7월에
윤상원도 민단의 선전부장으로 취임하였다.[82]

---

81) 『解放新聞』 1948.2.25.
82) 民団三〇年史編纂委員会 編, 앞의 책, 1977, 83쪽.

4. 맺음말

본고에서는, 전전 교토에서 동아연맹운동에 관여하였고 전후 재일 보수계운동의 중진이 된 조영주의 동향을 살펴보았다. 전전 교토에서 유학생을 조직한 조영주는 해방 후, 정화회를 발판으로 동아연맹운동의 유지를 도모하고 협화당(1951년), 신동련(1952년)에서도 중심인물이 되었다. 그와 동시에 조영주는 건청(1945년), 건동(1946년)에 참가하였고 민단(1946년) 결성에도 참가하였다. 한때 이러한 재일조선인 보수계운동으로부터 이반했다고는 하지만 1960년대 이후 민단단장을 역임하였다. 전전의 동아연맹운동의 흐름을 계승하며 보수계운동에 이름을 남긴 것은 전전의 동아연맹동지회 나고야청년부를 이끈 윤상원도 마찬가지였다.

또는, 동아연맹운동이 전후의 조선인운동에 준 영향은 다음과 같이 표현할 수 있다. 교토의 조영주나 나고야의 윤상원 등 전전에 각각의 지역에서 동아연맹운동을 주도하였던 조선인은 일본의 패전을 맞이하자 두 가지의 꼬리표가 따라붙게 되었다. 하나는, 천황을 맹주로 한 동아시아 '연맹'의 형성에 의해 '세계최종전'에 대비하려고 한 운동에 가담한 것은 본인의 주관적인 의도는 어쨌든 대일협력이며, 전쟁방조로 보여질 지 모르는 것이었다. 적어도 조련의 조직을 통해서 전후 재일조선인운동의 주류를 형성한 공산주의자의 관점에서는 동아연맹운동 참가자는 틀림없이 친일파로 인식되었다. 다른 한편, 그들에게는 또 다른 측면이 있었다. 동아연맹운동에 관여하여 치안유지법 위반으로 검거된 그들은 가혹한 전시기에 있어서 운동조직과 탄압의 경험을 거친 투사이기도 하였다. 조련으로부터 배제된 재일조선인민족주의자나 친일파에게 있어서 동아연맹운동 참가자가 결집축의 하나가 된 것은 그 때문일 것이다. 조영주가 민단이나 대한청년단의 간부로서 중요한 위치를 차지하고 윤상원이 나고야에서 조선청년동맹을 조직하여 조련계 청년운동으로부터 중요한 공략대상으로 지목되기까지의 역량을 나타낸 것, 이러한 그들의 조직력과 그것을 지탱한 권위는 그들이 동아연맹운동에 관계하며 전후에도 계속해서 관여한 경력을 빼고서는 생각할 수 없다. 이와 같이, 동아연맹운동은 전후 부분적이긴 하지만 재일조선인 보수계 활동가를 배출한 하나의 근원이 된 것이다.

■ 마쓰다 도시히코

출입국관리청 초대장관 스즈키 하지메(鈴木一)의 재일조선인 정책론

1. 머리말

본 논문은, 1950년에 설치된 출입국관리청(후에 입국관리청)의 초대장관이 되었으며, 그 후에도 1954년까지 법무성 입국관리국장을 역임한 스즈키 하지메(鈴木一)가 1950년대부터 60년대에 걸쳐 발표한 재일조선인에 대한 정책제언을 소개하고 검토하고자 하는 것이다. 스즈키에 의한 재일조선인에 대한 정책제언은 주로 日韓親和会와 그 잡지 『親和』를 무대로 전개되었다. 당시로서는 스즈키의 주장은 재일조선인에 대한 정책론으로서 특이한 논점을 제시하였다고 할 수 있다. 특히 재일조선인에게 국적선택권을 인정할 것을 거듭 주장한 스즈키의 논점은 그의 친구인 후나다 교지(船田享二)를 제외한 다른 사람들에게서는 볼 수 없는 것이었다.

1952년에 발효된 샌프란시스코 평화조약에 의해 재일조선인은 일본 국적을 일제히 상실했다는 일본 정부의 해석에 근거하여 국적 상실에 대한 조치가 시행되었지만, 이러한 조치를 의문시하는 논의는 거의 없었다. 일본 정부의 해석과 조치에 대한 의문이나 비판이 등장한 것은 1970년내가 되고

난 뒤부터이다.

그러한 가운데 1950년대 전반부터 정부의 조치를 비판하면서 국적선택권을 인정할 것을 주장한 스즈키의 존재는 주목할 만하다. 또 재일조선인에 관한 여타의 문제에 대해서도 스즈키는 흥미로운 논의를 전개하였다. 그럼에도 불구하고 스즈키 하지메의 존재와 주장은 지금까지 소개나 평가가 이루어진 적이 거의 없이 잊혀져 왔다.[1]

본 논문에서는 먼저 스즈키 하지메의 생애를 소개하고, 日韓親和会의 활동을 정리한 후, 스즈키가 재일조선인에 대해 어떠한 정책이 필요하다고 주장했는가를 검토하고자 한다.

자료로는 주로 잡지 『親和』에 게재된 스즈키의 논고를 이용하였다. 스즈키가 기고한 많은 논고는 나중에 스즈키의 저서 『韓国のこころ』(洋々社, 1968)에 수록된 관계로, 본 논문에서는 스즈키의 논고가 게재된 『親和』의 발간정보를 제시한 후 『韓国のこころ』(이하 『こころ』라고 약기)의 쪽수를 표시하기로 한다.

또 스즈키 하지메의 생애나 생활에 관한 기술은 장녀인 스즈키 미치코(鈴木道子) 씨의 인터뷰(2015년 5월 2일, 東京都 文京区 스즈키 미치코 씨의 자택)에 의한 내용이 많다는 점을 미리 밝히고자 한다.

2. 스즈키 하지메의 생애

1) 출입국관리청장으로 취임하기까지

스즈키 하지메는 1901년 11월 27일에 스즈키 간타로(鈴木貫太郎)와 도요

---

1) 스즈키 하지메가 1954년 4월 9일에 『朝日新聞』에 기고한 글을 간단히 소개한 도노무라 마사루(外村大)의 논문이 있는 정도이다. 도노무라 마사루, 「한일회담과 재일조선인－법적지위와 처우 문제를 중심으로－」, 『역사문제연구』 14, 2005, 120쪽.

(とよ)의 장남으로서 치바현(千葉県)에서 태어났다. 그의 생애를 알기 위해서는 아버지 간타로에 대해서도 알아둘 필요가 있다.

장남 하지메가 태어났을 때 간타로는 해군 소좌였으며, 해군대학교 갑종학생(고급간부 후보생)으로서 독일에 있었다. 러일전쟁 때 일본해(동해) 해전에 참전한 후 1914년에 해군차관, 23년에 해군대장, 24년에 연합함대사령장관을 거쳐, 25년에는 해군군령부장이 되어 일본해군에 있어서 가장 높은 지위와 직책에 올랐다. 29년 간타로는 예비역이 되어 천황의 시종장에 취임하였지만, 36년에 일어난 2·26사건 때는 청년장교들로부터 '君側の奸(천황 옆의 간신)'이라고 해서 저격대상이 되었다. 44년 추밀원 의장이 된 후, 45년 4월에 내각총리대신으로 취임하였으며 정부와 군이 포츠담 선언을 수락하도록 유도하는 역할을 한 것은 주지하는 바이다.[2]

스즈키 간타로의 장남으로 태어난 하지메는 도쿄고등사범학교 부속중학교와 제일고등학교를 거쳐 도쿄제국대학 법학부 법률학과에 입학하여 1926년에 졸업하였다. 재학 중에 문관고등시험 행정과 시험에 합격해서 졸업 후 곧바로 농림성으로 들어가 수산국이나 축산국에서 근무하였다. 가난하게 생활하던 일본의 농민을 구제하는 것을 바라고 있었다고 한다.

그러나 1937년에 중일전쟁이 발발하자 스즈키는 육군에 임시 소집되었고, 주계(회계)중위로서 중국전선에 배치되었다. 이미 36세가 되었으며, 농림성에서 중요한 직책을 맡고 있었던 스즈키가 소집된 것은 아버지 간타로에 대해 반감을 가지고 있던 육군관세사의 악의에 의한 것이었다고도 한다. 전장에서는 포격에 의해 무너진 흙과 건물 잔해로 전신이 묻혀버리는 체험을 했다. "나는 과거 중일전쟁 초기에 소집되어 상하이의 상륙 강행, 우쑹(吳淞)에서의 격전에 이르는 1개월간 초기 진지에서 전쟁이라는 것이 얼마나 터무니없는 짓인지를 체험"했다고 자신의 전쟁체험을 술회하였다.[3] 이

2) 스즈키 간타로의 생애에 대해서는 鈴木貫太郎伝記編纂委員会 編, 『鈴木貫太郎伝』, 同委員会, 1960年; 鈴木一 編, 『鈴木貫太郎自伝』, 時事通信社, 1968 등을 참조.
3) 鈴木一, 「日韓のかけはし」, 『親和』 第16号, 1955年 2月, 『こころ』, 36쪽.

러한 체험이 있어서일까 전후의 스즈키는 평화헌법을 수호함과 동시에 핵무기 근절을 위해 노력하는 것이 일본의 사명이라고 주장하게 되었다.[4]

1940년에 소집이 해제되어 농림성으로 복귀했지만, 농림성의 후신인 농산성 산림국장으로 근무하던 1945년 4월에 아버지 간타로가 총리대신으로 취임했을 때 스즈키 하지메는 총리 비서관이 되었다. 아버지의 '보디가드'를 해야 한다고 생각했기 때문이라고 회고하고 있다.[5]

패전 후 1945년 9월에 궁내성으로 옮겨서 다쿠미노가미(内匠頭), 슈메노가미(主馬頭), 도노모노가미(主殿頭)를 역임한 후 1947년 4월에 시종차관이 되었다(궁내성은 1947년 5월부터 궁내부, 1949년 6월부터 궁내청으로 재편).[6] 시종장을 역임한 아버지 간타로의 뒤를 잇는 형태가 되었다.

2) 출입국관리청장 · 법무성입국관리국장으로서

그러나 한국전쟁이 한창이던 1950년 10월 2일에 외무성에 출입국관리청이 설치되자 스즈키는 장관으로 취임한다. 스즈키의 말에 의하면 1947년 무렵부터 점령군사령부가 외국인을 관할할 기관을 설치할 것을 권고했지만, 법무성과 외무성이 각자 자신들의 권한이 아니라며 '소극적 권한 다툼'을 벌이고 있던 중에 한국전쟁이 일어났기 때문에 사령부의 명령으로 급히 출입국관리청이 만들어지게 되었고, "나도 궁내청에 있었는데도 차출되어 (웃음) 장관으로 임명되었"을 정도였다고 한다.[7] 스즈키는 "갑작스럽게 새로운 관청의 장관으로 임명되었다"[8]고도 기술하고 있다. 외무성이나 법무성에

---

4) 鈴木一, 「8月15日の意義」, 『親和』 第105号, 1962年 8月, 『こころ』, 43쪽.

5) 鈴木一, 「40年前鈴木終戦内閣の内幕を語る」, 『農林水産省広報』 第16巻 第7号, 1985年 7月, 62쪽.

6) 스즈키 하지메의 경력은 戦前期官僚制研究会編 · 秦郁彦著, 『戦前期日本官僚制制度 · 組織 · 人事』, 東京大学出版会, 1981년, 132쪽 참조.

7) 鈴木一 · 玉城素(対談), 「出入国管理体制の問題点」, 『コリア評論』 121号, 1971年 4月, 13쪽.

8) 鈴木一, 「日韓親和会25年の歩み」, 『コリア評論』 第194号, 1978年 3月, 39쪽.

특별한 관계가 없으며, 또 스스로 기술하듯이 한반도 문제에 지식이 있었을
리도 없는 스즈키가 왜 초대장관에 임명되었는가 그 이유는 명확하지 않다.

외무성의 외국(특수한 사무, 독립성이 강한 사무를 담당하기 위해 설치된
기관)이었던 출입국관리청은 다음해 1951년에 입국관리청, 1952년 8월에는
법무성입국관리국이 되었지만, 스즈키는 입국관리청장관, 입국관리국장을 그
대로 맡았으며, 1954년에 잠시 농림성으로 옮긴 후 같은 해 9월에 퇴임했다.

그 동안 스즈키는 한반도 문제, 재일조선인 문제에 대해 열심히 배우게
되었다. 장관 취임 무렵의 기분을 스즈키는 다음과 같이 술회하고 있다.

> 나는 조선반도 땅을 한 번도 밟아 본 적이 없을 뿐만 아니라 전혀 조선반도
> 와는 인연이 없는 무지함 그 자체였던 관계로 서둘러 옛 친구며 지인들에게 조
> 선문제에 대한 지식을 부탁하였다. 그리하여 관념적으로는 아주 옛날부터 인접
> 한 이웃국가이면서 이렇게도 상호이해가 없었다는 것을 알게 되었다. 어떻게
> 해서라도 서로 손을 잡고 가야 한다. 그 길을 만들어 가는 일이야말로 내 일생
> 의 과업이라는 확신이 생겨났다.[9]

조선 문제에 힘쓰는 일이 '내 일생의 과업'이라고 생각하게 된 스즈키는
그때까지 관련이 없었던 출입국관리 업무를 4년에 걸쳐 계속했다. 외무성
의 입국관리청이 법무성의 입국관리국으로 바뀌었을 때 스즈키의 지위도
장관에서 국장으로 격하되었기 때문에 상식적으로는 사표를 내는 것이 당
연했지만 사직하지 않았다. 스즈키는 새로운 관청에 동요기 없도록 하려는
이유 외에 "조선 문제에 대해 열정이 있었기" 때문이라고 기술하고 있다.[10]

그 무렵의 스즈키를 『読売新聞』 1952년 9월 16일자의 '오늘의 인물'란에는
다음과 같이 소개하였다.

---

 9) 위의 글, 39쪽. 또한 鈴木一, 「日韓親和会と私」, 『親和』 第157号, 1966年 12月, 『こころ』, 210쪽
    도 참조.
10) 鈴木一, 「日韓親和会への情熱」, 『親和』 第100号, 1962年 3月, 『こころ』, 199쪽.

> 법무성 입국관리국장. 이곳은 외국인의 출입, 관리를 하는 관청인데 조선인
> 의 강제송환, 수용이 커다란 국내적, 국제적 정치문제가 되어왔기 때문에 이 업
> 무로 이름이 알려지게 되었다.
>
> 그는 『조선인 문제는 가장 가까운 이웃국가와의 관계이므로 감정론으로 접
> 근하기보다 장기적인 안목으로 해결책에 접근해야 한다』고 주장한다. 성격이
> 온화하고 인정이 많으며 성실한 스즈키의 인품을 알 수 있는 말이지만 내부에
> 서는 "속았다면 속은 후에 고치면 된다"고 마치 성서의 한 구절을 재현한듯한
> 모양새라고 비평하는 사람도 있다.

이 기사에 언급되어있는 입국관리국 내에서의 스즈키에 대한 비판적 평
가는 유학목적으로 '밀항'해 온 학생들에게 특별재류자격을 허가한 일과 연
관된 것으로 판단된다. 스즈키가 나중에 기술한 내용에 의하면 '밀항'해 온
한국유학생들에게 특별재류허가를 발급하는 일에 대해서는 내부에서 아주
강한 반대의견이 있었지만 이미 대학에 입학한 자에 대해서는 '기득권'으로
써 재류를 인정하기로 했다는 것이다.[11] 퇴임 후, 1954년 말에 수십 명의 한
국인 학생이 개최한 송년회에 스즈키는 '주요 내빈'으로 초대되어 기념품과
함께 감사의 뜻을 전달받았다. 여기에는 "우리가 송환되지 않으면 안 되는
위법자였음에도 불구하고 현실의 법을 넘어 숭고한 인류의 이상과 도의에
입각하여 법 그 자체를 지양하고 우리에게 특별히 재류를 허가해 주신 당
시의 입국관리국장의 위대한 정신"에 "진심으로 감사의 뜻을 바치는 바입니
다"라고 기재되고 있었다.[12]

3) 조선 · 한국문제와의 관계

스즈키 하지메는 퇴임 후, 중앙경마회 부이사장이나 일본마술연맹회장
등을 역임했다. 1970년에는 잠시 도쿄곡물상품거래소 이사장에 취임해서 팥

---

11) 「日韓親和会10年を回顧して」(座談会), 『親和』 第100号, 1962年 3月, 129쪽.
12) 鈴木一, 「日韓のかけはし」, 『新和』 第16号, 1955年 2月, 『こころ』, 31~34쪽.

거래부정문제(중개인이 일반 곡물
투자가에게 손해를 입혔다고 해
서 사회문제가 된 사건)의 처리
에 착수했다. 이러한 일들은 학생
시절에   마술부원(馬術部員)이었
던 것, 전전 농림성 근무의 경력
이 있었던 것 등에 의한 것이다.
그러나 스즈키가 가장 힘쓴 일은
日韓親和会의 활동이었다고 해도
과언이 아니다. 이에 대해서는
나중에 기술하겠지만, 여기서는
한일의 역사적 관계에 대해서 스
즈키가 어떠한 인식을 가지고 있
었는지를 검토하고자 한다.

　한일회담, 한일기본조약에 대
한 스즈키의 인식은 일본과 한국
이 우호적인 관계를 구축하기 위
해서는 국교의 회복이 절대적으
로 필요하다는 것이었다. 그 점에
서는 자민당 정권의 입장에 가까

『朝日新聞』1965年 12月 11日 석간

웠지만 스즈키는 일본 정부가 식민지지배의 책임을 인정하지 않고 그에 대
한 청산에도 소극적인 태도를 지속적으로 취해온 것에 대해 비판적이었다.
　한일국교정상화 교섭이 일정부분 진전을 보인 1962년 시점에 스즈키는
"한국이 36년간의 일본통치라고 하는 이른바 한국 말소의 역사에 대해서 얼
마나 민족적 긍지에 상처받았는가, 그리고 이윽고 맞이한 한국 독립에 대해
서도 일본의 입장으로서 당연히 이루어져야 할 인사가 이루어지지 않았다
라고 하는 뜨거운 민족감정이 그 밑바탕에 엄연히 존재하고 있다. 이것을

전제하지 않는 한 한일회담은 공감대 형성이 어려울 것이다"[13]고 말하고, 식민지지배에 대해서 사죄해야 한다고 주장했다.

1965년에 외무대신 시이나 에쓰사부로(椎名悦三郎)가 방한했을 때 식민지지배의 문제를 언급한 것과 관련해서 스즈키는 "한국에서의 조약반대운동이 조약은 '굴욕적'인 것이다"라는 이유를 들고 있지만, 그것은 "36년간의 고통을 다시 당하는 것은 아닌가"라고 생각하기 때문인 것이라고 하면서 다음과 같이 기술하고 있다.

> 한국 측의 이러한 심리에 대해서 일본 측이 이에 대한 어떠한 응답도 20년간 제시하지 않았기 때문에 한국 사람들이 염려하는 것도 당연하다. 겨우 시이나 외무대신이 김포비행장에 내렸을 때, 과거 36년간의 불행한 시대에 대해서 깊이 반성한다고 하는 정도였다. 전후 20년 만에 패전의 폐허로부터 재건되어 일약 국제적인 국력을 갖춘 새로운 일본의 '선의'라는 것이 구체적으로 가시화되지 않은 것이 어떻게 하든 한국을 납득시킬 수 없는 최대의 원인이라고 나는 생각한다.[14]

이와 같이 스즈키는 일본 측이 식민지지배의 책임을 명확히 해야 한다고 주장했다. 한일회담에 대한 스즈키의 주장은 한일국교 정상화를 적극적으로 추진하는 진영 가운데서 특이한 것이었다고 할 수 있다.

스즈키는 1960년대에 세 차례 한국을 방문했다. 한일관계의 강화를 바라는 발언을 강하게 어필한다거나 박정희 정권의 농업정책을 높이 평가한다거나 하면서 군사정권하의 한국에 대해서 비판적인 견해를 기술하지는 않았다. 그 이유는 한국은 '외국'이라는 기본적인 인식으로부터 비판을 자제한 것이겠지만 무엇보다 일본과 한국의 우호관계를 구축해야 한다는 생각 때문이었다.

---

13) 鈴木一,「大詰めの日韓会談に期待する」, 『親和』 第106号, 1962年 9月, 『こころ』, 147쪽.
14) 鈴木一,「日本の善意」, 『親和』 第142号, 1965年 9月, 『こころ』, 52쪽. 같은 취지의 글로서 「韓国のこころ」, 『親和』 第145号, 1965年 12月, 『こころ』, 53~58쪽.

3. 日韓親和会의 결성과 활동

1) 결성의 경위와 중심 인물

日韓親和会는 1952년 6월 26일에 도쿄에서 조직되었다. 전년 1951년 12월에 한일회담 일본 측 전권대사였던 마쓰모토 슌이치(松本俊一)를 격려하기 위한 간담회15)가 열렸을 때, 시모무라 히로시(下村宏)나 마루야마 쓰루키치(丸山鶴吉) 등 조선 관련 지식인 50여 명이 모였는데 그 자리에서 "대 한국 외교의 추진, 여론의 올바른 계도를 위해", "확고한 친화단체가 필요하다"라고 해서 출석자의 의견이 일치하였고, 그 후 시모무라 히로시, 시부야 게조(渋谷敬三), 오타 다메키치(大田為吉), 마루야마 쓰루키치(丸山鶴吉), 후나다 교지(船田享二) 등 5명이 발기인 대표가 되어 日韓親和会 결성 취지서가 만들어졌다. 취지서에는 패전 후 일본에서 여러 조선 관계단체가 결성되고 연구가 이루어졌는데, "정치적, 경제적, 학술적으로 여러 연구나 조사를 집대성하고 혹은 종합 아니면 연결함으로써 그 노력을 보다 효과적으로 만들어 가려는 희망도 점차 높아졌다"고 하면서 "그에 부응할 수 있는 조직으로서 日韓親和会의 결성을 요청한다"고 되어있다.16)

1952년 6월 26일에 열린 日韓親和会 결성의 모임에서는 입국관리청장관 스즈키 하지메나 외무성 아시아국 제2과장 우시로쿠 도시오(後宮俊郎)도 출석했고, 문부성, 후생성, 국가경찰의 각 관계자가 재일조선인문제에 대해서 설명을 했다고 한다.17) 정부의 각 관청과 밀접한 관계를 가진 단체로서 조직되었다는 것을 알 수 있다. 회장에는 시모무라 히로시, 부회장에 시부야 게조와 오타 다메키치가 선출되었으며, 전무이사에 후나다 교지, 이사에 마

---

15) 이 간담회 자체, 스즈키 하지메가 「추진적 역할」을 하여 개최되었다고 한다. 三木治夫, 「『親和』百号を顧みて」, 『親和』第100号, 1962年 3月, 18쪽.

16) (無署名)「日韓親和会の結成まで」, 『親和』第1号, 1953年 11月, 21쪽.

17) 위와 같음.

루야마 쓰루키치, 호즈미 신로쿠로(穗積真六郎), 쓰치다 유타카(土田豊)가 취임했다. 결성 때부터 스즈키는 日韓親和会에 깊이 관여했다고 보여지지만, 입국관리청장관의 지위에 있었기 때문에 이사에는 포함되지 않았다.

日韓親和会는 조선관계의 단체였던 同和協会(후에 中央日韓協会)나 友邦協会와 달리 식민지 시절에 조선에 거주·근무한 적이 있는 인물이 적다는 특징이 있었다.[18)]

회장인 시모무라 히로시는 체신성 관료였던 1915년에 대만총독부의 민정장관(후에 총무장관)으로 취임하였고, 식민지정책에 관계하게 되었다. 그 후 아사히신문사 부사장, 귀족원의원 등을 거쳐 45년에 스즈키 간타로 내각에서는 국무대신(내각정보국 총재)으로 취임했다.

부회장인 시부야 게조는 실업가 시부야 에이치의 손자로 일본은행 총재 등을 역임함과 동시에 사설 박물관인 'Attic Museum'을 만들어 민속학의 진흥에 노력했다. 민속조사를 위해서 조선을 방문한 적은 있지만, 조선과의 관계는 그다지 깊지 않았다. 같은 부회장인 오타 다메키치는 1930년대 초에 주 소련대사를 역임한 적이 있는 외교관이지만, 조선 문제와의 특별한 관계는 없었다고 생각된다.

그러나 전무이사나 이사에는 조선과 관계가 깊은 인물이 몇 명 자리잡고 있었다. 후나다 교지, 마루야마 쓰루키치, 호즈미 신로쿠로 등 3명이다. 마루야마 쓰루키치와 호즈미 신로쿠로는 조선 관계자로서 잘 알려진 인물이다. 마루야마는 내무관료로서 1920년대에 조선총독부경무국장을 지냈으며, 일본에서는 경시청장관, 귀족원의원 등을 역임했다. 전전부터 조선에 정통한 관료, 정치가로서 알려진 인물이다. 호즈미는 조선총독부식산국장을 지냈으며, 전후에는 중앙일한협회부회장, 참의원의원으로서 조선 관계자들

---

18) 同和協会·中央日韓協会에 관해서는 다음의 논문이 있다. 정병욱, 「조선총독부 관료의 일본 귀환 후 활동과 한일교섭-1950, 60년대 同和協會·中央日韓協會를 중심으로-」, 『역사문제연구』 14, 2005; 노기영, 「해방 후 일본인의 귀환(歸還)과 중앙일한협회」, 『한일민족문제연구』 10, 2006.

사이에서 강한 영향력을 가진 인물이다.

마루야마나 호즈미 이상으로 日韓親和会에 중요한 역할을 담당한 인물은 전무이사인 후나다 교지이다. 후나다는 전전에 경성제국대학 법문학부교수(로마법)를 지냈으며, 전후에는 고향인 도치기현(栃木県) 선출의 중의원의원(국민협동당 소속)이 되었고, 1948년에 조각된 아시다(芦田) 내각에서는 국무대신(행정조사부총재, 후에 행정관리청장관)도 역임했다. 형인 후나다 나카(船田中)가 공직추방에서 해제되자 후나다 교지는 형에게 의석을 맡기는 형태로 1952년에 정계를 은퇴하고 우츠노미야시(宇都宮市)의 사쿠신학원(作新学院)의 이사장 겸 원장이 되었다. 정계 은퇴와 거의 동시에 日韓親和会의 결성에 가담하여 1970년에 사망하기까지 스즈키 하지메의 친한 친구로서 활동에 힘썼다.[19)

이와 같이 전무이사와 이사에 조선과 관계가 있는 인물이 있었다고 할 수 있지만, 中央日韓協会 등에 비하면 日韓親和会는 조선 연고자 단체의 성격이 약했다.

또한 日韓親和会라는 명칭에서는 일본과 한국의 우호관계를 촉진한다, 즉 한반도 북부와의 관계는 안중에 없다는 인상을 받지만, 이에 관해서 스즈키

---

19) 결성 당시의 日韓親和会의 사무소는 東京都 港区 青山南町의 후나다 교지의 자택에 설치되었다. 그 후 두 번 이전한 후 1959년부터는 千代田区神田猿楽町의 한국기독교청년회관 내에 사무실을 빌려 해산 때까지 사무소로 사용했다.(「日韓親和会・연혁과 사업(개요)」, 『親和』第200号, 1970年 8月, 13쪽). 후나다 교지의 경력은 作新学院編集・発行, 『百年誌』, 1985年, 471~488쪽 참조. 후나다 교지는 경성제국대학 시절부터 조선총독부의 정책에 대해 비판적인 의견을 가지고 있었다고 한다. 후나다 자신의 기술에 의하면 총독부가 시행하는 일본어보급, 신사참배, 창씨개명 등의 정책은 조선인의 입장을 고려하지 않은 독선적인 정책이었으며, 조선인의 반발을 야기할 뿐이라고 생각했다고 한다.(船田享二, 「政治家と知性」, 『文芸春秋』1947年 5月号, 18~20쪽). 후나다는 마르크스주의에 대해서는 비판적이었지만, "조선인학생이 조선의 독립을 주장하는 것은 당연하다고 생각했다. (중략) 일본의 입장으로서는 가능한 한 조속히 조선의 자치를 인정하고, 이어서 독립을 인정한다는 것처럼 단계적으로 평온하게 진행하는 것이 바람직하다고 생각했다", 그래서 총독 미나미 지로로부터는 독립운동에 찬성하는 인물로서 지목되었다고 한다.(船田享二, 「韓国とわたし(3)」, 『親和』第196号, 1970年 3月, 4~5쪽). 후나다 자신이 기술한 것이 모두 사실인지 어떤지는 확인할 방법이 없지만 리버럴한 입장에서 식민지지배의 부당함을 인식한 것은 확실하다. 그러한 입장은 日韓親和会에 있어서도 계속되었으며, 그 점에서 스즈키에 가까운 입장에 있었다고 할 수 있다.

는 나중에 "그 당시 생각한 日韓의 '韓'은 반드시 사상적으로는 지금의 한국에 한정한 것은 아닙니다. 왜냐하면 일본의 한국문제라는 것은 대 조선 문제, 한반도 전체를 대상으로 한 문제이며, 남쪽만 한정한 것은 아닙니다. 그 때문에 그 당시 日韓親和会의 '韓'은 전체를 아우르는 의미에서 붙였습니다"라고 말한다.[20]

2) 日韓親和会와 스즈키 하지메

스즈키 하지메가 이사에 가담한 것은 1954년 8월에 농림성 퇴임 직전의 일이다. 그 후 1956년 11월에 후나다 교지의 뒤를 이어서 전무이사가 되었고, 1961년부터는 부회장을 지냈다. 회장은 시모무라 히로시(1952~1956년)에서 후나다 나카(1958~1959년), 시부사와 게조(1961~1963년)로 바뀌었는데 시부사와의 사망 후, 1964년에는 스즈키 자신이 회장에 취임했다.

1966년 10월에 日韓親和会는 사단법인 허가를 얻었다. 그 당시 사단법인 설립 취지서에는 다음과 같이 기술되어 있다.

> 한일조약은 이윽고 발효되게 되었다. 여기에 그 (日韓親和会의) 역사적 사명을 한층 발전시키기 위해 친화회는 사단법인으로서의 허가를 취득하였으며, 앞서 기술한 바와 같이 한일문화 교류 사업을 중심으로 해서 두 민족의 많은 상호이해와 친화운동을 전개해서 아시아의 평화와 번영, 나아가서는 세계평화와 인류문화의 향상에 기여하려는 것이다.[21]

결성 무렵의 취지서에는 없었던 '한일문화교류' '두 민족의 상호이해' '세계평화' '인류문화의 향상' 등의 말이 포함된 것에 회장 스즈키의 뜻이 강하게 반영되었다고 할 수 있다.

취지서에는 중점 사업으로서 잡지 『親和』의 간행, 한일문화인의 초청교

---

20) 「日韓親和会10年を回顧して」(座談会), 『親和』 第100号, 1962年 3月, 125쪽.
21) 「日韓親和会法人許可の経過報告」, 『親和』 第157号, 1966年 12月, 6쪽.

류, 강좌·강연회의 개최, 한일도서 출판, '재일한인을 위한 상담소 개설' 등
을 제시하고 있다. 또 정관에서도 목적에 "한일 양 민족의 상호이해를 높이
며 우호친선의 결실을 거두어 나아가 세계의 평화와 인류문화의 향상에 기
여할 것"을 제시하고 있다. 특히 주목할 만한 것은 사업으로서 '재일한인의
민생의 안정, 향상에 관한 것'을 들고 있는 것이다.

사단법인이 되었을 당시의 日韓親和会의 임원은 다음과 같다.[22]

    회 장 : 스즈키 하지메
    부회장 : 우에무라 겐타로(上村健太郎, 전 내무관료, 초대 항공막료장)
    이 사 : 안도 도요로쿠(安藤豊禄, 오노다시멘트 전 사장), 에도 히데오(江戸英
        雄, 미쓰이부동산 사장), 오노 신조(大野信三), 기미지마 이치로(君島一
        郎, 전 조선은행 부총장), 사와다 렌조(沢田廉三, 전 외교관, 한일회담
        수석대표), 쓰치다 유타카(土田豊, 전 외교관), 후쿠시마 신타로(福島慎
        太郎), 후나다 교지, 후루타 죠지(古田常司, 日韓親和会 사무국장), 유
        아사 가쓰에(湯浅克衛, 작가)

이 단계에서도 조선 연고자라고 할 수 있는 인물은 안도 도요로쿠, 기미
지마 이치로, 후나다 교지, 후루타 죠지, 유아사 가쓰에 정도이다. 또 결성
무렵부터 친화회에 가담한 인물은 스즈키 하지메, 후나다 교지 외에는 쓰치
다 유타카, 후루타 죠지가 있을 뿐이다. 조선 연고자가 적었던 것은 日韓親
和会에 있어서 스즈키 등이 연고에 연연하지 않고 자유롭게 발언할 수 있는
조건이 되었을지 모른다.

3) 日韓親和会의 활동과 잡지『親和』

日韓親和会의 주된 활동은 1960년대 전반까지는 강연회나 좌담회의 개최
등이었다. 좌담회에는 정치가나 관료 외에 유아사 가쓰에(湯淺克衛, 작가),

---

22) 주 8의 鈴木一, 「日韓親和会25年の歩み」, 45쪽.

가토 쇼린진(加藤松林人, 화가) 등의 문화인이나 김소운, 김희명, 김을한, 조
영주, 권일, 김삼규 등의 한국인이 초청되어 스즈키 하지메나 후나다 교지
등과 여러 가지 문제에 대해 논의하였다. 이들 좌담회·대담의 기록은 잡지
『親和』에 게재되는 것이 통례였는데 많은 참가자를 모으는 강연회·집회는
거의 열지 않았다.

정치적 활동으로서는 한일회담을 적극적으로 추진할 입장에서 한일 양
정부에 조기 타결을 촉구하는 등의 활동을 하였다. 예를 들면, 1961년 11월
에 박정희가 방미 도중에 일본에 들렀을 때, 日韓親和会는 日韓経済協会(회
장 우에무라 고고로(植村甲午郎)), 日韓友愛協会(회장 호시시마 니로(星島二
郎)) 등 5단체와 함께 한일 양정부에 한일회담의 타결과 조기 국교정상화를
요망하는 결의를 제출했다.[23]

한일기본조약이 체결되고, 스즈키가 회장에 취임한 1960년대 후반에는
日韓親和会는 한국어강좌, 한국 요리교실의 개설, 한국방문단의 파견(모두
1968년) 등의 활동에도 노력하였다. 출판물로서는 1965년에 崔南善著·相場
清訳『朝鮮常識問答』, 1973년에 金東俊『実用韓国語』를 간행하였다. 『朝鮮常
識問答』의 역자 아이바 기요시(相場清)는 조선총독부나 외무성의 경찰관으
로서 근무하였으며, 한국어에 능숙한 인물로 알려져 있다. 아이바는 『親和』
에 최남선의 저작 등의 번역을 실었는데 특별히 친화회와 깊은 관계가 있
었던 것은 아닌 것 같다.

日韓親和会의 활동 중에서 가장 중요한 것은 잡지 『親和』의 발행이었다.
1953년 11월에 기관지 『親和』 창간호가 발행되었다. 32쪽의 얇은 잡지이지
만, 1977년 10월의 제286호까지 24년에 걸쳐 매월 지속적으로 발행하였다.

창간 무렵의 『親和』에 스즈키의 이름은 보이지 않지만, 처음부터 스즈키
가 관계하고 있으며, 잡지 창간의 상담·협의는 '출입국관리청의 장관실'에
서 이루어졌다고 한다.[24]

---

23) 『読売新聞』 1961年 11月 11日 석간.

『親和』의 편집발행인은 당초 전무이사인 후나다 교지였지만, 실질적인 편집이나 그 외의 실무를 담당한 것은 사무국의 후루타 죠지(古田常司)와 가마타 노부코(鎌田信子)였다. 두 사람은 모두 전전에 조선에서 거주한 경험을 가지고 있는 인물이다.

후루타는 조선총독부 총독관방 외사과의 촉탁으로 1938년부터 1941년경까지 근무한 후, 경상남도 창녕군에서 농업에 종사하였는데 1944년에 경성 근교에서 재단법인 자동의숙(自東義塾)을 설립하였다. 그 목적은 "농촌의 중견청년이 될 만한 인물을 육성하기 위해 특히 기숙사 생활의 지도에 중점을 두어 농업교육사업을 행하기 위해 자동농사학교(自東農士学校)를 유지 경영한다"고 되어있다.[25] 농본주의적인 내셔널리스트였던 것 같다. 전후에 日韓親和会의 결성 직전에 스즈키와 알게 된 후루타는 친화회가 결성되자 간사・사무국장으로서 실무를 담당하게 되었다.

가마타 노부코는 조선총독부의 판사였던 가마타 가노우(鎌田叶)의 아내이다. 평양복심법원 예심판사, 평양예방구금위원회위원 등을 지낸 가마타는 일본의 패전 후, '사상사건'에 대해 구류처분을 내린 것이 문제가 되어 북한의 법정에서 징역 5년의 판결을 받고 평양인민교화소(형무소)에서 복역하였다. 노부코는 귀국 후, 같은 처지에 있는 여성들과 함께 '待ちわびる心の会'(기다리는 마음의 모임)를 결성하고, 남편들의 귀환 실현을 위한 운동을 전개하였다. 노부코는 '待ちわびる心の会'의 중심 멤버였다. 그러나 가노우는 한국전쟁으로 피난 중에 사망하였다는 것이 56년 4월 조선적십자회로부터 일본적십자사로 보내온 통보로 판명되었다.[26] 노부코는 '待ちわびる心の会'의 인연으로 조선 관계 단체와 네트워크가 만들어져 日韓親和会의

---

24) 「日韓親和会10年を回顧して」(座談会),『親和』100号, 1962年 3月, 125쪽.

25)『朝鮮総督府及所属官署職員録』, 1938年版;『朝鮮総督府官報』1944年 10月 19日.

26) 가마타 가노우・노부코에 대해서는 待ちわびる心の会,『待ちわびる心は消えず』, 同会発行, 1956 및 水野直樹,「思想検事たちの「戦中」と「戦後」－植民地支配と思想検事－」, 松田利彦・やまだあつし 編,『日本の朝鮮・台湾支配と植民地官僚』, 思文閣出版, 2009 참조.

업무도 지원하게 되었다고 한다. 후루타나 가마타의 도움을 받으면서 『親和』의 발행에 힘을 경주한 것은 역시 스즈키 하지메였다.

잡지 『親和』의 구독자에는 일반시민이나 재일한국인도 있었지만, 정치가·공무원 및 재계인, 그리고 조선 연고자가 많았다고 생각된다. 그러나 구독료만으로는 잡지를 유지할 수 없었기 때문에 스즈키가 경제계의 지인들에게 기부를 의뢰하기 위해 직접 찾아가는 경우가 많았다고 한다. 1977년 11월에 日韓親和会가 해산하고 『親和』도 폐간하게 된 것은 오일쇼크에 의한 경제계의 불황으로 '유력찬조회원'의 탈회나 구독자·광고주의 급감에 의한 것이었다.[27] 한국정부가 친화회에 원조를 자청했지만, 스즈키는 "이상주의로 시작한 일이니까"라고 하며 고사했다고 전해지고 있다.[28]

4) 가방면(가석방) 한국인 신원보증

그런데 초기의 日韓親和会는 아주 특이한 활동을 한다. 1955년에 오무라 수용소에서 가방면된 한국인 128명의 신원을 인계 받아 '보호'한다는 사업이다.

출입국관리령 제정 후에 강제퇴거 처분을 받은 사람의 인계에 관해서는 한국 정부가 거부한 관계로 한일 양 정부 간에 커다란 대립점이 되었다. 1955년이 되어 한일 양 정부 사이에 불법입국자에 대해서는 한국정부가 인계를 받고, '형벌법령 위반자'[29]에 대해서는 가방면(가석방)하는 것으로 양 정부 사이에서 합의가 이루어졌다. 이에 따라 가방면된 사람의 신원을 日韓親和会가 인계를 받고, 그에 대한 '보호'와 '갱생'을 담당하기로 되었다. 입국관리청장관·국장을 지낸 스즈키 하지메가 日韓親和会 이사였기 때문이다.

---

27) 주 8의 鈴木一, 「日韓親和会25年の歩み」, 38쪽.
28) 『読売新聞』 1977년 12월 9일 조간.
29) '형벌법령위반자'라는 것은 '종전 전까지 일본에 거주했던 한국인(수속위반자)'을 말하는 것이다.(座談会 「日韓親和会10年を回顧して」, 126쪽 유아사 가쓰에의 발언). 즉 외국인등록령위반으로 검거된 사람들이었다고 생각된다.

스즈키에 의하면 외무성·법무성은 신원 인계 기관으로서 日韓親和会가 가장 적당하다고 판단하여 '간청'했다고 한다.[30] 日韓親和会는 보호사업부를 설치하고, 1955년 2월부터 5월에 걸쳐 128명의 신원을 인계 받아 120명을 취직시켰으며, 생활보호를 받도록 하게 해서 생활의 안정을 도모하는 사업을 수행했다. 실제로 그 일에 관여했던 것은 후루타 죠지(古田常司)였다고 한다.[31]

실은, 이 보호사업을 日韓親和会가 수행하게 된 데는 그 나름의 배경이 있었다고 생각된다. 이로부터 3년 전 재일조선인의 강제송환문제가 화제가 되었을 때, 스즈키 하지메와 후나다 교지가 모두 강제송환에 반대의사를 표명했기 때문이다.

1952년 7월 25일에 간행된 잡지 『日本週報』 제215호에는 "조선인학살의 우를 범하지 마라"고 못 박고, 피의 메이데이 사건, 스이타(吹田) 사건, 오스(大須)사건 등의 '소요사건'이 연이어지는 것을 계기로 주장된 '불량 조선인'의 강제송환문제를 다루고 있다. 거기에 게재된 나카무라 도라타(中村寅太, 개진당)의 「일본에 불만이 있다면 조용히 사라져라」, 소네 에키(曾禰益, 우파사회당)의 「정치활동을 한다는 건 언어도단」이 조선인의 조건부 강제송환을 주장하는 한편, 하야시 햐쿠로(林百郎, 공산당)의 「요시다 정부와 경찰이야말로 폭도」는 재일조선인에 대한 탄압이야말로 문제라고 하고 있다.

그러한 가운데 후나다 교지는 「강제송환에 반대한다」고 하는 제목의 글을 써서 소요를 일으키는 조선인을 단속하는 것은 당연하지만, 강제송환을 한다고 하더라도 어디에, 어떻게 돌려보낼 것인가를 결정할 수 없다고 말한 후, 그렇게 된 근본적인 원인을 생각해야만 한다고 기술한다. "일본에 있는 조선인으로 어려움을 겪고 있는 사람을 한 사람이라도 더 구제하고, 한 사람이라도 더 일자리를 주어 일본인과 협력해서 일본과 조선을 부활시키고 발

30) 鈴木一, 「大村入国者収容所仮放免者に対する本会保護事業の概要」, 『親和』 第23号, 1955年 8月, 11쪽.
31) 三木治夫, 앞의 글, 21쪽.

전시킬 노력을 강구하는 것이 어떤가"라는 것이 후나다의 주장이었다.[32]

'입국관리청장관'의 직함으로 「재일조선인의 생태」라는 제목으로 글을 쓴 스즈키는 직책상의 이유에서인가 "이들 (일본의 국법)을 위반하고, 치안을 어지럽히는 악질자에 대해서는 선량한 사람을 보호할 의미에서도 적극적으로 강제송환의 방안을 강구하는 것은 당연"하다고 하면서도 재일조선인의 역사적 배경이나 생활실태를 생각하면 단속이나 강제송환만으로는 문제는 해결되지 않는다, '선량한 조선인에 대한 일본의 온정적인 생활안정책'이야말로 중요하다고 주장한다.[33]

후나다와 스즈키의 글은 온정주의를 우회적으로 표현하면서도 다른 논자들과는 달리 일본과 조선과의 역사적 관계를 고려하면서 '범죄'를 범한 재일조선인에게 강제송환의 처분을 내리는 것이 아니라 재일조선인의 생활의 안정을 도모해야 한다는 점에서 일맥상통한다.

강제송환에 반대한다는 입장을 분명히 한 스즈키와 후나다가 중심이 된 日韓親和会였기 때문에 정부 측은 가방면자의 '보호', '갱생'사업을 의뢰하게 된 것이라고 생각된다.

재일조선·한국인의 재류나 생활의 안정을 도모하는 구체적인 활동을 日韓親和会가 수행한 것은 이들 가방면자의 '보호' 사업뿐이지만, 이를 통해서 日韓親和会와 스즈키 하지메는 재일코리안의 문제에 적극적으로 관여하고 정책을 제언하는 자세를 한층 강화하였다고 사료된다.

---

32) 『日本週報』第215号, 22~27쪽.
33) 위의 책, 28~31쪽. 또 스즈키가 이 글을 쓴 것과 같은 시기인 1952년 7월 15일에 일본정부는 수상관저에서 치안관계관회의를 열었다. 수상 외에 법무상 등 관계대신, 검사총장, 국가경찰본부장관, 경찰예비대장관, 특심국장 등과 함께 입국관리청장관인 스즈키도 출석한 회의에서는 '불법활동을 한 조선인에 대한 조치'로서 '강제송환을 강행하기로 하고, 이에 대한 사전준비로서 송환자억류시설을 확대강화하고, 밀입국자가 아니더라도 한국 측이 받아들일 때까지는 집단구류도 시행한다'는 방침을 결정했다(『読売新聞』 1952년 7월 16日 朝刊). 스즈키가 회의에서 어떠한 의견을 피력했는가는 알 수 없지만, 『日本週報』에 기고한 글에는 정부의 결정에 이의를 제기했다고는 할 수 없지만 문제를 파악하는 방법에 있어서는 상당히 다른 것이었다고 할 수 있다.

4. 스즈키 하지메의 재일조선인정책론

1) 재일조선인정책의 제언

스즈키 하지메가 처음으로 재일조선인에 대한 정책을 제언한 것은 1953년 12월 입국관리국장 재직 중의 일이었다. 『親和』 제2호에 「재일조선인문제의 ABC」라는 글을 써서 "재일조선인의 문제는 우선 국적선택권의 문제로부터 출발해야 한다"고 주장했다. 영토귀속의 변경이 이루어질 경우 거기에 거주하는 인민에 대해 국적선택권을 부여하는 것이 통례임에도 불구하고 샌프란시스코 평화조약에서는 그 조항이 없다. 만약 평화조약에서 국제통례에 의한 국적선택권이 인정되었더라면 "재일조선인의 문제는 보다 명쾌한 양상으로 조치가 이루어졌을 것이다"라고 하면서 "이러한 생각을 기초하지 않고 단지 재일조선인은 평화조약으로 단번에 외국인이 되었다고 해서 모든 일을 외국인과 똑같이 한 치도 어김없이 법 적용을 하는 것은 가장 신중해야 할 일이라고 믿고 있다"고 논하고 있다.

더욱이 스즈키는 이 논고에서 재일조선인의 문제는 내정문제이며, 정부에 종합대책을 세울 부서를 설치할 것, '한국'계와 '북한'계를 구별해서 대응해서는 안 될 것, 외국인등록의 국적란에 '조선'

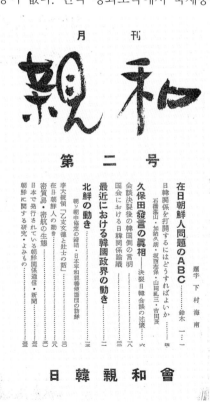

『親和』 제2号(1953年 12月) 표지

이라고 해서 "'조선'은 바로 북한계 즉 적색분자라는 삼단논법은 완전히 넌센스"라고 주장하고 있다.[34]

재일조선인에 국적선택권을 인정하자는 스즈키의 주장은 당시로서는 소수의견이었다. 다만, 샌프란시스코평화조약의 발효 시에 일본정부는 재일조선인의 일본국적 일제상실의 조치를 취했는데 이에 대해서는 제1차 한일회담이나 출입국관리령과의 관련으로 국적선택권을 인정하지 않는 정책의 부당성이 논의된 적이 있다. 대표적인 논문은 『朝鮮評論』(오사카의 조선인 문화협회 발행) 제3호(1952년 5월)에 게재된 오가타 쇼지(尾形昭次)의 「대일 강화발효와 재일조선인」이다. 오가타는 국제법의 원칙이나 일본의 식민지 지배로부터의 해방이 가진 의미 등에서 볼 때 재일조선인에게 국적선택의 자유가 인정되어야 한다고 주장한다. 오가타는 재일조선인이 일본국적을 선택한다는 선택지를 배제하지는 않지만, 중점을 두고 논의한 것은 한국 국적의 강제를 해서는 안 된다는 점이다. 오가타의 견해는 1951년 10월부터 시작된 제1차 한일회담에서 일본 국적의 상실 시기나 영주권을 인정할지 어떨지 등의 문제로 한일 양 정부는 의견의 차이를 보이면서도 '재일한인은 대한민국 국민이다', 즉 모든 재일조선인은 한국 국적으로 하는 것으로 합의했기 때문에 조선민주주의인민공화국을 지지하는 사람들이나 대한민국을 거부하는 사람들에게 있어서는 한국 국적을 강제하는 것이라고 해서 강한 비판이 있었다는 것에[35] 상응하는 것이었다. 즉 오가타의 주장에는 일본국적의 선택이라는 문제가 포함되어 있지 않았다.

이에 비하면 스즈키 하지메에 의한 국적선택권의 주장에는 선택지로서 일본 국적이 포함되어 있다는 점에 특징이 있다. 나중에 스즈키가 쓴 논고에 의하면 국적선택권을 인정하지 않는 것은 문제가 있다고 느낀 것은 입국관리청장관 시절이었다라고 한다.

---

34) 鈴木一, 「在日朝鮮人問題のABC」, 『親和』 第2号, 1953年 12月, 『こころ』, 60~66쪽.

35) 太田修, 「第1次日韓国交正常化交渉における在日朝鮮人の法的地位と処遇」, 『社会科学』 第44巻 第2号, 同志社大学人文科学研究所, 2014年 8月 참조.

내가 제1회 한일회담 때, 그것은 1951년 말이었다고 생각하는데 이미 한일양
국의 대표는 국적선택에 관한 국제통례를 무시하기로 의견 일치를 본 것처럼
보였다. 그때 누구 하나 이 점에 대해서 의문을 제기하는 사람이 없었다는 것
은 어떻게 된 일인가. 그 당시 나는 입국관리청의 일원이었기 때문에 의견을
개진하는 것은 불가능하였다.[36]

스즈키는 자신의 의견을 전혀 밝히지 않았던 것은 아니고, 위에 인용한 「재
일조선인문제의 ABC」에서 강화조약에 관한 일본 정부의 조치에 대해 비판
적인 의견을 기술하였다.

그러나, 스즈키가 계속해서 『親和』 제6호(1954년 4월)에 쓴 「일한외교타
결의 지름길」이라는 제목의 논고에서는 국적선택권의 주장이 자취를 감추
었다. 스즈키는 같은 논고를 「일한우호에의 지름길」이라는 제목으로 『朝日
新聞』(도쿄본사판) 4월 9일자의 '논단'란에도 투고했다. 두 논고 모두 '법무
성입국관리국장'의 직함이 사용되었다.

이 논고에서 스즈키는 한일회담이 진전되지 않아 특히 어려움을 겪고 있
는 것은 "대한해협을 사이에 둔 채 생활의 기반을 가진 이른바 재일조선인
60만 명이다"고 기술한 후, 외교문제를 떠나서 일본의 내정문제로서 '과거
우리 동포였던 재일조선인에 대한 종합대책'을 세워야 한다고 주장한다. 그
'종합대책'은 "평화헌법을 가진 일본정부가 세계의 여론에 부응할 만한 인도
주의에 입각한 것이어야 한다"고 하면서 구체적으로 다음의 8항목을 제안
했다.

귀화조건을 완화하고 점차 귀화를 촉진할 것[37]
한반도로부터의 가족 초청의 완화
생활안정책으로서의 중소기업금융조직의 강화

---

36) 鈴木一, 「日韓会談に望む－国籍選択の自由を与えよ－」, 『コリア評論』 第2巻 第3号, 1958年 2
月, 21쪽.
37) 『朝日新聞』에 게재된 「日韓友好の近道」에서는 '귀화조건을 완화해서 간편히 귀화를 촉진할
것'이라고 되어 있다.

취로 및 직업지도의 적극화, 적어도 일본인 수준의 대우를 요구할 것[38]
생활보호의 적극화와 정상화
자녀교육문제로서의 일본 학교제도의 적극화와 정상화[39]
일본으로의 유학생제도의 개시
추방명령을 받고 오무라수용소에 장기 수용되어있는 사람의 석방

이와 같은 대책을 종합적이고 일관성 있게 실행하는 것이 필요하며, 이를 위해서는 민간 지식인의 의견도 청취하는 관민의 위원회·심의회를 설치해야 한다고 논하고 있다.[40]

스즈키의 이러한 제안은 신문에도 게재되었기 때문에 커다란 반향이 있었던 것 같다. 『親和』의 다음 호에는 그 내용의 일부가 게재되어 있다.[41] 스즈키의 주장을 환영하고 또 숙고할 만한 것으로 생각한 사람들이 많았지만, 재일조선인(비민전계) 측에서는 '우리는 어디까지나 일본에 있어서 외국인이다'라는 입장에서 스즈키가 주장하는 8항목에 대해서 위화감도 표명되고 있다.

이 단계에서는 스즈키 자신도 아직 각각의 문제점을 깊이 검토한 것은 아니라고 생각된다. 귀화제도나 학교제도 등 기존의 방식을 인정한 상태에서의 재일조선인 정책에 그치고 있으며, 재일조선인이 찬성할 수 있는 정책은 아니었다고 할 수 밖에 없다. 앞서 발표한 「재일조선인문제의 ABC」에서 국적선택권을 주장했음에도 불구하고 여기에서는 '귀화촉진'의 주장으로 바뀐 것은 무슨 이유일까? 일본사회에서 쉽게 수용할 수 있는 방책을 선택한 것인지도 모르겠지만, 역사적 경위를 파악해서 재일조선인의 문제를 논한다는 점에서는 결코 충분한 것은 아니었다.

---

38) 『朝日新聞』에 게재된 글에는 '적어도' 이하가 생략되어 있다.
39) 『朝日新聞』에 게재된 글에는 '자녀교육문제로서의 일본학교의 이용을 적극화함과 동시에 정상화를 도모할 것'이라고 되어 있다.
40) 鈴木一, 「日韓外交妥結の道」, 『親和』第6号, 1954年 4月, 『こころ』, 66~70쪽.
41) 『親和』第7号, 1954年 5月, 31~33쪽.

2) 국적선택권의 주장과 재일조선인 정책론

1950년대 후반, 스즈키는 국적선택권에 대해 거듭 논하게 된다. 입국관리 국장이라는 직책을 떠나서 자유롭게 논할 수 있게 되었다는 것, 日韓親和会의 활동을 하면서 재일조선인문제에 대한 인식을 심화시켰다는 것이 이유일 것이다.

특히 1956년에는 국적선택권을 주장하는 논고를 잡지 『親和』에 연이어 발표했다. 먼저, 제21호(1956년 5월)에 「한일회담의 전망과 앞으로의 대책」을 기고하여 한일회담의 진전이 없다고 하더라도 "국내문제로서 처리할 수 있는 문제는 조속하고 대담하게 해결을 실시해야 한다"고 했으며, 재일조선인에 대한 종합대책을 수립할 것, 그 중에서도 가장 먼저 거론해야 할 문제는 국적 문제라고 논하고 있다.

> 요점은 평화조약이 규정하는 바는 조선의 독립을 승인할 뿐이기 때문에 일본에 거주하는 조선인들에게 국적선택의 여지를 부여한 후 납득하면 어느 쪽인가의 국적을 확정하는 것은 가장 인도적으로 인권을 존중한 조치가 아닐까? 원래 국적선택의 수속은 일본의 국내법으로 정하면 되는 것이다. 이에 대해서 한국 측의 국적법에 저촉되기 때문에 좋지 않다는 주장이 있다고 하더라도 현재 이미 귀화에 대해서는 일본의 국내법만으로 인정하고 있는 것과 크게 다를 바 없지 않는가.
>
> 재일조선인에게 평화조약발효일로 거슬러 올라가 국적선택권을 부여해야 한다. 이 제안이야말로 한일문제에 관한 가장 근본적인 것 중에 하나라고 믿는다.[42]

이 논고에서 스즈키는 "이 관문(국적선택)을 뚫고 스스로 한국국적을 선택한 사람들에게야 말로 비로소 출입국관리령의 적용은 타당하게 되는 것이다"고 논하며, 강제송환의 여지를 남기는 한편 영주권에 대해서는 언급하지 않았다. 이 점에서는 문제를 남긴 주장이라고 할 수 있다.

그러나 그 후에 발표한 논고에서는 국적선택권을 인정할 것과 함께 일본

국적을 선택하지 않은 사람에게도 영주권을 인정해야 한다는 것을 명확히 주장하게 된다.

1950년 후반에 스즈키가 발표한 논고 중에 국적선택권의 문제를 포함해서 재일조선인 정책론으로서 가장 주목되는 것은 『親和』 제36호(1956년 10월)에 게재한 「재일조선인문제에 대해서」이다. '연구용 소재로서 작성한 개인적인 안'이라고 하는 부연설명이 기재되어 있지만, 이 시기의 스즈키의 주장을 정리한 내용으로 되어 있다. 1956년 9월 27일에 日韓親和会가 주최하고 외무성, 법무성 등 일본정부관계자, 신문·텔레비전과 같은 미디어 관계자 등 약 40명이 출석한 한일문제간담회에서 스즈키는 조선인문제에 대한 자신의 주장을 피력하였는데 그 근간이 된 것이 이 '개인적인 안'이었다. 그 내용은 "일부 신문에도 발표되었다"고 되어 있지만, 어느 신문에 게재되었는가는 확인되지 않는다. 「재일조선인문제에 대해서」는 다음과 같은 문장으로 시작된다.

> 재일조선인문제는 정부가 종전 후 11년간 방치했기 때문에 한일회담에서 해결을 보기에는 어떻게 할 수 없을 만큼 문제의 뿌리가 깊어졌다. 재일조선인은 일본사회의 하나의 구성요소로서 화합물질처럼 일본사회에 녹아있는데 이제와서 이들을 일본국민과 다른 처우를 하는 것은 거의 불가능한 면이 많으며, 비인도적이라고 조차 생각될 지경까지 이르렀다.

이와 같은 인식을 바탕으로 스즈키는 구체적인 조치로서 다음의 6항목을 제안하였다.

1. 재일조선인 종합대책의 입안실시를 위한 담당기관을 설치할 것
2. 전전부터의 재류자는 국적선택의 부여
3. 일본국적을 선택하지 않는 사람에게 영주자격 부여
4. 조련재산매각수입금에 의한 재일학생의 육영
5. 특수은행의 설립
6. 재일조선인문제해결의 중앙단체 강화를 요망한다

이들 항목 하나하나에 대해서 스즈키는 부가설명을 하고 있다. 국적선택권의 부여에 대한 스즈키의 설명은 이미 소개했기 때문에 생략한다.

1의 '종합대책의 입안실시'를 위한 정부기관설치라는 것은 정부에 재일조선인에 대한 종합대책이 없고 책임담당기관도 없는 것이 국회에서도 지적되어 정부 측도 그 필요성을 인정하는 답변이 이루어졌으면서도 방치되어 온 것이라고 스즈키는 언급하고 있다.

3의 '영주자격의 부여'는 그때까지 스즈키가 별로 논하지 않았던 점이다. 입국관리령이 외국인에게 적용되었을 때 전전부터의 재류자와 평화조약 발효까지 때어난 그 자녀에게는 "다른 법률로 규정되기 전까지 재류자격이 없더라도 계속해서 재류할 수 있다"라고 되어 있으며, 평화조약 발효 후에 태어난 자녀에게는 3년마다 재류자격을 부여하고 있는 실정이지만, 이것은 그들을 '불안정한 상태'로 두는 것으로 "양 민족을 위해서 우려스럽다"라고 하며 전전부터의 재류자와 그 자손 모두에게 영주자격을 인정해야 한다고 하고 있다. 국적선택권을 인정했다고 하더라도 일본 국적을 선택하지 않는 사람의 재류자격을 명확히 함으로써 교육이나 취로 등의 면에서 생활을 안정시키는 것이 필요하다는 것이 스즈키의 주장이었다.

4의 '조련재산매각수입금'의 문제는 이 논고에서 스즈키가 처음으로 언급한 것이다. 스즈키에 의하면 1949년 9월에 재일본조선인연맹에 해산명령이 하달되어 그 재산이 몰수된 후, 같은 해 11월 10일에 각의양해사항으로서 조련재산의 매각수입금은 '조선인의 복리 후생'에 활용할 것을 정하고, 더욱이 1951년 1월 4일의 법무총재담화에서 '재일조선인 자제의 교육과 재일조선인의 복리후생을 위해 사용할 것을 정했다'고 하고 있음에도 불구하고 실행되지 않고 있으며, "이를 그대로 방치하는 것은 일본의 도의심이 허락하지 않는 일이다"고 호소하였다. 일본육영회에 수입금을 위탁하여 재일학생의 육영에 사용하도록 하자는 것이 스즈키의 주장이다.[43]

---

43) 스즈키가 언급하고 있는 1949년 11월의 각의양해사항에 대해서는 현시점에서는 확인이 안 되

　5의 '특수은행'은 일반은행의 신용을 얻기가 어려운 재일조선인을 위해서는 현재의 신용금고로는 불충분하기 때문에 특수은행을 설립하자는 것이다. 스즈키는 '재일조선인과 합작의 특수은행'이라고 자리매김하고 있으며, 일반은행 혹은 정부기관과 재일조선인신용금고의 '합작'을 염두에 둔 것 같다.

　6의 '중앙단체의 강화'는 정부의 기관과는 달리 일본 측의 민간단체가 필요하다는 주장이다. 日韓親和会 등의 조선관계자 단체를 통합강화 한다, 혹은 '반관반민의 대위원회'를 결성하고 여러 분야에서 지식인을 모아 재일조선인문제의 종합대책, 구체적인 조치를 연구 추진해야 한다는 것이다.[44]

　스즈키가 주창한 이와 같은 재일조선인정책론은 포괄적인 내용을 가짐과 동시에 관료경험자였던 만큼 일정 부분 실현가능성을 갖춘 것이었다고 할 수 있다. 물론 그것을 실현하기에는 정부의 결단이 필요했지만, 4의 '조련재산매각수입금' 문제처럼 정부가 약속했으면서 유야무야하고 있는 사안의 실행을 촉구하는 측면도 있으며, 나름대로 실현성이 있는 정책론이라고 평가할 수 있다.

　이 논고는 입국관리국국장 재직 중에 「재일조선인 문제의 ABC」에서 주장한 내용을 수정한 것으로 파악할 수 있다. 그 동안 스즈키는 재일조선인

지만, 이듬해 1950년 2월 20일의 각 성 차관회의에서는 법무부가 제출한 「조련 등의 재산의 처리 및 운용에 대해서」가 의제로 되어 있다. 그에 따르면 '조련 등의 해산에 따른 이들 각 단체의 재산은 국고에 귀속되어 정부의 관리 하에 두고, 이 재산들은 일본에 거주하는 조선인의 이익에 도움이 되도록 하는 것이 적당하다고 생각하는 바이다'라고 하여 약 3천만 엔을 '재일조선인학생의 장학자금'과 '재일조선인 자제의 조선어교육에 대한 원조금 또는 조선인 아동을 수용하는 공립학교의 임시설비비'로 활용하는 것으로 하고 있다(법무부, 「조련 등의 재산의 처리 및 활용에 대해서」, 국립공문서관소장행정문서 > 내각관방 > 내각총무관실관계 > 각의 · 사무차관 등 회의자료 > 제3차 요시다 내각 차관회의 자료철 · 쇼와25년 2월 중의 3). 또 1951년 1월 4일의 법무부총재담화라는 것은 1월 6일에 오하시(大橋) 총재가 오사카에서 말한 내용을 가리키는 것으로 생각된다. 『読売新聞』 1월 6일 석간에는 오하시가 '작년(재작년의 잘못) 9월에 해산한 조련의 재산은 순차적으로 매각해 왔지만 채무를 변제하면 약 5천만 엔 정도 남을 것으로 예상한다. 이중에 약 1500만 엔을 재일조선인의 복리후생을 위해, 3500만 엔을 재일조선인 자제의 교육을 위해 지출할 예정이다'고 말했다고 보도하고 있다. 『朝日新聞』 같은 해 1월 7일 조간도 거의 같은 내용의 오하시 담화를 게재하고 있다.

44) 鈴木一,「在日朝鮮人問題について」,『親和』第36号, 1956年 10月,『こころ』, 70~75쪽.

의 처한 상황에 대한 이해를 심화시키고 자신의 주장을 재검토한 결과를 '개인적인 안'으로 정리한 것이다. 스즈키는 그 후 재일조선인 정책론으로서 통합적인 내용의 논고를 쓰지 않았기 때문에 이 '개인적인 안'은 스즈키의 재일조선인 정책론의 도달점이었다고 평가할 수 있다.

3) 스즈키 하지메 · 후나다 교지의 국적선택권론

스즈키는 1950년대 후반에 발표한 논고에서 국적선택권을 반복해서 주장함과 동시에 구체적인 설명을 하고 있다. 일본 국적을 선택하지 않은 사람에게도 영주권을 인정한다고 하는 점에서는 일관된 주장을 하고 있다.[45]

그러나 국적선택의 방법에 대해서는 구체적인 의견을 갖지 않았던 것 같다. 조선인은 원래 일본 국적이었기 때문에 신청한 사람만을 한국 국적으로 한다고 기술하거나,[46] 혹은 일본 국적을 선택할까 말까로 한정해서 신고하도록 한다고 기술하기도 한다.[47] 전자의 방법으로는 한국 국적을 신청하지 않은 사람은 모두 일본 국적이 되어 버린다. 후자의 방법으로는 일본 국적을 선택하지 않은 사람은 한국적이나 조선적 어느 쪽인가가 되리라 생각된다.

이와 같이 스즈키의 국적선택권 주장은 세세한 부분까지 검토한 상태에서 주장된 것이었다고는 보기 어렵지만, 강화조약 발효에 의해 재일조선인은 일본국적을 상실했다는 일본정부의 견해에 문제제기를 한 몇 안 되는 논의로서 주목할 만한 것이다.

스즈키가 재일조선인에게 국적선택권을 부여하자고 주장한 근거로서는 다음의 3가지를 들 수 있다.

---

45) 「日韓交渉と国内施策」第43号, 1957年 5月, 『こころ』, 117쪽; 「在日朝鮮人の法的地位－出入国管理令の迷子を救う為に－」, 第51号, 1958年 1月, 『こころ』, 81~82쪽. 스즈키는 『コリア評論』에도 国籍選択権을 論한 文章을 発表하였다. 각주 36의 鈴木一, 「日韓会談に望む－国籍選択の自由を与えよ－」, 1958年 2月.

46) 「韓国政局の新展望」(座談会), 『親和』第32号, 1956年 6月, 17쪽.

47) 「在日朝鮮人問題について」, 『こころ』, 72쪽.

첫째, 스즈키가 반복해서 논하고 있듯이 영토의 귀속이 변경될 경우에는 그곳에 거주하는 주민에게 국적선택권을 인정하는 것이 국제통례라는 것이다.

둘째, 재일조선인은 일본에 의한 식민지지배의 결과로서 일본에 살게 된 사람들이며, 그 처우에 일본은 책임을 져야만 한다는 것이다.

셋째, 재일조선인의 6할이 일본 출생이며, 결혼한 사람의 2할은 배우자가 일본인이고, 거의 일본어만 사용할 수 있는 상태였다. 이미 '일본사회의 구성요소'가 되어 있다고 할 수 있는 것이다.[48]

국적선택권에 관한 스즈키의 주장을 요약한 논고가 『親和』 제63호(1959년 1월)에 권두언으로 게재되었다.

> 한 나라와 한 나라와의 관계는 외교문제이다.
> 한 나라가 둘로 분리될 경우의 문제는 외교문제가 아니다.
> 재일조선인문제는 외교 이전의 문제로서 신속히 국내적인 문제로 처리해야 한다.
> 재일조선인문제의 핵심은 그들로 하여금 자유롭게 국적을 선택하게 하는 것이다.
> 귀화를 위한 문을 활짝 여는 것은 행정방침으로 당장에라도 할 수 있다.
> 귀화를 희망하지 않는 전전부터 거주한 사람들에게는 곧바로 영주허가를 부여해도 좋다.
> 한반도로 언제 귀환하는가는, 그러나 외교적 해결을 기다리는 수밖에 없다.[49]

이와 같은 스즈키의 주장에 동조한 것은 친한 친구인 후나다 교지이다. 법학자인 후나다가 국적선택권을 인정하도록 논한 것은 스즈키에게 있어서 둘도 없는 지원이 되었으리라 생각된다.

후나다는 샌프란시스코 평화조약에서 영토귀속의 문제가 정해졌지만, 베르사이유 평화조약의 예에 비추어, 그와 같은 경우에는 "재일조선인에 해당

---

48) 각수 36의 鈴木一, 「日韓会談に望む-国籍選択の自由を与えよ-」, 1958年 2月, 17쪽 및 21쪽.
49) 『こころ』, 88~89쪽.

하는 사람들을 위해서는 국적선택권이 인정되는 것이 일반적이다"라고 하면서 다음과 같이 논하고 있다.

　　이번 평화조약에 그러한 규정이 없다고 해서 그것이 바로 국적선택권을 부정하는 것이라고 해석해야만 하는 것인지 어떤지. 더구나 재일조선인은 '평화조약의 규정에 근거해서' 당연히 일본국적을 상실한 것이라고 해야 할지 어떨지. 재일조선인은 자신들이 관여하지 않는 평화조약에 대한 일본정부의 해석만으로 평화조약의 효력발생과 함께 일본국적을 빼앗겨버린 현상태는 도저히 납득이 가지 않을 듯하다.[50]

　후나다는 같은 취지의 논고 「재일조선인 처우문제」를 『코리아 평론』 제2권 제1호(1958년 1월)에도 발표했다. 거기에는 "일본정부가 가능한 한 빠른 기회에 지금까지의 해석[평화조약에 대한 해석]에 대해서 반성하고 선택권이 있다는 입장을 취하고 그에 응하는 조치를 취해야 하며, 만약 그에 대한 의문이 있다면 입법적으로 선택권을 인정할 방법을 바라마지 않는다"고 하였다. 그리고 "물론 선택권을 인정한다는 것은 본인의 의사에 의해 일본 국적을 계속 가질 것인가 이탈할 것인가를 결정하는 것을 인정한다는 것이고, 굳이 무리하게 일본 국적을 계속 갖도록 하는 것이 아니다. 이탈을 바라는 사람에게는 이를 인정하면 되는 것이고, 이탈해서 한국인이 되고 게다가 일본에 영주를 희망하는 사람에게는 영주권을 허가하면 되는 것이다"고 기술하고 있다.

　더욱이 후나다는 재일조선인의 문제는 식민지지배의 역사와 분리할 수 없는 것으로 한일 외교교섭에 해결을 맡기는 것이 아니라 일본자신의 문제로서 해결해야만 하는 것이라고 주장하며 다음과 같이 논하고 있다.

　　재일조선인의 대부분은 일본의 조선통치에 의해 일본인이 되었으며, 일본인으로서 일본에서 계속 거주해 온 사람들이다. 그 사람들을 어떻게 대우할 것인

---

50) 船田享二, 「まず在日朝鮮人問題の解決につとめよう」, 『親和』 第51号, 1958年 1月, 14~15쪽.

가는 조선의 독립을 승인한 일본이 스스로 해결할 문제이다. [중략] 그럼에도 불구하고 모든 것을 한일회담에 맡겨서 외교교섭에 의해 해결하려고 하는 것은 결코 합리적인 태도라고는 할 수 없다.

후나다는 법학자다운 논리성이 있는 논고로 국적선택권을 인정해야 한다고 논하고 있는데, 역사적 배경이나 현실상황에 대한 이해는 스즈키의 논의와 일맥상통하는 것이었다. 국적선택권의 문제는 스즈키가 가장 먼저 제기를 하고 법학자인 후나다가 그에 동조한다는 양상으로 주장이 이루어졌다.

5. 맺음말

이상과 같이 1950년대 후반에 日韓親和会를 바탕으로 스즈키 하지메와 후나다 교지는 재일조선인에게 국적선택권을 인정하라고 거듭 주장하였다. 그러나 그들의 주장은 일본정부에도 또 재일조선인의 대다수에게도 받아들여진 적이 없다.

1960년대에 한일국교 정상화 교섭이 진전되자 스즈키는 국적선택권의 주장을 완화시켰다. 그 대신 주장하게 된 것은 재일조선인은 일본국적을 취득(귀화)하는 것이 좋다는 견해였다.

스즈키는 이미 1958년에 발표한 「재일조선인의 법적지위」에서, 정부가 국적선택권을 인정하는 결단을 하지 않는다면 '차선의 방책'으로서 "일본인이 되고 싶은 사람에게는 귀화를, 일본인이 되고 싶지 않은 사람에게는 영주권을 어느 쪽이든 조건 없이 부여해야 한다"고 논하고 있다.[51]

스즈키는 1963년 1월의 『親和』 제110호에 기고한 「다시 재일한인 60만의 종합대책을 제창한다」에서 "중요한 것은 일본에 안주를 희망하는 사람들이

---

51) 鈴木一, 「在日朝鮮人の法的地位」, 『こころ』, 82쪽.

취할 만한 가장 좋은 방법은 일본의 국적을 취득해서 당당히 일본의 국회에 진출하고, 일본사회를 위해 그리고 한민족을 위해 활약하는 것이다"고 논하였다.[52] 한일기본조약이 발효된 직후에도 스즈키는 다음과 같이 기술하였다.

> 재일한국인들에 대해 특히 부탁하고 싶은 것은 일본에 안주하고 싶은 사람은 하루라도 빨리 일본국적을 취득해서 당당히 한국이름을 사용하는 것이다. 그리고 선거권, 피선거권을 행사하여 일본의 국회에 한국명의 국회의원을 스스로의 손으로 한 사람이라도 많이 배출하는 것이다. 이것이야 말로 진정한 민족의식의 발로라고 나는 믿어 의심치 않는다.[53]

스즈키가 귀화론을 논하게 된 것은 한일회담에 있어서 국적문제를 포함하는 법적지위문제가 결정된 이상 국적선택권을 주장하는 것은 현실적인 의미가 없어졌다고 판단하였고, 오히려 일본국적의 취득에 의해 차별대우를 해소하고 '과거에 쌓아온 한일 양 민족의 우월감, 열등감'을 없애는 것이 중요하다고 생각했기 때문일 것이다.[54]

다만, 스즈키는 단순한 '귀화'가 아니라 일본 국적을 취득할 때에도 한국이름을 사용할 수 있도록 할 것, 일본인 스스로가 의식을 바꿔야 할 것, 일본사회나 재일조선인 사이에 존재하는 뿌리 깊은 혈통주의를 극복해야 한다는 것 등의 주장을 함께 펼쳤다.[55]

---

52) 『こころ』, 91~92쪽.
53) 鈴木一, 「日韓国交新発足の新春を迎えて」, 『親和』 第146号, 1966年 1月, 『こころ』, 162쪽.
54) 스즈키 자신이 기술한 바에 의하면 스즈키는 1962년에 일본을 방문한 김종필(중앙정보부장)을 만났을 때, '재일 60만의 사람들의 생활안정책'으로서 일본국적의 취득을 호소하였으며, '한국정부에 대해서도 한국인의 일본 국적 취득을 민족의 반역자가 된다는 지도를 하지 않도록' 촉구하였다고 한다.(「民族を越えて民族の上に」, 『親和』 第109号, 1962年 12月, 『こころ』, 152~153쪽). 여기서는 '일본국적취득의 문제, 즉 귀화의 문제'라고 기술하고 있기 때문에 국적선택권을 인정한다고 하는 방식이 아니라 귀화에 의한 국적취득을 전제로 하는 논의였다고 생각된다.
55) 『朝日新聞』(東京本社版) 1965년 12월 11일 석간의 「『日韓』これからの付合い/日韓親和会の鈴木会長に聞く」에서 스즈키는 다음과 같이 말하였다. 「일본에 사는 조선인에게 우선 이유 없는 열등감을 버리고 국제인으로시 조금 너 성장하기를 바란다. 일본에 영주하고 싶은 사람은 과

스즈키는 같은 시기에 일본 국적을 취득하지 않더라도 재일조선인에게는 참정권이 인정되어야 한다고 주장했다. 앞서 인용한 '다시 재일한인 60만의 종합대책을 제창한다'에서 영주자격을 가진 재일조선인에게 공직선거권을 부여해야 한다고 주장하고 있다.56)

스즈키는 참정권 문제도 혈통주의 비판의 문맥에서 파악하였다. 1973년에 쓴 논고에서는 '선거권이 필요하면 귀화해야 한다'는 의견을 비판하며, 혈통주의로 문제를 생각할 것이 아니라 "그 땅에서 태어난 사람은 그 땅의 국적을 취득한다는 소위 미국식의 속지주의에 의하는 것이 바람직한 것이 아닐까. 국적을 고집하는 것은 그다지 큰 문제는 아니라고 나는 생각한다"고 하였다. 이와 같이 혈통주의 사고를 비판한 후, "그러나 아무리 해도 한국인의 긍지를 잊기 어렵다는 사람에 대해서는 영주허가를 부여하는 이상은 선거권을 인정하고, 그 외 일본인에 준하는 모든 사회복지의 보호 등을 부여하더라도 문제가 없지 않는가. (중략) 일본 측에게 있어서 적어도 국적 문제를 고집할 일은 없는 것이다. 일본의 법제상 영주허가를 부여받은 사람은 공직피선거권을 제외한 일본인에 준하는 대우를 한다는 것을 정하면 되는 것이다"고 논하고 있다.57)

1960년대 전반부터 영주자격을 가진 재일조선인에게 선거권을 인정하자는 스즈키의 주장은 재일외국인의 참정권문제를 둘러싼 논의에 있어서 선구적인 의의를 가지는 것으로 평가할 수 있을 것이다.

감히 일본국적을 취득하면 어떨까. 조선인임을 감추기 위해 일본이름을 사용하는 정도라면 일본의 국적을 취득하고 당당히 한국이름을 사용하면 된다. 용기가 필요한 일이지만, 그렇게 하기 위해서는 일본인이 새로운 시대에 대응할 마음을 갖는 것이 선결문제라는 것은 말할 필요가 없다」.

56) 鈴木一, 「再び在日韓人60万人の総合対策を提唱する」, 『親和』 第110号, 1963年 1月, 『こころ』, 91쪽.

57) 鈴木一, 「在日韓国人に参政権を与えることの論理について」, 『親和』 第233号, 1973年 6月. 다만, 영주권자에게 피선거권을 인정하는 일은 부정적인 견해도 나타난다. 또 「영주권에 너무 집착하는 것은 지금의 소위 국제적인 감각에서 보면 약간 혈통주의로 치우쳐진 것이 아닌가 하는 생각이다」고 기술하며, 영주권이 아닌 일본국적 취득의 방향으로 진행해야 한다고 하고 있다. (鈴木一・玉城素, 「出入国管理体制の問題点」(対談), 『コリア評論』 第121号, 1971年 4月, 20쪽).

스즈키 하지메는 1993년 11월 19일에 사망하였다. 병치레다운 병치레를 한 적이 없으며, 전날까지 건강하게 활동했지만, 92세의 생일을 8일 앞둔 갑작스런 죽음이었다.

스즈키는 日韓親和會의 해산 후, 재일조선인문제에 대해 발언하는 일은 없었지만, 평생 지속적으로 관심을 가지고 있었다. 국적을 자유롭게 선택하도록 해야 한다는 주장도 변함없이 가지고 있었다.[58]

스즈키의 인식과 주장은 오늘날의 관점에서 보면 불충분한 점도 있으며, 또 무엇보다 많은 재일코리안의 생각이나 주장과는 큰 거리가 있는 것이었다. 그러나 한편으로 스즈키의 논의는 전후 일본정부가 재일조선인에 대해 취해 온 자세와 정책이 내포하는 문제점을 내비치는 거울이 되고 있었다. 그러한 의미에서 스즈키 하지메의 재일조선인 정책론, 특히 국적선택권론은 재평가될 가치가 있다고 생각된다.

■ 미즈노 나오키

---

58) 스즈키는 1991년에 발행된 『입관OB회 회보』 제40호의 설문조사('당신의 쇼와사에 대해서')에 대한 회답에 다음과 같이 서술하고 있다. '평화조약의 문제로 당연히 국적선택권이 있는 것으로서 외무성과 상의를 했는데 달레스 장관이 와서 조약이 복잡하게 될 것 같으니 빼기로 했다는 것입니다. 지금까지 재일한국인의 마음의 굴곡은 여기에서 기인한 것이다.'(25쪽)

〈보기(補記)〉

본 논문집필 후에 스즈키와 일한친화회의 문제를 논한 다음의 두 논문을 접하게 되었다.

다카야 사치(高谷 幸), 「追放と包摂の社会学－1950年代在留特別許可をめぐって」, 『アジア太平洋研究センター年報』 第11号, 大阪経済法科大学, 2014年 3月.

이영미(李英美), 「1950年代における日韓新和会「保護事業部」の仮放免事業－『親和』 を手がかりに－」, 『コリア研究』 第7号, 立命館大学, 2016.

두 논문 모두 일한친화회에 의한 가방면자보호사업을 일본정부의 출입국관리정책, 특히 재일조선인의 한국으로의 강제송환정책의 일환으로 자리매김하려고 한 것이다. 다카야의 논문에서는 친화회의 보호사업은 '밀입국자'의 송환을 재개하기 위한 것이며, '추방을 위한 포섭'이라는 권력을 행사하게 하는 역할을 지닌 것으로서 부정적인 평가를 내리고 있다. 이영미의 논문은 친화회가 가방면의 신원보증인이 됨으로써 송환대상자의 석방이 치안상의 문제가 없다는 것을 증명했다면서 이 문제가 일한교섭의 수단으로 이용된 것, 그리고 수용자와 석방자의 경계를 구축하는 것이었다고 지적했으며, 다카야의 논문에 가까운 평가를 내리고 있다.

필자는 다카야의 논문, 이영미의 논문에 의한 일한친화회의 보호사업의 역사적 자리매김에 반론이 있는 것은 아니지만, 그로 인해 스즈키 하지메의 재일조선인정책론의 선구적 의의를 경시해서는 안 된다고 생각한다.

일본국회에 있어서 재일조선인문제
－1965~2015년 · 중의원예산위원회의 분석－

1. 과제의 설정

재일조선인[1]의 권리나 처우의 개선 · 회복, 사회적 차별의 근절을 위한 노력은 오랫동안 다양한 형태로 지속되어 왔다. 그러한 활동의 전개에 있어서 시민사회의 임의의 활동, 지방공공단체의 노력 등과 함께 국정차원에서의 법률의 정비 · 개정이나 행정정책의 전개가 중요하다. 그리고 이 점에 대해서는, 국회에서 논의되고, 그 논의에서는 질문하는 의원이나 정부 측의 답변에 있어서 문제에 대한 인식이 나타난다. 물론, 현실적으로 중요성을 가지고 있는 질문, 더욱이 그것이 시민사회에 있어서 일정부분 관심 사안이었더라도 국회에서는 거의 거론되지 않는 경우도 있다. 그러나 그것은 그 나름대로 일본의 인식의 양상을 나타내는 것이다. 따라서, 재일조선인문제가 일본사회에 있어서 어떻게 인식되어 왔는가를 파악하기 위해서는 일본

---

1) 이 글에서 지칭하는 재일조선인은, 조선적에 국한하지 않고 식민지시기의 역사에 기인해서 일본으로 건너온 사람들과 그 자손으로, 현재도 일본에 거주하면서 일본인과 구별되어 사회적인 차별을 받고 있는 존재로서의 코리안 총체를 가리킨다.

국회에서의 논의도 중요한 사료가 된다.

이러한 의미에서 본고에서는 일본국회의 의사록을 조사하고, 그 조사에서 나타나는 재일조선인에 관련한 논의의 경향과 특징에 대해 논하고자 한다. 다만, 일본국회의 의사록은, 현행헌법 하에 있는 것만을 보더라도 참의원·중의원의 각각의 본회의, 각 위원회의 의사록 등으로 상당히 양이 많다. 그래서 본고에서는 시기적으로는 한일조약이 체결되고, 재일조선인의 법적지위나 처우를 둘러싼 문제에 관심을 가지게 된 1965년 1월 이후 2015년 9월까지, 대상으로 하는 회의는, 국정의 모든 문제를 다루고, 관심도도 높은 중의원예산위원회에 한정한다.

또한 국회의사록에 있어서 재일조선인에 관한 논의를 취사선택함에 있어서는 다음과 같은 방법을 채용하였다. 즉, 국회회의록 검색 시스템[2]에서 키워드로 '朝鮮人'·'韓国人'·'第三国人'으로 검색된 것을 조사하고 논의의 내용에서 그것이 재일조선인에게 주로 초점을 맞춘 논의라고 판단할 수 있는 것을 선택하였다(이 때, 위원장 등이 단지 심의경과를 위한 보고로서 '재일조선인의 처우에 대한 질문이 있었습니다'는 정도로 언급된 경우, 사할린잔류조선인문제나 조선인전시동원 등에 대한 역사문제 일반에 대해 언급한 것으로 재일조선인과의 관계를 특히 강조하지 않은 것은 제외하였다). 물론 이외에도 예를 들면 '在日の人びと'라고 하는 용어를 사용하면서 재일조선인 문제를 논하고 있는 질의가 국회 의사록에 존재할 가능성은 있다. 그러나 그러한 것으로부터 발생하는 착오는 다소 있더라도 대략의 경향은 파악할 수 있다고 판단하고 분석하고자 한다.

---

2) http://kokkai.ndl.go.jp

2. 수량으로 본 경향

먼저, 재일조선인에 대해 논한 건수에 착안해서 시기나 질문자의 소속정당 등의 관계에서 경향을 파악해 보자. 건수에 대해서는, 같은 의원 혹은 같은 정부위원 등에 의한 같은 날 위원회에서의 발언은 1건으로 간주한다 (예: X월 X일 위원회에서 질문자 A의 질문에 대해 정부위원 B가 우선 답변하고, 그것을 받아들여 A가 다시 발언하고, B가 재차 답변한 경우도 A 2건, B 2건이 아니라 A 1건, B 1건으로 본다).

앞서 기술하였듯이, 선택된 357건의 추이에 대해 살펴보면, 1960년대 후반, 1970년대에 있어서는 1977년을 예외로 하고 매년 10건 이하이며, 이후의 시기와 비교해 소수에 그치고 있다. 특히, 1970년대 전반은 현저하게 적다. 이 시기는 한일양국 정부에 의한 이른바 법적지위협정(정식명칭은 「일본국에 거주하는 대한민국국민의 법적지위 및 대우에 관한 일본국과 대한민국 간의 협정」)체결, 법적지위협정에 기초한 영주권의 신청이나 그와 관련된 제반의 문제, 출입국관리법안의 상정, 히타치 취직차별투쟁[3])의 전개 등 재류권이나 처우에 관한 법적 조건, 의식변화나 운동의 양상에도 변화를 보인 시기이다. 그러나 그러한 상황의 변화에 국회의원이 민감하게 반응해서 재일조선인 문제를 거론한 것이 아니었다는 것을 여기서 엿볼 수 있다.

그러나 1980년대가 되면, 재일조선인에 관한 질의는 증가하는 경향을 나타낸다. 1980년, 1981년, 1983년~1986년에 걸쳐 매년 건수로는 10건을 넘고 있다. 같은 시기에는 사회보장제도에서의 국적조항의 철폐, 외국인등록법에 있어서 지문날인제도 폐지를 요구하는 운동이 활발히 전개되었고, 다음에 기술하는 바와 같이, 그것과 관련한 질의가 증가했다. 다만, 1987년에 0건,

---

3) 1970년에 히타치제작소에 채용이 내정되어있던 재일조선인 청년이 자신의 국적을 밝힌 후 채용이 취소되었다. 그 결정의 철회를 요구하며 소송을 걸고 히타치제작소와 교섭을 진행한 투쟁이 히타치취직차별 반대투쟁이다. 그 기록은 朴君を囲む会 編, 『民族差別 日立就職差別糾弾』(亜紀書房, 1974)에 정리되어 있다.

1988년에는 3건으로 국회중의원 예산위원회에 있어서 재일조선인문제의 논의는 거의 이루어지지 않았다.

하지만 1989~1991년에 걸쳐서는 유례를 찾아 볼 수 없을 만큼, 현시점에서는 전무후무한 수준으로 많은 건수를 기록하고 있다. 그 배경에는 1991년 문제라고 당시 지적되었던 법적지위협정에 따른 협정영주를 취득한 사람의 손자 이후의 세대의 재류권 등을 둘러싼 문제에 대해 한일 간의 협의가 이루어졌고, 그와 관련해서 재일조선인문제에 대한 현안해결을 지향하는 운동이 전개되었던 적이 있었다.

그 문제가 한일 양정부의 각서(1991년 1월에 맺어진「일한법적지위협정에 입각한 협의의 결과에 관한 각서」) 발표와 그것을 수용한 법 개정에 의해 일단 결정된 후에는 재일조선인을 거론한 중의원 예산위원회에서 논의는 대략 낮은 수준으로 추이하고 있다. 물론, 해에 따라서는 10건을 넘는 경우도 있었지만, 0건 혹은 1, 2건인 해도 적지 않다. 과거에 비해 재일조선인 문제의 관심 혹은 그러한 문제에 열심히 대처하는 의원이 감소하고 있다고 보인다.

다음으로 질문한 의원의 소속정당의 경향에 대해 살펴보자. 전체 356건 중 155건은 대신이나 정부위원 혹은 참고인의 발언이고, 그 나머지 216건이 정당·회파를 대표한 의원의 질문이 된다. 이 중에 정당별로 가장 많은 것은 일본사회당(당명 변경후의 사회민주당을 포함)으로 104건 45.0%을 차지한다. 일본사회당(이하 사회당)은 주지하는 바와 같이, 1990년대 중반까지 소위 55년 체제에 있어서 지속적으로 야당 제1당의 정당이었고, 배분된 질문시간이 긴 것은 당연한 것이라고 할 수 있다. 물론, 사회당의 정치자세, 구체적으로는 인권, 평화, 사회복지 등의 과제를 중시하고, 여당 자유민주당(아허 자민당)의 주장·정부의 시책을 지속적으로 비판한 것도 크게 작용하고 있다.

정당별로 사회당에 이어 공명당이 26건으로 11.3%, 이하 자민당 25건 10.8%, 민사당(1969년까지 정식명칭은 민주사회당)이 24건 10.4%, 민주당 11

건 4.8%, 신진당이 1건 1.7%, 일본공산당(이하 공산당)이 각각 3건 1.43%로 되어있다. 공명당은 종교단체인 창가학회의 회원을 기반으로 해서 발족한 정당이며, 창가학회의 회원 및 포교 대상이라고 상정된 사람들에는 저소득 자층을 포함하고 있었다. 그 때문에 사회보장이나 복지정책의 확대에 주력 하고 있고, 그와 관련해서 재일조선인에 관한 문제에 대해서도 부득이 의식 해야 하는 사정이 있었다. 또한, 민사당은 사회당과 같이 노동조합을 기반 으로 해서 복지정책의 확충을 촉구했지만, 사회당과 달리 반공주의를 명확 히 하였다. 그 때문에 박정희 정권을 지지하는 재일한국인과의 관계를 구축 하고, 이러한 사람들의 의향을 수용하여 활동하는 데 큰 장애는 없었다. 이 들 두 정당에 소속된 의원이 재일조선인문제에 대해 일정한 논의를 국회에 서 진행한 것은 이러한 이유 때문이었다.

이에 반해, 공산당은 역시 저소득층을 중요한 지지기반으로 하며, 인권, 복지정책의 확충을 촉구한 정당임에도 불구하고, 소속의원이 국회에서 이 문제에 관해 질의한 것은 많지 않다. 그 이유는 공산당이 직접 내놓은 설명 에서 확인할 수 있지만, 전후 직후 재일조선인운동을 지도한 것이 실수라고 비난받은 것의 영향, 그 후, 조선노동당과의 관계가 좋지 않았던 시기가 있 었던 것, 더욱이 반공주의를 앞세운 한국계 단체와의 관계 구축의 어려움이 필시 영향을 미치고 있다고 생각한다.

전후 거의 일관해서 여당이었던 자민당에 대해서도 소속의원에 의한 재 일조선인에 관한 국회에서의 질문은 적다. 재계주도의 경제개발우선 시책 을 취한 자민당의 성격을 생각하면, 달리 이상할 것도 없지만, 일본사회의 중요한 문제의 하나로 계속해서 다루어져 온 이 문제에 대해 최대의 의석 을 가지고 있던 정당이 그다지 관심을 보이지 않았던 실정을 나타낸다고 해도 과언이 아니다.

시기와 정당과의 관계에서 건수의 추이를 보면, 1970년대 후반까지는 정 부위원의 답변을 제외하면, 대부분이 사회당 소속의원의 발언이다. 민사당, 공명당 소속의원의 질문도 증가하기 시작한 것은 1970년대 말부터이다. 그

러나 민사당에 대해서는, 1980년대 중반 이후는 1990년과 1991년에 각 1건에
그치고, 1994년에는 신진당으로의 합류와 함께 해당되었다. 공명당도 1970
년대 말부터 1980년대 전반에 많았고, 그 후에는 적었다. 단지, 신진당으로
의 합류와 함께 국회의 회파가 존재하지 않았던 1994~1998년에 있어서도
1995년과 1998년에 공명당계 의원의 질문이 각 1건 있다. 한편, 자민당 의원
의 재일조선인에 관한 국회에서의 발언은 1965~1988년에는 보이지 않는다.

3. 북일 우호의 노력과 그 한계

지금부터는 대략 시기별로 논의의 특징을 살펴보고자 한다. 우선, 1960년
대 후반부터 1970년대 초반에 대해 살펴보면, 앞서 기술한 바와 같이, 대부
분의 질문은 사회당 소속의원에 의한 것이었다. 그리고 그 내용은 조선적의
재일조선인의 권리, 귀국사업에 관한 발언이 눈에 띈다. 구체적으로는 조선
적 사람들이 법적지위협정에서 상대적으로 유리한 처우를 얻게 된 한국적
의 사람들과의 사이에 차이가 생기는 것을 문제시한 질문, 1967년부터 중단
되었던 북한귀국사업을 재개해야 한다는 것, 외국인등록에 있어서 한국적
에서 조선적으로 갱신하는 것을 인정할 것, 재일조선인의 북조선 왕래를 인
정할 것 등을 주장하였다. 이것은 사회주의권인 조선민주주의인민공화국·
조선노동당·조선총련(재일본조선인총연합회)과의 우호관계를 사회당이 중
시하고 있었기 때문이다. 게다가 이 시기에 조선총련이 한국민단(재일본대
한민국거류민단, 현재의 재일본대한민국민단)에 비해 많은 재일조선인을
조직하고 있고, 활발한 활동을 전개하고 있었다.

그러나, 재일조선인의 권리부여나 보장을 언급할 때, 사회당의원은 북일
우호만을 논거로 삼은 것은 아니었다. 세계인권선언이라고 하는 국제적인
인권기준이나 인도주의, 그리고 역사적 경위에 대해 언급하였던 것이다. 예

를 들면, "일본에 재일조선인이 온 것은 자발적으로 온 것이 아니다. 당시 일본의 제국주의적인 정부가 강제 동원한 것이다. 그러한 역사가 있고, 그러한 역사에 근거하여 여러 가지 문제가 일어나고 있다"(1969년 2월 25일, 안타쿠 쓰네히코), "잘 알다시피, 조선은 일본의 식민지 지배하에 놓여 있었고, 그 동안 많은 조선 사람들이 조상으로부터 물려받은 재산을 빼앗기고, 생활의 터전 잃고 유량민이 되어 일본으로 유입되는 비참한 상태가 발생하였다. 특히, 전쟁 중에는, 또는 전쟁터에 징발되고, 또는 일본의 노동력 부족으로 강제 동원되어, 가장 가혹한 노동에 종사하고 고통 받았으며, 그 중에는 사망한 사람들도 있다"(1969년 2월 25일, 하세가와 쇼죠)라고 한 발언이 있었다.

그러나, 이러한 역사의 반성이나 인권중시의 자세를 나타냈던 사회당 소속의 의원들은, 이 시기에는 재일조선인이 일본사회에 참가하는데 장애가 되고 있는 다양한 차별의 철폐를 강력히 정부에게 요구한 것은 아니다. 국민건강보험과 생활보호에 대해 한국적과 조선적을 평등하게 취급해야 한다는 것은 주장했지만, 취직차별과 각종 국가자격에서의 국적조항 등에 대한 문제가 논의된 것은 아니었다. 사회당의원이 중의원예산위원회에서 종종 언급했던 것은, 북한귀국사업의 재개[4]이며, 이 일에 특별히 관심을 보인 의원의 발언에는 오히려 일본에 조선인이 없는 편이 바람직하다고 생각될지 모르는 내용조차 있었다. 즉, 귀국사업을 활발히 추진해 온 의원인 호아시 게이는, 1969년 2월 28일 중의원예산위원회에서 (재일조선인의 문제를 메인으로 논한 주장이 아니라, 정부의 사회복지정책에 대한 대책의 부족을 문제시하고, 후생성을 비판하는 논의 중에 나온 것이었지만) "후생성이, 일본에 있는 가난한 조선인이 모국으로 돌아가는 것을, 적십자의 규정마저 어겨가며 무리하게 일본에 남게 하고, 미움을 사면서까지 생활보호에 막대한 부담까지 진

---

4) 북한귀국사업은 1959년12월부터 개시되었는데 일본정부의 사업종료결정에 따라 1967년 12월부터 잠시 중단되었다. 그 후, 1971년5월부터 재개되었다(新潟県在日朝鮮人帰国協力会, 『帰国事業の二〇年』, 新潟県在日朝鮮人帰国協力会, 1980).

다라는 것은, 이 또한 얼마나 무식한 집단인가"라고 발언했기 때문이다.

이러한 일본사회로의 참여를 위한 권리에 대한 무관심은, 당시의 많은 일본인에게 공통적인 것이었으며, 사회당만이 특별했던 것은 아니다. 한 국가 안에 민족적 소수자가 있다는 것은 골치 아픈 문제의 원인이 된다는 견해는 매스컴에서도 자주 거론되었으며,5) 1950년대 말의 귀국운동의 전개를 목전에 두고 북한이 지상낙원을 건설하고 있다는 선전을 접한 일본인은, 재일조선인은 조국으로 돌아가는 것을 바라고 있고, 그것이 그들에게 있어서도 행복한 것이라고 여겼던 것이다.

그렇지만, 여러 가지 차별로 고통 받고 있던 재일조선인이 많았고, 행정정책이나 법률개정으로 그것을 해결해야 할 상황이 있었던 것도 사실이다. 또한, 1970년에는 히다치취직차별반대투쟁도 시작되었다. 이러한 상황이나 운동에 사회당 소속의원이 민감하게 반응하지 않은 것은, 역시 북일우호운동이라는 틀에서 조선총련과의 관계를 축으로 재일조선인문제를 파악하고 있었다는 것과 관계가 있다. 조선총련은, 이 시기에는 재일조선인은 언젠가는 귀국해야 할 존재이며, 일본사회로의 참여를 그다지 중요시하지 않았다. 히타치취직차별반대투쟁에 대해서도, 조선총련은 지원이나 지지표명을 하지 않았다. 그러한 조국지향의 조선총련과의 우호관계로부터 발생하는 문제이외에 재일조선인문제에 대처하려는 움직임은 사회당 안에서 찾아 볼 수 없었다고 말할 수 있다.

4. 권리요구에 대한 이해부족과 단일민족국가지향

이와 함께, 이 시기에는 재일조선인의 권리요구에 대한 부정적인 인식이

---

5) 예를 들면 일한회담이 타결될 전망이었던 시기의 신문사설에는 재일조선인에 대한 영주권부여를 실시함으로써 '일본 국내에 소수민족을 형성하게 될지 모른다'는 우려를 나타내는 내용이 있었다(『朝日新聞』 1965년 3월 7일).

나 단일민족국가를 지향하는 주장이 나타난 것도 중요한 점이다. 민사당의 의원은 법적지위협정에 대해 '문제를 남겼다'라고 발언했다(1965년 8월 6일, 나가스에 에이치). 발언자체는 법적지위협정의 문제를 상세히 제시한 것이 아니며, 구체적으로 무엇을 문제시 하였는가는 불명확하지만, 당시, 법적지위협정의 내용에 대해 한국 측에 지나치게 양보했다, 외국인에게 특별한 권리를 부여해서는 안 된다는 여론이 있었던 것[6]과 같은 민사당 의원이 1965년 10월 18일에 참의원본회의에서 '재일한국인의 법적지위와 대우에 관해서는 영주권 부여의 범위나 처우 내용이 우리 측의 지나친 양보였고, 그 때문에 오히려 일본사회와의 융합에 해가 되지 않을까'라고 언급한 점을 감안하면, 재일조선인의 권리신장을 요구하는 견지에서 법적지위협정을 문제라고 한 것은 아니다 라고 추측할 수 있다.

또한, 1971년 2월 3일의 중의원예산위원회에서 사회당 소속의원의 니시미야 히로시는, 사이고 요시노스케 전 법무대신이 폭력단과 관련이 있는 재일조선인의 귀화를 위해 편의를 봐주었다는 것을 문제시하였을 때, 다음과 같이 발언하고 있다.

> 제3국인의 귀화 문제에 대해서 여쭤보겠습니다만, 우선, 첫째로 법무대신에게 귀화행정에 대한 기본적인 태도에 대해서 여쭤 보겠습니다.
> 저 자신은 실은 선량한 3국인은 가능한 신속히 일본사회에 받아들여져야 할 필요가 있다고 봅니다. 무엇보다 현재 3국인이 귀화하고 있는 수와 그 3국인이 일본 국내에서 자연적으로 증가하는 수는 후자가 훨씬 많습니다. 따라서 매년 그 제3국인이 늘어나고 있습니다. 나는 이러한 것은, 반드시 건전한 사회라고 볼 수 없다는 걱정을 하고 있습니다. 실은 저는 작년이었던가요, 동남아시아를 순회하였는데, 그러한 나라들이 안고 있는 민족문제의 심각성을 뼈저리게 느꼈습니다.

---

6) 이와 같은 견해는 일반 일간지의 사설 혹은 사회당의원의 발언 등에 의해 확인할 수 있다. 상세한 내용은 外村大, 「戰後日本政治のなかの在日朝鮮人問題－日韓條約成立に至る時期を中心に－」, 『歷史評論』 第788号, 2015年 12月을 참조하기 바란다.

이 발언에서는 우선, '제3국인', '3국인'이라고 하는 차별용어로 인식된 언어를 사용하고 있다는 것을 주목할 수 있다. 그리고, 이 의원은 재일조선인이 귀화하는 것이 바람직하며, '제3국인'이 증가하는 것은 문제가 있다고 인식한다는 것을 알 수 있다. 바꾸어 말하면, 재일조선인이 그 문화나 아이덴티티가 부정되지 않고, 일본사회의 일원으로서 살아가는 것, 그것을 위한 조건을 만들어 간다는 발상은 없다. 이 시기의 일본사회에서는 아주 일반적인 인식이었다고는 하지만, 인권옹호를 중시하는 사회당의 위원 또한 단일민족국가가 바람직하다고 생각했던 것이다.

5. 한반도의 정세 · 한일문제와의 관련

다음으로 1970년대 중반부터 1980년대에 걸쳐 상황을 살펴보자. 이 시기도 많은 질문을 한 것은 사회당 소속의원이다. 그리고 북한 · 조선총련과 사회당과의 우호관계는 유지되고 있었다.

동시에 이 시기는, 한국의 박정희정권 및 박정희의 사망 후에 성립하는 전두환정권에 의한 민주화 운동에 대한 탄압의 격화, 일본정부 · 자민당과 박정희정권과의 '유착', 일본에 있어서도 한국정부의 명령을 받은 단체, KCIA의 활동이 주목을 받고, 일본의 매스컴에서도 문제시되었다. 북한 · 조선총련도 그에 관해서 한국정부를 비판하고, 민주화의 움직임을 지원하는 활동을 전개했다.

이 시기의 사회당 소속의원도 질문을 통해 재일조선인에 대해 언급은 했지만, 대부분은 이러한 문제에 관한 것이다. 즉, 한국정부에 의해 북한의 공작원으로 조작되어 투옥된 재일한국인 정치범의 석방을 촉구해야 한다는 것, 일본에 있어서 KCIA의 조선총련파괴활동이 이루어졌다는 것에 대한 비판 등이 언급되었다.

한편, 같은 시기에는 민족차별철폐를 요구하는 운동이 활발해졌다. 1974

년에 히타치취직차별반대투쟁이 승리를 거두었고, 더욱이 1977년에는 변호
사자격에서의 국적조항이 사실상 철폐되었다.[7] 또, 공영주택의 입주자격,
아동수당 등의 지방자치제의 복지정책에 있어서 국적조항철폐를 요구하는
활동도 각지에서 성과를 거두고 있었다.[8] 이러한 운동은, 이제까지의 일본
의 여러 사회운동에서 중심이 된 노동조합이나 혁신정당이 주도한 것은 아
니라, 재일조선인·일본인 시민의 자발적인 활동으로 전개되었다.

　이러한 운동이 확산되는 가운데 이제까지 일본사회로의 참여와 관련한
문제에 대한 활동보다도 조국에의 공헌, 남북통일을 위한 과제를 중요시 해
왔던 민족단체에도 변화가 나타났다. 한국민단은 1977년에 재일한국인권익
옹호위원회를 설치하고, 사회복지정책 등에서의 차별실태를 정리한 『차별
백서』를 간행함과 동시에 지방자치체에 대한 요망서제출과 교섭을 하는 등
'차별철폐1000일 운동'을 펼쳐나갔다. 이 시점에서도, 이러한 운동에 대해서는
한국민단 내부에 있어서 '일본에 동화할 우려가 크다'고 하는 반대 의견도
있었다고 하지만[9] 이후, 한국민단에서는 민족차별철폐에 주력하게 되었다.

　그러나 사회당 소속의원의 사이에서는, 이 시기에도 민족차별철폐에 관
한 질문은 그다지 많지 않았다. 그렇다고 해서 전혀 없는 것은 아니고, 사
회에서의 편견, 취직차별의 존재를 지적하고 정부의 시책을 추궁하는 발언
은 몇 개인가 확인할 수 있다. 단지, 여기서 눈에 띄는 것은, 부락차별이나
장애인차별과 함께 일본사회의 차별문제를 폭 넓게 언급하는 가운데 나온
부수적인 언급이며(1975년 2월 28일 유야마 이사무(湯山勇), 1977년 3월 15일

---

7) 사법시험의 수험 그 자체에는 원래 국적조항이 없지만, 변호사가 되기 위해서 사법수습생으로
　서 채용되기 위해서는 일본 국적이 조건으로 되어있으며, 이 조항이 사실상 국적조항이 되고
　있다. 이를 문제시하여 한국적을 유지한 채 사법수습생 채용을 요구한 재일조선인의 운동이
　결실을 맺어 1977년에 국적변경 없이 사법수습생 채용이 인정되었다. 이 경위에 대해서는 田
　中宏·原後山治, 『司法修習生＝弁護士と国籍』(日本評論社, 1977)에 정리되어 있다.
8) 이와 같은 활동의 경위에 대해서 기술한 문헌에는 田中宏, 『在日外国人 法の壁, 心の溝』(岩波
　書店, 2013) 등이 있다.
9) 民団40年史編纂委員会 編, 『民団40年史』 在日本大韓民国居留民団, 1987.

우에다 다쿠미(上田卓三) 발언), 재일조선인문제에 초점을 맞춘 것은 아니었다.

　이러한 사회당과 민족차별 반대운동과의 관계의 희박성은 그것이 사회당의 유력지지모체인 노동조합이 주도한 운동이 아니며, 우호관계에 있었던 조선총련은 그러한 운동을 조직으로서 전개한 것이 아니라, 여전히 조국지향의 경향을 가진 점이 영향을 미치고 있었다. 그리고 앞에서 기술했듯이, 민족차별의 문제를 중요시하게 된 한국민단과 사회당은 협력관계가 아니라 오히려 서로 경계하고 비판하는 관계였다. 한국민단에 있어서는, 사회당은 북한·조선총련과 우호관계를 갖는 용공·친북세력이고, 대화의 상대조차 아니었다. 한편 사회당은 한국의 군사독재정권을 비판하였고, 처음부터 한국을 국가로서 인정하지 않고, 조선민주주의인민공화국을 정통성을 가진 국가로 인정하였다. 그 뿐만 아니라, 한국민단자체의 활동도 문제시 해 왔다. 1977년 3월 3일에는 한국민단이 일본의 국정선거에 개입하는 것을 강력하게 추궁하는 국회 질의가 사회당 의원에 의해 이루어졌다(쓰지이 다카코에 의한 것으로 법무대신 등이 답변). 한국민단의 개입이라는 것은, 일본의 선거권을 가진 '귀화'한 사람과 경영하는 기업의 일본인 종업원, 배우자들에 대해서 명확하게 하도록 지시하고 명부를 작성하려고 한 것으로 법적으로는 문제되지 않는 행위였다. 게다가 그것은 일본의 세금을 내면서 여러 가지 차별을 받는 가운데 사회참여를 하기 위한 참고 차원에서 이루어진 것이었다.

　하지만, 사회당 소속의원은 이것을 부당한 것으로 간주하였다. 아마도 한국군사독재정권의 뜻을 받아들이고 일본의 자민당을 지지하기 위해서 한국민단이 행한 것이라고 추정되었기 때문이며, 거기에는 조선총련과의 우호관계가 영향을 미쳤다고 생각된다. 남북의 정권대립이 일본의 국내정치에도 영향을 미치는 가운데에 최대야당인 사회당은 민족차별 반대운동과의 협력관계를 구축하는 것은 곤란한 상태였다.

6. 차별철폐를 둘러싼 논의의 활발화

그러나, 민족차별 반대운동을 받아들여 국회에서 논의를 한 정당, 의원이 전혀 없었던 것은 아니다. 1970년대 말부터는 민사당 소속의원에 의한 재일조선인에 관한 발언이 나오게 되었다. 이것은 한국민단의 활동에 의한 것이었다. 한국민단으로서는 사회복지확충을 정책의 중심에 두면서, 동시에 반공주의를 명확히 한 민사당에게 협력을 요구하는 것은 아무런 문제가 없었다. 민사당 내에서도 재일조선인 인구가 많은 오사카를 기반으로 하는 의원들을 중심으로 이에 대응한 움직임이 확인된다. 1977년 9월에 오사카에서 열린 한국민단 주최의 '재일한국인의 차별 문제를 생각한다'를 내세운 심포지엄에는 나카무라 마사오, 나카노 간세이 의원이 참가하였다. 그리고, 이듬해 2월 20일의 중의원예산위원회에서 나카노 의원이 일본사회의 폐쇄성을 비판하고, 재일조선인(본인의 용어로는 재일한국인이라는 단어를 사용)이 이제까지 일본사회에 적극적으로 공헌한 예를 들면서, 재일조선인의 처우의 개선을 추진해 가도록 정부에 요청하였다. 또한, 나카노 의원에 대해서는, 국회에서의 질문에 있어서 한국민단의 자료를 제공하는 협력이 이루어졌다.[10]

이와 함께, 같은 시기에는 공명당 소속의원의 재일조선인 문제에 대한 발언도 늘었다. 구체적으로는 국민연금에서의 배제문제(1980년 3월 3일, 구사카와 쇼죠, 3월 4일, 오하시 도시오, 3월 5일, 이이다 다다오), 취직차별문제(1980년 3월 4일, 와타나베 이치로) 등이 거론되었다. 공명당의 대처는 한국민단의 요청을 받은 것이 아니라(같은 당에 대한 한국민단의 협력요청 등은 확인할 수 없다), 독자적인 판단에 의한 것일 것이다. 아마도 공명당은 지지모체인 창가학회 내부에 저소득자층이 비교적 많고, 사회복지정책에 노력하던 것과 관계가 있을 것이다.

---

10) 民団40年史編纂委員会 編, 위의 책, 1987.

　이러한 와중에, 이번에 난민조약가입과 관련한 국내법의 정비(즉, 재일조선인의 역사성을 고려한 조치는 아니었지만), 사회보장제도에 있어서 국적 조항은 거의 철폐되는 등[11] 일정부분 상황의 개선이 진행되었다.

7. 인권과 전후 처리의 관점

　이것에 이어, 1980년대 중반부터 1990년대 전반에 걸쳐서는(현재까지), 가장 활발히 재일조선인의 처우개선, 권리신장에 대한 국회에서 논의가 이루어진 시기이다. 이것은 1980년대 중반에 고양된 지문날인거부투쟁을 통해서 자기 문화와 아이덴티티를 유지하면서, 동시에 일본사회로의 참여를 바라는 재일조선인의 존재가 주목된 것, 법적지위협정에서 25년 이내에 협의하기로 결정된 이른바 협정영주자의 손자 이후의 세대에 대한 취급(그것을 어떻게 할 것인가에 대한 문제는 3세대 문제, 혹은 1991년 문제로 불려졌다. 이하에서는 주로 시민 운동단체들 사이에 일반적인 1991년 문제라는 용어를 사용한다)을 둘러싼 양국 정부의 협의가 1980년대 말부터 시작되었다는 것과 관련이 있다.

　이와 함께, 한반도와 일본 국내의 정치상황의 변화가 다양한 정치세력의 새로운 움직임을 가능하게 한 사정도 있다. 한국의 민주화에 감화되어 사회당은 한국을 국가로서 인정하게 된다. 물론, 1989년에도 사회당의원이 한국민단이 자민당 의원에게 건네준 정치헌금 문제를 거론하는 등(1989년 10월 19일, 노사카 고켄의 발언), 이 시기도 한국민단에 대한 비판적인 인식이 완전하게 사라진 것은 아니었다. 그러나, 사회당과 한국민단이 관여하는 여러 가지 운동에 대해서 단순히 그것이 한국정권의 반공주의적 이데올로기에 기반을 둔 것이라는 견해는 사라졌다.

---

11) 田中宏, 앞의 책, 2013을 참조하기 바란다.

그러나, 사회당과 북한·조선총련과의 우호관계는 유지되고 있었으며, 1980년대 말에는 여야의 역전이라는 위기감을 느낀 자민당이 사회당의 이미지다운을 시키기 위해 그것을 문제시한 일이 있었다. 국회의 논의에서도 자민당의원이 이와 관련한 문제를 거론하며, 사회당과 우호관계가 있는 조선총련에 대해 공안조사청이 조사대상으로 하고 있는 "위험한 단체"라는 확인과 조선총련계의 인물·단체의 정치자금제공 의혹을 추구하였다. 1989년에 자민당의원에 의한 재일조선인관련 발언 5건 중, 4건은 이와 관련된 것이다. 하지만, 한편으로는 같은 시기에 자민당 내에서도 여전히 풀어야 할 과제였던 북한과의 관계개선을 지향하는 움직임이 나타났다. 이러한 것을 배경으로 이데올로기적인 대립을 넘어서 과거의 역사에 대한 반성과 전후 처리의 일환으로서, 혹은 보편적인 인권문제로서 재일조선인의 처우개선에 각 정당이 노력해야 할 조건이 만들어지고 있었다.

실제로 한국민단도 관여한 지문날인거부투쟁이나 1991년 문제에 대해, 민사당, 공명당뿐만 아니라, 사회당 의원도 이 문제를 거론하며 재일조선인 문제의 해결을 촉구하였다. 예를 들면, 1985년 3월 8일에 다케무라 야스코 의원은 재일조선인 소녀가 16세가 되면 지문을 찍지 않으면 안 된다, 우리들이 어떤 나쁜 짓을 했는가라고 누누이 호소하고 있는 작문이 있다는 것을 언급하며, 인권상황의 개선을 촉구하였다. 또한, 1990년 5월 17일에는 야마나카 사다오 의원이 한일양국의 국민이 깊은 친선관계를 유지하기 위해서도 식민지 지배의 반성을 표현 뒤에 '새일한국·조선인'의 전후보상, 권리보장에 대한 문제해결을 도모해야 한다는 인식을 언급하였다. 이 외에도 이 시기에는, 취직차별문제, 공무원취로권, 조선인학교학생에 대한 JR정기권의 할인 실시, 재일조선인의 문맹자에 대한 대응 등을 둘러싼 발언이 사회당의원에 의해 거론되었다.

한편, 자민당 소속의원 중에서도, 이 시기에는 과거의 역사에 대해 언급하면서 재일조선인에 대한 차별을 개선해야 한다는 발언도 있었다. 1990년 5월 9일에 정부위원으로부터 1991년 문제에 대한 한일양정부의 합의 설명에 대해 노다 다케시 의원은 다음과 같이 언급하고 있다.

> 대단히 수고가 많습니다. 아직도 남겨진 과제가 몇 개 있는 것 같습니다. -
> 그래서 일전에 어느 텔레비전을 보았더니 재일한국인 3세 학생에 관한 것이 나
> 왔습니다. 정말로 어린 학생이 편견과 차별에 고민하고, 고통을 받으면서도 긍
> 지를 갖고 살아가고 싶다, 일본 이름이 아니라, 자신의 본명으로 살아간다, 본
> 명을 일본 사회에서 자기 스스로 말하는 것은 사실은 대단한 용기가 필요했다.
> 그러나 그러한 어려움을 굳건히 극복해 나가겠다는 내용이 있었는데, 저도 모
> 르게 감동한 적이 있습니다.
> -이 사람들은 자신들이 좋아서 일본에 온 것이 아닙니다, 그들은 어떤 죄도
> 없습니다, 그러나 생활의 기반은 그야말로 일본에 있고, 세금도 한 사람 몫을
> 내고 있습니다. 그런 것을 생각하면, 그들이 괴로워하고 고민하는 그러한 것들
> 을 초래한 기본적인 원인은 오히려 우리들 일본인의 과거 및 현재의 행동에서
> 기인하고 있다는 것은 역시 다시 상기해야 한다고 실은 솔직히 생각합니다. 이
> 것은 단지 정부만이 아니라, 우리 일본국민 전체가 역시나 이 점에 대해서 다
> 시 한 번 꼭 명심해야 한다고 사실은 느끼고 있습니다.

이 외에, 자민당의원의 이 시기에 있어서 발언으로는, 앞서 언급했던 파
칭코 의혹에 대해서도 그것이 재일한국인에 대한 차별과 편견으로 이어진
다면 걱정이라는 의견(1989년 11월 1일, 다니가키 사다카즈) 이나 1991년 문
제와 '재사할린한국인문제, 재일피폭자문제, 과거에 원인이 있는 것을 성의
를 가지고 처리할 필요가 있다고 생각한다'고 한 것도 확인된다.(1990년 4월
23일, 하세가와 다케시)

그리고 근래의 한일 양정부 간의 협의에 기초하여 샌프란시스코강화조약
에 의한 국적이탈자와 그 자손에 대해서는 모두, 즉 조선적 사람들도 포함
해서 영주권을 인정하고, 강제퇴거의 자유를 한정할 것, 지문날인제도의 철
폐, 과외수업 등으로 이루어졌던 한국어·한국문화의 학습에 대한 배려 등
이 확인되었다. 그러나, 한국민단과 재일조선인 문제에 힘써 온 시민운동단
체가 바라던 지방공무원취로권에 대해서는 일본정부의 법적견해를 전제로
채용확대를 지도, 참정권에 대해서는 한국에서 요망이 있었다는 것을 각서

에 기록하는 정도에 그쳤다.

8. 위험시각의 표출과 권리신장을 위한 움직임의 정체

이러한 것을 수용해서 1990년대 중반 이후, 공무원취로권과 참정권, 또는 일본사회에 남아있는 편견과 차별의 개선, 민족문화와 아이덴티티의 보증을 위한 시책을 어떻게 진행시켜 나갈 것인가가 과제가 되었다. 동시에 그 것을 진행시켜 나가는 데 있어서 일본사회 내에서의 식민지 지배에 대한 반성의 확대가 요구되었다고 할 수 있다.

그러나 1990년대 중반 이후, 이러한 문제에 관한 중의원예산위원회에서의 발언은 점점 줄어들었다. 거기에는 지방자치단체의 레벨에서 외국인 참정권을 인정해야 한다든지, 조선학교의 국립대학수험자격을 인정해야 한다는 주장 등 재일조선인의 권리신장을 요구하는 견지에서 나온 것도 확인된다. 혹은 최근에는 헤이트스피치 대책에 대해 정부에 질문도 이루어졌다. 그러나, 근래 자민당 소속의원이나 그 외 정당의 보수계의원에 의해 이와는 다른 견해의 표명이 활발히 나타나게 되었다.

이것은 북한을 위협적인 존재라고 많은 일본인이 느끼게 된 것이 크게 작용하고 있다. 1990년대 중반부터 북한의 핵개발의혹이나 소위 공작원에 의한 일본인 납치사건이 회자되었으며, 게다가 21세기에 들어서면서 북한 당국이 과거의 일본인 납치실행을 인정하고,[12] 핵실험을 실시하는 등 일본 인들 사이에서 북한에 대한 감정은 극도로 악화되었다.

이러한 것을 배경으로 일본사회에 깔려있던 재일조선인이 치안교란의 요인이 되기 쉬운 존재이며, 국가안전보장상 위험이라는 인식이 국회에서도

---

12) 2002년 9월 17일에 고이즈미 준이치로(小泉純一郎) 수상이 평양을 방문해서 북한의 김정일국 방위원회위원장과 회담했을 때 김정일 위원장이 분명히 밝혔다. 이 내용이 같은 날 일본에서 보도되었다.

언급되게 되었다. 우선, 1994년 3월 30일에는 일찍이 1991년 문제의 한일 간의 이해를 이끌어낸 외무대신이었던 자민당의 나카야마 다로가 북한의 핵개발을 둘러싼 국제사찰과 관련해서 '북한이 IAEA의 국제사찰을 수용하는데 전력을 다해 노력할 것으로 생각하고 있습니다. 그것을 확실하게 정부가 감안하지 않는다면, 국내에서 총련계의 사람들도 아주 흥분상태가 되리라고 생각합니다. 또한, 그와 발맞춰서 40만을 넘는 재일한국인 그룹도 한국이라는 입장에서 생각하고 행동할 가능성이 있다'고 언급하며, 정부의 생각을 묻고 있다. 마치 핵개발문제와 관련해 조선총련계의 사람들 또는 재일한국인도 각각의 국익을 위해서 행동하여, 일본 사회를 혼란시킬 우려가 있는 듯한 발언이었다.

그 후, 같은 해 10월 13일에는 신생당 소속의원이 조선총련의 성격에 대해 정부는 위험한 단체라고 인식하고 있는지 확인을 요구하는 발언도 나오고 있다. 21세기에 들어서자, 납치문제의 관여(2003년 2월 18일, 자유당 소속의 니시무라 신고), 조선총련의 간부가 북한에 건너가 협의를 진행한 것을 문제시하는 발언(2005년 2월 16일, 민주당 소속의 마쓰바라 진), 조선총련 산하단체인 재일조선인과학자협의회의 미사일 관련정보의 유출문제(2006년 1월 27일, 자민당 소속의 다카이치 사나에), 재일조선인이 북한으로 송금하는 것을 문제시한 발언(2010년 2월 9일, 자민당의 시모무라 하쿠분), 등이 이어졌다.

그리고 이렇게 재일조선인을 위험한 존재로 보려는 시각이 나타나는 가운데 권리부여에 대해서도 오히려 명확히 반대하는 의견이 국회에서 논의되게 되었다. 특히, 지방참정권 문제에 대해서는 이것을 추진하려고 했던 세력에 대한 보수정치가의 비판이 강해졌다. 거기에는 지방참정권 문제가 국회안전보장과 관련된 문제라는 인식도 작용하였다. 민주당이 여당이었고, 지방참정권 부여에 적극적이었던 의원이 내각에 참여했던 2010년 1월 22일에는 자민당의 고이케 유리코 의원이 대학입시 센터시험[13]에 대한 '현대사회'의 문제에서 외국인 참정권을 위헌이 아니라는 전제로 답변하게 한 설문이 있었다는 것을 거론하며, 이것은 부적절하다고 언급함과 동시에 한 각료가 한국민단의 신년회에서 지방참정권 법안을 한국민단에게 공약했다는 문제를 거론했다. 고이케 의원은 '일본의 유권자에게는 약속하지 않았는데 민단 쪽에는 약속을 했다. 도대체 민주당은 어느 나라의 정당입니까? 그밖에도 숨겨진(이면) 매니페스트가 있습니까? 저는 이것은 일본국민, 유권자에 대한 사기가 아닌가?'라고 강한 어조로 비판했다. 또한, 2010년 11월 9일에는 자민당의 다카이치 사나에 의원이 외국인 참정권 문제에 대해 '민주당이 이제까지 제출한 외국인 참정권 부여법안을 읽어보면, 교육위원의 해직청구권도 들어있어요. 그렇게 되면, 교과서의 기술내용, 학교현장에서 교수법, 이러한 것을 이유로 외국인이 예를 들면, 중국인, 한국인이 해직청구를 발동하는 것도 있을 수 있네요. 그리고, 안전보장. 안전보장 역시도 큰 영향이 있습니다'라고 발언하고 있다. 다카이치 의원은 역사인식에 있어서도 일본의 가해 사실을 부정하는 듯한 언동을 하는 정치가로 알려져 있다[14]. 이것으로부터 생각해 보면, 다카이치 의원은 식민지 지배나 과거의 침략전쟁에 대한 교육에서 한국인이나 중국인이 의견을 개진하는 것을 염려하여 외국인 참정권에 반대하고 있다고 추측할 수 있다.

9. 결론과 전망

이상, 본고에서는 1965년 이후의 일본의 국회중의원예산위원회에서의 재일조선인 문제에 관한 논의를 분석하였다. 여기서 확인할 수 있는 것은 다

---

13) 국공립대학 및 일부의 사립대학이 학생선발을 위해 도입한 시험. 한국의 수능시험과 유사한 시험이다.

14) 예를 들면, 다카이치 사나에(高市早苗) 의원은 전시하의 조선인 노무동원과 관련해서 '강제연행이라고 일컫는 사실은 없으며' '같은 일본국민으로서 전시징용이라고 해야 하다'는 발언을 국회에서 하였다(2010년 3월 10일, 衆議院予算委員会).

음과 같다.

우선, 1960년대 중반부터 1970년대 초반에 걸쳐서는 국회에 재일조선인 문제가 거론되는 경우는 드물며, 사회당의원이 북일우호라는 틀에서 언급하는 정도에 그치고 있다. 이 때문에 북한 귀국사업의 재개나 조선적의 사람들의 권리에 대해 차별을 하지 않도록 해야 한다는 점이 주된 논점이 되었다. 그 후, 1970년대 이후에는 민족차별 반대가 시민운동으로서 시작되고, 한국민단이 지원하게 된 이후에도 사회당은 조선총련과의 우호관계, 한국의 군사독재정권과의 관계에 대한 염려에서 이를 지원하는 일은 없었다. 그러나 1970년대 말 이후 민사당과 공명당이 이 문제에 대해서 활동하게 되었고, 더욱이 1980년대 중반 이후 한국의 민주화에 영향을 받아 사회당도 재일조선인의 권리신장에 관한 문제를 국회에서 거론하게 되었다. 또한, 1991년 문제가 쟁점이 되었던 시기에는 자민당소속 국회의원 중 일부에서도 역사인식이나 재일조선인에 대한 차별 문제를 고려해야 한다는 발언이 나오기도 했다.

그러나 1990년대 중반 이후는 계속해서 재일조선인의 권리신장을 요구하는 의견도 국회에서 언급되었지만, 재일조선인을 위험하다고 보는 인식이 늘고 있다. 그리고 그러한 인식과 함께, 오히려 재일조선인에 대한 권리부여에 반대하는 의견이 명확하게 나타난 것도 확인할 수 있다.

이상에서 본 것과 같이, 중의원예산위원회의 논의의 동향은, 일본의 국정레벨에서의 재일조선인 문제에 대한 인식을 나타낸 것이다. 다만, 참의원예산위원회 혹은 중참양의원의 법무위원회나 문교위원회, 외교위원회 등에서의 논의를 포함해서 보다 상세하게 국회에서의 논의를 검토했을 경우, 이와는 다른 논점이 나타날 가능성도 있다. 그리고 개개의 의원이 어떠한 것을 계기로 재일조선인 문제에 대해 관심을 가졌는가도 중요하며, 밝혀야 할 것이다. 이러한 점에 대해서는 향후의 과제로 삼고자 한다.

■ 도노무라 마사루

〈표 1〉 중의원예산위원회에서의 재일조선인 관련 논의
(회파별 · 연차별 내역, 1965~2015년)

연차	자민당	사회당·사민당	민사당	공명당	공산당	신진당	민주당	그 외	정부위원 등	합계
1965		3	1							4
1966		5							3	8
1967		4							4	8
1968		3	1						2	6
1969		4								4
1970		2							1	3
1971		2								2
1972		1							2	3
1973		1							1	2
1974		1								1
1975		7		1					1	9
1976		2							1	3
1977		8							10	18
1978		2	2						5	9
1979		2	1	1						4
1980		3	5	2	1				7	18
1981		7	2	1	1				3	14
1982		2	1						5	8
1983		2	2	1					5	10
1984		3	3	3					7	16
1985		4	3	2					7	16
1986		5	1						6	12
1987										0
1988		2							1	3
1989	6	2		1	1				9	19
1990	2	10	1	7					22	42
1991		3	1	1					6	11
1992		6							2	8
1993	1	1		1					2	5
1994	5	2						1	6	14
1995		2		1					2	5
1996						1			1	2
1997						1	1		2	4
1998	1					1		1	3	6
1999		1		1		1	1		4	8
2000									1	1
2001		1						1		2

연차	자민당	사회당·사민당	민사당	공명당	공산당	신진당	민주당	그 외	정부위원 등	합계
2002				2				1	2	5
2003	1	1					2		4	8
2004							1		1	2
2005							1		2	3
2006	1						1		5	7
2007										0
2008							1		1	2
2009										0
2010	5								2	7
2011	2								3	5
2012	1						2		3	6
2013										0
2014									1	1
2015				1			1			2

출처: 본문참조.

주: 2015년은 1~9월까지의 집계이다.

〈표 2〉 중의원예산위원회에서의 재일조선인과 관련된 논의(1965~2015년)

일시	질문자	소속 회파	답변자	직위	내용
19650215	이시노 히사오	사회당			다카스기 발언에 대해 재일조선인도 항의하고 있다.
19650216	도카노 다케시	사회당			법적지위협정과 관련해 한국이 독립한 해를 언 제로 할 것인가.
19650804	노하라 가쿠	사회당			한일조약으로 국민건강보험 및 기타 사항에서 한국적과 차별이 발생하는 것은 문제.
19650806	나가스에 에이치	민사당			법적지위협정은 후세의 비판을 받을 것이다, 시 이나 외무상은 책임을 느끼지 않는가.
19660219	이시노 히사오	사회당			민족교육에 대해서는 상호주의에 근거한 발상.
19660224	다하라 하루지	사회당			부락민은 조선인이 아니고 일본인 중에는 조선 인의 자손도 있으며, 중의원 의원과 대신 중에도 명백히 조선민족의 자손인 훌륭한 분들이 계신다.
19660302	호아시 게이	사회당			조선인 8만 5천 명을 고향으로 보내는 데 적십자 에 힘을 보탠 것이 나의 업적이다.
19660302	하나야마 지카요시	사회당			조선인들은 전쟁 통에 그런 상태로 왔고, 쓰라린 아픔을 주었다, 이제는 일본에서 하나의 지역공 동체 안에 있으며, 조선적과 한국적 사이에는 차 별이 존재한다.
19660302			스즈키 젠코	후생 노동상	협정영주가 아닌 한국인, 조선인은 이전과 마찬 가지로 각 정촌이 인정할 경우 국민건강보험에 가입할 수 있다.
19660302			스즈키		협정영주의 국민건강보험 가입에 대한 설명, 북 한과 국교가 없다.
19660302			구마자키		협정영주의 국민건강보험 가입, 북한과 국교가 없다.
19660718	노하라 가쿠	사회당			북한귀환협정 중단에 대해 설명.
19670420	야마나카 고로	사회당			국제협력, 아시아대학 구상과 관련해 민족교육을 언급.
19670424	이시노 히사오	사회당			문부성의 대우에 차별이 없어야 한다, 교과서 무상 배포를 통해 일본이름으로 바꾸라고 통보.
19670424			겐노키	문부 과학상	솔직히 민족교육에 대해서는 이 부분을 인정하고 싶다.
19670424			미야치		재일조선인 현황 설명.
19670424			겐노키		조선적 처우에 대해 설명.
19670425	호아시 게이	사회당			북한귀환협정 중단 문제.
19670425			보	대신	북한귀환협정 중단 문제.
19671214	오하라 도루	사회당			귀환 문제, 세계인권선언, 인도상 문제.
19680227	다케모토 마고이치	민사당			김희로 사건과 관련해 향후 한국인과의 우호친 선에 대해서는 어떤 입장인가.

일시	질문자	소속 회파	답변자	직위	내용
19680228	나라자키 야노스케	사회당			북한귀환협정의 연장, 인도주의에 입각.
19680228			다나베	참고인	북한 귀국은 인도주의에 입각해 선처.
19680301	야마나카 고로	사회당			메이지 100주년과 관련해 조선인 김 씨가 소란을 피운, 민족 굴욕의 100년이라는 주장이 있다, 지폐의 초상 인물이 이토 히로부미인 점은 어떻게 생각하는가.
19680312	호아시 게이	사회당			귀국에 대해 순수한 인도적 문제로 생각하고 있는가, 나는 평양중학교를 나와 조선어도 조금 할 수 있다.
19680312			후에후키	설명원	나홋카를 경유해 북조선으로 귀국한 조선인의 사례.
19690224	히로사와 겐이치	사회당			제국주의 시대에 끌려 온 재일조선인, 남한으로 송환되면 생명과 직결된다, 입관법안 반대, 인권선언과 유엔헌장에 위배.
19690225	하세가와 쇼조	사회당			식민지 시대에 토지를 빼앗기거나 강제적으로 끌려 왔다, 사이고 법무상은 정한론을 주장한 사이고 다카모리의 손자라는 등의 지적.
19690225	안타쿠 쓰네히코	사회당			재일조선인은 자기가 원해서 온 게 아니라 당시 정부가 끌고 온 것으로 인도적 입장에서 해결해야 한다, 정부도 같은 입장.
19690228	호아시 게이	사회당			일본에 있는 가난한 조선인이 모국으로 돌아간다는데 억지로 일본에 있도록 하고 있어, 생활보호로 막대한 부담을 지고 있는 현실을 보면 너무나도 머리가 나쁜 분들의 모인 것 같다.
19700305	안타쿠 쓰네히코	사회당			북한 귀국, 조선적 처우, 조국 왕래의 자유 문제에 대해 인도주의 필요, 조선인이 일본에 살게 된 역사적 경위를 고려해야.
19700317	오하라 도루	사회당			전쟁 때 일은 말하지 않겠습니다, 시간이 없으니까, 그런 경위를 감안해 인도적 입장에서 북한 귀국에 대응해야.
19701214			사토 에이사쿠	수상	국적 선택, 개인이 제멋대로 고를 수 없다.
19710203	니시미야 히로시	사회당			제3국인을 늘리지 않기 위해 귀화를 시켜야 한다.
19710203	야스이 요시노리	사회당			국적 수정과 지자체의 대응 문제.
19720306	안타쿠 쓰네히코	사회당			식민지 지배의 결과 거주하게 되었다, 세계인권선언을 감안해 조국 왕래의 자유를.
19720306			사토 에이사쿠	수상	조국 왕래의 자유 문제.
19720308			가와구치	정부위원	총련, 일조협회와 관련해 조사 대상이라는 취지의 언급.
19731210	안타쿠 쓰네히코	사회당			총련 의장 등의 조국 왕래 문제, 포항제철 기술자가 정치범으로.

일시	질문자	소속 회파	답변자	직위	내용
19731210			오히라		재일외국인의 안전 확보는 일본 정부의 책임, 단 KCIA의 한국 내 활동은 한국 국내의 문제.
19740208	안타쿠 쓰네히코	사회당			일본 기업의 한국 진출, 사카모토방적의 사례.
19750207	안타쿠 쓰네히코	사회당			정치범, 문세광에 대해 언급.
19750225	요네다 도고	사회당			북한 사람들과 재일조선인이 교류하기 어렵다.
19750226	가와카미 다미오	사회당			대학입시 수험자격.
19750228	유야마 이사오	사회당			취직 차별에 대해 동화 문제와 함께 언급.
19750228	오키모토 야스유키	공명당			동화 문제를 거론한 다음 취직 차별에 대해 언급.
19750228			엔도	정부 위원	취직차별에 대해, 삼국인의 언어도 사용, 동화지구와 함께 논의, 문제가 대부분 해소되고 있다는 인식 표명.
19750304	고바야시 스스무	사회당			문세광 사건에 대해 언급.
19750610	안타쿠 쓰네히코	사회당			재일한국인 정치범 문제에 대해 언급.
19751024	안타쿠 쓰네히코	사회당			재일한국인 정치범 문제에 대해 언급.
19760131	고바야시 스스무	사회당			재일한국인 정치범 문제에 대해 언급.
19760131			아라후네		재일한국인 정치범 문제에 대해, 위원장이 예산위원회를 대표해 정부에 최선의 노력을 긴급히 촉구한다.
19760204	안타쿠 쓰네히코	사회당			KCIA의 총련 파괴, 남한에 가면 재일조선인 정치활동가는 살해된다.
19770207			미쓰이	정부 위원	김대중 사건과 관련된 인물에 대해 언급.
19770217	안타쿠 쓰네히코	사회당			한국으로 경제진출한 재일한국인 기업의 사례, 리베이트, 한일 유착 존재.
19770303	도이 다카코	사회당			민단이 귀화한 자 등 참정권을 가진 사람들의 명부를 작성해 사회 참여를 독려하는 통첩을 내고 있다.
19770303			오가와		공직선거법상 재일한국인의 선거 운동도 특별히 취급하고 있지 않다, 귀화한 한국인 등을 통해 재일한국인의 처우 개선을 꾀하는 것은 비난할 일이 아니다.
19770311	우에다 다쿠미	사회당			취직 차별 문제, 신체 장애인, 동화와 함께 언급.
19770315	우에다	사회당			유엔인권규약, 선진국으로서 인권은 후진, 납세

일시	질문자	소속 회파	답변자	직위	내용
	다쿠미				자, 영주성, 식민지주의의 희생자인 만큼 차별 해소 필요.
19770315			나카에		재일한국인 정치범 문제에 대해.
19770315			하토야마		재일한국인 문제와 관련해 대응 가능한 지점부터 추진.
19770315			사토		원호 문제는 한일조약으로 해결 완료
19770316	안타쿠 쓰네히코	사회당			한국으로 경제 진출한 재일한국인, 리베이트, 한일 유착에 대해 질문.
19770317	안타쿠 쓰네히코	사회당			재일한국인 정치범을 거론, 귀화한 자라면 대처하기 쉽다는 외무성 사무관의 발언, 재일한국인은 전쟁 정책으로 억지로 끌려 왔고 제대로 생활하면서 세금을 납부하고 있다고 발언.
19770317			하토야마		재일한국인 정치범에 대해.
19770317			나카에 요스케		재일한국인 정치범에 대해.
19770330	고바야시 스스무	사회당			재일한국인 정치범에 대해.
19771015	안타쿠 쓰네히코	사회당			재일한국인 정치범에 대해.
19771015			하토야마		재일한국인 정치범에 대해.
19771015			소노다		재일한국인 정치범에 대해.
19771015			나카에		재일한국인 정치범에 대해.
19780227	나카노 간세이	민사당			사회보장의 차별 철폐에 대해 질문, 법적지위협정, 역사, 납세자, 선진국 일본, 일본국 헌법, 영주 의사 등에 대해 언급.
19780227			오자와		사회보장의 차별 철폐에 대해, 선진국 운운하지만 쌍무 협정이 없으면 무리.
19780227			고구레		사회보장의 차별 철폐에 대해 양국 간 협정으로 처리.
19780227			야마시타		사회보장의 차별 철폐에 대해.
19780228	나카노 간세이	민사당			재일한국인 문제에 대해, 폐쇄성, 섬나라 근성이 문제, 사카나카 논문, 재일한국인은 일본사회에 크게 기여, 그들의 처우도 일본을 평화적으로 수호하는 하나의 수단이라고 언급.
19780228			세토야마		재일한국인 처우에 대해, 법적지위협정에 의거해 행정, 자국의 안전, 사회질서를 고려.
19780303	니시미야 히로시	사회당			재일한국인 정치범에 대해.
19780303			나카에		재일한국인 정치범에 대해.
19781006	고바야시 스스무	사회당			한일 유착 비판, 이승만 시대에도 재일조선인 송환을 유리하게 만들기 위해 한국에서 여당으로 자금이 흘러들어갔다 등의 지적.
19790203	쓰카모토 사부로	민사당			귀국사업으로 남편과 함께 돌아간 일본인 아내의 인권 문제.

일시	질문자	소속 회파	답변자	직위	내용
19790208	안타쿠 쓰네히코	사회당			민단과 입관의 유착, 공작원 입국 등에 대해 질문.
19790227	오키모토 야스유키	공명당			기본적 인권, 부락, 오키나와, 조선인에 대해 발언.
19790302	안타쿠 쓰네히코	사회당			도쿄한국연구원 등을 비롯해 재일한국인 단체, 통일교회 등과의 관계에 대해 질문.
19800205	노사카 고켄	사회당			재일한국인 정치범에 대해.
19800205			오키타		재일한국인 정치범에 대해.
19800303	구사카와 쇼조	공명당			국민연금의 적용 요청, 제국주의적 전쟁이 벌어진 당시 끌려 온 사실 등을 언급.
19800304	와타나베 이치로	공명당			국세조사로 한국인이라는 사실이 드러날 가능성이 있고, 취직 과정에서 불이익을 당할 것이다.
19800304	오하시 도시오	공명당			국민연금 가입, 일본에서 태어나 일본에서 세상을 떠나는 대다수의 사람들, 슬슬 재검토해야.
19800304			노로 교이치		국민연금 적용 문제에 대해 설명.
19800304			고구레 야스나리		국민연금, 전쟁 이전부터 특수한 입장에 놓였다는 사실도 잘 알고 있으며, 국제인권규약도 있다고 답변.
19800305	이다 다다오	공명당			21년은 커녕 훨씬 오래 계신 분들을 보호하는 문제, 국민연금에서 배제되어 있는데 어떤 해법이 있을까.
19800305	나카노 간세이	민사당			국민연금, 아동수당, 국제인권규약, 역사성·일반 외국인과는 달리 강제적으로 끌려와 일본인으로 여겨졌다, 일본의 국제적인 신뢰를 확보하기 위해서라도 일본의 명예와 긍지를 걸고 일본 정치가의 판단에 입각해야, 법적지위협정은 이 정도 하면 된다는 뜻이 아니다, 재정문제를 꺼내지만 조세부담은 일본인보다 무겁다는 점도 있다는 등의 이유로 사회보장의 차별철폐를 호소.
19800305			고구레		국민연금, 법적지위협정에서는 적용한다는 결론은 없다고 답변.
19800305			노로		사회보장에 대해, 양국 간 협정일 경우에는 검토한다고 답변.
19800307	와다 고사쿠	사회당			국제인권규약과 관련해 사회보장 건에 대해 질문.
19800307	구사카와 쇼조	공명당			외국인등록에 대해, 부부가 동반 출두해 신생아의 영주권을 신청하기 어렵다.
19800307	미우라 다카시	민사당			민단의 요청으로 차별에 시달리고 있다는 취지가 적시되어 있다, 세금을 납부하면서 일본에 정주하고 일본에 뼈를 묻겠다고 밝히고 있는 점 등을 들며 차별 철폐에 대해 질문.
19800307			사사키		외국인에게는 국민연금, 아동수당을 적용하고 있지 않다.

일시	질문자	소속회파	답변자	직위	내용
19800307			야마모토	설명원	외국인등록법 개정안은 대략 3년 안에 제출.
19801011	오이데 슌	사회당			재입국 문제, 재일한국인 정치범에 대해 질문.
19801011	마사모리 세이지	공산당			김대중 사건과 관련된 재일한국인의 이야기
19810204	쓰카모토 사부로	민사당			재일한국인의 국민연금에 경과 조치가 필요, 그들은 전쟁 통에 끌려 왔거나 일본에서 태어난 사람들.
19810226	오하라 도루	사회당			연금 차별, 난민조약, 징병이나 징용으로 끌고 온 사람들, 차별 철폐가 당연.
19810226	구사카와 쇼조	공명당			국민연금 문제에 대해 질문.
19810227	야야마 유사쿠	사회당			취직 차별 문제, 신원 조사에 전직 경찰관이 관계하고 있으며, 부락, 조선인을 대상으로 하고 있다.
19810227	우에다 다쿠미	사회당			차별 문제에 대해, 동화 문제를 거론하면서 언급, 국제인권규약과의 관련성도 지적.
19810228	도이 다카코	사회당			외국인 장애인을 위한 시책에 대해 질문.
19810228	우에다 다쿠미	사회당			동화 문제를 거론하는 가운데 차별 문제에 대해 언급.
19810302	나카노 간세이	민사당			사회보장, 재류권, 외국인등록 등에 대해 질문, 장애인에 대해서도 언급.
19810302	무라야마 기이치	사회당			귀화 행정의 실태는 어떤가, 조건을 완화해도 무방하지 않은가.
19810302	고바야시 마사코	공산당			국적 부계주의의 문제, 귀화 행정 등에 대해 질문.
19810302			나카지마 이치로	법무성 민사 국장	귀화행정에 대해 설명, 역사적 경위를 감안해 가급적 바라는 바를 실현한다. 실제로 생활기반도 있고 동화도 진행되고 있다, 총련·민단소속은 관계 없다.
19810302			오타카 히로시	법무성 입국관 리국장	보다 안정적인 재류권을 구상하고 있다는 취지의 답변.
19810303	가와카미 다미오	사회당			대학 진학 자격에 대해 질문.
19810303			미야치 간이치	정부 위원	대학 진학의 기회, 능력, 적성에 따라 열고 있다, 외국인 학교에 대해서는 정규 교육 과정이 아니라고 답변.
19820208	노사카 고켄	사회당			재일한국인 정치범에 대해 질문.
19820301	나카노 간세이	민사당			일반적인 재일한국인 문제에 대해, 한일 관계, 군국주의하에 끌려 와 자기 의사와 관계 없이 국적을 변경한 역사적 배경, 일본이 주체적으로 생각해야 하는 과제, 영주 의사, 주민으로 규정

일시	질문자	소속 회파	답변자	직위	내용
					해야, 단일 민족의식의 극복, 국제사회에서 창피를 당하게 될 것이라고 언급.
19820301	사토 요시미	사회당			재일한국인 정치범, 일반적인 재일조선인 문제에 대해 질문.
19820301			사카타		재일조선인 문제에 오랜 경위가 있는 만큼 양국 국민이 서로 노력해 나가야 한다고 답변.
19820301			오타카		지문날인, 공공의 안전을 현저히 저해한 외국인에은 강제퇴거 조치한다는 입장 견지, 영주 허가의 배경도 고려한다.
19820301			야마구치	설명원	사회보장 문제에 대해 설명.
19820301			기우치		재일한국인 정치범, 사회보장 문제에 대해 설명.
19820301			사쿠라우치		재일한국인 정치범에 대해서는 인도적 입장에서 마땅한 조치를 한다.
19830208	오카다 도시하루	사회당			한일 정상회의, 전두환의 강권 정치가 재일조선인조차도 탄압하고 있다고 발언.
19830302	오카다 마사카쓰	민사당			귀국사업으로 돌아간 일본인 아내에 대해 질문.
19830303			다케시타 노보루	대장상	국내외 모든 보상 문제에 파급 효과를 미치기 때문에 곤란하다.
19830304			오구라		나카소네와 전두환이 회담에서 재일한국인의 대우 문제에 대해서도 의견을 교환했다.
19830305	도이 다카코	사회당			국적법의 양계주의에 대해, 재일조선인에 대해서도 언급.
19830305	나카노 간세이	민사당			함부로 국적이 바뀐 역사성, 주민의식, 새로운 세대의 정체성 혼란과 불안이 있다는 취지의 발언.
19830305	구사카와 쇼조	공명당			국제인권조약을 감안해 차별을 없애는 것이 전제, 당연히 정상을 참작해야.
19830305			하다노		재일한국인 문제에 대한 생각, 공무원 취로권에 대한 답변, 한국계 일본인은 난제.
19830305			오구라		재일한국인 문제에 대해, 한일 우호 중요한 문제.
19830305			다나카		재일한국인에 대해, 특수한 경위, 법적지위 안정화 추진, 정착성.
19840206	야노 준야	공명당			재일한국인의 서울올림픽 기부 처리 문제에 대해.
19840208	나카노 간세이	민사당			공무원 취로권, 외국인등록법에 대해.
19840208	가와마타 겐지로	사회당			공무원 취로권에 대해
19840221	나카노 간세이	민사당			일반적인 재일한국인 문제에 대해 질문.
19840221			나카소네 야스히로	수상	재일한국인 문제, 검토 계속 방침.
19840226			시마자키		외국인등록법 문제에 대해.
19840310	사카이	공명당			외국인능독법 문제, 인종차별철폐조약에 대해서

일시	질문자	소속 회파	답변자	직위	내용
	히로이치				도 언급.
19840312	도이 다카코	사회당			귀화 행정, 식자 교육 등에 대해 언급.
19840312	나카노 간세이	민사당			사회보장,외국인등록법,귀화행정등재일한국인의 역사성·끌려왔고,자기의사에입각하지않은국적 변경,2세와3세의정착성을고려해야.
19840312	구사카와 쇼조	공명당			지문 제도, 국제인권규약과의 관계, 한일의원연 맹도 문제시하고 있다.
19840312	우에다 다쿠미	사회당			인종차별철폐위원회 논의에 대해.
19840312			미야자키 다카시	법무성 입국 관리국 입국심 사과장	대북 재입국 허가의 취득 상황 설명.
19840312			아베		외국인등록법, 일반적인 재일조선인 문제에 대 한 설명.
19840312			다나카		외국인등록의 기본은 재류 경위 및 국적 여하를 불문하고, 외국인을 동등하게 대우한다, 성명 정 정도 연간 5천 건, 동일성 확인은 최종적으로 지 문에 의존해야 하는 상황.
19840312			스미		재일조선인 문제, 귀화 행정 등을 법무성의 견해 만으로 정할 수는 없다.
19840312			야마구치 다케히코		사회보장에 대한 설명.
19850214	사토 간쥬	사회당			요시다 세이지 인용, 민단부인회와 공조 실태조 사, 재일조선인의 이 같은 활동에 협조, 유골 반 환 등의 문제에 대해 언급.
19850218	야야마 유사쿠	사회당			재일한국인 정치범에 대해.
19850218			아베		재일한국인 정치범에 대해.
19850222			아베		일반적인 재일조선인 문제에 대해.
19850225	미우라 다카시	민사당			지문날인제도 문제에 대해 원만한 자체 해결을 위해 정부로서 구체적인 방책을 요구한다.
19850226	후세야 슈지	공명당			외국인등록법에 대해.
19850226			아베		외국인등록법에 대해.
19850306	나카노 간세이	민사당			외국인등록법 문제, 한국 내 야당 약진, 한국발 압력 때문에 법을 개정해야 하는 것은 아니지만 정치문제화는 불가피, 일본의 여론, 1965년 이후 재일한국인의 목소리, 국제적인 인권, 동일성 확 인의 유효성에 의문, 역사성에 대해서도 언급.
19850306			시부야		외국인등록법에 대해.
19850306			고바야시		외국인등록법, 한국인만 별도 대우하는 것은 곤란.

일시	질문자	소속 회파	답변자	직위	내용
19850307	나카노 간세이	민사당			공무원 취로권에 대해, 오사카에는 한국인 자손이 과반수인 학교도 있다, 그들의 자식들이 장래 희망을 갖도록 한다.
19850307	시미즈 이사무	사회당			공무원 취로권에 대해.
19850308	다케무라 야스코	사회당			역사적이고 사회적인 특수성, 유엔 위원회의 지적, 지문 제도 철폐를.
19850308	구사카와 쇼조	공명당			외국인등록법 문제, 전후 처리 차원에서 실시해야, 국제인권규약에 대해서도 언급.
19850308			고바야시 준지	설명원 정부 위원 법무성 입국관 리국장	재류 관리에 관해 상호주의는 어렵고, 조선인과의 역사적 경위를 감안해 별도 대우하는 것도 어렵다.
19850308			후루야		외국인등록법 문제, 북한에서 오는 밀입국 문제 언급.
19860206			아베		재일한국인의 서울올림픽 기부 처리.
19860206			다케시타		재일한국인의 서울올림픽 기부 처리.
19860217	오하라 도루	사회당			취직 차별 문제에 대해. 동화 대책 논의 가운데 언급.
19860219	나카노 간세이	민사당			재일조선인 문제에 대해, 일본국적을 취득할 것인지 한국적을 보유할 것인지 기한을 설정해 선택하라고 요구할 때가 온 것 같다, 1세의 심리도 잘 이해한다고 언급.
19860219	다가야 신넨	사회당			동화 문제와 함께 취직 차별 문제에 대해 언급.
19860219			아베		91년 문제의 협의 전 단계로 회의를 개최.
19860219			고바야시		일반적인 재일조선인 문제에 대해 언급.
19860306	다나미 다네아키	사회당			동화 대책에 관한 발언의 문맥 속에서 취직 차별 문제에 대해 언급.
19860307	나카니시 세키스케	사회낭			동화 내책에 관한 발언 도중 취직 차별 문제에 대해 언급.
19860307	사콘 마사오	사회당			인종차별에 대한 조약의 정의, 재일조선인도 포함되는 것 아닌가.
19860307			나카하라 노보루	정부 위원 외무성 국제연 합국장	재일조선인 문제에 대한 유엔 위원회에서 NGO 측이 내놓은 발언과 정부의 대응, 정부의 결론은 나오지 않았다고 설명.
19860307			고바야시 준지	정부 위원 법무성 입국관	북한으로 귀국한 일본인 아내에 대한 설명, 재입국 허가 상황에 대해 설명.

일시	질문자	소속 회파	답변자	직위	내용
19880203			다케시타 노보루	리국장	서울올림픽과 관련해 재일한국인을 언급.
19880306	오하라 도루	사회당			인종차별철폐조약과 재일조선인의 관계에 대해 질문.
19880309	오하라 도루	사회당			인종차별철폐조약과 재일조선인의 관계에 대해 질문.
19890216	이토 마사요시	자민당			대북 관계 개선에 대해 재일조선인도 언급.
19891017	하마다 고이치	자민당			총련과 파칭코 업자, 북한과의 연관성에 대해 경찰청에 질문.
19891017			기우치 야스미쓰	정부 위원 경찰청 경무 국장	상공회, 조선총련 등의 설명.
19891017			고가 히로유키	정부 위원 공안 조사청 차장	총련에 대한 설명.
19891019	노사카 고켄	사회당			민단의 정치 헌금에 대한 질문.
19891019			아사노 다이자부로	정부 위원 자치성 행정국 선거 부장	정치자금수지보고에 총련, 민단의 명칭이 없다.
19891031	히카사 가쓰유키	공명당			파칭코 의혹, 헌금과 막후 사정에 대해 질문.
19891031	오자토 사다토시	자민당			총련의 성격, 위험 단체, 반미 활동, 사회당이 총련과 연대 중이라는 언급.
19891031	야마사키 다쿠	자민당			상공회와 파칭코 업자, 총련과 북한의 관계, 공작원, 랑군 사건, 메이데이 사건, 스이타 사건, 민단과의 항쟁, 밀입국에 대해 질문.
19891031			기우치 야스미쓰	정부 위원 경찰청 경무 국장	총련의 반미 활동, 한국인 밀출국에 대한 관여를 설명.
19891031			아사노 다이자부로	정부 위원 자치성	총련의 선거 운동은 없다고 설명.

일시	질문자	소속 회파	답변자	직위	내용
				행정국 선거 부장	
19891031			유아사 도시오	정부 위원	조선중앙회관의 세무 관계는 모른다(조사권한이 없다)는 설명.
19891031			에토 다카미	운수상	귀국사업으로 돌아간 일본인 아내, 인도적 문제로 보고 노력 중.
19891101	노마 도모이치	공산당			파칭코 의혹, 헌금에 대해 질문.
19891101	하마다 고이치	자민당			총련의 움직임에 대해, 혁명 운동, 공산당의 동향과 일치, 관련 내용을 교육하고 있다.
19891101	다니가키 사다카즈	자민당			파칭코 의혹에 대한 해명은 좋지만, 성실한 재일한국인에 대한 차별과 편견으로 이어질까 걱정이다.
19891101	야마하나 사다오	사회당			파칭코 의혹, 소수민족에 대한 공격처럼 전개돼 바라던 바와 다르다는 재일한국인의 의견.
19891101			기우치 야스미쓰	정부 위원 경찰청 경무 국장	총련, 민단의 설명.
19891101			고가 히로유키	정부 위원 공안 조사청 차장	민단이 폭력주의적 활동에 나설 위험은 없다는 견해 표명.
19900406	야마구치 쓰루오	사회당			91년 문제, 국제인권규약, 선진국과 유사한 방향으로 재일조선인의 처우에 나서야.
19900411	미야치 쇼스케	공명당			북한으로 귀국한 일본인 아내에 대해 질문.
19900411			나카야마 다로	외무상	북한으로 귀국한 일본인 아내에 대해 설명.
19900412	구사카와 쇼조	공명당			재일조선인 문제에 대해, 일본계 외국인의 수용, 바이츠제커의 발언 등을 들어 역사를 반성하고 지도력을 발휘해 문제를 해결하기를 요망.
19900412			나카야마		91년 문제와 관련해 재류권에 대해 설명.
19900412			오쿠노		공무원 취로권, 최대한 임용 기회를 확대해 나간다.
19900412			호리		교원 채용은 곤란.
19900413	나카노 간세이	민사당			한일 관계, 강제적으로 끌려 와 자기 의사와 상관 없는 국적 변경이 이루어진 점을 고려해, 특수 조치를 허용해야.
19900413			다니노		재일조선인 문제에 대해서는 검토 중.
19900413			하세가와		재일조선인 문제에 대해, 법무성은 노력 방침.

일시	질문자	소속 회파	답변자	직위	내용
19900420	야마다 에이스케	공명당			국민체육대회의 참가, 취학 통지, 택시 무선의 국적 조항에 대해 질문.
19900420			후카야		택시 무선에 대한 국적 조항, 상호주의를 표방하고 있기 때문에 무리.
19900420			마타노		재류 상황, 영주 허가의 운용 등에 대해 설명.
19900421	시마자키 유즈루	사회당			전시 중에 강제연행한 사람들, 북한과의 외교도 필요하다는 방침인 가운데 국제화를 고려해 재일조선인의 처우, 민족학교의 취급, 재류권 등의 개선 촉구.
19900421			다니노 사쿠타로	외무성 아시아 국장	재일조선인 문제, 여러 차원에서 배려하고 있다.
19900421			사카모토 히로나오	문부성 고등교육국장	민족학교 취급에 대해, 수험자격에 대한 설명.
19900423	하세가와 다카시	자민당			91년 문제, 재사할린 한국인 문제에 대한 결단이 필요.
19900423	간자키 다케노리	공명당			91년 문제, 성의를 갖고 대응한다.
19900426	와타나베 유키오	사회당			91년 문제에 대해 어떻게 생각하는지 질문.
19900426	센고쿠 요시토	사회당			역사적 경위, 역사 청산의 과정으로 재일조선인 문제에 대응해야, 조선인 아동 폭행 문제에 대해서도 언급.
19900426	우에하라 고스케	사회당			조선민주주의인민공화국의 조선인도 배려하고 동등히 대해야 한다.
19900426	고모리 다쓰쿠니	사회당			인종차별철폐조약과 관련해 차별 철폐, 조선인 아동 폭행 문제에 대해 질문.
19900426	아키바 다다토시	사회당			교육의 장에서 재일조선인을 더욱 드러내는 것도 역사에 책임을 지는 하나의 방법, 1조교(학교교육법 제1조가 정한 학교)와 동등히 대우하면 반성으로 이어지게 된다, JR 정기권도 국민감정상 문제가 없다.
19900426	사사키 히데노리	사회당			역사적 경위와 강제연행에 대해서도 소개하고, 재일조선인, 조선적의 처우, 현황에 대해 설명.
19900426	오미 미키오	공명당			강제연행, 일반 역사와는 달라, 일본에 깊이 뿌리내리고 있는데다 모국어도 하지 못하는 점 등을 언급하며 재일조선인 문제에 대한 의견을 개진.
19900426			히시무라 유키히코	문부성 초등중등교육국장	민족학교를 1조교로 규정하기는 어렵다.
19900426			시미즈 쓰타오	노동성 직업안	취직 차별 문제와 관련해 연수를 실시하거나 조사한 적 없다.

일시	질문자	소속 회파	답변자	직위	내용
				정국장	
19900426			나카야마 다로	외무상	재일조선인 아동 폭행 문제는 있어서는 안 된다.
19900426			하쓰가이 벤	설명원	취직 차별 문제에 대해, 사업주를 철저히 지도한 다.
19900426			마타노 가게치카	정부위 원 법무성 입국관 리국장	재일조선인 현황, 국적별로 파악되지 않아, 보다 안정된 법적지위를 도모.
19900426			하세가와 신	법무상	보다 안정된 법적지위를 도모.
19900426			사토	설명원	공무원 취로권, 3세에 대해서도, 최대한 임용 기 회를 확대한다.
19900426			하야시다	설명원	정규 수업에서 한국의 언어나 문화를 교육하는 것은 어울리지 않는다.
19900427	노사카 고켄	사회당			일반적인 재일조선인 문제, 조선적의 처우, 정치 범 등에 대해 질문.
19900427	구사카와 쇼조	공명당			공무원 취로권에 대해.
19900427			사카모토		재일한국인 정치범에 대해.
19900427			오쓰카		재일한국인 정치범에 대해.
19900509	노다 다케시	자민당			재일조선인 3세 문제, 역사적 경위·스스로 좋아 서 일본에 온 것이 아니다, 납세자, 일본사회가 개방된 자세를 가져야 한다고 언급.
19900509			나카야마 다로		91년 문제의 합의 내용에 대해 설명.
19900517	야마하나 사다오	사회당			식민지 지배에 대한 진지한 반성과 사죄, 그를 바탕으로 권리를 보장, 보호해야.
19900517			나카야마 다로		91년 문제의 합의에 대해 설명.
19901215	구사카와 쇼조	공명당			외국인등록법 문제에 대해.
19910208			가이후	수상	일반적인 재일조선인 문제에 대해.
19910221	시마사키 유즈루	일본사회 당			방북, 회담에서 재일조선인 법적지위 문제 항목 존재, 강제연행을 어떻게 생각할 것인가.
19910221			사토 메구무	법무상	역사적 경위 및 안정성을 고려해, 안정된 생활을 영위할 수 있도록 하는 것이 중요, 이에 따라 입 관특례법 제출.
19910221			이노우에 유키히코		북일 협상에서 조선인 학교의 취급에 대한 언급 이 있었다는 사실을 알고 있다.
19910221			아와야 도시노부		평화공원 내 한국인 위령비, 어릴 때부터 히로시 마에 살았고 한국인이 많이 있었다고 언급하면 서 재한피폭지 문제에 대해 설명.

일시	질문자	소속 회파	답변자	직위	내용
19910307	스가하라 기쥬로	민사당			북한으로 귀국한 남편을 따라간 일본인 아내에 대해 질문.
19910307			마타노 가게치카	정부 위원 법무성 입국관 리국장	북한과의 출입국, 재입국의 통계에 대해 설명.
19910311	센고쿠 요시토	사회당			취직 차별에 관한 계발이 부족, 실태조사 실시해야.
19910311	이토 히데코	사회당			재일조선인의 문맹자에 대한 문부성의 대처는?
19910311			와카바야시 유키노리	노동성 직업안 정국장	강제연행에 대한 조사상황 보고, 취직 차별에 대해서는 계발 노력.
19910822	구사카와 쇼조	공명당			한일 협의로 재입국 허가는 5년으로 연장됐지만, 한국의 여권법 때문에 실효성이 없다.
19920305	쓰쓰이 노부타카	사회당			원호법의 국적 조항에 대해 질문.
19920305			야나이		청구권경제협력협정의 해석, 재일한국인의 청구권은 소멸되지 않았다.
19920305			다다		재일한국인의 청구권 해석에 대한 질문.
19920311	나카니시 세키스케	사회당			식자 문제에 대한 질문.
19920311	오자와 가쓰스케	사회당			차별 표현에 대한 질문.
19920311	오가와 마코토	사회당			조세이탄광의 조선인 사례를 들며 전후 보상에 대해 질문.
19920312	센고쿠 요시토	사회당			PC 통신을 포함한 민족 차별에 대한 질문.
19920312	이토 히데코	사회당			한국인, 조선인에게 연금과 원호금을 지급하지 않는 데 대해 후생노동성의 입장이 궁금하다.
19930216	미즈타 미노루	사회당			재일한국인 중에도 전쟁피해자가 있기 때문에 보상 필요해.
19930218	고노이케 요시타다	자민당			재일한국인 친구가 많다, 지문날인도 반대, 하지만 위안부가 강제연행 되었는지는 의문.
19930305	기타가와 가즈오	공명당			외국인에 대한 장애기초연금 지급, 재일한국조선인의 역사적 경위, 정주성, 90년 한일 각서를 감안해 대처해야.
19930305			니와		재일조선인 연금 미가입자, 장애기초연금 지급은 곤란.
19930305			야마구치		역사적 경위가 있다는 사실은 알지만 재일한국인에게만 연금제도의 원칙을 무너뜨리는 것은 곤란.
19940330	나카야마 다로	자민당			동아시아 정세, IAEA 사찰, 총련계가 흥분상태에 빠질 것, 재일한국인 그룹도 한국의 입장에서 행

일시	질문자	소속 회파	답변자	직위	내용
					동, 중대문제.
19940330			쓰카다		재일조선인에 대한 정부 통계, 한국계와 북한계를 구분한 통계는 없다.
19940330			오가타		총련의 실태에 대해 설명.
19940518	나카가와 히데나오	자민당			북핵 의혹에 대한 경제 제재로 재입국 허가 제한이 있을 수 있는가.
19940525	호리 고스케	자민당			나도 문부상 재임 당시, 재일조선인에 대해서는 여러 가지 문제를 의식했다.
19940525			하다	수상	일본에서든 한국에서든 손님이라는 재일조선인이 편지를 보내, 국적이 없으면 투표 불가능, 고민할 생각.
19940601	나카야마 다로	자민당			과세 문제와 관련해 조선상공회와 합의했는가.
19940601	고토 시게루	사회당			재일조선인 아동에 대한 괴롭힘 문제에 대해 질문.
19940601			미우라		재일조선인에 대한 과세와 관련해 특별 대우는 없다.
19940607	시바노 다이조	신생당			북핵 의혹, 제재의 기둥이 총련의 송금 정지라는 보도가 나왔는데 어떤가.
19940608	나카니시 세키스케	사회당			전쟁 이전의 조선인에 대한 대우 및 차별 문제에 대처하며 아픔 나누어야.
19941011			다케무라		재일조선인 관계에 대한 질문에, 현지 사무소가 파칭코 영업소 2층에 있는 것은 아니라고 답변.
19941013	야마오카 겐지	자민당			제106회 국회에서 총련이 위험 단체라는 설명이 있었는데 틀림없는가.
19941013			마쓰우라		총련 단체의 성격에 대해 설명.
19950202	후유시바 테쓰조	공명당			거주 경위, 강제 이주, 야마토가와강 개수, 지방단체의 주민이라는 개념 문제를 언급하며, 참정권 문제에 대해 질문.
19950203			노나카		외국인 대지진 피해자 상황에 대해 질문.
19950220	와다 사다오	사회당			인종차별철폐그약의 비준을 묘구.
19951011	미노 요시미	사회당			재일한국인 정치범 문제에 대해.
19951011			무라야마 도미이치	수상	재일한국인 정치범 문제, 인도적 배려, 우리 측 심정이 전해질 수 있도록 대처.
19960213	이시이 겐이치	신진당(공명계)			재일조선인을 통한 북한의 공작, 정보수집에 대해 질문.
19960409			스기하라		총련과 북한의 관계, 민족교육에 대해 설명.
19970203	니시무라 신고	신진당			납치 문제, 문세광에 대해 언급.
19970304	이와타 준스케	민주당			수험자격, 독일인 학교에 대해서는 수험자격을 인정하고 있는 점을 들어 민족학교 취급을 개선히도록 요구.

일시	질문자	소속 회파	답변자	직위	내용
19970304			아메미야		민족학교 졸업자의 대학 수험자격, 검토하고 있지 않다.
19970304			하야시다		민족학교에 대한 조성금, 제도상 곤란하다.
19980130	스즈키 쓰네오	자민당			아라이 쇼케이에 대한 질문, 재일한국인으로 태어나 자랐다는 이야기를 이 자리에서 하게 될 줄 몰랐다. 포스터 이야기도 알고 있었지만 놀랐다는 취지의 발언.
19980130			아라이	참고인	출마 당시 과거 조선인이었다는 딱지가 붙어 있었다고 발언.
19980227	후유시바 테쓰조	평화·개혁			지역의 구성원으로 지역에 융화돼 기여하고 있다, 조세 부담자, 일본에 뼈를 묻을 것, 일본인과 다를 바 없다는 점을 들어 참정권 부여를 요구.
19980227			스즈키	정부위원	이쿠노구의 거주 상황, 내주 경위에 대해 설명.
19980227			시모이나바		국적 상실 경위를 설명.
19980612	니시무라 신고	신진당			조국 왕래 중단, 송금 정지, 총련을 감시할 생각은 있는가
19990126	후유시바 테쓰조	신진당 (공명계)			지역진흥권에 대해, 재일조선·한국인에게도 동등하게 대우했다.
19990129			오부치 게이조	수상	대북 교류, 재일조선인도 있는 만큼 다양한 교류가 이뤄지는 것이 당연하다.
19990216	고바야시 마모루	민주당			최고재판소 판결, 국민 70%가 참정권 부여 지지.
19990216			노나카		참정권 문제에 대해, 총련이 강력히 반대해 신중히 대응.
19990217	호사카 노부토	사민당			국제여론, 수험자격을 인정하는 것이 좋다, 도쿄대 젊은 교수도 같은 의견이라며 민족학교 취급에 대해 개선 요구.
19990217	후유시바 테쓰조	공명당			내주 경위, 세대 교체, 일본에 미치는 영향, 정주외국인(통과 외국인이 아닌), 세금을 납부하고 있고, 한국 측의 요구도 있다며 참정권 부여를 요구.
19990217			우에다	정부위원	차별, 민족학교 취급에 대해 유엔 인권위원회에서 우려가 제기된 사실 알고 있다.
19990217			구도	정부위원	유엔 인권위원회, 조선인 학교 부분은 권고 아닌 의견 표명.
20000424			모리 요시로	수상	이시하라 도지사의 제삼국인 발언에 대한 견해 언급.
20010302	오시마 레이코	사민당			조선총련, 조선인상공회에도 공안조사청 보상비 지불, 이상하지 않은가.
20011203	나카쓰카 잇코	자유당			조은신용조합 문제를 어떻게 처리할 것인가.
20020221			야나기사와		민족금융기관에 대한 설명.
20021024	기타가와	공명당			귀국한 조선인 남편의 일본인 아내, 북일 협상에

일시	질문자	소속 회파	답변자	직위	내용
	가즈오				서 안부 등을 밝히도록 요구.
20021024	닷소 다쿠야	자유당			평양선언에서 재일조선인의 지위에 대해 협의한다고 명시된 사실을 언급.
20021024	이노우에 요시히사	공명당			귀국사업으로 돌아간 사람들의 비참한 실태와 인권 침해가 드러나고 있다, 일본 정부와 정당도 귀국사업에 관여한 만큼 무거운 책임이 있고, 인권 구제 수단을 강구해야 한다.
20021024			가와구치 요리코	외무상	북한 귀국자의 일본인 아내에 대한 소식, 필요한 협상을 진행할 것.
20030127	나카무라 데쓰지	민주당			탈북자 가운데 재일조선인 출신과 일본인은 몇 명 있고, 재일조선인 출신자가 보호를 요구한 사례는 몇 건 있는가, 관련 대응 방안은 무엇인가.
20030127			아베	내각 관방부 장관	재일조선인 출신 탈북자의 처우에 대해서는 여러 가지 논의가 있다.
20030127			가와구치 요리코	외무상	북한에 있었던 재일조선인 출신자가 비호를 요구해 올 경우, 다른 외국인과 다르다는 점을 고려해 대응.
20030218	니시무라 신고	민주당			납치 사건, 강제연행은 없었다는 취지의 발언.
20030218			다니가키		납치 사건에 관여한 재일조선인에 대해 언급.
20030227	나카가와 도모코	사민당			민족학교 취급에 대해 질문.
20030227	모리오카 마사히로	자민당			재일조선인 출신 탈북자의 입국 자격은 무엇이었나.
20030227			가와무라		민족학교 취급에 대해 설명.
20040305	쓰쓰이 노부타카	민주당			납치 문제에 대한 재일조선인의 관여에 대해 질문.
20040305			오노		납치 문제에 대한 조선인의 관여에 대해 언급.
20050214			마치무라		재일조선인 출신 탈북자가 재외 공관에 보호를 요구해 온 경우 대응에 대해.
20050216	마쓰바라 진	민주당			파방법(파괴활동방지법) 조사 대상 단체의 지도자, 조선 총련의 간부가 북한에 가서 협의한다는 등의 발언.
20050216			미나미노		재일조선인의 재입국 제한은 곤란하다.
20060127	다카이치 사나에	자민당			과협(재일본조선인과학기술협회)에 대한 미사일 정보 유출 문제, 스파이 행위에 대해 질문.
20060127			누카가		과협에 대한 미사일 정보 유출 문제에 대해 설명.
20060216			누카가		과협에 대한 정보 유출 문제에 대해 설명.
20060216			고바야시	정부 참고인	과협에 대한 정보 유출 문제에 대해 설명.
20060301	사사키 류조	민주당			총련 시설의 과세 상황에 대해 질문.
20060301			고무로	정부	총련 시실의 과세 감면 상황에 대해 보고.

일시	질문자	소속 회파	답변자	직위	내용
				참고인	
20061010			아베	수상	재일조선인 출신 탈북자 처우에 대해 답변.
20080214	하라구치 가즈히로	민주당			참정권 문제에 대해 질문.
20080214			다카무라		참정권 문제에 대해 답변.
20100122	고이케 유리코	자민당			센터시험에 외국인 참정권에 관한 문제 출제, 이상하지 않은가.
20100209	다카이치 사나에	자민당			외국인의 선거 운동도 금지해야, 지방 선거라도 국익에 영향을 미친다.
20100215	시모무라 하쿠분	자민당			북한 송금과의 연관성을 언급하면서 민족학교 무상화 문제에 대해 발언.
20100215			가와바타		고교 무상화 문제의 민족학교 취급.
20101013	시모무라 하쿠분	자민당			고교 무상화 문제의 민족학교 취급에 대해 언급.
20101109	다카이치 사나에	자민당			참정권 문제가 안보에도 영향을 준다는 취지의 주장.
20101109			간	수상	민족학교 취급에 대해 설명.
20110209	시모무라 하쿠분	자민당			무상화 문제의 민족학교 취급에 대해 질문.
20110209			나카이		고교 무상화 문제의 민족학교 취급에 대해 설명.
20110209			오자키	정부 참고인	고교 무상화 문제의 민족학교 취급에 대해 설명.
20110926	이나다 도모미	자민당			노다 총리에 대한 헌금 문제에 대해 질문.
20110927			오자키	정부 참고인	무상화 문제의 민족학교 취급에 대해 설명.
20120210	고이케 유리코	자민당			재입국 불허 문제와 관련해, 재일조선인이 북한에 「상납금」을 갖고 가는 사례가 있어 문제.
20120301			마쓰바라 진		민족학교, 치안 문제와의 관계에 대해 설명.
20120301			히라노		민족학교, 치안 문제와의 관계에 대해 설명.
20120612	이나미 데쓰오	민주당			재일한국인 출신 정치범으로 특별영주자 자격을 상실한 사람들의 자격 부활 문제에 대해.
20121112	호소노 고지	민주당			이시하라 도지사의 제삼국인 발언에 대해.
20121112			다나카 마키코		민족학교의 고교 무상화 문제에 대해.
20140214			후루야		치안 문제와의 관계에 대해.
20150220	마에하라 세이지	민주당			민족금융기관에 대한 질문.
20150223	구니시게 도루	공명당			헤이트 스피치 문제에 대해.

제3부_
대중문화 속 전후
재일코리안 표상과
디아스포라 인식

전후 재일조선인의 여성해방담론과
〈오페라 춘향〉

1. 패전 직후의 '춘향전'

한국 고전문학의 대표작 중의 하나인 '춘향전'은 1882년에 半井桃水에 의해 『鷄林情話 春香伝』이라는 제목으로 번역되어 『大阪朝日新聞』에 연재되면서 일본에 소개되었다. 그 이후 '춘향전'은 일본에서 소설, 연극, 영화, 오페라, 만화 등의 다양한 장르를 통해 소개되고 재구성되어 왔다. 특히, 張赫宙가 1938년에 발표한 『新選純文学叢書第9 春香伝』(新潮社)과 같은 해 3월 23일부터 4월 14일까지 일본인 극작가(연출기) 村山知義의 각색으로 日本新協劇団에 의해 築地小劇場에서 공연된 『春香伝』(6막 11장)은 그 해의 '춘향전 붐'을 일으키기도 했으며, 동시에 '조선 붐'으로 이어지는 계기가 되었다고 전해진다.

이와 같은 일본에서의 '춘향전'에 대한 관심은 일본의 패전에도 불구하고 지속되었다. 패전 이후, '춘향전'은 1948년에 재일조선인 문학가 李殷直이 발표한 『新編春香伝』(極東出版社)을 비롯하여 같은 해 11월에는 일본인 작곡가 高木東六에 의해 작곡된 〈歌劇(オペラ) 春香〉(이하 〈오페라 춘향〉)이 東

京有楽座에서 공연되었다. 그리고 1956년에는 장편 서사시「화승총의 노래」 등으로 유명한 재일조선인 시인 許南麒에 의해 번역된『春香伝』(岩波書店)이 출판되기도 하였다. 특히, 高木東六의 〈오페라 춘향〉은 패전 이후 일본인이 작곡하고 제작한 최초의 오페라라는 점에서 당시의 일본인들에게 큰 반향을 불러일으켰을 뿐만 아니라 재일본조선인연맹(이하 조련)이 〈오페라 춘향〉의 제작을 의뢰하고 지원하였으며, 주인공의 한 사람인 이몽룡 역에 재일조선인 성악가 金永吉(永田絃次郎)이 출연한다는 점에서 당시의 재일조선인들에게 있어서도 큰 화제가 되었다.

그런데 여기에서 주목할 점은 패전 직후의 사회적 혼란과 경제적 어려움에도 불구하고 조련이 〈오페라 춘향〉의 제작을 의뢰하고 지원하였다는 점, 그리고 〈오페라 춘향〉은 일본에서 제작되고 소개된 종래의 '춘향전'과는 달리 비극적인 결말로 구성되어 있다는 점이다. 〈오페라 춘향〉의 비극적인 결말에 대해서는 작곡가(성악가)인 関忠亮의 "무대의 감명을 평범하게 만들었으며, 게다가 작품의 중심적인 주제를 혼란스럽게 만들고 있다"[1]는 동시대 평에서도 알 수 있듯이 '춘향전'의 내용전개에 있어서 해피엔딩을 기대했을 많은 관객들에게 일종의 당혹감을 안겨주었음을 유추할 수 있다. 이 점은 〈오페라 춘향〉의 작곡가인 高木東六가 이미 전시 중(1941년 무렵)에 한 차례 오페라 〈춘향전〉을 작곡한 적이 있을 만큼 '춘향전'에 대해 조예가 깊은 인물이며, 〈오페라 춘향〉의 제작을 의뢰하고 지원한 단체가 조련이었다는 사실, 더욱이 관객의 상당수가 재일조선인이었을 것이라는 점을 고려할 때 충분히 납득하기 어려운 의문으로 지적할 만하다. 하지만 종래의 선행연구에서는 〈오페라 춘향〉의 제작경위에 대해서는 기술하고 있으나 〈오페라 춘향〉의 비극적인 결말에 대해서는 충분한 논의와 분석이 이루어졌다고는 보기 어렵다.[2] 또한 〈오페라 춘향〉의 제작의뢰 및 지원과 관련하여 조

---

1) 関忠亮,「オペラ"春香"のこと」,『テアトロ』第11巻 第2号, カモミール社, 1949, 49~52쪽.
2) 『歌劇 春香』에 관한 주요 선행연구에는, 藤井浩基,「高木東六作曲 歌劇〈春香〉の構想から完成まで」,『北東アジア文化研究』第11号, 鳥取短期大学, 2000; 공은아,「다카기 도로구(高木東六)

련은 어떠한 자세와 입장을 취하고 있었으며, 재일조선인의 동시대적 담론과 어떠한 관계를 가지고 있는가에 대한 고찰의 여지도 남기고 있다.

본고에서는 이와 같은 문제의식을 기반으로 〈오페라 춘향〉의 결말에 대한 평가와 재인식의 필요성을 분석하고, 동시대의 재일조선인의 여성해방 담론이 〈오페라 춘향〉과 어떠한 관계에 있는지를 고찰하고자 한다.

2. 〈오페라 춘향〉의 제작과 재일본조선인연맹

앞서 기술한 바와 같이, 일본인 작곡가 高木東六(1904~2006)에 의해 작곡된 〈오페라 춘향〉은 1948년 11월 20일부터 11월 26일까지 東京有樂座에서 총 13회에 걸쳐 공연되었으며, 전 4막 6장으로 구성되어 있다. 〈오페라 춘향〉의 공연 프로그램 팸플릿에 의하면 연출과 각본, 미술은 일찍이 전시 중에 재일조선인들과의 교류를 통해 신극 〈春香伝〉의 대본과 연출을 담당했던 村山知義가, 프로듀서는 재일조선인 문학가 허남기가, 이몽룡 역에는 재일조선인 성악가 김영길(永田絃次郎)이 담당한 것으로 되어있다.

이와 같은 점에서도 짐작할 수 있듯이, 〈오페라 춘향〉은 원작이 가지고 있는 조선과의 관계 외에 제작진에 있어서도 조선과 깊은 관계를 지니고 있음을 알 수 있다. 이 점에 있어서는 작곡가 高木東六 또한 예외는 아니다.

高木東六는 1928년에 도쿄음악학교를 중퇴한 후, 파리국립음악원을 거쳐 스콜라 칸토룸(Schola Cantorum)을 졸업하고 1932년에 귀국하였다. 귀국 후에는 피아노 독주회를 통해 다수의 프랑스 작품을 소개하는 등 활발한 음악활동을 펼치는가 하면 조선의 전통음악에도 관심을 보이며 약 10여 차례 조선을 방문하였다고 한다.[3] 그러한 가운데 1939년에는 협주곡 〈朝鮮の幻

의 오페라 '춘향', 『음악학』 제8권, 한국음악학학회, 2001; 이응수 · 윤석임 · 박태규, 「일본에서의 「春香伝」 수용 연구」, 『일본언어문화』 제19집, 한국일본언어문화학회, 2011 등이 있다.
3) 高木東六, 「オペラ『春香』について 作曲者の言葉」, 『グランドオペラ 春香』(公演プログラムのパ

想)과 조선인 무용가 조택천의 의뢰로 작곡한 무용조곡 〈鶴〉를 발표하기도 하였다. 특히, 1940년에는 관현악곡 〈朝鮮舞踊組曲〉의 일부인 〈朝鮮の太鼓〉가 新京音楽院賞(満洲国建国記念)에 응모되어 1등으로 입선하였으며, 1942년에는 일본의 문부대신상을 수상한 바 있다.

高木東六는 〈오페라 춘향〉의 공연 프로그램 팸플릿에서 〈오페라 춘향〉이 자신에게 있어서 두 번째 작품임을 밝히고 있다. "첫 번째 작품은, 쇼와 14・15년에 착수해서 大戦직전까지 제3막까지 완성하였지만, 이것은 이번 전란에 의해 완전히 소실되어 버렸다"[4]는 것이다. 이 점은 高木東六가 단지 우연히 조련으로부터 두 번째 작품인 〈오페라 춘향〉의 작곡을 의뢰받은 것이 아니라는 것을 방증하는 대목이라고 추정할 수 있다. 즉 당시의 재일조선인들도 高木東六의 음악활동, 특히 조선에 대한 관심과 그에 수반한 작품활동들을 주지하고 있었기에 가능한 일이었을 것이라 여겨진다.

高木東六는 자신의 에세이에서 '(쇼와21년 초순, 재일본조선인연맹으로부터) 완성할 때까지는 매달의 생활을 보장 하겠다'는 조건을 제시하며 조련으로부터 오페라 〈춘향전〉의 작곡 의뢰가 있었음을 언급하고 있다.[5] 그리고 이러한 사실은 다음의 자료에서도 확인할 수 있다.

> 그(김영길 – 인용자 주)가 영락한 것을 알게 된 재일상공인들이 격려하기 위해 이번 출연에 이르게 된 것이다. 연회장에서 '앞으로는 민족을 위해서'라고 '결의표명'을 한 그는 우레와 같은 박수를 받았으며, 순식간에 수천 엔의 기금이 모였다. 그러한 분위기는 조련문교부가 11월 20일부터 일 주일간에 걸쳐 有楽座에서 개최한 '그랜드 오페라・춘향'으로 결실을 맺었고, 김영길은 주역인 이몽룡 역을 맡았다. 이 공연에는 200만 엔의 예산이 배정되었지만, 필시 재일상공인에 의한 거액의 기금으로 실현되었을 것이다. 한국전통예능인 춘향전을 오페라로 각본화한 것은 高木東六였다. (중략) 조련문교부는 김영길의 복귀를

ンフレット), 1948, 1쪽. "원래 나는 조선음악에 대해서 특별한 흥미를 가지고 있었다. 채보만을 위해서 조선까지 멀리 간적이 있을 정도이며, 모두 10번 가까이나 왕래했을 것이다."

4) 高木東六, 위의 글.

5) 高木東六, 『愛の夜想曲』, 講談社, 1985, 237쪽.

바라고 있었으며, 나가노현에 疏開 중이었던 高木 씨에게 '공연이 실현될 때까지 생활비를 내겠다'고 설득하고 각본이 완성된 것이다.6)

위의 자료에 의하면 재일조선인 상공인들이 재일조선인 성악가 김영길의 격려와 복귀를 위해 거액의 기금을 마련하였으며, 그 기금으로 高木東六를 설득하여 마침내 〈오페라 춘향〉이 무대에 오르게 되었다는 것을 기술하고 있다. 다시 말하면, 〈오페라 춘향〉의 제작에 있어서 재일조선인의 역할이 크게 작용하였다는 것을 추정할 수 있다. 그리고 당시의 재일조선인들에게 있어서 '춘향전'이 왜 종래에 등장했던 소설이나 연극, 영화와 같은 장르가 아닌 오페라라는 다소 생소한 장르를 선택하여 제작하려고 하였는가에 대한 의문도 일정부분 해소되리라 보여 진다.

그런데 여기서 주목할 것은 〈오페라 춘향〉의 제작과 관련하여 조련(혹은 재일조선인)의 역할이 高木東六에게 작곡을 의뢰하고 제작을 지원하는 데 그친 것인가 라는 점이다. 본고는 이러한 의문에 대한 확실한 해답을 제시하기에는 부족한 부분이 있다는 것을 인정한다. 다만, 당시의 조련(혹은 재일조선인)이 '춘향전'에 대해 어떠한 태도를 보이고 있었으며, 또한 어떠한 기대를 가지고 있었는가를 살펴본다면 앞의 의문을 부분적으로나마 해소할 수 있는 실마리는 제공할 수 있으리라 사료된다.

이러한 의미에서 먼저 패전 직후, 조련(혹은 재일조선인)이 '춘향전'에 대해 어떠한 태도를 보이고 있었는가를 살펴볼 필요가 있다.

1946년 4월에 조련문화부는 '大衆의 切實한 要求의 하나인 啓蒙事業'의 '努力不足'에 대해 '自己批判 할 餘地가 있다'고 지적하면서 '새 出發하기 爲하여 이제 小說을 世上에' 발신한다는 「創刊辭」와 함께 잡지 『朝聯文化』를 간행하였다. 여기에서 주목할 점은 이렇게 간행된 잡지 『朝聯文化』의 창간호와 같

---

6) 高東元, 「海峽を渡った韓国芸能人」(一般社団法人 在日韓国商工会議所兵庫, http://www.hyogokccj.org 열람: 2015년 3월 4일), 이 외에도 呉圭祥(在日朝鮮人歴史研究所研究部長), 「〈解放5年, 同胞音楽事情-③〉地方巡演-文化宣伝隊」, 『朝鮮新報』(2007년 8월 9일자)에도 조련이 高木東六에게 『歌劇 春香』의 작곡을 의뢰하고 지원하였다는 내용이 수록되어 있다.

은 해 10월에 간행된 제2호에는 재일조선인 문학가 이은직의 논고 「春香傳과 朝鮮人民精神」이 연이어 발표되었다는 점이다. 이은직은 『朝聯文化』 제2호의 논고에서 다음과 같이 기술하고 있다.

> 偉大한 藝術은 반드시 世界性을 가지지 않으면 안 될 것이다. 거기에는 어떤 나라 사람이드라도 感動 안 할 수 없는 共感이 있는 까닭이다. 그런 意味로써 春香伝 사이에 있는 어떤 普遍的인 것 或은 世界的인 것을 探求할 때 春香自體가 世界的 人物의 具現이라는 것을 생각지 않을 수 없다[7].

이은직은 이 논고를 통해 '춘향전'에 내재되어 있는 '普遍的인 것'(보편성)과 '世界的인 것'(세계성)을 인정하면서 '춘향전'의 예술적 가치와 독창성을 피력하고 있다. 다시 말해, 이은직은 '춘향전'을 봉건적 사회의 특수성과 조선이라는 지역성에 국한된 작품이 아니라 세계적 수준의 '感動'과 '共感'을 불러일으키는 '偉大한 藝術'로써 평가하고 있다는 것을 알 수 있다.

'춘향전'에 대한 이와 같은 관점은 高木東六에게 〈오페라 춘향〉의 작곡을 의뢰할 당시부터 조련의 중앙위원이었던 신홍식이 〈오페라 춘향〉에 대한 기대감을 기술한 부분에서도 찾아볼 수 있다.

> 양씨(村山知義와 高木東六 - 인용자 주)에 의해 그려진 조선 및 조선인은 강렬한 조선적 성격을 가지고 있으면서도 또한 별다른 의도도 없이 적당히 세계화('コスモポリタナイズ')되어 있으며, 원작이 가진 진실성과 보편성과도 어울려서 분명 국경과 민족을 초월해 따뜻한 공감을 불러일으킬 것이다[8].

인용문에 나타난 키워드를 간단히 제시해 보면 세계화(コスモポリタナイズ), 진실성, 보편성, 공감 등으로 나열할 수 있다. 이러한 키워드는 앞서 제시된 '춘향전'에 대한 이은직의 관점과 일맥상통하고 있음을 쉽게 확인할

---

7) 李殷直,「春香伝과 朝鮮人民精神 (下)」, 『朝聯文化』 第2号, 朝聯文化部, 1946年 10月号, 73~86쪽.
8) 申鴻湜,「解説にかねて」, 『グランドオペラ春香』(公演プログラムのパンフレット), 1948, 3쪽.

수 있다. 〈오페라 춘향〉에 대한 이와 유사한 기대는 이몽룡 역을 맡은 재일
조선인 성악가 김영길의 기술, "춘향전을 국제적인 작품으로 만들기 위해서
는 차라리 로컬 컬러를 많이 드러내지 않는 편이 현명하다고 생각한다"[9]는
부분에서도 여실히 나타나 있다.

이와 같은 사실들을 정리해 보면, 당시 조련(혹은 재일조선인)은 '춘향전'
을 통해 조선과 조선인이 가진 특수성과 지역성을 도출하여 강조하기보다
국경과 민족을 초월한 감동과 공감을 기반으로 보편성과 세계성을 제시해
주기를 기대했던 것으로 판단된다.

그렇다면 작곡가인 高木東六는 〈오페라 춘향〉을 어떠한 입장에서 묘사하
고자 하였는가를 살펴보자. 高木東六는 〈오페라 춘향〉의 작곡을 끝낸 이후
다음과 같이 술회하고 있다.

　　오페라 '춘향'에 있어서, 나는 조선적인 것의 총결산을 시도했다고 할 수 있지
　만 완성된 지금에 와서 생각하면 이제부터야말로 진정한 '조선색'을 그려낼 다
　음 작품을 생각해야할 것 같고 '춘향'만으로는 아직 만족할만한 기분이 아니라
　는 것이 현재의 심경이라고 할 수 있다[10].

高木東六가 〈오페라 춘향〉에서 추구하고자 했던 작품세계는 단적으로 말
하자면, '조선적인 것'으로 대변되는 '조선색'을 충분히 만족할 만큼 반영시
키는 것이었다는 것을 인지할 수 있다. 그런데 주의 할 점은, 〈오페라 춘향〉
에 대한 高木東六의 이와 깊은 입장은 앞서 살펴본 조련의 입장과는 상당히
상반되는 것이라는 것을 확인할 수 있다. 다시 말해, 〈오페라 춘향〉의 제작
을 의뢰한 조련의 입장과 작곡가 高木東六의 입장 사이에 간극이 있다는 것
을 추측할 수 있는 부분이다. 실제로 이와 같은 간극은 〈오페라 춘향〉의 공
연에 대한 関忠亮의 동시대 평에서도 짐작할 수 있다.

9) 金永吉, 「「春香」上演に際して」, 『随筆春香伝 附オペラ台本』, 曹龍達, 1948, 6쪽.
10) 高木東六, 「歌劇「春香」の作曲について」, 『随筆春香伝 附オペラ台本』, 曹龍達, 1948, 4~5쪽(高木
　　東六, 「歌劇「春香」の作曲について」, 『音楽芸術』 第7巻 第2号, 音楽之友社, 1949, 29~30쪽).

　　문제는 다시 누구를 대상으로 해서 이 오페라가 쓰였는가라는 것이다. "춘향"
을 사랑하고, 조선의 시민을 사랑해서 썼는가, 제국극장의 오페라 팬과 같은 사
교인의 기분을 맞추기 위함인가. 有楽座 단골의 ロッパ・エノケン(吉川ロッ
パ・榎本健一)을 위한 막간극으로 다룬 것인가, 작곡가가 자기의 후원자나 지
원자에 대한 시청회판(デモ) 혹은 상품견본으로 만든 것인가. 거리낌 없이 말
하자면, 이 문제는 제작 스태프들 사이에 재고할 필요가 있다[11].

　　関忠亮의 지적은 작곡가 高木東六에게 있어서는 심기를 불편하게 할 만한
내용으로 보이지만, 사실 이 지적은 '춘향전'에 대한 조련(혹은 재일조선인)
의 입장과 작곡가 高木東六의 입장 사이에 발생한 간극을 노정한 결과로 인
식해야 할 것이다.

　　그렇다면 이러한 간극에도 불구하고 高木東六는 〈오페라 춘향〉에서 작품
의 제작의뢰와 지원을 해 준 조련의 입장(혹은 기대)을 어떠한 방법으로 수
용하였는지에 대해 살펴보자.

3. 〈오페라 춘향〉의 비극적 결말

　　〈오페라 춘향〉이 완성되어 공연을 준비하고 있을 즈음 일본의 음악관계
자와 조련은 각각 환영과 기대감을 피력하였다. 高木東六에게 작곡의 길을
권유하며 친교를 쌓아왔던 일본인 작곡가 山田耕筰는 "春香'이라는 신작가
극의 상연은, 일본의 가극계에 있어서 새로운 등불을 밝히는 것으로 실로
즐거운 일이 아닐 수 없다[12]'라는 감회를 표하였으며, 음악평론가인 服部瀧
太郎는 '중견작곡가의 한 사람, 高木東六 군이 10년에 걸친 노력의 결정인
가극 '춘향'이 마침내 빛을 보게 된 것은 우리 음악계의 실로 축복할 만한

11) 関忠亮, 앞의 글, 1949, 52쪽.
12) 山田耕作, 「「春香」の初演に贐けて」, 『グランドオペラ春香』(公演プログラムのパンフレット), 1948,
　　7쪽.

일이다. (중략) 그리고 초국경적인 감명은 이윽고 언젠가는 이 작품이 멀리 바다를 건너 아메리카에서도 상연될 날이 오리라는 것을 기대한다[13]고 소감을 밝히고 있다. 그리고, 조련의 원용덕(재일조선인연맹중앙총본부 문교부장)은 '조선민족의 근세사에 깊은 의미를 지닌 '춘향전'이 오페라 "춘향"으로서 국제무대에 각광을 받게 된 것은 정말로 감회가 깊은 일이다[14]'라고 감상을 남기고 있다. 또한 신홍식은 〈오페라 춘향〉의 피아노 성악보 서문을 통해 다음과 같이 기술하고 있다.

> 과거 수 세기에 걸쳐 왜곡된 사회에 정의의 경종을 울리고, 또 전제주의의 횡포에 의해 학대받는 일이 이 세상에 그치지 않는 한 계속해서 '춘향전'은 감명을 불러일으킬 것이다. '춘향전'의 감상자들은 당시 사회에 대한 이해에서 그치는 것이 아니라, 그들이 살고 있는 현실 생활과 관련지어 재음미 할 것을 강조했다[15].

신홍식은 '춘향전'이 감상자들에게 '당시 사회에 대한 이해'와 함께 '현실 생활과 관련지어 재음미 할 것을 강조'한 작품이라고 평가한 후, 〈오페라 춘향〉의 공연에 대한 동시대적 의의를 피력하였다.

그런데 〈오페라 춘향〉에 대한 이와 같은 기대와 바람에도 불구하고 〈오페라 춘향〉은 서사적이고 역사적인 성질의 비극을 테마로 한다는 그랜드 오페라의 방식을 채용함으로 인해 비극적인 결말을 맞이하게 되고, 동시에 관객들에게는 일종의 혼란을 초래하는 결과를 가져왔음을 부정할 수 없다. 실제로 関忠亮가 〈오페라 춘향〉에 대한 동시대 평에서 '(작품의 결말이 음악적 효과를 위해서 춘향과 이몽룡이 다시 맺어지려는 때에 춘향이 죽음

---

13) 服部瀧太郎, 「上演を待たれる「春香」」, 『グランドオペラ春香』(公演プログラムのパンフレット), 1948, 7쪽.

14) 元容德(在日朝鮮人連盟中央総本部文教部長), 「"春香"の公演に際して」, 『グランドオペラ春香』(公演プログラムのパンフレット), 1948, 6쪽.

15) 신홍식, 「피아노 성악보 서문」, 1948(공은아, 「다카기 도로꾸의 오페라 '춘향'」, 『음악학』 제8권, 한국음악학학회, 2001, 399쪽 재인용).

을 맞이한다는) 종말의 개작은 "춘향"의 각색을 치명적으로 혼란시키고 있다[16]'고 언급한 부분은 이러한 해석을 뒷받침하고 있다고 할 수 있다.

그렇다면 高木東六는 왜 많은 관객들에게 일종의 혼란을 초래하게 될지도 모르는 비극적인 결말을 〈오페라 춘향〉에 채택하였는가가 의문으로 지적한다. 高木東六는 村山知義가 완성한 대본에 대해 '너무나 대중적이기 조차 했다. 처음에 그것을 읽었을 때 내가 '춘향'에 바라고 기대했던 것과는 상당히 차이가 있었다'고 밝히고 있다. 그리고 '나는, 대본을 숙독하고 음미하기를 2개월, 대강의 구상이 정해진 것이 거의 반년, 그런 뒤 단숨에 쓰기 시작해서 1년 8개월 만에 완성했다[17]'고 기술하고 있다. 이러한 내용에 근거한다면 〈오페라 춘향〉의 대본에 있어서 특히 결말부의 개작은 高木東六에 의한 것이라는 추측이 가능하다. 그리고 이러한 추측은 〈오페라 춘향〉의 연출과 각본, 미술을 담당한 村山知義가 결말부에 대한 高木東六와의 의견교환을 회고한 내용에서도 확인이 된다.

> 문제가 된 것은, 대단원의 장면이다. 감옥에서 나온 춘향은, 지금 눈앞에 있는 암행어사가 거지로 영락했다고 들었던 몽룡이라고는 꿈에도 생각지 못했다. 그러나 몽룡과 이별할 때 건네준 반지를 보고는 그때서야 몽룡이라는 것을 알고 몽룡의 품에 안겨 기뻐한다. 이렇게 끝나는 것이 옛날부터 알려진 '춘향'이라서 나도 그렇게 썼더니 高木 군은 춘향이 여기에서 죽는 쪽이 진정한 비극이 된다고 주장했다. 나도, 그건 그렇다고 생각했지만, 옛날부터 알려진 '춘향전'의 결말이 그렇게 크게 바뀌어 버리는 것을 조선인들은 받아들일 수 있을 것인가라는 점이 걱정되어 쉽게 결정할 수 없었다. 그래서 이 부분은, 작곡을 위해 바뀌게 될 다른 부분의 문맥과 함께 高木 군에게 일임했다[18].

인용문에서도 알 수 있듯이, 村山知義는 당초 〈오페라 춘향〉의 각본을 옛날부터 많이 알려져 온 해피엔딩의 대단원으로 완성시켰지만, 비극적인 결

---

16) 関忠亮, 앞의 글, 1949, 49쪽.
17) 高木東六, 앞의 글, 1948, 4~5쪽.
18) 村山知義, 「「春香伝」演出手帳」, 『音楽芸術』 第7巻 第2号, 音楽之友社, 1949, 30~33쪽.

말을 주장하는 高木東六의 견해와 상충하여 결국 高木東六에게 결말의 구성을 맡겼다는 것이다. 여기에서 주의할 점은, 村山知義는 '춘향전'의 결말을 비극적으로 개작하는 문제에 있어서 '조선인들은 받아들일 수 있을 것인가'라고 우려를 표했다는 점이다. 村山知義의 이러한 우려는 분명 〈오페라 춘향〉의 관객의 상당수를 조선인이 차지할 것이라는 인식을 전제한 결과일 것이다. 하지만, 이러한 전제는 앞서 언급하였듯이 〈오페라 춘향〉이 국경과 민족을 초월한 감동과 공감을 기반으로 보편성과 세계성을 제시해 주는 국제적인 작품으로 완성되기를 기대했던 조련의 입장에서 보면 지극히 편협한 인식에 지나지 않았을 것이다. 이러한 해석을 조련의 기대를 충분히 인지하고 있었을 高木東六의 입장에 비추어 보면 적어도 조선인 관객을 강하게 의식하고 있었던 村山知義와는 달리 비극적인 결말의 구성에 있어서 비교적 자유로울 수 있었다는 것을 추정할 수 있다. 그리고 이러한 추정은 〈오페라 춘향〉에 대한 다음과 같은 반응을 살펴보면 더욱 힘을 싣고 있다는 것을 알 수 있다. 이몽룡 역을 맡은 김영길은 〈오페라 춘향〉의 비극적인 결말에 대해 다음과 같이 기술하고 있다.

> 문제는 그랜드 오페라로서 성공할 것인가 말 것인가이다. 왜냐하면 원작은 조선고전문학의 대다수의 사례와 같이 해피엔딩으로 끝나고 있기 때문이다. 그것은 '고진감래'의 개념에서 유래한 것이겠지만, 그렇게 해서는 그랜드 오페라로서의 감명이 약하기 때문에 여러 가지로 고심한 결과, 작곡가 高木 씨의 제안을 받아들었고, 村山 씨는 각본을 바꾸어서 춘향이 죽음을 맞이하며 막을 내리는 것으로 하였다. 하지만 이것은 일대 영단이지만 춘향의 죽음은 지극히 자연스러운 것이며, 이 歌劇을 한 번 보게 되면 바로 수긍하리라 본다.[19]

김영길의 기술에는 각본의 결말을 개작한 인물에 대한 사실관계의 확인을 필요로 하는 부분은 있지만, 비극적인 결말에 대해서는 대단히 긍정적인

---

19) 金永吉(永田絃次郎), 「夢龍としての感想」, 『グランドオペラ春香』(公演プログラムのパンフレット), 1948, 4쪽.

태도를 취하고 있다는 것을 알 수 있다. 이와 같은 태도는 『随筆春香伝 附オ
ペラ台本』을 출판한 조용달의 감상에서도 확인된다. 조용달은 〈오페라 춘
향〉을 감상한 후, '제일 먼저 느낀 점은 내용에 있어서 로맨틱한 면보다는
비극적인 요소가 많다'고 지적하면서 '인간사회의 正義와 貞潔과 美에 대한
동경을 그린 연애비극'으로서 '춘향전의 가치는 영원할 것이다'[20]라고 높이
평가하고 있다. 물론 이들의 반응을 재일조선인 관객들의 감상과 동일시 할
수는 없지만, 오페라 공연에 앞서 비극적인 결말에 대해 긍정적이고 수용적
인 자세를 보이고 있다는 점은 高木東六에게 있어서 고무적인 반응이었을
것이다.

　高木東六는 〈오페라 춘향〉의 제작에 있어서 중요시한 요소의 하나로 '창
작'이라는 가치를 제시하고 있다.

> 창작이란, 이미테이션이여서는 안 된다. 패러디여서는 안 된다. 창작이란 어
> 디까지나 창작이라야만 한다. 현대 작곡자의 최대의 고민은 현재에 이르기까지
> 우리를 자극하고, 감화시키고 교육시킨 거장들의 모든 작품과의 유사함으로부
> 터 벗어나는 것이다[21].

　여기에서 高木東六가 제시한 '창작'이라는 가치는 작곡에 대한 자신의 신
념을 반영한 것으로 볼 수 있다. 그런데 이와 같은 신념을 비단 작곡이라는
영역에 국한하지 않고 대본의 집필분야에도 적용한다면 〈오페라 춘향〉의
결말의 개작은 高木東六의 '창작'이라는 신념이 일정부분 작용한 결과라고
도 볼 수 있다. 물론 高木東六가 제시한 것처럼 '창작이란, 이미테이션이여
서는 안 된다. 패러디여서는 안 된다. 창작이란 어디까지나 창작이라야만
한다'는 신념의 기준에서 보면 〈오페라 춘향〉의 대본 그 자체를 '창작'의 범
주로 보기는 어려울 것이다. 하지만 高木東六에게 있어서 村山知義나 김영

---

20) 曹龍達, 「悲劇春香伝」, 『随筆春香伝 附オペラ台本』, 曹龍達, 1948, 14~17쪽.
21) 高木東六, 앞의 글, 1948, 4쪽.

길의 지적에서도 알 수 있듯이, 해피엔딩이라는 결말에 익숙해져 있을 대다수의 재일조선인 관객들에게 비극적인 결말이 일종의 '창작'의 효과를 줄 수 있다는 판단과 高木東六 자신이 '"춘향'에 바라고 기대했던 것'을 표현하겠다는 신념이 결말의 개작을 유도하는 작용을 하였다고 볼 수 있다.

　앞서 기술한 것처럼 〈오페라 춘향〉의 비극적인 결말이 많은 관객들에게 일종의 혼란을 초래하게 될지도 모른다는 우려 때문이었는지는 불명확하지만, 〈오페라 춘향〉의 공연프로그램 팸플릿에는 결말부의 개작에 대한 관객들의 이해를 돕기 위한 시도가 확인된다.

　　오늘날 전해져 오는 춘향전은 어느 한 사람의 손에 의해 만들어진 것이 아니라, 여러 사람들에 의해 전사(傳寫)되고 구전(口傳)되는 동안에 적지 않게 윤색(潤色)되었을 것이다. 당연히 원본 춘향전을 歌劇으로 개작할 때는 보다 많은 부연(敷衍)과 개작이 있었다는 것을 잊어서는 안 된다. (중략) 조선 순조시대의 시인 조재삼의 「송남잡식(松南雜識)」에도 春陽(春香의 音과 동일)타령의 기록이 다음과 같이 남아있다. (중략) 이것은 호남지역에 전해오는 이야기로 남원부사의 아들인 이도령에게 사랑받던 어린 기생 춘양은 이별한 후에도 이도령을 위해 수절하였기에 신임 부사 탁종립에게 죽임을 당했다. 호사가가 이를 애도하여 그 의로움을 타령으로 연출하여 춘양의 원통함을 풀어주고 춘양의 수절을 칭송하였다고 한다.[22]

　인용 자료는 1932년에 『朝鮮小説史』를 저술한 국문학자 金台俊의 논고 「朝鮮小説史」(李殷直 역)의 일부분이다. 金台俊의 논고 「朝鮮小説史」(李殷直 역)는 재일조선인 문학가 김달수에 의해 발간된 잡지 『民主朝鮮』에 창간호(1946년 4월)부터 제16호(1947년 12월)까지 총13회에 걸쳐 연재되었으며, 인용 자료는 제11회에 연재된 논고 「第六章 傑作春香伝の出現」(1947년 8월)에서 일부를 발췌한 것으로 「「朝鮮小説史」から わが古典「春香伝」について」라는 제목으로 〈오페라 춘향〉의 공연프로그램 팸플릿에 수록되어 있다. 자료

---

22) 金台俊, 「「朝鮮小説史」から わが古典「春香伝」について」, 『グランドオペラ春香』(公演プログラムのパンフレット), 1948, 8쪽.

의 내용에서도 알 수 있듯이, 金台俊은 '원본 춘향전을 歌劇으로 개작할 때
는 보다 많은 부연(敷衍)과 개작이 있었다'고 지적하면서 동시에 『춘향전』
의 비극적 결말을 시사하는 문헌적 사례를 언급하고 있다. 즉 〈오페라 춘
향〉의 관객을 위한 공연프로그램 팸플릿에 '춘향전'의 개작 가능성과 비극
적 결말에 대한 문헌적 사례를 소개한 것은 관객들에게 결말부의 개작에
대한 이해를 의식적으로 유도하기 위한 것으로 해석할 수 있다. 그런데 이
와 같은 해석은 高木東六가 제시한 '창작'이라는 가치의 실현을 위한 방법으
로써 비극적 결말의 채택을 지나치게 부각시키는 측면이 강하다. 그렇다면
이러한 해석을 보완할 방법은 무엇인가?

여기에서 본고는 비극적 결말의 채택에 대한 비평적 측면을 함께 제시함
으로써 부족한 논의를 보완하고자 한다. 다시 말하면, 高木東六가 비극적인
결말을 채택함으로써 '‘춘향'에 바라고 기대했던 것'은 무엇인가를 유추하는
작업이라고 할 수 있다.

일찍이 고대그리스의 철학자 아리스토텔레스는 '비극'에 대해 다음과 같
이 정의하고 있다.

> 비극이란, 일정한 크기를 가지고 완결된 고귀한 행위의 재현(미메시스, Mimesis)
> 이며, 유쾌한 효과를 주는 언어를 사용하고, 작품의 각 부분에 각각의 매체를
> 따로따로 이용한다. 그리고 서술적 형식이 아닌 행위하는 인물들에 의해 이루
> 어지며, 연민과 공포를 통하여 그러한 감정의 정화(카타르시스)를 달성하는 것
> 이다[23].

즉 '비극'은 연극적 형식을 이용하여 관객들에게 '연민'과 '공포'를 불러일
으켜 '감정의 정화(카타르시스)'라는 효과를 달성하도록 하는 행위라고 할
수 있으며, '감정의 정화(카타르시스)'는 '비극'의 궁극적인 목적이라고 이해
할 수 있다.

---

23) 今道友信 訳, 『アリストテレス全集』 17, 岩波書店, 1972, 29쪽.

　　그렇다면 관객들이 경험하는 '감정의 정화(카타르시스)'는 '행위하는 인물들'의 고통과 시련에 대한 관객들의 공감('연민'과 '공포')으로부터 출발하며, 동시에 불안정과 무력감이라는 인간존재의 보편성을 공유하는 감각에서 비롯된다고 볼 수 있다. 즉 '비극'을 통해 '감정의 정화(카타르시스)'를 경험한다는 것은 타자(他者)의 고통과 시련을 자기 자신의 고통과 시련으로 받아들이려는 일종의 관용의 확인이라고 이해할 수 있다. 그리고 이와 같은 관용의 확인은 자기 자신은 타자와 공존하며, 나아가 자기와 타자는 동일성을 공유하는 존재라는 감각의 획득을 자극한다고 해석할 수 있다. 이러한 감각이 다름 아닌 타자의 발견이며 타자인식이라고 볼 수 있다.

　　본고는, 이러한 해석을 高木東六가 〈오페라 춘향〉의 비극적인 결말을 통해 획득하고자 한 궁극적인 도달점("춘향'에 바라고 기대했던 것')을 유추하는데 적용하고자 하며, 또한 유용하다고 판단한다. 다만, 〈오페라 춘향〉의 관객들이 '감정의 정화(카타르시스)'를 경험(성공)하였는가의 문제는 본고의 문제의식과 차원을 달리함을 밝혀둔다.

　　결국, 〈오페라 춘향〉의 비극적인 결말은 작곡가 高木東六의 '창작'이라는 신념과 '감정의 정화(카타르시스)'가 자극하는 타자인식에 근거한 발상에서 촉발되었다고 할 수 있다.

4. 〈오페라 춘향〉과 동시대의 재일조선인의 여성해방담론

　　이미 기술한 바와 같이, 재일조선인 문학가 李殷直은 조련문화부가 1946년 4월에 발간한 잡지 『朝聯文化』에서 '춘향전'에 대해 다음과 같이 논하고 있다.

　　　文才있는 上流階級者가 지은 것이라고 보는 것이 ○당할 줄로 생각한다. 그와 併行하야 이 說話를 庶民階級者가 自己의 마음대로 劇作化한 것도 事實일

줄 안다.(중략) 前者에 있어서 春香伝의 生命은 그 戀愛의 眞實性에 있고 忍從
을 同伴하는 사람의 굳센 것을 讀解한 点에 있으나 後者의 生命은 權力者는 반
드시 滅亡하고 正다운 人民이 반드시 興盛하여간다는 社會正義感을 强調한 것
과 信義의 앞에는 勝利가 있고 그 信義는 鬪爭을 同伴하지 않으면 안 되는 ○
한 進步性을 表示하고 있는 点이다.[24]」(인용자 주, ○ 및 ○부분은 한자의 판독
곤란상태)

李殷直은 '춘향전'의 작자를 '上流階級者'의 경우와 '庶民階級者'의 경우로
구분하고 전자에서는 진실한 연애와 忍從을 동반하는 사람에게 주어지는
苦盡甘來의 교훈성을, 후자에서는 사회 정의감과 투쟁을 동반한 신의가 발
현하는 진보성을 평가하며 그 가치에 주목하고 있다. 李殷直의 평가는 종래
의 '춘향전'에 대한 평가를 견인할 만하다는 점에서 중요하다고 할 수 있다.
그러나 이와 같은 평가는 춘향의 죽음이라는 비극적 결말을 구성하고 있는
〈오페라 춘향〉에 있어서는 반드시 긍정적이며 타당한 평가라고 보기는 어
렵다. 더욱이 〈오페라 춘향〉에서는 계급사회의 모순에 대한 직접적인 비판
과 투쟁, 그리고 그 결과로 획득되는 사회 정의감은 반감되거나 그 효과가
그다지 크게 부각되지 않는다는 점을 인식할 필요가 있다. 이와 같은 해석
은 〈오페라 춘향〉이 비극적인 결말을 구성하고 있다는 사실 이외에도 남성
주인공 이몽룡의 영웅적 활약상이 거의 소거되어 있다는 점에도 기인한다.
村山知義는 〈오페라 춘향〉의 대본을 작성하는 것과 관련하여 다음과 같
이 기술하고 있다.

　　그것이 없어서는 안 될 것 같은 五里亭의 결별의 장면은 춘향의 집으로 가져
와서 처리하고, 감옥으로 방자가 찾아와서 춘향이 편지를 쓰는 장면이나 이 편
지를 지닌 방자가 시골길에서 거지꼴의 몽룡을 만나는 장면, 그 때 등장하는
농민의 춤, 암행어사의 모습이 된 몽룡이 역졸을 모아 위엄 있고 늠름하게 명
령을 내리는 장면 등은, 모두 생략해야만 했다.[25]

24) 李殷直,「春香伝과 朝鮮人民精神」,『朝聯文化』創刊号, 朝聯文化部, 1946年 4月号, 39~51쪽.
25) 村山知義,「「春香傳」演出手帳」,『音楽芸術』第7巻 第2号, 音楽之友社, 1949, 30~33쪽.

村山知義의 기술에 근거하여 실제로 〈오페라 춘향〉의 대본을 살펴보면, 「第4幕 官家暗行御史出道の場」에 암행어사가 된 이몽룡이 등장은 하지만 구체적인 활동이나 영웅적 활약상은 전혀 나타나지 않는다. 즉, 〈오페라 춘향〉은 계급사회의 모순에 대한 분노와 울분을 떨쳐줄 비판과 심판은 생략된 채, 춘향의 신의와 투쟁이 강조되는 양상으로 전개되고 있다. 그리고 이러한 양상은 춘향의 죽음이라는 비극적인 결말로 인해 춘향을 보다 투사적인 인물로 부각시키는 효과를 연출하고 있다. 이 점은 종래의 『춘향전』에서 남성 주인공 이몽룡의 조력으로 구제되지만 동시에 그 이후의 삶의 주체성 또한 이몽룡이라는 남성에게 예속될 것으로 예상되는 춘향상과는 확연히 대비되는 인물설정이라는 점에서 주목할 필요가 있다. 그리고 이러한 관점은 여성해방을 지향하는 근대적 여성상과도 무관하지 않다는 점에서 흥미로운 것이라고 할 수 있다. 실제로 〈오페라 춘향〉이 제시하는 이와 같은 춘향상은 동시대의 재일조선인들이 제시하는 일련의 여성해방담론과 부합한다는 점에서 또 하나의 주목할 점이라고 할 수 있다.

패전직후, 조련문화부가 발행한 잡지 『朝聯文化』의 창간호 「논설」란에는 해방조선의 현재와 과제(사명)에 대한 논고가 다수 게재되어 있다. 그 중의 하나인 韓東涉의 논고 「解放女性의 길」에는 다음과 같은 내용이 확인된다.

開國以來 五千年을 通하야 朝鮮女性은 어떠한 地位에 있어왔느냐. 男性의 獨善的 封建政治下에서 女性은 門外出入의 自由를 잃고, 머리를 올(○)들어 異性과의 相對까지도 ○○치 않았으며 '내우'라는 鐵○에 얽혀서, 完全한 家庭의 奴隷가 되고 말았다. 人生의 한 平生 運命을 總定하는 結婚問題에 있어서도 本人의 發言權은 完全히 無視되고 近來에 이르기까지 商品의 取扱을 받어 結婚期가 되면 本人은 不知中에 ○○하기를 조금도 서슴치 않았다.
　　그 反面에서 아무것도 모르고 不知初面인 男性에게 讓渡된 不幸한 女性은 男性의 絕大至上命令에 服從하야 家庭奴役의 奴隷가 되어(중략) 朝鮮女性은 躍起하라! ○○하라! 女性은 産兒育成이라는 特殊한 苦役的 條件을 가지고 있으면서 男性의 附帶가 되며, 家庭의 奴隷가 될 理由는 조금도 없을 것이다.[26]

인용에서도 알 수 있듯이, 韓東涉은 조선에 있어서의 가부장제도와 그에 기인한 여성의 사회적 구속과 억압을 '家庭의 奴隷'라는 극단적인 표현을 사용해 신랄하게 비판하면서 '朝鮮女性'의 저항과 투쟁을 제창하고 있다. 韓東涉의 이와 같은 주장에 대해 당시의 재일조선인들이 어떠한 반응을 보였는지는 확인되지 않는다. 그러나 패전 직후 조련이 발행한 잡지의 창간호에 여성해방을 주창하는 논고가 실려 있다는 점은 그만큼 여성해방담론의 중요성과 필요성을 인지하였기에 가능한 것이라고 판단된다.

韓東涉의 논고가 여성해방담론의 중요성과 필요성을 배경으로 등장하였다면 다음의 제시하는 논고는 여성해방의 중요성과 필요성은 물론 실천적 방법론에 대해서도 기술한 것이라고 할 수 있다.

> 그러면 부녀의 해방이란 어떤 해방인가. 또 그 해방은 어떠한 형태로 표면화하는가. 이 문제에 대해서 깊이 연구해 보자. (중략) 부녀자의 해방은 앞서 기술한 바와 같이, 남성에 대한 종속과 경제적 예속의 결과인 열등한 사회적 지위의 결속으로부터의 해방이 아니면 안 된다[27].

인용은 재일조선인 문학가 金達寿가 중심이 되어 발간된 잡지 『民主朝鮮』의 1947년 1월호에 실린 韓吉彦의 논고 「朝鮮婦女解放運動의 歷史的意義」의 일부분이다. 이 논고의 서두에서 韓吉彦은 '조선의 완전해방은 먼저 노동자, 농민의 해방과 동시에 부녀의 완전해방'이 필수적이라고 규정하고, '노동자, 농민의 해방'은 '부녀의 해방'으로 귀결된다고 역설할 만큼 여성해방의 중요성을 강하게 피력하고 있다. 그리고 '부녀의 해방'은 남성에 의한 종속과 경제적 예속으로부터 벗어나는 것을 전제로 하며 동시에 여성의 확고한 사회적 지위를 획득하는 것을 의미한다고 지적하고 있다. 이들의 논고는 동시대의 재일조선인의 여성해방담론의 한 축을 형성하는데 크게 기여하였다고

---

26) 韓東涉, 「解放女性의 길」, 『朝聯文化』 創刊号, 朝聯文化部, 1946年 4月号, 33~35쪽.
27) 韓吉彦, 「朝鮮婦女解放運動의 歷史的意義」, 『民主朝鮮』 第二巻 第七号, 1947年 1月号, 28~34쪽.

보이며, 또한 당시의 재일조선인의 여성해방담론을 선도하는 역할을 하였을 것이라고 판단된다.

그런데 흥미로운 것은 동시대에 있어서 앞서 제시한 여성해방담론과 함께 여성들에게 투쟁성과 투사적 면모를 촉구하는 담론도 동시에 등장하고 있다는 점이다. 이러한 예로 앞서 언급한 『民主朝鮮』의 논고를 제시할 수 있다.

1946년 5월에 발간된 『民主朝鮮』 제1권 2호에는 朴永泰라는 필명으로 기고된 金達寿의 논고 「朝鮮の女性」이 실려 있다. 이 논고에서 金達寿는 '조선의 여성들은 과거에 있어서도 투쟁적으로', '어찌하여 그녀들이 '조선인'인가' 라는 '긍지'를 지속적으로 자각하며 생활해 왔지만, '현재에 있어서는 이렇게 지속되어 온 긍지를 또한 지양하고 있다'고 지적하면서 재일조선인 여성들의 투쟁적 면모와 민족적 아이덴티티를 자극하는 논지를 전개하고 있다.[28] 또한 같은 『民主朝鮮』 제1권 2호에는 해방 이전까지 중국과 만주지역에서 항일무장운동을 전개했던 여성 김명시의 투쟁적인 면모와 투사적 활동을 소개하면서 '조선이 낳은 여성혁명가, 여장군'이라는 수식어가 말해주듯이 강력한 투사로서의 이미지를 강조하고 있다.[29]

이와 같이 패전직후부터 빈번하게 등장하는 재일조선인 여성의 투쟁적 면모와 투사적 활동의 강조는 동시대의 재일조선인의 여성해방담론을 형성하고 견인하는데 중요한 역할을 하였다고 볼 수 있다. 물론 동시대의 재일조선인의 여성해방담론과 〈오페라 춘향〉의 상관관계를 단순히 단정할 수는 없지만, 전후의 재일조선인사회에 있어서 여성해방담론이 형성되고, 또한 강조되는 가운데 〈오페라 춘향〉이 여성의 신의와 투쟁심이 보다 부각되는 효과를 연출하고, 더욱이 여성의 주체성을 확보하려고 한 것은 재조명되어야 할 것이다.

---

28) 朴永泰, 「朝鮮の女性」, 『民主朝鮮』 第一卷 二号, 1946年 5月号, 18~20쪽.
29) 李群生, 「延安に戦へる 金命時女史会見記」, 『民主朝鮮』 第一卷 二号, 1946, 21~22쪽.

5. 맺음말 – 〈오페라 춘향〉의 시도와 한계

〈오페라 춘향〉은 패전 직후, 내셔널아이덴티티의 재확인과 강화를 모색하던 재일조선인들의 활동과 조련의 적극적인 지원, 그리고 작곡자 高木東六의 신념과 상상력이 어울려서 완성되고 공연되었다. 그러나, 앞서 기술한 바와 같이, 〈오페라 춘향〉은 일본에 소개되었던 종래의 '춘향전'과는 장르는 물론 결말부의 구성에 있어서도 큰 차이를 나타내고 있다. 장르에 있어서는 종래의 '춘향전'이 주로 소설이나 연극, 혹은 영화 등의 장르에 의한 것이었지만, 〈오페라 춘향〉은 말 그대로 오페라라는 장르를 채택하였다. 그 이유에는 먼저 재일조선인 성악가인 金永吉(永田絃次郎)을 위한 격려와 그의 복귀를 바라던 당시의 재일조선인들의 요망, 그리고 '조선문화의 국제문화와의 제휴'를 지향하던 조련의 '방침'이 관련되어 있다[30]. 또 결말부의 구성에 있어서는 해피엔딩의 결말에 익숙해 있었을 많은 관객들의 기대와는 달리 비극적 결말을 도입하였다. 그 때문에 관객들로부터 '라스트 신에서 어~라'는 '술렁거리는 소리가 들렸다'고 한다.[31]

이와 같은 것은, 바꾸어 말하면, 종래의 '춘향전'에서는 볼 수 없었던 〈오페라 춘향〉만의 일종의 '시도'로 이해할 수 있다. 그리고 이와 같은 '시도'는 〈오페라 춘향〉이 새로운 해석과 그 가능성을 내재하고 있다는 것을 시사한다고 볼 수 있다. 본고는 특히, 〈오페라 춘향〉의 비극적 결말에 대해서 작곡가 高木東六의 '창작'이라는 신념과 '감정의 정화(카타르시스)'가 자극하는 타자인식의 관계를 분석하였다. 더욱이 비극적 결말의 구성에 대해서는 동시대의 재일조선인의 여성해방담론과의 관계를 고찰할 필요성도 제

---

30) 조련은 1947년 9월 6일부터 8일까지 개최된 「제11회중앙위원회」의 「문교국활동보고」에서 「문화대책의 기본방침」의 하나로서 '조선문화의 국제문화와의 제휴'를 제시하고 있다. 또 그 보고에서는 '조선고전문학인 춘향전을 가극화하여 국제적으로 공연한다'고 하는 구체적인 활동계획이 보고되었다.(在日本朝鮮人連盟中央総分部, 「第十一回中央委員会議事録 – 文教局活動報告」, 1947年 9月 25日, 110~111쪽)

31) 高木東六, 『愛の夜想曲』 日本図書センター, 2003, 219~220쪽.

시하였다.

그러나 〈오페라 춘향〉은 이와 같은 '시도'도 있지만, '한계'도 노정하고 있다. 〈오페라 춘향〉의 결말부의 대본에는 춘향의 마지막 대사가 다음과 같이 나타나 있다.

> 춘향 이도령에게 손을 잡게 하고서는……
> 춘향은, 죽어서도 당신의 아내(妻)예요.
> 당신의……아내(妻)예요.
> (춘향 숨을 거둔다)[32]

춘향이 임종을 맞이하면서도 '아내(妻)'라는 아이덴티티를 확인하려고 하는 장면이다. 다시 말하면, 춘향은 이몽룡이라는 남편(남성)에게 부대하는 아내(여성)이라는 것을 마지막까지 확인하고, 인정하려고 한다. 바꾸어 말하면, 이것은 춘향 스스로가 남성중심의 봉건적인 가부장제의 일원이라는 것을 인정한 것이며, 게다가 가부장제 그 자체를 내면화해 버리는 결과를 초래하게 된다. 이와 같은 것은, 앞서 기술한 바와 같이, 전후재일조선인사회에 있어서 여성해방담론이 형성되고, 또 강조되는 가운데 여성의 신의와 투쟁심, 주체성의 확보를 연출한 〈오페라 춘향〉의 '시도'의 '한계'로서 해석할 수 있다.

■ 황익구

---

32) 『随筆春香伝 附オペラ台本』, 曹龍達, 1948, 40쪽.

오시마 나기사(大島渚), '조선인'과의 만남

―〈잊혀진 황군〉 그리고 그 후―

1. 들어가며

전후 일본을 대표하는 영화감독의 한 사람인 오시마 나기사(大島渚, 1932~
2013)는 재일조선인[1] 혹은 한국과 관련된 여러 문제에 깊은 관심을 가지고
이를 적극적으로 영화의 소재로 삼은 보기 드문 일본인 영상작가이다. 1954
년에 교토대학 법학부를 졸업하고 영화 제작사인 쇼치쿠(松竹)에 입사한 오
시마가 감독으로 데뷔한 것은 그로부터 5년 뒤인 1959년이었다. 그리고 바
로 그 다음해인 1960년에 제작한 두 번째 작품 〈청춘잔혹이야기(青春残酷物
語)〉에서 오시마는 그해에 한국에서 일어난 4·19혁명의 뉴스 영상을 사용
하고 있으며, 세 번째 작품인 〈태양의 묘지(太陽の墓場)〉에서는 일본인의
호적을 손에 넣으려는 한국인 밀항자를 등장시키고 있다.[2]

---

1) 본고에서는 오시마가 재일코리안과 한국을 작품 속에 그린 1960년대의 일본 상황을 감안해
   한반도 출신자의 총칭으로서 '조선인'을 사용한다. 다만 한국 국적자를 가리킬 경우에는 '한국
   인'으로 표기한다.
2) 실제로 한국인 밀항자가 일본인의 호적을 사들였다는 사례를 필자는 알지 못하지만, 외국인등
   록증이 매매된 적은 있었던 듯하다.

1961년 쇼치쿠를 퇴사한 후 오시마는 재일조선인 상이군인과 군속을 주제로 한 〈잊혀진 황군(忘れられた皇軍)〉(1963), 4·19혁명으로 한쪽 손을 잃은 창부와 그녀를 구해 내려는 남성과의 교류를 그린 〈청춘의 비석(青春の碑)〉(1964) 등의 텔레비전 다큐멘터리 작품과, 가난한 생활 속에서 열심히 사는 한국 소년의 모습을 스틸 사진으로 구성한 필름 다큐멘터리 〈윤복이의 일기(ユンボギの日記)〉(1965)를 제작했다. 한편, 극영화로는 〈일본춘가고(日本春歌考)〉(1967)에서 재일조선인인 여고생이 조선인 '위안부'의 비애가 담긴 〈추적추적 비 내리는 밤의 노래(雨ショボの唄)〉(만철소곡(滿鐵小唄))[3]를 부르는 인상적인 장면이 들어 있다. 그리고 사형제도를 '국가의 살인'이라고 탄핵하는 〈교사형(絞死刑)〉(1968)에서는 재일한국인 청년이 여성 두 명을 살해한 고마쓰가와(小松川)사건(1958)을 소재로 일본사회의 재일조선인을 향한 정형화된 차별적 시선을 부각시켰다. 또한 〈돌아온 주정뱅이〉(1968)에서는 베트남전쟁에 파견될 상황에서 일본으로 밀항한 한국인 병사와 그를 따라온 한국인 고교생, 밀항자를 목적지까지에 데려다 주는 일을 하는 재일조선인인 '아가씨(姐ちゃん)' 등이 중요 등장인물로 나온다.

다만 오시마가 재일조선인과 한국을 영상의 제재로 삼은 것은 기본적으로 위에서 언급한 1960년대의 일련의 작품군에 머무르고 있으며, 그 후에는 〈전장의 메리 크리스마스〉(1983)에서 네덜란드 병사 포로에게 성행위를 강요하는 조선인 군속을 등장시킨 것이 시선을 끄는 정도다.

오시마는 감독으로서뿐 아니라 저술가로서도 알려져 자신의 작품에 대한 해설과 수필을 비롯한 방대한 영화평론을 남겼다. 중요한 것은 요모타 이누

---

3) 원곡은 1932년에 발표된 군가 〈토비행討匪行〉(작사: 八木沼丈夫, 작곡·노래: 藤原義江)인데, 아시아태평양전쟁 시에 가사가 전쟁 혐오적이라는 이유로 금지되었다. 〈추적추적 비 내리는 밤의 노래〉(일반적으로 '滿鐵小唄'이라 불림)는 그 노랫말을 바꾼 것으로 조선인 '위안부'가 일본인에 대한 원한을 담아 손님을 끄는 모양새를 조선어 악센트의 일본어로 부른 것이다. 오시마에 따르면, 이 노래는 "이 영화를 만드는 과정에서 그런 노래를 찾아 헌책방을 돌아다닐 때 어느 노래집에서 발견했다"고 한다(大島渚, 『大島渚1968』, 青土社, 2004, 122쪽). 한국에서 이 노래를 검토한 연구로는 최은주, 「오시마 나기사(大島渚)의 '조선인위안부' 표상」(『日本學報』 제102집, 한국일본학회, 2015)이 있다.

히코(四方田犬彦) 등이 편집한『오시마 나기사 저작집(大島渚著作集)』전4권 (現代思潮新社, 2008~2009)에 들어 있는데, 그 중에는 당연히 재일조선인에 대한 본인의 생각을 드러내는 문장도 포함되어 있다. 한편 오시마의 작품에 대한 평론과 연구도 대단히 많은데, 특히 사토 다다오(佐藤忠男),[4] 요모타 이누히코,[5] 오노자와 나루히코(小野沢稔彦)[6] 등은 자신의 저서에서 재일조선인이나 한국에 대한 오시마의 관심에 대해 적잖은 지면을 할애해 기술하고 있다. 또한 한국에서도 오시마와 관련된 저작이 앤솔로지 형태 또한 간행된 것[7] 외에, 최근 들어 신하경,[8] 김승구[9] 등의 연구논문이 발표되었으며 특히 영화에 흥미를 느끼는 젊은이들 사이에 오시마의 작품에 대한 관심이 널리 퍼져 있는 듯하다.[10]

이러한 조선인을 주제로 한 오시마의 작품 중에서 이 글이 주로 관심을 갖는 것은 1963년 8월 16일에 니혼(日本)TV 계열에서 방영된 〈잊혀진 황군〉 이다. 이 텔레비전 다큐멘터리는 종종 "오시마 나기사의 전 작품 중 손꼽을 만한 걸작 중의 하나"[11]로 높게 평가받고 있다. 오시마 자신도 "내가 일본 사회에 대해 가지고 있었던 생각이 뿌리부터 무너져내리는 듯한 느낌을 받

---

4) 佐藤忠男,『大島渚の世界』, 朝日新聞社, 1987. 이 책은 1973년에 筑摩書房에서 간행된 같은 제목의 책의 증보판이다.

5) 四方田犬彦,『大島渚と日本』, 筑摩書房, 2010.

6) 小野沢稔彦,『大島渚の時代－時代のなかの大島渚－』, 毎日新聞出版, 2013.

7) 사토 타다오 외, 문화학교시술 옮김,『오시마 나기사의 세계』, 문화학교서울, 2003. 이 책은 佐藤忠男의 앞의 책에서 일부 발췌한 것과 四方田犬彦의 평론, 오시마 자신의 글 등을 편집해 번역한 것이다.

8) 신하경,「1960년대 오시마 나기사(大島渚) 영화 속의 재일조선인 표상」,『일본문화학보』45, 2010; 신하경,「억압적 '보편'에 대한 저항」,『한국학연구』29, 인하대학교 한국학연구소, 2013.

9) 김승구,「오시마 나기사 영화와 한국의 관련 양상」,『인문연구』69, 영남대학교 인문과학연구소, 2013.

10) 四方田犬彦는 2000년 서울의 중앙대학교에서 강의를 했을 때, 학생들에게 세계에서 존경하는 영화감독을 3명 들어 보라는 설문조사를 한 결과, 1위가 장 뤽 고다르(Jean Luc Godard), 2위가 근사한 차이로 오시마 나기사, 3위가 조나스 메카스(Jonas Mekas)였다고 한다(四方田犬彦, 앞의 책, 2010, 277쪽).

11) 佐藤忠男, 앞의 책, 1987, 160쪽.

앉으며",12) "그 테마의 무게와 거기서 발견된 방법의 무게 같은 것은 좀처럼 내게는 잊을 수 없었다. 거기서부터 멀리로는 곧바로는 갈 수 없었다"13)고 회상하고 있는 것처럼, 〈잊혀진 황군〉의 제작은 재일조선인에 대한 일본국가 및 일본사회의 태도와 일본과 한반도와의 관계를 스스로에게 되묻는 중요한 계기가 되었다고 보인다. 다만 이 작품은 DVD 등으로는 시판되지 않아 그 이후에 이 작품을 보는 것이 어려웠기 때문에 '환상의 작품'으로 불리게 되었다.14)

이 글에서는 기존의 많은 연구와 평론에 기초해 〈잊혀진 황군〉에서 보여지는 오시마의 재일조선인에 대한 인식이 어떠한 것인가, 그러한 인식이 그 이후의 영화 제작에 어떤 성과를 낳았고 또 어떤 문제점을 내포하고 있었는지를 검증하고자 한다.

2. '조선인'에 대한 관심

오시마 나기사는 어떠한 경위로 조선인에 관심을 갖게 되었을까? 오시마 본인은 그 만남에 대해 다음과 같이 말하고 있다.

교토 서민 지역에 살던 우리 집 옆에 '조선 부락'이 있기도 했고 동급생 중에 조선인도 있었지. 내 증조부인 오시마 도모노죠(大島友之允)는 메이지유신의 지사로 정한론의 선구자로 불렸던 분인데, 그게 어렸을 때로부터 내 머리 속 어딘가에 각인되어 있었어. 더군다나 한국을 침략했다는 걸 생각하면 꺼림칙한

---

12) 大島渚, 「私にとって記録とは何か?」, 『大島渚著作集』第2巻, 現代思潮新社, 2008, 89쪽.

13) 大島渚, 앞의 책, 2004, 43~44쪽.

14) 江戸川夏樹, 「大島渚監督, 환상의 30분 작품, 오늘 밤 반세기 만에 재방송」, 『朝日新聞DIGITAL』 2014년 1월 12일(http://www.asahi.com/articles/ASG1B66MHG1BUCVL01C.html). 이 작품은 2014년 1월 12일 심야에 「NNN다큐멘트'14 반골의 다큐멘터리 제작자-오시마 나기사 〈잊혀진 황군〉이라는 충격-」에서 재방송된 바 있다. 그렇지만 재방송 때까지 이 작품은 일본방송기록센터 (〈잊혀진 황군〉의 프로듀서를 맡았던 牛山純一가 설립)에서 영상을 기증받은 가와사키(川崎)시 시민뮤지엄 이외에서는 시청할 수 없었다.

면도 있지. 내 안에 한국에 대한 원죄 의식 같은 게 있어서 그에 대해 나도 모
르게 생각하는 거지.[15]

　어릴 때부터 오시마의 주변에 재일조선인이 있었고 증조부가 일본의 조
선 침략에 단서가 되는 역할을 담당했던 점, 그것을 자기의 '원죄'로 인식하
고 있었던 것이 오시마가 '조선인'에 대해 관심을 갖게 된 원점인 듯하다.
　그 후 성인이 되어 영화 제작에 종사하게 된 오시마가 한층 더 '조선인'에
눈을 돌리게 된 이유로는 두 사건과 관련되어 있다고 보인다.
　그 하나는 앞서 언급한 고마쓰가와사건이다. 1958년 도쿄도립 고마쓰가와
고등학교 정시제 1학년이던 이진우가 여성 2명을 살해했다고 해서 체포되었
는데 미성년자임에도 불구하고 형사처분을 받아 사형을 선고받고 1962년에 처
형되었다. 그런데 범행의 배경에 재일조선인의 빈곤과 차별을 구조화시켜
온 일본사회의 책임을 통감한 일본인 지식인들(旗田巍, 大岡昇平, 木下順二
등)이 구명운동을 전개했는데, 그가 처형된 후에 간행된 이진우와 박수남의
왕복 서간집[16]에서 이진우의 명석한 두뇌와 투철한 정신세계가 밝혀져 세간
을 놀라게 했다. 이 사건은 1960년대 일본에서 김희로 사건(1968년)과 더불
어 재일조선인이 처한 부조리한 상황을 사회에 고발하는 큰 계기가 되었다.
　오시마는 고마쓰가와사건에 대해 "그러한 소년이 왜 범죄를 저지르게 되
었나에 대한 관심을 가지고 잡지와 출판물을 읽고"[17] 있었다. 왕복 서간집
을 읽은[18] 오시마는 이진우에 대해 "전후 일본이 낳은 최고이 지성과 감성
을 겸비한 청년"이라고 높게 평가하고 그의 "문장을 고등학교 교과서에 채
용해야 한다"고까지 했다.[19] 다만 당초에는 "영화로 만들려는 생각은 없었

---

15) 大島渚, 앞의 책, 2004, 43~44쪽. 쓰시마(対馬) 번사(藩士)였던 大島友之允(1826~1882)은 정한론
　　을 주창했으며, 1864년에 도쿠가와(徳川) 막부에 건백서를 제출한 적이 있다. 메이지유신 후에
　　는 조선의 사정을 시찰하기 위해 초량 왜관에 파견되는 등 조일교섭에 종사했다.

16) 朴寿南 編, 『罪と死と愛と－獄窓に真実の瞳をみつめて－』, 三一書房, 1963.

17) 大島渚, 앞의 책, 2004, 154쪽.

18) 위의 책, 164쪽.

다"[20]고 하면서, 한편으로는 "언젠가 이를 작품화해야 한다고 생각했다"고
도 했다.[21]

또 하나는 1960년에 한국에서 일어난 4·19혁명이다. 학생들이 중심이 되
어 이승만 정권을 타도한 이 사건의 뉴스 영상이 같은 해에 제작해 상영한
오시마의 두 번째 작품 〈청춘잔혹이야기〉에 들어가 있음은 앞서 언급한 대
로이다. 이 뉴스 영상은 주인공인 젊은 남녀가 데이트 중에 영화관에서 본
다는 설정인데 요모타 이누히코에 따르면, 그것은 "해방감과 더불어 만사에
대해 폐쇄적인 일본의 상황에 대한 실망을 동시에 느끼"게 하는 것이며 "오
시마 작품에서 타자가 선망과 위협의 대상으로 나타난, 최초의 기억해야 할
순간"이라고 말한다.[22] 요모타는 또 "이승만 정권을 쓰러뜨린 학생들의 의
기양양으로 한 모습이, 오시마의 눈에 아시아적인 희망의 상징으로 비친 것
은 상상하기 어렵지 않다"[23]고도 썼는데, 확실히 오시마의 4·19혁명에 대
한 공감은 〈윤복이의 일기〉 중에 다음과 같은 내레이션에도 명확하게 드러
난다.

> 1960년 이승만 대통령을 쓰러뜨린 학생혁명의 와중에 소년들이 있었다.
> 시위대 중에, 흉탄에 쓰러진 희생자 중에 소년들이 있었다.
> 그리고 그 시위,
> 이 시위.
> 이상을 추구해 현실을 증오하고,
> 압제자를 증오하고,
> 민족의 긍지에 상처 입히는 자를 증오해
> 소년들, 돌을 던진다.
> 긍지에 가득 차서 돌을 던진다.[24]

---

19) 大島渚, 「『絞死刑』について」, 『大島渚著作集』 第3巻, 現代思潮新社, 2009, 76쪽.

20) 大島渚, 앞의 책, 2004, 154쪽.

21) 大島渚, 앞의 글, 1970, 202쪽.

22) 四方田犬彦, 앞의 책, 2010, 82쪽.

23) 위의 책, 132쪽.

이렇게 해서 오시마는 1960년 안보투쟁이 좌절된 후 폐쇄감이 가득 찬 일본 사회에 대해, 거의 같은 시기에 독재정권을 붕괴시킨 한국 학생운동의 활력을 선망하면서 '희망의 상징'으로서 깊은 관심을 갖게 되었다고 생각된다.

1) 〈잊혀진 황군〉

(1) 제작 배경

이렇듯 동시대 일본의 지식인 가운데서도 오시마는 재일조선인과 한국에 대해 깊은 관심을 가졌던 사람이라고 하겠다. 그러나 그가 "일본의 전후사에서 부당하게 은폐된 조선인의 존재를 깊이 다루게 되는 것은" 역시 "〈잊혀진 황군〉을 발표한 이후"라고 할 수 있다.[25]

〈잊혀진 황군〉의 제작은 당시 니혼TV의 프로듀서였던 우시야마 준이치(牛山純一)[26]와의 만남을 빼 놓고는 생각할 수 없다. 오시마의 회상에 따르면, 1960년 어느 날 우시야마가 오시마를 방문해 "새로운 영상기록 프로그램을 만들려고 하는데 협력해 달라"고 요청했다. 오시마는 "영상기록에 관한 기본적인 생각"에 대해 우시야마가 자신과 "같은 입장을 견지하고 있음을 알고" "함께 일을 시작한 이래, 다른 사람과는 영상기록 일을 할 생각은 한 적이 없다"고 깊이 신뢰하는 관계가 되었다.[27]

우시야마가 말하는 '새로운 영상기록 프로그램'이란 1962년 1월에 니혼TV

---

24) 大島渚, 「ユンボギの日記」, 『日本の夜と霧/大島渚作品集〈増補版〉』, 現代思想社, 1966, 371쪽.

25) 四方田犬彦, 앞의 책, 2010, 132쪽.

26) 牛山純一(1930~1997)는 전후 일본을 대표하는 다큐멘터리 영상 작가의 한 사람이다. 일본의 조선식민지 지배에도 많은 관심을 가지고 있었으며, 〈그 눈물을 잊지 않으리! 일본이 조선을 지배한 36년간(あの涙を忘れない! 日本が朝鮮を支配した36年間)〉(1989년 8월 14일, 텔레비朝日 계열 방송)이라는 장편 다큐멘터리를 제작했다. 濱崎好治・東野真, 「制作者研究〈テレビ・ドキュメンタリーを創った人々〉【第3回】牛山純一(日本テレビ)~映像のドラマトゥルギー~」, 『放送研究と調査』 제62권 제5호, 2012년 5월; 鈴木嘉一, 「テレビは男子一生の仕事 評伝・牛山純一(第14回)」, 「忘れられた皇軍」の衝撃」, 『Galac』 제542호, 2014년 8월 등을 참조.

27) 大島渚, 앞의 글, 2008, 82쪽.

계열에서 방영되기 시작한 '논픽션 극장(ノンフィクション劇場)'이다. 이 프로그램은 스폰서 문제로 같은 해 4월에 중단되었다가 이듬해인 1963년 4월에 재개되어 1968년 3월까지 계속되었다. 이 프로그램은 본격적인 텔레비전 사회파 다큐멘터리의 선구자적인 프로그램으로 알려져 있는데, 오시마는 〈잊혀진 황군〉에 앞서 다큐멘터리 첫 번째 작품으로 엄동설한의 홋카이도에서 고기잡이로 생계를 이어가는 젊은이들을 그린 〈얼음 속의 청춘(氷の中の青春)〉을 제작했다(1962년 1월 29일 방영).

〈잊혀진 황군〉의 소재가 된 재일한국인 상이군인·군속에 대한 전후 보상문제는 니혼TV 사회교육부의 노구치 히데오(野口秀夫) 디렉터가 착안해 조사를 거듭해 온 주제였다고 한다.[28] 오시마는 "지금 가두에서 흰옷을 입고 모금을 하고 다니는 상이군인들이 모두 조선인임을 알았을 때 우리들의 충격은 말로 표현할 수 없이 큰 것이었다"[29]며, 그 자신도 큰 충격을 받고 제작에 참여했음을 밝힌 바 있다.

일본의 식민지통치 아래 조선에서는 1938년에 지원병제가 1944년에 징병제가 시행되어 당시는 '일본 국적'자였던 조선인 젊은이들이 일본군 병사나 군속으로서 전지에 동원되었다. 전후 일본을 점령한 GHQ/SCAP(연합국군 최고사령관 총사령부)는 일본의 비군국주의화 방침에 따라 1946년 2월 군인은급(恩給, 군인에 대한 연금 또한 일시금)을 폐지하는 등 상이군인과 군속에 대한 보상을 사회보장제도 일반에 포함시키는 개혁을 단행했다.[30] 그러나 샌프란시스코 강화조약 발효 직후인 1952년 4월 30일 '전상병자(戰傷病者) 전몰자 유족 등 원호법'(이하, 원호법)이 공포, 시행됨으로써 일본 국적을 가진 구 일본군 군인과 군속에게 장애연금 등을 지급하기 시작해, 이듬해인 1953년 8월에는 군인은급도 부활했다. 이후 일본정부는 갖가지 전쟁희생자

---

28) 鈴木嘉一, 앞의 글, 55쪽. 野口는 후에 牛山 등과 함께 일본영상기록센터를 열 때 참가했다.
29) 大島渚, 앞의 글, 2008, 118쪽.
30) 이하의 내용은 田中宏, 『在日外国人 第3版－法の壁, 心の溝－』, 岩波書店, 2013, 106~115쪽을 참고했다.

원호 법률을 제정해 극진한 국가보상이 실시되게 되었다.

그러나 강화조약의 발효로 일본 국적에서 이탈한 재일조선인[31])은 일본 국적이 아니라는 이유로 원호법에 근거하는 연금과 급여금, 군인은급 등의 지급 대상에서 제외되었다. 가령 원호법의 부칙 제2항에는 "호적법⋯⋯의 적용을 받지 않는 자에 대해서는 당분간 이 법률을 적용하지 않는다"고 규정해, 구 식민지 출신자를 적용 대상에서 제외했다. 식민지시대 조선에서는 조선호적령, 대만에서는 호구규칙에 의해 독자적인 호적제도가 편성되어 있어, 조선인과 대만인에 대해서는 일본 내지의 호적법이 적용되지 않았던 것이다.[32])

이렇게 해서 전쟁터에 나갔다가 부상을 입어 수족을 잃거나 실명한 일본군이었던 재일한국인 군인과 군속들은 일을 할 수도 없고 또 일본정부로부터 원조를 받을 수도 없어 "두셋의 예외를 제외하고는 대부분이 무직(가내부업)이거나 가두모금으로 얻은 최저 수입으로 겨우 목숨을 부지하던 현상"이었다.[33])

〈잊혀진 황군〉은 이러한 역경에 처한 재일한국인 군인과 군속의 활동을 담은 다큐멘터리이다. 오시마에 따르면, 그들은 "군 병원 등에서 서로 알게 되어 자연히 모여 모임을 만들었다"고 한다.[34]) 17명으로 이루어진 '전 일본군 재일한국인 상이군인회'[35])를 결성한 그들은 일본정부에게 보상을 요구

---

31) 법무부(현 법무성) 민사국장의 일방적인 통달(1952년 4월 19일)에 의해 강화조약의 발효에 따라 구 식민지 출신자(조선인과 대만인)는 국적 선택을 인정하지 않으며, 전부 일본 국적을 상실한다고 되어 있다.

32) 호적법 부적용을 이유로 구 식민지 출신자가 제도에서 배제된 사례로는 1945년 12월의 중의원 의원 선거법 개정에 따른 조선인, 대만인에 대한 참정권 '정지' 등이 있다. 水野直樹, 「在日朝鮮人台湾人参政権「停止」条項の成立－在日朝鮮人参政権問題の歴史的検討(1)－」, 世界人権問題研究センタ, 『研究紀要』 제1호, 1996년 3월. 참조.

33) 大島渚, 「韓国 国土は引き裂かれたが」, 『大島渚著作集』 제2권, 現代思潮新社, 2008, 20쪽.

34) 위의 글, 119쪽.

35) 당초 명칭은 '재일조선인 상이군인회'로 회원은 19명이었는데, 2명이 사망(그중 1명은 자살)해 이 작품을 제작할 당시는 17명이 된 듯하다. 金在昌, 内海愛子(인터뷰), 「心のこりな解決」, 『世界』 제544호, 1990년 8월, 62~63쪽.

하는 한편 주일한국대표부에 진정서를 내고 가두에서 자신들의 처한 상황을 호소했다. 회원 중 2명은 북한 지역 출신으로 조선적이었지만 "한일회담 타결 분위기로 그쪽이 보상을 받기 쉬울 것 같다고 해서 한국 국적으로 바꾸었다".[36) 오시마는 "청원하며 걷는 그들의 하루 모습에 초점을 맞추자는 하야사카 아키라(早坂暁)의 안"에 찬성해 "4대의 카메라를 가지고 그들을 쫓았다"[37)는 것이다.

(2) 시나리오에서

〈잊혀진 황군〉 시나리오는 오시마의 첫 번째 작품집 『일본의 밤과 안개(日本の夜と霧) 〈증보판〉』(現代思想社, 1966년)에 수록되어 있다. 21개의 시퀀스로 이루어진 이 작품의 내용을 좀 자세하게 소개한다. (이하 " "은 시나리오를 인용한 것이며 내레이션에 대해서는 구별해서 《 》로 표시한다.)

　　1 쇼난(湘南) 전철 안: "실명한 사람답게 검은 안경을 쓰고 입술이 뒤틀린 험상한 얼굴"을 클로즈업하는 것으로 작품이 시작된다. "백의의 상이군인" 모습으로 "오른팔이 의수"인 그는 혼잡스런 전철 통로를 걸으며 구걸한다. 그가 승객에게 호소하는 말은 잡음 속으로 사라져 알아듣기 힘들지만 시나리오에 따르면 다음과 같다.

　　　　"차내 여러분. 이 보기 싫은 흰옷 입은 모습을 보여 드려서 대단히 죄송합니다. 저는 양쪽 눈을 잃고 한쪽 팔을 잃었습니다. 일을 하려고 해도 일할 곳이 없어 하는 수 없이 차내의 여러분들에게 부탁드리는 바입니다. / 모쪼록 이해와 지원을 부탁드립니다."

　　그러나 승객들은 관심을 보이지 않고 무시하는 듯이 보인다. 내레이션은 승객의 기분을 대변해《전쟁이 끝난 지 18년. 지금도 여전히 이러한 모습을 보아

---

36) 大島渚, 「韓国 国土は引き裂かれたが」, 앞의 책, 2008, 119쪽.
37) 大島渚, 앞의 책, 1966, 383쪽. 早坂暁(1829~)는 많은 인기 TV 드라마를 다루어 높게 평가되는 극작가 · 소설가로서 서민의 시선에서 본 인간미 넘치는 작풍이 특징이다. '논픽션 극장'에서는 방송작가로서 전 작품에 관여했다.

야 한다는 게 우리들에게는 유쾌한 일이 아니다》,《혹은 우리와는 아무런 관련
도 없는 일이다. 그러므로 우리들은 이 사람에 대해 아무 것도 모른다》고 말한
후 이 상이군인의 내력을 밝힌다.《예를 들면, 이 사람이 한국인 것도.》

내레이션이 이어진다.《그렇다, 이 사람들은 전쟁 중에 일본인으로서 일본을
위해 싸우고 전후의 변동 속에서 한국 국적으로 되돌아간 한국인이다!!》

상이군인의 얼굴이 클로즈업된 상태에서 화면이 정지되고 그 위로〈잊혀진
황군〉이라는 타이틀이 부각된다.

2 시부야(渋谷) 역 앞: 배경 음악으로 아트블래키(Art Blakey)의 드럼 연주가
흐르는 가운데 시부야 역 앞에 상이군인들이 모여든다. '전 일본군 재일한국인
상이군인회'라는 깃발이 보인다.

내레이션은 회원 17명 중 12명이 모였으며 실명한 사람의 이름이 서낙원임을
밝힌 후 다음과 같이 이야기한다.《이렇게 다친 몸과 마음을 안고 가혹한 전후
18년을 살아온 전 일본군 한국인. 잊혀진 황군의 행진. 이제 시작된다.》행진
하는 구둣소리와 함께 장면이 바뀐다.

3 수상관저로 가는 길: 배경 음악이 군가〈야영가(露營の歌)〉로 바뀌고 수상
관저를 향해 "모두 힘든 듯이 진행한다".

4 수상관저 문 앞: 내레이션이 그들의 호소 내용을 설명한다.《전후 18년, 이
사람들은 일하고 싶어도 일할 곳이 없고, 외국인으로서 일본의 사회보장제도를
충분히 받을 수도 없는 상태에서 가두모금을 거의 유일한 생계 수단으로 삼아
일본의 한 구석에서 살아왔다. 군인은급의 지급에서 한국 국적을 이유로 제외
되었을 때 이 사람들의 분노와 슬픔은 극에 달했다. 이 사람들은 몇 번이나 일
본정부에게 잃어버린 몸의 일부의 부상을 호소했다》. 그러나 일본정부로부터
아무런 응답이 없었기 때문에《오늘 이 수상관저를 방문한 것이다》. 끈질기게
교섭한 끝에 한국인 상이군인들은 드디어 관저 안으로 들어갈 수 있었다.

5 관저 안: "테이블을 사이에 두고 저쪽의 비서관과 이쪽 일행들이 여러 이야
기를 하고 있다." 한국인 상이군인들은 제출한 청원서에 대답이 없는 것, 일본
인과 마찬가지로 보상받아야 공평하다며 호소하고 있다. "우리들은 일찍이 1억
국민의 병사로서 천황 폐하를 위해……"라는 목소리까지 들린다.

6 의사당 앞의 길 : 국회의사당 앞을 "넘어지거나 하면서 일행이 차례로 통과"

한다. "의사당은 엄숙하게 우뚝 솟아 있다."

7 외무성의 밖: 《외무성에서는 대표자만 안으로 들어가게 한다》. 일행은 현관에서 한 줄로 앉아 있다.

8 과거: 전쟁터나 부상자를 실은 수송선의 모습이 동영상이나 사진으로 비춰진다. 내레이션에서 실명자의 설명.《서낙원. 쇼와20[1945]년 6월, 트럭(Truk)섬에서 군속으로 기지 노동에 종사하던 중 함포사격에 의해 전신부상. 오른팔 절단. 양쪽 눈 실명.》

9 외무성의 밖: "검은 안경을 쓴 얼굴을 크게 비춤(현실)"

10 과거: 〈기뻐하는 반도청년 지원병 검사(歡びの半島青年志願兵檢查)〉라는 뉴스 영화에서 군가 〈출정병을 보내는 노래(出征兵を送る歌)〉를 배경으로 신체검사하는 모습 등이 나온다.《서근원. 다이쇼10[1921]년. 함경남도 출생. 쇼와18[1943]년 해군 군속으로 징용되어 일본으로 옴. 트럭섬으로.》

11 외무성 안: 상이군인회의 석성기 회장에 대해 외무성 담당자가 "일본은 한국에 일괄적으로 보상을 할 생각이니 한국정부에 진정해 주십시오."라고 회답하는 목소리가 들린다. "밖에서 모여 있는 그들 앞으로 요시다 시게루(吉田茂) 전 수상이 스쳐 지나간다. 일동 멍하게 배웅한다."

12 지도리가후치(千鳥ガ淵)공원: 일행은 잔디 위에 죽치고 앉아 주먹밥이나 빵을 "묵묵히 먹고 있다." "대부분 다 먹고 눕거나 하고 있다."

13 한국재일대표부: "대한민국 대표부"의 "간판이 보이는 문앞에서 일렬로 서서 기다리고 있다." 내레이션은 《한국대표부에서도 기다리게 되었다. 조국은 이들의 호소를 들어줄 것인가?》라고 말한 후, 실명한 사람에 대해 《서낙원. 북한 출생이지만 쇼와37[1962]년 3월, 한일회담 타결에 의한 보상을 기대해 국적을 한국으로 바꿨다》고 사정을 설명한다.

14 과거: 민요 〈아리랑〉을 배경으로 한국전쟁과 4 · 19혁명의 기록 영상이 비춰진다. 내레이션은 《동란의 조국, 많은 복귀 군인을 낳고, 끝없는 난민을 낳은 조국. 혁명의 조국. 혁명에 혁명이 겹쳐져 여전히 불행이 겹친 조국》이라고 말한다.

15 다시 한국재일대표부 앞: 박정희 대통령의 사진이 비춰진 후, 내레이션이 한국 정부의 입장을 설명한다. 《여러분들의 상처는 일본으로 인해 생긴 것이다. 한국에는 책임이 없다, 일본정부에 요구해야 할 것이다.》

16 번화한 상가: 군가 〈바다로 가더니(海ゆかば)〉를 배경으로 손으로 쓴 '눈 없음' '수족 없음' '직장 없음' '보상 없음' 등의 깃발, '전 일본군 재일한국인 상이 군인회'의 현수막 등을 내걸고 "사람들로 혼잡스런 길을 걸으며 고민하면서 일 행은 걸어온다." 내레이션이 《이 사람들은 정부가 아니라 결국 일본인들에게 직접 호소할 결심을 한 것이다》라고 설명한다.

17 신바시(新橋) 스테이지: 석성기 회장 등이 호소하는 목소리가 흐르는 가운데, 카메라는 흰옷을 입은 상이군인들을 무표정하게 응시하거나 무시하는 사람들, 훼방을 놓는 부랑자들의 모습을 비춘다.

18 식당의 한 방: 《지친 한 무리가 없는 돈을 추렴해 식사를 하며 술잔을 기울인다》. 일동은 "아, 저 얼굴로 저 목소리로……"라며, 군가 〈새벽녘에 기원한 다(暁に祈る)〉를 그리운 듯이 노래한다.
그리고 《말다툼이 시작된다. 걱정하던 대로다. 늘 이렇다.》 격노한 서낙원이 선글라스를 벗자 주위 사람들이 달랜다. 《이 슬픈 싸움. 같은 처지에 있는 사람 에게밖에 풀 수 없는 오갈 데 없는 분노. 이것이 추한가? 이상한가?》
모두 떠난 후 서낙원은 다시 선글라스를 벗고 카메라가 그의 얼굴을 클로즈 업한다. "그는 손가락으로 그 눈을 가리킨다. /우는 듯한 원망하는 듯한 그 얼굴. 그는 운다." 내레이션. 《서낙원. 눈 없는 눈에서 눈물이 흐른다.》

19 묘지: 서낙원이 조선인 유골이 안치된 곳을 방문한다. 그 안의 유골/상자가 늘어져 있고 고인의 사진과 위패를 비춘다.

20 가난한 집: 귀가한 서낙원은 마찬가지로 선글라스를 쓴 아내와, 이들 부부 를 돌보는 처제와 셋이서 저녁 식사를 한다. 내레이션이 부부의 사정을 설명한 다. 《서낙원. 쇼와21[1946]년 2월, 전쟁터에서 일본으로 돌아옴. 쇼와24[1949]년, 메구로(目黒)의 전 해군병원에서 한다 미쓰요(半田光与)와 알게 돼 결혼한다. 미쓰요는 쇼와20[1945]년 5월, 도쿄 대공습 때 양쪽 눈을 실명함. 쇼와27[1952]년, 두 사람 사이에 장녀 출생. 쇼와29[1954]년 장남 출생.》
저녁 식사를 끝내고 방바닥에 엎드려 누운 서낙원은 머리맡의 트랜지스터 라디오를 듣고 있다. 《서낙원. 지금 유일한 즐거움은 야구방송. 국철의 팬, 가네다(金田)의 승리가 그의 기쁨.》 내레이션은 《더욱 큰 기쁨이 주어져야 되지 않을까?》라고 물음을 던진다.

21 해수욕장: 젊은이들로 몹시 붐비는 해수욕장에서 구걸하며 다니는 서낙원의 모습이 비춰지고 이어 내레이션이 흐른다.
《그러나 지금 이 사람들에게는 아무 것도 주어져 있지 않다. / 우리들은 아무 것도 주지 않고 있다. / 일본인들이여 / 우리들이여 / 이래도 좋은가? / 이래도 좋은가?》
선글라스를 쓴 서낙원의 얼굴이 클로우즈업되고, 필름은 끝난다.

(3) '성공'이 초래한 것

〈잊혀진 황군〉은 방영 직후 일본 사회에 큰 반향을 불러 일으켰다. 가령, 『아사히신문』의 텔레비전프로그램 평가 칼럼 〈물결(波)〉은 "이런 사람들이 있다니"라고 솔직히 놀랐음을 드러내며 "군인 모자, 백의, 의수, 의족, 검은 안경, 지팡이의 이색적인 대열", "분노와 한탄이 뒤섞인 외침이 난무하는" 뒤풀이 등의 "강렬한 인상"을 소개한 뒤 "일본의 치부가 완전히 드러났다"고 총괄했다.[38]

일반 시청자로부터의 반응도 있었다. 『마이니치신문』의 '투서'란에 게재된 주부의 감상은 "일본인이 아니라는 이유로 군인은급도 지급되지 않고 어떤 보상도 받지 못하고 있다는 사실을 알고 정말로 놀랐습니다. ……정부 관료의 냉정한 말에 같은 일본인인데도 저는 마음 깊은 곳에서부터 격한 분노를 느꼈습니다. [중략] 일본 국민으로서 미안한 생각이 들었습니다."라며 놀람과 당혹감, 그리고 분노의 마음을 솔직히 표명하고 있다.[39] 『요미우

38) 「波 日本の恥部をさらけ出す」, 『朝日新聞』 도쿄본사판, 1963년 8월 20일 조간 7면. 이하 각 신문에 게재된 반향은 梁仁實, 「戦後日本映画における「在日」像をめぐる言説空間」, 『在日朝鮮人史研究』 제33호, 2003년 10월에 소개된 것이다.
39) 「韓国の戦傷者に補償を-"忘れられた皇軍"に驚く」, 『毎日新聞』 도쿄본사판, 1963년 8월 20일 조간 5면.

리신문』에도 "일본에서도 한국에서도 구원의 손길이 닿지 않았다는 그들의
호소에 놀람과 동시에 말할 수 없는 분노를 느꼈다. …… 결국은 자기들끼
리 노여움을 부딪치다가 끝나는 것도 충분히 이해가 간다"는 49세 이발사의
의견이 실렸다.[40]

　　그 후 〈잊혀진 황군〉은 방송비평간담회[41]의 제1회 갤럭시상(텔레비전 교
육 교양부문)을 수상하고, 일본민간방송연맹에 의한 제12회 민방대회상(현
일본 민간방송연맹상)의 텔레비전 보도사회프로그램 부문에서 우수상을 수
상하는 등[42] 방송 관계자들에게도 높이 평가받았다.

　　그러면 오시마 자신은 이 작품에 대해 어떻게 생각하고 있었을까? 오시
마는 한국인 상이군인과 군속들의 "끔찍한 흉터와 비참한 생활을 모든 일본
인에게 보여 주고 싶어서 그것을 영상에 담았지만, 그보다 …… 모든 일본
인의 폐부를 찌르고 싶었던 것은 …… 더 끔찍하고 더 비참한 이들의 마음
의 흉터였다"[43]고 말하고 있다. 한국인 상이군인과 군속들의 '더 끔찍하고
더 비참한 이들의 마음의 흉터'를 엿보게 하는 장면은 이 작품 중에서도 특
히 인상적인 시퀀스18 '식당의 한 방'에서의 자기들끼리 말다툼하는 장면이
다. 사토 다다오는 이 장면의 '성공' 요인을 다음과 같이 분석한다.

　　이 장면은 당사자들의 말도 알아들을 수 없고 내레이션으로도 이유를 설명하
지 않아서 왜 그들이 자기들끼리 이렇게 심하게 싸우는지 전혀 이해할 수 없
다. 그러나 그럼에도 불구하고 오시마 나기사는 이 부분을 연출된 드라마라도
상당히 이렇게 자잘하게 컷트를 나눠 액션을 분해하는 게 어렵지 않나 할 정도
로 풍부하게 컷트를 겹쳐서 보여 준다. 그 부분에, 이 작품의 성공이 있었다.
그것은 확실하게 설명할 수 없는 것을 설명할 수 없는 채로 두면서, 분명히 표

---

40) 「放送塔」, 『読売新聞』 도쿄본사판, 1963년 8월 21일 조간 10면.
41) 1963년 4월, 방송에 관한 비평활동을 통해 방송문화의 진흥을 도모하고 방송의 발전에 기여한
　　다는 목적으로 방송비평가, 미디어 연구자 등이 설립한 자주독립단체로서 2005년 5월 특정비
　　영리활동법인(NPO)이 되었다.
42) 鈴木嘉一, 앞의 글, 55쪽.
43) 大島渚, 「韓国 国土は引き裂かれたが」, 앞의 책, 2008, 120쪽.

현하고 있는 것이다.44)

그리고 이 장면 마지막에 양쪽 눈을 실명해 늘 선글라스를 끼고 다니는 서낙원이, 말다툼 끝에 흥분한 나머지 선글라스를 벗어 버린다. 오시마는 술회한다. "나는 그 검은 안경을 어떻게든 벗게 해서 찌부러진 양쪽 눈을 카메라에 담고 싶었어요. [중략] 그런데 그는 선글라스를 벗으려고 하지 않았습니다. 당연합니다. 그는 찌부러진 양쪽 눈이 카메라에 잡히는 것을 싫어했어요."45) 그런데 "그는 찍는다는 것을 너무 의식한 나머지 감정에 복받쳐서 그 복받친 감정이, 자신의 신세를 내게 설명하려고 초초해져 그만 카메라의 존재를 잊고 검은 안경을 벗어 버린 거였어요."46)

서낙원이 선글라스를 벗고 "눈 없는 눈에서 눈물을 흘리며" 호소하기 시작한 상대는 다름 아닌 오시마 자신이었던 것이다. 오시마는 "그의 말에 고개를 끄덕이면서 카메라와 테이프를 계속 돌리라고 지시"했다. 오시마에게 "이것은 행운의 작품"이며, 그의 "목적은 달성된" 것이다.47)

그러나 "확실하게 설명할 수 없는 것을 설명할 수 없는 채로 두면서, 분명히 표현한" 이 작품의 '성공'은 다른 한편으로 오시마 자신의 '파괴'와 '변혁'을 요구하게 된다. 오시마는 "촬영 과정에서도 편집 과정에서도 나는 몇 번이나 이 사람들과의 대결에 의해 그때까지 가지고 있었던 자신의 생각이 파괴되는 것을 느꼈다"고 한다. 이렇게 해서 오시마는 처음으로 "영상기록에서 기록하는 대상과의 대결에 의해 기록자 자신이 파괴되어 변혁되지 않으면 안 된다. 그리고 그것이 기록 전체로서 그 기록 안에 포함되어야 한다는 가르침을 얻는" 것이다.48) 요모타 이누히코는 선글라스를 벗어 '눈 없는

44) 佐藤忠男, 앞의 책, 1987, 167~168쪽.
45) 大島渚, 「私にとって記録とは何か?」, 앞의 책, 2008, 90쪽.
46) 위의 글, 91쪽.
47) 大島渚, 앞의 책, 1966, 383쪽.
48) 大島渚, 「私にとって記録とは何か?」, 앞의 책, 2008, 89쪽.

눈'을 카메라에 비친 서낙원의 모습은 "역사 은폐를 고발하려는 의도하에 시청자에게 충격을 주려고 했던 오시마 본인에게도 한없이 이형(異形)적인 것으로, 그는 감독으로서 더 이상 앞으로 나아갈 수 없었다. 〈잊혀진 황군〉은 모든 결론을 보류하고 물음의 연쇄로 끝나게 된다. '이래도 좋은가'"라고도 지적한다.[49] 그것은 말을 바꾸면 오노자와 도시히코가 말한 것처럼, "구일본군 병사의 신체성 바로 그것이, 찍는 행위의 권력성을 해체"[50]했다는 것이리라.

오시마는 "패자는 영상을 가지지 못 한다"는 경구를 남겼는데,[51] 〈잊혀진 황군〉이라는 영상작품의 제작을 통해 오시마는 '패자'[52]의 '역습'에 움찔하고, 찍는 행위의 '권력성'을 자각하고, 결국은 말을 잃고 '결론을 보류'한 것이다.

재일조선인에 대해 스스로를 파괴, 변혁시킬 수 있는 만만치 않은 '타자'로 인식을 새롭게 한 오시마는 이후, 한동안 재일조선인과 한국을 둘러싼 문제와의 지적 갈등을 통해 자기 자신을 단련해 나간다.

(4) 한국인 상이군인과 군속들의 그 후

한편 〈잊혀진 황군〉에 등장한 한국인 상이군인과 군속들은 그후 어떻게 되었을까?

1962년 9월, 후생성(현 후생노동성)은 "일본 국적을 취득해 호적법의 적용을 받게 된 조선 출신자와 대만 출신자 등에 대해 호적법의 적용을 받게 된

---

49) 四方田犬彦, 앞의 책, 2010, 141쪽.

50) 小野沢稔彦, 앞의 책, 2013, 171쪽.

51) 오시마는 「패자는 영상을 가지지 못한다(敗者は映像を持たない)」라는 제목의 평론을 썼는데(大島渚, 앞의 책, 2008), 거기서 "영상은 권력자가 자기 자신을 치장하기 위해 촬영하는 것과 권력자 또는 승자가 패자의 비참한 모습을 보여 주기 위해 촬영하는 것으로 나뉜다"(175쪽)고 하였다.

52) 四方田犬彦는 "오시마 나기사에게 가장 중요한 타자"란 "조선인과 여성"이며 "이 양자는 전전과 전후를 막론하고 남성중심주의의 일본사회에서 부당하게 멸시당하고 주변적인 장소로 배제되어 온 존재였다"고 지적하고 있다(四方田犬彦, 앞의 책, 2010, 129쪽).

시점부터 원호법이 적용되는 것으로 해석한다"고 각 도도부현(都道府県)에 통지했다.[53] 이러한 행정 견해에 따라 '전 일본군 재일한국인 상이군인회' 회원 17명 중 15명은 일본정부의 요구에 응해 1964년 일본 국적을 취득함으로써 원호법의 적용을 받게 되었다고 한다.[54] '목구멍이 포도청'이라고는 하나 일본정부의 완고한 방침에 굴복해 국적을 바꾸지 않을 수 없었던 그들의 원통함은 이해하고도 남음이 있다.

그러나 상이군인회의 석성기 회장은 일본 국적을 취득하지 않고 한국 국적을 보유한 채로 국가보상을 계속 요구해 나갔다. 석성기는 1991년 1월 28일 원호법에 근거한 장애연금의 급부를 가나가와(神奈川) 현청을 통해 후생성에 청구했다. 또한 같은 해 4월에는 회원이던 진석일도 사이타마(埼玉) 현청에 '장애연금 청구서'를 제출했다. 한편 두 사람과는 별도로 1991년 1월 30일자로 오사카의 정상근은 원호법의 원호를 받을 지위 확인과 국가배상을 요구해 오사카 지방재판소에 제소했다.

석성기와 진석일은 청구가 모두 각하되자, 1992년 8월 최후 수단으로 각하 처분 취소를 요구하며 도쿄 지방재판소에서 행정소송을 일으켰다. 그러나 1994년 7월 15일, 도쿄 지방재판소는 원고의 청구를 기각한다는 판결을 선고했다. 원고의 한 사람인 진석일은 판결을 목전에 두고 5월 14일에 세상을 떴다. 판결을 방청한 오시마 나기사는 "나는 일본의 국가기구에 대한 격한 분노와 그 존재를 허용하고 있는 것에 대한 부끄러움과 분노로 온몸이 타들어 갔다"라는 글을 남겼다.[55]

석성기와 진석일의 유족은 도쿄 고등재판소에 항소했으나 또 청구가 기각되자 최고재판소에 상고했다. 그러나 2001년 4월 5일 최고재판소는 상고

---

53) 1962년 9월 22일, 후생성 원호국 원호국장이 각 도도부현 민생부장 앞으로 보낸 원호 제229호. (田中宏, 앞의 책, 2013, 114~115쪽에서 재인용)

54) 앞의 글, 「心のこりな解決」, 63~64쪽. 1965년 6월 22일 '한일청구권협정' 조인 후에는 한국 국적 자가 일본 국적을 취득한다 해도 원호법은 적용되지 않는다는 방침이 제시되었다.(田中宏, 위의 책, 115~116쪽)

55) 大島渚, 「『忘れられた皇軍』」, 『戦後50年 映画100年』, 風媒社, 1995, 283쪽.

를 기각한다는 판결을 선고해 석성기 등의 패소가 확정됐다. 장상근도 제1심에서 패소한 뒤 오사카 고등재판소에 항소했으나 항소심의 결과를 보지 못하고 1996년 2월에 타계했다. 1999년 9월의 항소심 판결은 항소를 기각한다는 것이었고, 2001년 4월의 최고재판소 판결도 상고를 기각해 정상근도 패소가 확정했다.

이들 재판의 판결 이유 중에 하급 재판소는 "원호법의 국적 조항을……개폐해 재일 한국인에게도 동법이 적용되는 길을 열어 주는 등의 입법을 만들 것, 또는 ……행정상의 특별조치를 취하기를 강력히 희망한다"(1998년 9월, 도쿄 고등재판소 판결)[56], 보상을 실시하지 않는 "중대한 차별 취급은 헌법 14조에 위반될 의혹이 있다"(1995년 10월, 오사카 지방재판소 판결)[57], 재일 한국인이 "보상 대상에서 제외된 것은 중대한 사태이며, 입법 정책에서 최대한의 배려가 이루어져야 한다"(1999년 9월, 오사카 고등재판소 판결)[58]며, 일본 정부와 국회의 대응을 요구했다. 이러한 비판에 대응하여 2000년 6월 〈평화조약 국적 이탈자 등 전몰자 유족 등에 대한 조위금 등에 관한 법률〉이 제정되어, 구 식민지 출신인 전쟁부상자 본인에게는 위문금 200만 엔과 특별급부금 200만 엔 합계 400만 엔이, 전사자와 부상자 유족에 대해서는 260만 엔의 조위금이 일시금으로 지급되었다.[59]

이렇듯 한국인 상이군인과 군속들의 지난한 투쟁은 결코 무의미한 것은 아니었다. 그러나 그들에게 지급된 일시금은 "국가보상의 정신에 근거한"(원호법 제1조) 일본인 장애인과 사망자 유족에게 지급되는 연금과 비교하

---

56) 田中宏, 앞의 책, 2013, 128쪽.

57) 丹羽雅雄, 「在日韓国人元軍属の戦後補償-鄭商根大阪地裁判決の意義と課題-」, 『戦争責任研究』 제16호, 1997년 6월. 일본국 헌법 제 14조 제 1항의 조문은 다음 같다. "모든 국민은 법 아래서 평등하고, 인종, 신조, 성별, 사회적 신분 또는 문벌에 의해 정치적, 경제적 또는 사회적 관계에서 차별받지 않는다.

58) 「在日韓国人元軍属・障害年金訴訟 戦後補償「立法で配慮を」 控訴は棄却-大阪高裁」, 『毎日新聞』 오사카본사판, 1999년 9월 11일 조간 1면.

59) 田中宏, 앞의 책, 2013, 129쪽.

면 미미한 것이었다. 〈잊혀진 황군〉의 호소는 대부분 이루어지지 않은 채
로 오늘에 이르렀다.

3. 전망 – 오시마 나기사에게 '타자'와 '거울' –

〈잊혀진 황군〉 이후, 오시마 나기사의 '조선인'에 대한 인식은 어떻게 변
천을 거쳐 왔는가? 여기에서는 간단한 전망을 제시하는 것으로 갈음하고자
한다.

오시마는 1964년 8월 21일 처음으로 한국을 방문한다. 2개월 정도 한국에
체류한 목적은 '논픽션 극장'의 작품을 제작하기 위해서이며, 취재 성과인
〈청춘의 비석(青春の碑)〉이 같은 해 11월에 방영되었다.

서울 거리를 "거대한 가마가사키(釜ヶ崎)"[60)에 비유하며 첫눈에 "반했다"는
오시마는 한국의 "굉장한 국가의식"과 빈곤함에 강렬한 인상을 받는다.[61)
한편 오시마는 일본에서 자신이 아는 '조선인'은 "부자지만 싫은 사람들이거
나 아니면 가난하지만 친구가 될 수 있는 사람들"인데, 한국에서 "그 두 극
단의 사이에 무수한 보통사람들이 있음"을 알게 된다.[62) 요모타 이누히코가
지적한 바와 같이, "이러한 체험은 귀국 후의 오시마에게 조선인의 민족적
인 기질이라는 추상적인 생각에서 벗어나 재일조선인이 처한 특수한 상황
과 위치를 다시금 생각하게 하는 계기"[63)가 되었던 것이다.

이렇게 해서 오시마는 1965년 12월에 〈윤복이의 일기〉를 완성시키게 된
다. 한국에서 1964년에 출판된 이윤복의 『저 하늘에도 슬픔이』는 이듬해인

---

60) 가마가사키는 오사카시 니시나리(西成)구에 있는 오사카 최대의 일용직 노동자의 거주지역으
로 현재는 '아이린(あいりん)지구'로 불린다. 오시마는 가마가사키를 무대로 세 번째 작품 〈태
양의 무덤(太陽の墓場)〉을 제작했다.

61) 大島渚, 「韓国 国土は引き裂かれたが」, 앞의 책, 2008, 95~97쪽.

62) 위의 글, 101쪽.

63) 四方田犬彦, 앞의 책, 2010, 134쪽.

1965년 일본에서 『윤복이의 일기－저 하늘에도 슬픔이－(ユンボギの日記－ あの空にも悲しみが－)』로 번역 출판되어[64] 큰 반향을 불러 일으켰다. 오시마도 이 책을 읽고 "감동을 받아 영화로 만들고 싶었다"[65]고 한다. 그러나 한국에 다시 갈 수도 없는 상황 속에서 오시마는 1964년에 한국에 갔을 때 촬영한 사진 중에서 250장 정도를 골라내 이를 필름으로 촬영, 편집해 음악과 내레이션을 입혀 다큐멘트를 완성시켰다.

일본 사회에 대한 분노를 전면에 내세운 〈잊혀진 황군〉과는 대조적으로, 〈윤복이의 일기〉는 가난한 소년에 대한 따뜻한 시선이 인상적인 서정적인 가작이다. 오시마 자신이 〈윤복이의 일기〉의 제작 의의를 다음과 같이 말하고 있다.

> ……밖에 존재하는 소재를 잡아 영화를 만들 경우 거기에 억지로 나의 노래를 결부시키려 하다가 파탄을 되풀이해 온 내가, 드디어 그러한 경우에는 오히려 소재 안에서 나를 발견해 나가야 한다는 당연한 방법을 이제야 방법으로서 몸에 익힌 것 같다……. 그러한 의미에서 〈윤복이의 일기〉는 〈잊혀진 황군〉에서 우연히 획득한 방법을, 자각적으로 체현한 것이라고도 말할 수 있을 것이다.[66]

이러한 "소재 안에서 나를 발견해 간다"는 오시마의 방법은 다큐멘터리 작품에서는 큰 성공을 이루었다고 하겠다. 그러나 '소재'를 스스로가 만들어 나가는 극영화의 경우, 과연 그러한 방법이 기능했을까?

1968년의 칸느영화제에 초대받아 서양 비평가들에 의해 높이 평가된 〈교사형〉은 앞서 언급한 바와 같이 고마쓰가와 사건을 소재로 해서 제작된 작품이다. 오시마는 당초 "영화로 만들려는 마음은 없었"는데 "그 후, 조선 문제가 내 안에서 조금씩 조금씩 커져 영화화를 생각하기 시작했다…… 사형

---

64) 塚本勳 번역, 太平出版社 간행.
65) 大島渚, 앞의 책, 1966, 385쪽.
66) 위의 책, 385~386쪽.

이라는 것에 초점을 맞춰서 만들어 보자는 것이 하나의 스텝"이 되었다고 한다.[67] 〈교사형〉의 제작 노트에 오시마는 '사형 반대 문제/재일조선인 문제/빈곤 문제/소년 성범죄 문제→모두를 국가 권력과의 대립적 관점에서 본다./모든 문제의 밑바닥에 권력이 있다"[68]고 적고 있는데, 〈교사형〉 제작 모티프는 "국가 권력과의 대립"에 수렴되어 있다. 즉 오시마에게 고마쓰가와 사건은 '국가 권력과의 대립'이라는 문맥 안에서 처음으로 영화화가 가능하게 된 것이었다.

오시마는 '조선인'을 스스로에 대해 파괴와 변혁을 요구하는 '타자'로 인식하는 한편 "일본인에게 조선인이라는 것은 하나의 거울이라고 생각한다"고도 말하고 있다. 즉 "일본인은 조선인이라는 거울에 자신을 비춰 봄으로써 소위 일본인이란 무엇인가, 특히 메이지 이후의 일본인이란 무엇이었는가를 생각할 수 있는 게 아닐까'라고 생각했다.[69] "거울에 비추어진 '나'"는 "내화(內化)할 수 없는 '나'의 상(타자)"[70]이라는 의미에서, 오시마 내부에서는 '타자'와 '거울'은 모순 없이 통일되어 있었을 수도 있다. 그리고 다큐멘터리 작품에서는 '조선인'을 '타자'로 인식해 '타자'로서의 긴장감을 그려내려고 한 것에 대해, 극영화의 경우에는 '조선인'에게 '거울'로서의, 바꿔 말하면 일본인을 비추는 소재로서의 역할을 부여하고 있었던 것처럼, 내게는 생각된다.

그러나 당연한 말이지만 조선인은 일본인의 '거울'이 되기 위해 존재하는 것이 아니다. 오시마는 "일본인"과 "조선인 특히 재일조선인"은 "서로 부조리한 존재"인데 "이 부조리를 만들어 낸 것은 일본이'며, "일본인이 조선인을 부조리한 존재라고 생각하는 것은 조선인에 의한 사건이 일어났을 때뿐인데, 조선인은 밤낮으로 일본인을 부조리한 존재라고 생각하며 생활하고

---

67) 大島渚, 앞의 책, 2004, 154쪽.

68) 「『絞死刑』, 制作ノート(1967)」, 『ユリイカ』 제32권 제1호, 2000년 1월, 157쪽.

69) 大島渚, 「ライフル事件に思う」, 앞의 책, 1970, 202쪽.

70) 川村健一郎, 「他者/「朝鮮人」」, 『ユリイカ』 제32권 제1호, 235쪽.

있다"며 '일본인'과 '재일조선인'의 불균형적인 관계를 날카롭게 간파하고 있다.71) 그럼에도 불구하고, 오시마는 일본인의 사정에 의해 '재일조선인'이 '거울'이 되게 하는 '부조리'에 대해서는 눈을 돌리지 못했던 듯하다. 이는 "오시마 나기사에게 가장 중요한 타자"란 "조선인과 여성"(四方田犬彦, 주 52 참조)이면서도 여성을 남성의 '거울'로 간주하지는 않았다는 사실에서도 명확하게 드러난다.

따라서 현대 한국의 젊은 연구자가 "결국 오시마에게 '일본 사회의 이물'……인 '재일'이란 문제 구성을 위한 '방법'이었던 게 아닌가", "오시마에게 문제였던 것은 재일이라는 존재가 전후 일본 사회 속에서 위치한 그 위상이었다"72)고 비판한 것은 핵심을 찌르는 지적으로 보인다.

오시마가 〈교사형〉에서 재일조선인에게 '거울'로서의 역할을 짊어지우려 했을 때, '타자'로서의 조선인은 그 뒷배경으로 물러나 버렸다. 오시마가 〈돌아온 주정뱅이〉에서 밀항자인 한국인 고교생 배역에 기용한 차대선은 "조선인이 가지는 무서움"이 없었다고 한다. 오시마는 혹은 여기서, 일찍이 한국 체류 중에 만났던 '무수한 보통 사람들'을 상기했을지도 모른다. 그 결과 오시마는 "우리들이 생각만큼 조선인은 무섭지 않다거나 무섭다고 생각하는 건 우리들의 착각이 아닐까라는 생각이 들었다"고 술회했다.73) 이렇게 해서 오시마에게 '거울'로서의 '매력'을 잃어버린 조선인은 〈돌아온 주정뱅이〉 이후 오시마 작품에서 사라지게 된다.

오시마 나기사가 재일조선인과 한국을 둘러싼 여러 문제에 대해, 정면에서 대응하고자 하는 지적 성실함을 갖추고 있었다는 점은 의심할 여지가 없으며, 〈잊혀진 황군〉과 〈윤복이의 일기〉 등 양질의 다큐멘터리를 제작한 점도 높이 평가되지 않으면 안 된다. 그러나 오시마가 조선인을 일본인의

---

71) 大島渚, 「不条理な存在としての日本人」, 『解体と噴出』, 芳賀書店, 1970, 194~195쪽.

72) 黃鎬德, 藤井たけし 역, 「「もっと朝鮮人らしく」, 芝居としての「在日」－大島渚, 法を超える文法－」, 『文藝別冊 大島渚』, 河出書房新社, 2013, 188~189쪽.

73) 大島渚, 앞의 책, 2004, 224~225쪽.

'거울'로 간주하는, 일본 지식인들에게 흔히 있는 함정에 빠졌을 때 오시마는 스스로를 파괴하고 변혁을 요구하는 '타자'로서의 '조선인'을 잃어버리게된다. 그 뒤로 그가 '타자'로서 '조선인'을 그려낼 기회는 두 번 다시 찾아오지 않았다. 내게는 그 점이 참으로 아쉽다.

■ 후지나가 다케시

재일조선인 문학의 역사인식 시론

━ 김시종의 시를 중심으로 ━

1. 머리말

역사를 개인의 문학 작품을 통해 보는 것은 문학자들과 기존의 많은 평론가들이 해 왔던 작업이다. 지금도 그렇고 향후에도 이런 작업은 지속될 것이다. 자이니치(在日)의 문학을 통한 재일조선인 사회 보기는 많은 작품이 해 왔던 일이다. 그 가운데 한반도와 자이니치를 재일조선인 자신의 언어를 통해 보는 작업은 역사가 하지 못한 또 하나의 영역이라고 할 수 있다.

실제로 수많은 문학 작품은 작품 그 자체의 가치와 역사적 의미가 절대 작지 않다고 생각한다. 자이니치의 문학은 삶 그 자체라고 할 수 있을 것이다.[1]

실제로 일본 문단에서 본격적인 재일조선인 문학 활동은 1932년에 『改造』의 현상공모에서 2위로 입상했던 장혁주(張赫宙)의 「餓鬼道」부터라고 한

---

[1] 재일조선인의 문학사에 대한 연구는 다음의 글을 참조. 정희선 외 역, 『재일코리안사전』, 선인, 2012; 이한창, 『재일 동포문학의 연구 입문』, 제이앤씨, 2011; 이한정, 윤송아 엮음, 『재일고리안 문학과 조국』, 지금여기, 2011.

다.[2] 이러한 재일조선인 문학은 장혁주를 넘고 넘어, 김사량(金史良)을 만날 수 있다. 1939년 김사량은 芥川賞 후보작가에 올랐던 「光の中に(빛 속에서)」에서, 일본인 아버지와 조선인 어머니를 둔 혼혈아의 심리를 묘사하고 있다.[3] 여기에서 그는 일본사회 속의 조선인의 고뇌와 억압과 차별이 어떻게 인간성을 왜곡시키는가를 조명하고 있다.[4] 전전의 재일조산인 문학에서 전후로 이해하는 데는 장혁주와 김사량 그리고 김달수(金達壽)가 있다. 그는 식민지 백성이라는 숙명을 짊어지고, 차별과 멸시를 받으며 살아가는 조선인의 모습을 그렸다.[5] 그는 일본인의 우월감과 위선을 고발하고, 피지배계급인 조선인의 자리를 확인했다. 그리고 자립과 향학의 뜻을 불태우던 젊은 시절의 자신을 소설 속에서 표현하고자 했던 것이다.

전후로 이어진 재일조선인 문학은 그 주제가 한반도 정세, 일본 사회의 변화, 그리고 재일조선인 세대교체의 영향을 받아 왔다. 그러나 작가의 뿌리인 조선의 역사나 정치, 혹은 동경과 소외의 감정, 또는 재일조선인의 역사나 생활, 가족, 아이덴티티에 관한 작품 등이 세대를 초월해서 대부분을 차지하고 있다. 어떤 작가나 모두 분단 상태가 이어지는 '조국'과 일본과의 끊임없는 긴장관계라는 재일조선인 특유의 정치성과 무관할 수 없는 것이다. 이러한 조건 아래에서 작가들은 갖가지 갈등을 품으면서 독특한 작품세계를 형성해 왔다고 할 수 있다.

본고는 전후 재일조선인 문학의 한 가운데에 있는 시인 김시종의 시를 통해 그의 역사인식에 대해 살펴보고자 한다.[6] 호소미 가즈유키가 쓰고 동선희가 번역한 김시종에 대한 책은 그에 대한 연구로 주목되는데, 호소미 가즈유키는 '김시종의 생애와 표현은 작품마다 현실에 존재하는 인간, 사회

---

2) 李漢昌, 「해방 전 재일 조선인의 문학 활동」, 『재일조선인 그들은 누구인가』, 삼인, 2003, 162쪽.
3) 金贊汀, 『在日コリアン百年史』, 三五館, 1997, 80쪽.
4) 李漢昌, 앞의 글, 2003, 164쪽.
5) 정대성, 「8·15 전후 재일조선인 생활사의 階調」, 홍기삼 편, 『재일한국인 문학』, 솔, 2001, 참조.
6) 최근 그에 대한 박사학위 논문이 나왔다. 吳世鐘, 「金時鐘における自己回復とは何か」, 一橋大博士論文, 浅見洋子, 「金時鐘の言葉と思想－注釈的読解の試み－」, 2013.

관계에 기반을 두고 일본의 전통적인 서정과는 대척점에 있는 새로운 서정을 탐색함으로써 탈식민지화를 끝까지 추구하는 것이었다'고 한다.[7] 이의 연결선에서 김시종의 역사인식의 편린을 살펴보도록 하겠다. 구체적으로는 김시종의 시집을 통해 역사인식을 살펴보도록 하겠다.

2. 재일조선인 문학과 김시종 연보

1) 재일조선인 문학

해방 이후 재일조선인 문학은 본격적으로 전개되었다.[8] '재일문학'이라고도 한다. 1945년 8월 이후 초기 해방 이후 재일조선인 작가들로는 소설에서는 윤자원(尹紫遠), 박원준(朴元俊), 장두식(張斗植), 이은식(李殷植), 그리고 김달수(金達壽)를 들 수 있다. 아울러 시에서는 강순(姜舜), 허남기(許南麒), 이시우(李時雨) 등이 거명된다. 독립의 기쁨 속에서 재일조선인 문학은 정신의 탈식민지화를 시도했는데, 곧바로 찾아온 한반도의 남북 분단으로도 그 지향성이 규정되게 되었다고 할 수 있다.[9] 그리고 1950년대 전반에는 『민주조선』의 중심인물로 「현해탄」 등의 소설을 발표한 김달수, 우리 민중의 저항사를 읊은 허남기가 주목된다. 이후 재일조선인 문학을 보면 다음과 같이 정리하기도 한다.

1955년 결성된 재일본조선인총연합회(총련)는 조선민주주의인민공화국의 문

---

7) 호소미 가즈유키 저, 동선희 역, 『디아스포라를 사는 시인 김시종』, 어문학사, 2013, 20쪽. 나아가 다음과 같이 평한다. 첫째, 시를 특권화하지 않고 있다면서 타자의 살아 있는 시의 절실함에 걸맞은 작품의 언어를 추구하고 있다. 둘째, 구조화된 장편시의 지향이 보인다. 셋째, 시가 리듬감을 가지고 있다. 넷째, 정치, 사회적 문제를 수용하는 자세, 다섯째, 일본어를 내부에서 분쇄하는 듯한 문체가 있다.(231~233쪽)
8) 정희선 외 역, 앞의 책, 2012, 360쪽.
9) 위의 책, 361쪽.

예정책을 도입하여 조선어로 된 창작활동 여건을 정비해 갔다. 1960년대에는 재일조선인의 생활, 대한민국 민중과의 연대, 공화국 공민이 된 긍지, 조국 통일 등을 주제로 해서 사회주의 리얼리즘 기법을 쓴 조선어 작품이 다수 창작되었다. 1960년대 후반은 재 조선인의 문학의 전환기가 되었다. 총련 내의 문학활동은 이후 김일성의 유일사상체제 아래에서 이루어지게 되었다. 한편 김학영(金鶴泳) 『얼어붙은 입』(분게이상[文藝賞], 1966)과 이회성(李恢成) 『다듬이질하는 여인』(아쿠타가와상[芥川賞], 1972)의 문학상 수상을 비롯해 소설에서는 김석범(金石範), 김태생(金泰生), 고사명(高史明), 시와 평론에서는 오임준(吳林俊), 김시종(金時鐘)이 봇물같이 일본의 문단에 등장했다. 이들 대부분은 총련이나 그 전신인 민족단체에 소속되었던 경력이 있었다. 이 시기 그들의 활약으로 재일조선인의 일본어 문학을 가리키는 '재일조선인문학'이 널리 인지되었다.

그 후에도 일본의 문학계에서 활약하는 작가가 늘어나 다음과 같이 문학상 수상작도 많이 나왔다. 소설: 정승박(鄭承博) 『벌거벗은 포로』(농민문학상, 1972), 레이라[麗羅] 『사쿠라코는 돌아왔나』(산토리 미스터리대상 독자상, 1983), 김석범 『화산도(火山島)』(오사라기 지로상[大佛次郎賞], 1984 · 마이니치예술상[毎日藝術賞], 1998), 이기승(李起昇) 『0.5(제로한)』(군조신인문학상[群像新人文學賞], 1985), 이양지(李良枝) 『유희(由熙)』(아쿠타가와상, 1988), 박종호(朴重鎬) 『회귀』(홋카이도신문문학상[北海道新聞文學賞], 1988), 유미리(柳美里) 『가족시네마』(아쿠타가와상, 1996), 양석일(梁石日) 『피와 뼈』(야마모토 슈고로상[山本周五郎賞], 1998), 현월(玄月) 『그늘의 집』(아쿠타가와상, 1999), 가네시로 가즈키[金城一紀] 『GO』(나오키상[直木賞], 2000), 김중명(金重明) 『항몽의 언덕-삼별초탐라전기』(역사문학상, 2006).

시 : 최화국(崔華國) 『묘담의(猫談義)』(H씨상, 1985), 김시종 『'재일'의 틈에서(평론)』(마이니치출판문화상, 1986), 『황무지의 시(시집성)』(오구마 히데오상[小熊秀雄賞] 특별상, 1992), 송민호(宋敏鎬) 『브룩클린』(나카하라 주야상[中原中也賞], 1997). -또 소설과 시뿐 아니라 평론과 에세이 작가 최선(崔鮮), 김일면(金一勉), 최석의(崔碩義), 김학현(金學鉉), 안우식(安宇植), 박춘일(朴春日), 윤학준(尹學準), 변재수(卞宰洙), 임전혜(任展慧), 다케다 세이지[竹田靑嗣], 서경식(徐京植), 강신자(姜信子), 아동문학 작가 한구용(韓丘庸), 라이트 노벨 작가 김연화(金蓮花), 단가(短歌) 작가 김하일(金夏日), 이정자(李正子), 번역과 희곡 분야 등 재일조선인의 문학활동은 다양한 장르에 걸쳐있다.

1990년대 무렵부터 일본에서는 포스트콜로니얼 이론 등의 유입으로 재일조선인의 일본어 작품이 '재발견'되기 시작했다. 또 1997년에 20년 이상 시간이 걸려 완성된 김석범의 대하소설 『화산도』는 종래의 '일본문학'의 개념을 뒤엎을 정도의 존재감을 일본어 문학 영역에서 표출하고 있다. 2000년대에 들어와서는 『재일코리안시선집』(土曜美術社, 2005), 『'재일' 문학전집』(勉誠出版, 2006)이 잇달아 간행되어 묻혀있던 많은 일본어 작품이 빛을 보았다.[10]

이렇게 재일조선인 문학의 세계는 일본 안에서 독자적인 세계를 구축하면서 수많은 작가를 생산해 냈다. 그리고 한반도와 일본 열도에 독자적인 세계를 구축해 왔다. 이 가운데는 다양성이 존재하고 그 다양성은 작가가 속한 사회적 구조 속에서 자신이 선택한 선택지였던 것이다.

2) 연보

일제 식민지시대 김시종(金時鐘)[11]은 강원도 원산시에 태어났다. 그리고 16세 때 해방을 맞이했다. 1948년 제주도에서 4·3사건이 일어나자 남조선노동당의 일원으로서 합류했다. 1949년에는 일본으로 건너갔다. 이후 일본공산당에 입당하여 현실 정치에 투신했다. 그리고 민족운동에도 헌신했다.

1950년대 이후 정치에 대항하면서 시 창작을 계속했다.[12] 1996년에 도일이래 처음으로 고국을 방문했다. 오노 도자부로(小野十三郎)『시론』과의 만남이 시 창작에 결정적인 시사를 주었고, 일본적 서정을 철저히 거부하여 "일본어에 대한 보복"이라는 독자적인 시법(詩法)을 추구하면서 보편에 이르는 시 정신을 확립했다고 할 수 있다.

첫 시집『지평선』을 한국전쟁이 한창이던 때에 간행했다. 1970년에 장편시집『니가타(新潟)』를 내놓아 큰 반향이 있었다. 1980년대까지의 시가『황무지의 시』(1991, 오구마 히데오상(小熊秀雄賞) 특별상 수상)로 집성되었다. 그밖에『화석의 여름』, 『경계의 시』가 있고, 『'재일'의 틈에서』(1986, 마이니치출판문화상(毎日出版文化賞) 수상), 『풀숲의 시간』『나의 생과 시』 등이

---

10) 위의 책, 361~362쪽.
11) 위의 책, 83쪽.
12) 위의 책, 84쪽.

있다. 역서로 윤동주(尹東柱) 시집『하늘과 바람과 별과 시』,『재역 조선시집』이 있다. 지금도 작품 활동을 하고 있다.

최근에 간행된 그의 자서전에는 다음과 같이 연보가 기록되어 있다.13)

1929년 1월(음력1928년 12월 8일) 부산에 태어남
1936년 원산시 조부 밑에 맡겨짐
1937년 보통학교 입학
1940년 아버지의 장서로 독서함.
1942년 광주의 중학교에 입학
1946년 최현 선생과 만남
1949년 6월 일본으로 탈출
1950년 1월 일본공산당에 입당
1951년 3월 오사카 나카니시조선학교 재개교 활동에 참가
1951년 10월 재일조선문화인협회 결성,『조선평론』창간
1953년 2월 『진달래』창간
　　　　11월 심계항진과 폐결핵으로 긴급 입원, 3년 동안 장기 요양(1956년
　　　　　　　9월 퇴원)
1955년 12월 시집『지평선』간행
1956년 11월 18일 강순희와 결혼
1957년 9월 종합잡지『청동』간행
1957년 9월 제2시집『일본풍토기』간행
1959년 6월 카리온의 회 결성
1970년 8월 제3시집『니이가타』(곽덕형 옮김, 글누림, 2014) 간행
1973년 9월 효고현립 미나토가와(湊川)고등학교 교원이 됨(1988년 정년퇴임)
1978년 10월 제4시집『이카이노시집』간행
1983년 11월 『광주시편』(김정례 옮김, 푸른역사, 2014) 간행
1986년 5월 에세이집『재일의 틈에서』간행(마이니치출판문화상 수상)
1998년 10월 49년 만에 제주도를 방문
2010년 2월 『잃어버린 계절』간행

---

13) 金時鐘,『朝鮮と日本に生きる－濟州道から猪飼野へ－』, 岩波書店, 2015, 292쪽.

3. 김시종의 역사인식

1) 재일에 대한 인식

김시종의 재일인식에 앞서 재일에 대한 주체적 인식은 그의 시를 통해 확인해 보자. 그가 맞이한 해방은 재일의 부분으로 그는 해방의 의미를 이렇게 설명하고 있다.

> 한글로 아이우에오의 '아'도 못 쓰는 내가 망연자실한 가운데 떠밀리듯 조선 사람이 되었다. 나는 패주한 일본국에서도 내버린 정체불명의 젊은이였다. 이제는 인정할 수밖에 없는 패전 앞에서 결의를 굳혔다. 이제 곧 진주해 올 미군 병사 어떤 놈이든 칼로 찌르고 나도 죽을 각오였다.[14]

김시종의 이런 기억은 제주도에서의 기억을 말하고 있다. 8월 말로, 그는 클레멘타인의 노래가 떠올랐다고 한다.[15]

연보에서 보이듯, 총련에 대한 비판적 인식은 그의 삶의 큰 변화가 시작되는 또 다른 시점이 되었다. 그는 『진달래』 제18호에 「오사카 총련」을 발표했다.[16]

> 고시(告示)
>
> 급한 용무가 있으면/ 뛰어나가세요.
> 소련에는/ 전화가 없습니다.
>
> 급히 처리해야 한다면/ 큰 소리를 내세요.
> 소련에는/ 접수 받는 곳이 없어요.

---

14) 金時鐘, 『「在日」のはざまで』, 立風書房, 1986, 13쪽.
15) 호소미 가즈유키 지, 동선희 역, 앞의 책, 2013, 13쪽.
16) 고시와 동원으로 구성되어 있다.

용변 볼일 있으시면/ 다른 데로 가 주세요.
소련에는 변소가 없습니다.
소련은/ 모든 이의 단체입니다.
애용해 주신 전화료가/ 중지될 만큼 밀렸습니다.

소련은/ 맘 편한 곳입니다.
모든 사람이 그냥 지나가 버리므로/ 접수처가 수고할 필요가 없습니다.
속은 어차피 변비입니다.
겉보기가 훌륭하면/ 우리의 취미는 충족되었습니다.
변소는 제때 처리하면 됩니다.

그러니 새 손님을 초청하지 않습니다.
그래서 새 손님을 부르지 않습니다.
2층의 홀은 예약이 끝났습니다.
오늘 밤은 창가학회가 사용합니다.

이 시로 김시종은 총련과 조직적인 관계가 끊어진다.

한편 그의 재일인식은 일상의 쓰루하시를 다룬 시에서 확인할 수 있다.
그는 존재로서의 재일에 충실했는데,「젊은 당신을 나는 믿었다.」는 다음과
같이 시작된다.

아니 / 아니
젊은 당신이 거절할 리가 없다.
갑작스러운 질문에
당황했을 뿐 /진짜로

더구나 / 오후 시간
한산한 전차여서
몇 사람의 / 호기심 어린 눈에
신경이 쓰일 수도 / 있는 일 아닌가.
〈중략〉
천천히 / 플랫폼에 멈춰 선다.

스피커가 장소를 알리고
자동문이 길을 연다. / 어머니가 나간다.
내가 일어선다.
노파가 밖으로 머리를 내밀고
당신의 흰 다비가 / 플랫폼을 향한다.
다음이 쓰, 루, 하, 시예요.17)

현재 오사카에 이카이노는 없다.18) 김시종 그에게는 있다고 할 수 있다. 지금도 한 가운데 존재하고 있는 것이 현실인 것이다. 1978년 간행된 이카이노 시집의 첫 번째 시 「보이지 않는 동네」는 다음과 같이 시작된다.

없어도 있는 동네 / 그냥 그대로
사라져 버린 동네 / 전차는 애써 먼발치서 달리고
화장터만은 잽싸게 /눌러앉은 동네
누구나 다 알지만 / 지도엔 없고
지도에 없으니까 / 일본이 아니고
일본이 아니니까 / 사라져도 상관없고
아무래도 좋으니 / 마음 편하다네

거기선 다들 목청을 돋우고 / 지방 사투리가 활개치고
밥사발에도 입이 달렸지 / 엄청난 위장은
콧등에서 꼬리까지 / 심지어 발굽 각질까지
호르몬이라 먹어 치우고 / 일본의 영양을 몽땅 얻었노라
의기양양 호언장담19)

---

17) 김시종 지음, 유숙자 번역, 『경계의 시』, 소화, 1985, 34~38쪽.
18) 시집의 첫머리에 이렇게 서술하고 있다."오사카시 이쿠노의 한 구역이었으나 1973년 2월 1일에 없어진 조선인 밀집지며 옛 정명. 옛적에는 이카이노쓰(猪甘津)라고 했고 5세기 무렵 조선에서 집단 도래한 백제인이 개척했다는 백제향(百濟鄕)의 터전이기도 하다. 다이쇼 말기 백제천을 개수하여 신히라노가와(新平野川)를 만들었을 때 이 공사를 위해 모인 조선인이 그대로 살게 된 마을, 재일 조선인의 대명사와 같은 동네이다."(125쪽)
19) 김시종 지음, 유숙자 번역, 앞의 책, 1985, 85~92쪽.

여기에서 나아가 이카이노는 보이지 않는 동네에서 냄새나는 동네로 상징성을 더 하고 있다.

> 그래서 이카이노는 마음속 / 쫓겨나 자리 잡은 원망도 아니고
> 지워져 고집하는 호칭도 아니라네.
> 바꿔 부르건 덧칠하건 / 猪飼野는
> 이카이노 / 코가 안 좋으면 못 찾아오지[20]

이밖에도 쓰루하시의 보통 사람에 대해 김시종은 주목했다. 그리고 이곳을 근거지로 일하는 사람들은 「노래 또 하나」에서 다음과 같이 표현되고 있다.

> 두드린다 / 두드린다
> 바쁜 것만이 / 밥벌이 보증
> 마누라에 어린 것에 / 어머니에 여동생
> 입으로 떨어지는 못질 땀을 / 뱉고 두드리고
> 두들겨댄다.
>
> 일당 5천 엔 / 벌이니까
> 열 켤레 두드려 / 50엔
> 한가한 녀석일랑 / 계산하여!
>
> 두드리고 나르고 / 쌓아 올리고
> 온 집안 나서서 꾸려 간다
> 온 일본 구두 밑창 / 때리고 두들겨
> 밥을 먹는다.[21]

재일의 조선인 노동자에게 노동은 신성한 것이었다. 가족을 돌보는 수단으로 온몸을 바쳐서 작업을 해야 하는 일이 구두를 만드는 일이었다. 그리

20) 위의 책, 88쪽.
21) 위의 책, 100~107쪽.

고 그 시간은 땀을 닦아낼 수도 없었다. 물론 노동에 대한 대가에 대한 계산도 사치였던 것이다. 나아가 구두를 만드는 일은 온 집안의 가업이었던 것이다. 구두뿐만 아니라 쓰루하시의 조선인 노동자는 가내에서 천을 자르고 옷을 만들고 깁는 일도 가족노동으로 했었다.

2) 북송에 대한 인식

북송은 1958년부터 1959년 사이에 집중적으로 전개된 북한으로의 귀국운동이다. 니가타항(新潟港)에서 출발한 제1차 귀국선 2척에 탄 것은 재일조선인 238가구 975명이었고, 이후 일시 중단되기도 했다. 1984년까지 187회, 약 9만 3,340명이 북한으로 귀국했다.

이 북송의 배경에 대해서는 여러 가지 견해가 있는데, 일본에 관련된 요인으로는 당시의 일본 정부가 재일조선인을 재정 및 치안상의 부담으로 여기고 있었던 점, 재일조선인 대부분이 심한 생활고에 직면해 있었던 점, 젊은 세대가 교육과 취직에서 차별받는 현실에 있었던 점이 있다. 또한 1958년 시점에서 10만 명이나 되는 귀국 희망자가 생겨난 배경으로는 국교 정상화를 목표로 추진해 왔던 북한의 대일 인민외교가 과도하게 효과를 거둔 요소도 있다고 할 수 있다.[22]

김시종은 이 북송에 대해 전면적인 논의를 전개했다. 그는 『니가타』에서 강제연행을 거론하면서 우키시마마루에 먼저 주목했다.

> 우리가 / 징용이라는 방주에 실려 현해탄을 넘은 건
> 일본 그 자체가 / 혈거 생활을 부득이 꾸려야 했던 초월 지옥의 한 해 전이었다.[23]

그리고 바다를 통한 미지의 세계로의 먼 길을 동경하면서 그 밖의 세계

22) 정희선 외 역, 앞의 책, 2012, 66쪽.
23) 김시종 지음, 유숙자 번역, 앞의 책, 1985, 47쪽.

인의 본국에 대한 그리움을 표현하고 있다. 그것도 자신의 눈으로 표현하고
자 했다.

> 늘 / 고향이 / 바다 저편에
> 있는 자에게 / 더 이상 / 바다는
> 소망으로 / 남을 뿐이다.
> 저녁 해에 / 서성이는 / 소년의 / 눈에
> 철썩철썩 / 밀려들어 / 옥처럼 널리는 것
> 이미 바다다 / 이 물방울 / 하나하나에
> 말을 갖지 못한 / 소년의 / 이야기가 있다.

 그에게 '북조선'으로 가는 것은 오는 것만큼 힘든 일이었다. 그는 우연히
일본에 갔지만 진정으로 돌아간다면 어머니의 땅이었다고 생각한다. 역전
인지를 모르겠지만 그에게는 북송이 이런 이미지를 형상화했다.

> 태어나기는 북선이고 / 자란 것은 남선이다.
> 한국은 싫고 / 조선이 좋다.
> 일본에 온 것은 / 정말 우연한 일이었다.
> 한국에서 밀항선은 / 일본에 오는 것밖에 없었으니까
> 그렇다고 북조선에 지금 가고 싶은 것도 아니다,
> 한국에 / 오직 어머니 한 분이
> 미이라가 되어 기다리니까.

 김시종은 자신이 북한의 직계임을 외침을 통해 동시에 북한의 공민이 되
지 못함을 표현한다. 그리고 조국은 나를 위한 필요한 존재라는 것이다.[24]

> 나야말로 / 추호의 의심 없는
> 북의 직계다!
> 〈중략〉

---

24) 호소미 가즈유키 저, 동선희 역, 앞의 책, 2013, 150~151쪽.

종손인 시종입니다.
외침이 / 하나의 형태를 갖춰 떨어지는 순간이
이 세상에는 있다.
〈중략〉
육신조차 / 나의 생성의 싸움을 알지 못해!
그 조국이 / 총을 들 수 있는
나를 위해 필요하다!

그리고 김시종에게 니가타는 쓸쓸함으로 다가왔고, 그 연결선에 있는 니가타는 북송을 통해 다가가지는 않는 존재였다. 저편 쓸쓸함의 존재였다.[25]

지평에 담긴 / 하나의
바램을 위해 / 많은 노래가 울린다.
서로를 찾는 / 숲속의
화합처럼 / 갯벌을
가득 채우는 / 밀물이 있다.
돌 하나의 / 목마름 위에
천 개의 파도가 / 무너진다.

결국 김시종은 남았다. 일본에 그리고 그것은 선택이었다. 이것이 그가 생각한 북송의 이미지였다. 그는 고향으로 북한을 생각했고, 어머니의 땅으로 생각했다. 그리고 쓸쓸함의 존재로 인식했던 것이다. 현실의 역사인식에 그는 철저했던 것이다. 현실의 삶은 정치를 반영하기 때문이다.[26]

해구를 기어 올라온 / 균열이 / 남루한 / 니가타 / 시에 / 나를 붙잡아둔다.
꺼림직한 위도는 / 금강산 절벽에서 끊어졌으므로 / 이건 / 아무도 모른다.
나를 빠져나온 / 모든 것이 사라졌다.
망망히 펼쳐지는 바다를 / 한 남자가 / 걷고 있다.

25) 위의 책, 152~153쪽.
26) 위의 책, 156~157쪽.

그럼에도 그는 저편 니가타를, 넘은 땅을 바라보는 장소로 선택했다. 이본이지만 북송의 시작점에 그는 섰던 것이다. 김시종에게 북송과 니가타는 자신의 갈 수 없는 저년 세계, 그러나 마음 속 한편에 있는 공간임에는 분명하다고 하겠다.

3) 광주민주화운동에 대한 인식

먼저 김시종에게 한반도는 4·3사건을 통해 이해되었다. 그의 시 「우리의 성 우리의 목숨」이 『일본풍토기』에 실려 있다. 그는 사촌 형의 처형 장면을 그려내고 있다. 현장에 있던 그에게 4·3사건은 지금도 현실이다.

> 핑 / 바짝 당긴 로프에 / 영겹 / 조금씩 울혈하는 건
> 사촌 형 김이다.
> 스물여섯 생애를 / 조국에 바친 / 사지가
> 탈분할 만큼 경직되어 점점 더 부풀어 오른다.
> "에이! 거스러!" / 군정부가 특별 허가한 일본도가
> 예과 수련에 들어간 특경 대장의 머리 위에서 원호를 그리자
> 형은 세계와 연결된 나의 연인으로 바뀌었다.

그리고 이런 그는 4·3과 친일을 동시에 보여주고자 했다. 그것이 시에 드러난다. 나아가 여성의 초경을 통해 절명의 절정을 그려내려고 하고 있다. 이것은 그에게 어머니의 죽음을 통해 현실의 절망의 모습을 보였다. 「도달할 수 없는 깊은 거리로」는 다음과 같다.[27]

> 부전 두 장과 / 붉은 선 세 줄에 / 깔린
> 한국 제주국발 / 항공우편이 / 마치 집념처럼
> 동체 착륙한 / 처참한 형상으로 / 손에 떨어졌다.

---

27) 호소미 기즈유키 저, 동선희 역, 앞의 책, 2013, 92쪽 참조.

그에게 어머니의 죽음은 40년이 지나서야 가 보았던 땅이었다. 2010년 가을 그는 제주도에 왔던 것이다. 실제로 김시종이 표현한 4·3사건은 투쟁적이었다고 할 수 있다.[28] 상흔만 남은 땅이 아닌 시대를 짊어지고 간 역사의 공간이었다.

> 피는 / 엎드려 / 지맥으로 / 쏟아지고
> 휴화산 / 한라를 / 뒤흔들어 / 충천을 태웠다.
> 봉우리 봉우리마다 / 봉화를 / 피월 올려
> 찢겨 나간 / 조국의 / 음울한 신음이 / 업화로.
> 흔들렸다

실제로 김시종, 그는 국내 정치에 대한 관심을 한 번도 포기한 적이 없었다. 끝없는 의견의 개진을 도모했다. 1980년 광주민주화운동[29]은 그 내용을 확인하게 하는 역사적 사건이었다. 『광주시편』 속의 「빛바랜 시간 속」은 그의 처절함을 먼저 얘기한다.

> 거기에 늘 내가 없다.
> 있어도 아무 지장 없을 만큼 / 나를 에워싼 주변은 평정하다.
> 사건은 으레 내가 없는 사이 터지고 / 나는 진정 나일 수 있는 때를 헛되이 놓치고만 있다.[30]

그는 광주를 보면서 젊은이의 죽음을 그리고 있다. 한 시기 청춘의 이름으로 한 짓, 그것이 광주의 젊음이라고 그는 생각하지 않았던 것이다. 현실의 광주는 지금은 한국현대사의 트라우마의 공간이 되어 버렸다.

> 자네, / 바람이야 / 바람 / 사는 것마저도

---

28) 김시종 지음, 유숙자 번역, 앞의 책, 1985, 66~67쪽.
29) 한국 정부의 공식 명칭이다.
30) 호소미 기즈유키 저, 동선희 역, 앞의 책, 2013, 219~220쪽.

바람에 실려 가지 / 투명한 햇살 그 빛 속을

날이 간다 / 나날은 멀어지고
그날은 온다 / 꽉 들어찬 폐기가
늘어날 대로 늘어난 직장을 똥이 되어 흘러내리고
검찰 의사는 유유히 절명을 알린다
다섯 청춘이 매달려 늘어진 채 / 항쟁은 사라진다
범죄는 남는다 / 흔들린다 / 흔들고 있다
천천히 삐걱대며 흔들린다 / 나라의 어둠을 빠져나가는 바람에
다갈색으로 썩어가는 늑골이 보인다.
푸르딩딩 짓푸른 광주의 청춘이 / 철창 너머로 그것을 본다[31]

현실의 그는 박관현을 기억했다. 그 속에서 자기의 역사 보기를 「입 다문
언어ー박관현에게」는 다음과 같이 노래하고 있다.

때론 말은 / 입을 다물고 색깔을 내기도 한다
표시가 전달을 거부하기 때문이다.
거절의 요구에는 말이 없다 / 다만 암묵이 지배하고
대립이 길항한다
말은 벌써 빼앗기는 것에서조차 멀어져
담겨진 말에서 의미가 완전히 박리된다.
의식이 눈을 부릅뜨기 시작하는 건 / 결국 이때부터이다.[32]

이렇게 그의 1980년 광주민주화운동에 대한 시는 현실의 문제에 전면적
인 문제 제기를 넘어 연작 시집의 종국을 보여주는 대작으로 승화되었다.
그는 『광주시편』을 통해 광주의 현실을 얘기하고 광주의 현실이 갖고 있는
문제에 주목하고자 했다. 젊은이의 죽음이 있는 공간 그곳은 헛된 무의미한
역사의 공간이 아니라고 그는 말하고 싶어 했던 것이다. 이런 그의 역사인

---

31) 김시종 지음, 유숙자 번역, 앞의 책, 130~131쪽.
32) 위의 책, 133쪽.

식은 4·3사건의 경험에서 자연스럽게 생긴 한반도에 대한 애정이 출발점
이었을지도 모른다.

4. 맺음말

김시종은 민중에 평생 주목해 온 것 같다. 그리고 조직에 대해서는 비판
적이었다. 그를 비판했던 시인 허남기(許南麒)가 있다.

그런데 허남기와 달리 김시종은 현실에서 역사인식을 투영했다. 조선인
의 주체적 역량과 자기비판에 철저했다. 그리고 한반도 정치에 지속적인 관
심을 표명했다. 이와 함께 교조주의에는 반대했다. 분단의 현실을 극복하는
진정한 방법의 길을 김시종은 시를 통해 찾아 가고 있는 것인지 모르겠다.

김시종은 그의 시를 통해 역사인식을 확인해 보았는데, 식민지에 경험과
4·3사건에 대한 경험은 평생 그의 역사인식의 모태가 되었던 것 같다. 그
리고 그는 시를 통해 형상화를 적극 진행했다. 그는 민족주의자이자 민중주
의자이다. 그리고 사상가이며 실천가이다. 또한 그는 분단정치를 광주를 인
식하고 재일의 삶 속에서 투쟁적 삶을 멈추지 않았다.

그의 시는 역사인식을 그대로 보여주고 있다. 첫째, 재일의 본질과 실제
를 형상화하는데 성공했다. 둘째, 현실의 국내 현실에 철저한 역사인식을
보여주고 있다. 셋째, 재일과 한반도의 현실을 북송을 통해 자기비판을 넘
어 적극적인 실천적 역사인식의 내용을 보여주고 있다.

김시종의 시와 시어는 역사, 역사인식을 넘어 현실에 대한 내정한 자기
문제를 실제화하는 데 성공하고 있다. 그의 시의 본질은 민족에서 출발하면
서 말이다.

■ 김인덕

잡지『世界』를 통한 일상과 디아스포라 보기

-『世界』지의 서경식과 다와다 요코(多和田葉子)와의 편지를 중심으로-

1. 머리말

서경식은 잡지『世界(세카이)』에 2007년 2월부터 11월 총 10회에 걸쳐 다와다 요코(多和田葉子)와의 편지의 글을 기고했다. 그 글은『경계에서 춤추다』[1]로 정리되어 국내에 소개되었는데, 서경식은 다와다 요코와 집, 이름, 여행, 놀이, 빛, 목소리, 번역, 순교, 고향, 동물에 대한 논의를 쉽게 이야기하면서 깊은 사색의 내용을 공유한다.

이들이 서신을 교환한『世界』는 일본의 대표적인 시사 잡지이다. 이 잡지는 국내에 많이 소개되어 다양한 진영의 연구자들의 주목을 받아 오고 있다. 또한『世界』는 이와나미(岩波) 문고가 월간으로 발행하는 논단지로 1945년 12월에 창간되었다.

초대 편집장은 요시노 겐자부로(吉野源三郎)이다. 야스에 료스케(安江良介)도 오랜 동안『世界』의 편집장을 맡았다. 학술성과 정확성을 중시하고

---

1) 서경석, 서은혜 옮김,『경계에서 춤추다』, 창작과 비평사, 2010.

있는데, 평화문제를 중심으로 동서냉전 문제와 관련해서는 자유진영에 대
해 비판적인 논조를 주로 정리했다. 1950~1960년대에는 20만 부 정도 발행
되었고, 1990년대 이후에는 7만 부, 현재는 1만 부 안팎으로 발행되고 있다.
한국과 관련해서는 지명관의 글이 실렸다. 1973년부터 노태우 정권이 수립
된 1988년까지 군사독재시절 15년 동안 매달 '한국으로부터의 통신'이 게재
되었던 것이다.2)

본고는 『世界』의 글 가운데 특히 서경식과 다와다 요코의 왕복 서신(『경
계에서 춤추다』의 내용)을 통한 재일조선인과 일본인 독일 거주 디아스포
라민의 담론 읽기를 시도한다. 이를 통해 재일조선인과 일본인의 일상과 디
아스포라에 대한 이해를 도모하고자 한다.

2. 서경식과 다와다 요코(多和田葉子) 연보

서경식과 관련해서는 '서(徐)형제사건'이 유명하다.3) '재일조선인인 정치
범'으로 가장 잘 알려진 이들은 교토(京都) 출생이다. 이들은 한국에 유학했
다. 형제는 1971년 4월에 한국 국군보안사령부(KCIC)에 체포되어 대통령 선
거의 투표일을 1주일 앞둔 20일에 '학원침투간첩단사건'의 리더로 언론에
대대적으로 발표되었다. 북한의 지령을 받고 한국에 잠입해 학생운동을 선
동했다는 혐의였다.

형제는 가혹한 고문을 통해서 북한의 '간첩'으로 조작되어, 제1심에서는
형 서승이 사형, 동생 서준식은 징역 15년의 판결을 받았다. 제2심에서는
형제의 재판이 분리되어, 서준식은 징역 7년, 서승은 무기징역이 선고되었
고, 그대로 최종심에서 확정되었다. 서승은 가혹한 고문 등으로 인해 자살

---

2) 국내에서는 지명관, 김경희 옮김, 『한국으로부터의 통신-세계로 발신한 민주화운동』(창비, 2008)으로 출판되었다.
3) 정희선, 김인덕, 신유원, 역, 『재일코리안사전』, 선인, 2012 참조.

을 시도했다가 목숨은 건졌지만, 전신 45%에 이르는 큰 화상을 입었다. 서
승이 화상을 입고 법정에 나타난 모습은 세계에 충격을 주었다. 서승은 제2
심의 최종 진술에서 재일조선인 차별에 대한 반발에 그치지 않고, "풍요로
운 통일, 세계에 자랑할 만한 조국"을 지향하는 "적극적 민족주의"를 표명했
다. 또 서준식도 제2심 공판에서 북한에 간 것은 인정했지만, 조서는 고문
에 의해 날조되었다고 주장하면서 북도 남도 다 조국이라고 말했다. 나아가
서준식은 1974년 5월 3일에 국회의원이었던 니시무라 간이치(西村關一)와
광주교도소에서 가진 면회에서 사상 전향을 위한 모든 고문·학대가 자행
되고 있다는 사실을 폭로했다.

형제는 당국의 계속된 사상 전향 요구를 거부했기 때문에, 서준식은 1978
년 5월 27일에 7년의 형기를 마쳤음에도 불구하고 사회안전법의 보안감호
처분이 적용되어 구속 상태가 계속되었다. 그리고 서준식은 1988년 5월 25일
에서야 석방되었다. 서승은 1988년 12월에 무기징역이 징역 20년으로 감형
되어 1990년 2월 28일에 석방되었다. 서승 형제의 투쟁과 사상은 재일조선
인 젊은이에게 큰 충격을 주었고, 이후 건국의 사상을 품고 한국으로 유학
하는 재일동포 청년들이 많이 늘어나는 계기가 되었다. 또 형제와 그 구원
조직은 한국의 인권 상황을 국제적으로 알리는 역할을 했다. 서승 형제를
구하는 모임이 펴낸 회보의 합본『서군 형제를 구하기 위해서』[4]가 서승 형
제와 구원운동의 기록으로 잘 정리되어 있다.

이런 형제를 두고 있는 것이 서경식이다. 그는 저서들을 통해 국가, 사회,
예술 등에 관한 묵직한 문제의식을 보여주었다. 그러나『경계에서 춤추다』[5]
에서는 에세이스트로서의 또 다른 면모를 확인하게 한다. 일상을 구성하는
각종 주제들, 집, 놀이, 여행, 목소리, 동물 등 살아가면서 지나치기 쉬운 소
재들을 그려내고 있다.

---

4) 서승 형제를 구하는 모임,『서군 형제를 구하기 위해서』, 影書房, 1992.
5) 서경석, 서은혜 옮김, 앞의 책, 2010.

한편『世界』를 통해 그와 서신을 교류한 다와다 요코는 국내에는 잘 알려져 있지 않은 작가이다.[6] 1982년부터 독일로 건너가 현재는 베를린에서 살고 있는데, 군조신인문학상(1991년), 아쿠타가와상(1993년)을 수상했다. 일본인으로서는 드물게 독일어로 소설을 발표해 독일 문학계의 인정을 받았다. 다와다 요코는 다른 저자인 서경식과 논의구도가 교차되고 어긋나 있다고 평가된다. 이러한 어긋남은 그녀만의 독특한 시선을 도드라지게 해주고 있다고 할 수 있다. 다와다 요코는 국내에 두 권의 책을 간행하였다.『목욕탕』과『영혼 없는 작가』가 출판되었다.

3.『경계에서 춤추다』를 통한 일상 보기

1) 집

서경식은 디아스포라인으로서의 모습을 그대로 보여준다. 그는 '편히 쉴 수 있는 집'[7]을 지니지 못하고 있다고 하면서, 자신의 집이 구니다치에 있지만 식사를 하거나 잠을 자는 시설로는 불만이 없으나, 그 이상의 특별한 애착은 느끼지 못한다는 것이다. 물론 서울 생활을 하면서 글을 쓰던 그였지만 서울의 집을 '높다랗게 쌓아 올린 열대어 어항'에서 살고 있다고 자평하고 있다.[8]

이런 그에게 부모·형제가 살던 집은 달랐던 것이다.

---

6) 다와다 요코는 도쿄에서 태어나 와세다대학 문학부(러시아문학)를 졸업하였다. 1982년 이후 독일로 건너가 함부르크 대학대학원에서 석사과정을 수료하였으며, 독일과 일본에서 각각 활발한 작품활동을 하고 있다. 일본에서는 1991년에『かかとを失くして』로 제34회 군상신인문학상을 수상했으며, 1993에는『犬婿入り』로 제108회 아쿠다가와상을 수상하였다.

7) 서경석, 서은혜 옮김, 앞의 책, 2010, 25쪽.(이하의 쪽수는 본 저서의 쪽수이다.)

8) 24쪽.

"제가 어린 시절을 보냈던 교오토 시내의 집은, 아버지가 경영하는 작은 공장과 창고에 붙어 있는 제법 큰 집이었습니다. 2층의 두 칸은 아이들만의 해방구였고, 현관문은 서부극 놀이의 무대로 안성맞춤이었죠. 하지만 돌아보면 우리 일가가 그곳에 살았던 기간은 통산 10년 정도이니 인생 전체로 보자면 정말 짧은 시간일 뿐이었습니다. 1969년에 아버지는 파산했고 이 집은 물론 다른 사람의 손에 넘어갔습니다. 마침 저는 그 때 상경하여 대학에 진학했고, 한국으로 유학 갔던 두 형은 결국은 오랜 옥중 생활을 하게 됩니다. 그때, 건물로서의 '집'을 잃어버림과 동시에 부모형제가 아울려 사는 대가족으로서의 '집' 역시 끝이 난 것이죠. 조그만 집장수 주택으로 옮겨간 아버지는 '정주' 시도에 실패한 디아스포라 1세로서 남은 인생을 한숨만 쉬며 보냈습니다.[9]"

이런 편지에 대해 다와다 요코는 집이란 역사를 조망하는 전망대 같은 것이라고 했다. 그녀는 스스로가 방랑시인은 아니지만, 정신을 차려 보면 언제나 여행을 하고 있어 집에 있을 틈은 없다고 했다.[10] 실제로 그녀는 "여행을 하다 보면 어떤 마을에 가서도 나는 이 마을에 살고 있는 건지도 몰라 하고 생각할 수가 있습니다."고 했다. 이로 미루어 볼 때, 그녀의 생각은 확실히 서경식이 가지고 있는 집에 대한 생각과 대비되는 단면을 보여주고 있다. 여기에서 나아가 그녀는 독일어는 자신의 일상의 언어로, 집은 가족도 건물도 아니고, 문화와 친구들로 이루어진 공간이라고 생각했다.[11]

이상과 같이 서경식과 다와다 요코, 두 사람의 집에 대한 생각은, 가족에 대한 개념이 분명히 상이하다고 할 수 있다.

2) 여행

서경식에게 여행은 일상이다. 그는 스스로 표현하듯이 '툭'하면 떠나는 것이다. 그런데 그 여행은 일상으로부터의 해방이 아닌 '거주'를 찾아 헤매

---

9) 23~24쪽.
10) 27쪽.
11) 27쪽.

는 방랑과 같은 일이라는 것이다. 그러면서 다음과 같이 규정한다.

> "나이와 더불어 여행을 한다는 것이 부담스러워져갑니다. 하지만 여행을 떠
> 날 수 없게 된다 한들, 크게 달라질 것은 없을 겁니다. 저에게는 일상의 '거주'
> 또한 여행 같은 것이니까요.[12]"

서경식에게 첫 여행은 1966년의 한국행이었다고 한다. 이 때 한국여권을
처음 만들었고 생소한 이름을 갖고 시작된 여행이었다.

> "1966년 여름, 고등학교 1학년이었던 저는 난생 처음으로 일본 밖으로 여행을
> 떠났습니다. 한국 정부가 후원하는 '재일교포 학생 모국 하계학교'라는 단체행
> 사에 대학생이었던 작은 형과 함께 참가한 것입니다. 〈중략〉 우리는 시모노세
> 끼로 가는 야간열차에 몸을 실었습니다. 그곳에서 배로 부산까지 가는 거였죠.
> 〈중략〉 저는 생애 처음으로 국경을 넘었던 것입니다. 보통의 경우와는 역방향,
> 외국에서 제 나라로 말이죠. 그때 처음 여권이라는 것을 만들었는데 거기 기입
> 되어 있던 저의 이름도 제게는 낯선 것이었습니다. 어린 시절에 우리 가족은
> 일본식 통명을 썼습니다. 〈중략〉 '경식'이라고 하는 조선인다운 이름을 새로 붙
> 인 것이죠.[13]"

아울러 그에게 귀국은 거주를 목적으로 한 환영받지 못한 땅으로의 귀환
이었다. 즉 서경식 본인은 '거주'를 목적삼아 여행하는 자, 다시 말해 '난민'
의 하나라는 것이다.

한편 다와다 요코는 여행을 말할 때 철도여행을 얘기한다. 그녀는 열차
안에서 많은 원고를 써 왔다고 한다. 그리고 이 공간에서는 다른 문자를 쓰
는 사람이 살고 있다는 점이 전제된다고 했다.

> "탈 것들은 저의 서재, 여행은 집필의 시간입니다. 다만 주변 사람들이 사용

---

12) 68쪽.
13) 63~66쪽.

하는 것과는 다른 문자를 쓴다는 것이 조건이죠. 자신과 같은 문자를 쓰는 사
람들 사이에 머물러 있는 한, 글을 쓰기 위해 서재에 틀어박혀야 하지만 다른
문자를 쓰는 사람들이 살고 있는 나라에 가면 찻집도 열차도 모두 서재가 됩니
다.14)"

그리고 여행의 방식에서 열차타기의 재미를 서술하고 있다.

"열차가 안 온다든가 멈춰서버린다든가 하게 되면 낯선 이들끼리 이야기를
시작합니다. "왜 안 오는 걸까요?", "도대체 무슨 일일까요?" 같은, 혼잣말인지
말을 거는 것인지 알 수 없는 웅얼거림에서 시작하여 각자 신세타령을 하는 데
까지 발전하는 일도 있습니다. 이 또한 열차라는 상자가 지닌 재미가 아닐까
요?15)"

다와다 요코에게 여행은 일상으로 글을 쓰는 공간으로, 특히 열차 타기가
전제되면 집필을 위한 최고의 공간이었다.

3) 놀이

다와다 요코는 '타마'라는 말에서 이야기를 시작한다. 스포츠에서 사용되
는 공, 마리츠키(まりつき)16), 케마리(けまり)17), 축구, 야구, 그리고 볼링에
서 파칭코에 이르기까지 사용되는 공을 모조리 타마라고 한다는 것이다. 그
리고 곡옥도 타마라며 그 의미를 강조하고 있다. 여기에서 그녀는 타마가
갖고 있는 기구적 속성과 언어적 속성에 대해 연계성을 갖고 표현했다.

---

14) 70쪽.
15) 76쪽.
16) 마리츠키(まりつき)는 일본의 전통놀이의 일종으로 마리라고 하는 공을 노래에 맞춰서 지면이
   나 신체를 이용해 튀기면서 즐기는 놀이이다.
17) 케마리(けまり)는 오늘날의 족구와 유사한 공놀이로서 여러 넁이서 가죽으로 만든 공을 지면
   에 떨어뜨리지 않고 공중으로 차올려 그 횟수를 겨루는 일본의 전통놀이를 말한다.

"무엇보다 '타마'라고 하는 낱말과 놀다보니 그런 '타마'의 이미지가 확실해진 것이지만 애당초 코또다마라고 하는 것이 있다면 '코또다마 놀이'라고. 하는 구기가 있을 법한 거죠. 〈중략〉 타까세 씨와의 퍼포먼스에서 사용하고 있는 텍스트 「타마」에서 조금 인용하겠습니다. "타마따마 타마가 코로가루(어쩌다가 타마가 굴러가네). 18)"

그리고 그녀는 언어의 놀이가 갖고 있는 유의미성에 대해 주목하고 대립적인 관계가 아니라고 규정했다.

"언어와 언어 사이에 숨겨진 연결고리를 찾아내기 위해서는 놀이로 머리를 부드럽게 만들어야만 합니다. 놀이란 사고의 한 형식이라고 생각합니다. 평소엔 보이지 않던 것이 말놀이 속에서 보이게 됩니다. 그러니 놀이와 공부, 놀이와 일을 대립된 것으로 보는 것은 사실 이상한 거죠. 19)"

이와 함께 다와다 요코는 독일어 '놀다'는 슈필렌(spielen)으로, 영어로는 플레이(play)라면서 예술활동에서 쓰는 낱말을 문학에 적용하여 '시(詩)를 놀다'라고 하고 표현하고 싶다고 했다. 20) 그녀의 폭넓은 언어 사용의 모습을 확인하게 하는 대목이다.

그런가 하면 서경식은 '정상'과 '비정상'이라는 관념상의 경계선을 긋고 있는 현상이 '일'과 '놀이' 사이에 그어져 가는 현실을 비판하여, 그것을 폭력이라고 인식하고 있다. 21) 그리고 마리아 굿깅 요양소에 대해 이야기하고 있다.

"마리아 굿깅 요양소에 심리요법을 위한 아트쎈터가 창립된 것은 1981년, 그것을 '예술가의 집'이라 개칭한 것은 1986년의 일입니다. 〈중략〉 환자가 치료를

---

18) 84~85쪽.
19) 85쪽.
20) 89쪽.
21) 99쪽.

위해 그림을 그리는 것이 아니라 환자이기도 한 예술가가 창작을 하고 있는 것
이라는 생각이 개명의 이유였다고 합니다.[22]"

　놀이와 일의 한계는 구분 짓는 자의 눈에 따라 다른 것이다. 여기에 본질
적인 문제가 있다고 서경식은 생각하고 있다.

4) 빛

　서경식은 빛에 대한 이야기를 하며 타미키[23]를 추도하는 시를 통해서 글
을 시작한다.[24]

　　"두개골 뒷머리 쪼개지고
　　한쪽 다리 잘려
　　사람 있었네."

　이 시는 사토 하루오[25]의 추도시이다. 하라 타미키의 작품에 대해서 서
경식은 다음과 같이 표현한다.

　　"저는 하라 타미키의 작품을 접할 때, 단순한 표현 효과라기보다 하라 타마끼
　　라는 인물 그 자체가 훼손되고 있다는 느낌을 받습니다. 앞의 시 역시 훼손되
　　어 있다고 여겨집니다. 3행과 4행 사이, 마지막 행과 그 앞줄 사이에 파괴적 균
　　열이 일어나고 있습니다.[26]"

---

22) 99쪽.
23) 하라 타미키(原民喜, 1905~1951)는 히로시마에서 태어나 慶應義塾대학 영문과를 졸업한 일본
　　의 시인이자 소설가이다. 1945년 소재(疏開)지였던 히로시마에서 원폭피해를 입었다. 다수의
　　시와 단편작품을 『三田文學』에 발표하였으며, 원폭피해의 경험을 그려낸 소설 「여름꽃(夏の
　　花)」으로 많이 알려져 있다.
24) 이 시는 가타카나 세로로 되어 있다. 102쪽.
25) 사토 하루오(佐藤春夫, 1892~1964)는 메이지시대에서 쇼와시대에 걸쳐 활약한 일본의 시인이
　　자 소설가이다. 하라 타미키의 추도비를 건립할 때 비문을 작성하였다고 한나.
26) 107~108쪽.

그는 하라 타미키의 생을 소개하면서 『여름꽃』은 원자폭탄이 투하되었던 1945년 8월 6일 아침부터 이튿날에 걸친 기록이라고 한다. 하라 타미키는 원자폭탄이 터지는 순간 변소에 있다가 즉사를 면했고 그는 폐허가 된 히로시마 거리를 '신지옥'으로 그리고 있다.[27]

그리고 서경식은 빛을 거론하는 종국적인 의미를 하라 타미키 시의 관점을 통해 결론짓고자 하고 있다.

> "피폭 경험은 하라 다미키라는 한 인간을 부수고 부서진 인간의 언어는 파국의 예감을 전하는 시가 되어 우리에게 남겨졌습니다. 하지만 우리 대부분은 닥쳐오는 전쟁의 위기에 둔감하고 눈앞에서 벌어지고 있는 살육에 무관심합니다.[28]"

한편 다와다 요코는 북독일의 이성적 이미지를 스위스의 산속에서 느낀다. 다시 말하면, 빛과 문명을 그 속에서 느꼈다고 할 수 있는데, 그 내용은 다음과 같다.

> "곳에 따라서는 스위스의 산속이 독일 대도시의 환락가보다 훨씬 더 문명을 느끼게 만듭니다. 문명이라고 해도 물론 빌딩이 잔뜩 서 있다거나 포장도로가 있다거나 하는 의미는 아닙니다. 일본과는 달리 산을 멋대로 깎아 내거나 도로를 쓸데없이 만들거나 하지는 않으니까 주변을 둘러보면 한 폭의 완벽한 풍경화가 펼쳐져 있는 거죠.[29]"

실제로 그녀는 산속으로 들어가는 것을 '고향과 질서'를 잃어버리는 불안이 아닌 놀라운 경험이라고 표현하고 있다. 그리고 그 가운데, 전선도 자동차도 눈에 보이지 않도록 과학적인 방법을 채택했다는 것이다. 다와다 요코는 '소박한듯하지만 실은 세련된 것'으로 만들어진 소박함을 스위스의 산속

---

27) 108쪽.
28) 112~113쪽.
29) 115쪽.

에서 느끼고, 경험했다.

그녀는 빛에 대한 이야기를 하면서, 독일인이 빛 좋은 이탈리아보다는 네덜란드로 여행가는 이유에 대해서 다음과 같은 대목에서 거론하고 있다.

> "괴테의 『이딸리아의 기행』을 읽을 것도 없이, 이딸리아에 대한 동경이 독일어 문화의 한 자락을 이루고 있는 것은 확실하고 그런 경우에는 빛이 화제가 되는 일이 많은 것은 분명하지만, 실제로는 북독일 사람이 가장 많이 휴가를 가는 나라는 통계에 의하면 네덜란드라고 합니다. 〈중략〉 비 오는 날이 많아서 좋다."30)

또한, 그녀는 흐린 하늘의 매력이 네덜란드의 장점이라고 말하는 사람은 많지 않을 것이기 때문에, 네덜란드의 실제 모습은 그림을 통해 이해하는 것이 좋을 것이라고 덧붙이고 있다.

5) 목소리

다와다 요코는 자신의 경우 상대방의 음성이나 말할 때의 리듬, 언어 선택 등으로 그 사람의 이미지를 만드는 경향이 있다고 한다.31) 실제로 같은 사람이라도 다른 언어를 말하면 이미지가 바뀌어버린다는 것이다.

이런 그녀는 흥미로운 경험을 다음과 서술하면서, '라거'라는 개의 경우 언어로 사람을 인식한다고 밝히고 있다.

> "어쩌면 저는 개일지도 모릅니다. 미국의 대학에서 일하는 친구가 기르고 있는, '라거'라는 이름의 개가 있는데요. 유기동물 보호소에서 얻어온 녀석인데 어릴 때 어떤 사람에게 학대당했던 모양이에요. 예를 들어 러시아어를 들으면 화를 내며 격렬히 짖어댄다고 개 주인이 그러더군요. 저는, 개가 러시아어와 다른 언어를 구별할 수 있을까 싶어 웃으며 듣고 있었습니다. ─개답게 코로 구별을

---

30) 123쪽.
31) 130쪽.

해주면 좋으련만, 라거는 아무래도 언어로 사람을 식별하는 모양입니다.32)"

이러한 경험에 기초해 그는 주변 사람들의 말이 더빙되었다는 느낌을 받고 있다는 것이다. 그러면서 정치적 행위에서 자신이 투표하는 것이 마치 마네킹이 정치나 종교를 거론하는 것과 같은 행위에 불과한 것이 아닌가 하며 희화화하고 있다.

나아가 그녀는, 사람들이 현실의 소리, 목소리가 부재한 것에 너무 익숙하다면서, 신체가 부재한 현실에 자연스럽게 순응하는 사람들의 모습을 그리고 있다.

> "영화에서나 텔레비전에서나 목소리 주인의 모습이 영상으로는 보이지만 거기 있지 않고, 전화로는 영상조차 보이지 않으며, 나아가 이메일로는 음성조차 들리지 않습니다. 또한 자동판매기 등에서 들리는 소리는 목소리의 주인이 지금 다른 장소에 있기 때문에 여기에 부재하는 것이 아니라 애당초 존재하지 않는 것이죠. 신체가 부재하고 목소리가 들리지 않더라도 예를 들어 편지라면, 시간적, 공간적 거리가 확실하니 으스스할 건 없습니다. 하지만 자동차 내비게이션 안내음 같은 것은 우리의 현제에 반응하는 음성의 주인, 그 신체가 부재하는 것이죠.33)"

이러한 다와다 요코의 목소리에 관한 생각에 대해, 서경식은 한국에서 병원에 입원한 경험을 서술하면서 말이 통하지 않는 곳에서 입원을 한다는 것도 꽤 흥미로운 일이라고 했다.34) 물론, 실제로는 흥미로운 일이 아니라 불편함을 그대로 경험하는 현장이었다. 이 과정에서 소리에 대한 경험을 사실적으로 표현하고 있다.

> "MRI라는 기계로 검사를 받은 적이 있습니까?-MRI라는 것은 자기를 이용해

---

32) 131쪽.
33) 131~132쪽.
34) 138쪽.

세포를 일정 방향으로 정렬시켜 촬영하고 그 줄에 흩어짐이 있는지 어떤지를 보는 것－그 무기질적인 소리에 섞여 음악이 나지막하게 토막토막 흐르고－한국의 대중가요－이른바 '뽕짝'－노인병동 환자라서 친절하게도 '뽕짝'을 들려주는 것일까? 모차르트였으면 좋았을걸.35)"

그러면서 그는 모차르트의 작품, '레퀴엠'을 듣게 된 경험에 기반을 두고, 모차르트는 예민한 귀를 가지고 있었기 때문에 꽤나 고생했을 것이라는 요시다 히데카즈(吉田秀和)의 생각에 동의를 표하고 있다.36) 나아가, 빼어난 작곡가의 작품을 뛰어난 연주로 듣는다는 것은 기쁨이지만 때로는 사람을 불쾌하게 만드는 일이라고 서술했다. 그리고 인간의 육체와 음성이 분리되는 시대에 대한 우려를 하고 있다.

> "예컨대 모차르트나 윤이상을 대신하여 기계가 천상의 소리를 잘라내오는 시대, 프리츠 분더리히나 루찌아노 빠바로띠의 음성이 인공적으로 합성되어 그들의 복제로봇이 부르는 노래가 누리를 감동시키는 시대－.37)"

하지만 결론적으로 서경식은, 기계가 오페라를 연기하는 시대가 올 것이라고는 생각하지 않고 있다. 아울러 윤이상의 천상음악론38)을 거론하면서 일상에서도 디아스포라의 관점을 견지하고 있다.

6) 동물

흥미로운 주제로 마지막에 동물에 대해 얘기한다. 그녀에게 동물은 특별

---

35) 140쪽.
36) 145쪽. 요시다 히데카즈(吉田秀和, 1913~2012)는 일본의 음악평론가이자 수필가이다. 도쿄제국대학 불문과를 졸업한 후, 클래식 음악에 대한 풍부한 지식과 체험을 바탕으로 음악의 매력을 감각적인 언어로 표현했다고 평가되고 있다.
37) 147쪽.
38) 천상에는 언제나 시작도 끝도 없는 음악이 흐르고 있다. 나에겐 그것이 들린다. 내 작곡이라는 것은 천상에서 들려오는 그 소리의 일부를 잘라내어 기록하는 것이다. 내 삶이 끝나고 나면 누가 그 일을 할까?(146쪽)

한 존재였다. 다와다 요코는 소학교 시절에 동물을 좋아했지만, 동물에 대해 쓰는 것은 어렵다고 밝히고 있다.

> "동물은 저에게 있어 위대하고 존경해 마땅한 것임과 동시에 무방비하고 상처이기 쉬운 존재이기도 합니다.[39]"

그녀는 동물을 통해 사회의 역할관계, 정치에 대해 논의를 전개한다.

> "소학교 때 학교에서 개를 길렀고 저는 먹이를 주는 담당이었는데 좀처럼 개 우리에 오지 않는 교장 선생님이 다가오자 개가 요란하게 꼬리를 흔드는 것이 당시엔 정말 이상했습니다. 개는 냄새로 인간의 나이를 안다고들 하니까 어린 애들보다야 나이 든 교장 선생님의 권위를 인정했던 것인지도 모르지만, 그것뿐이 아닙니다. 곰곰이 생각해보면 우리도 모르는 집단을 접했을 때, 그 속의 역할관계를 냄새 맡는 능력이 있는 듯합니다.[40]"

그리고 그녀는 단지 동물이 본능적 존재로서 먹을 것을 찾고, 자손을 남기며 죽어간다고 하는 데에 의문을 제기한다. 동시에 인간에 대해 논의를 이어가는데, 인간이라는 생물이 본능을 잃어버렸다는 것을 인간이 언어에 의지하여 생명을 이어가는 존재[41]라는 점으로부터 유추하고 있다.

서경식도 동물을 좋아한다면서 마지막 논의를 한다. 그는 인간과 동물의 관계를 제국주의 나라와 식민지민의 관계로 설명한다.

> "인간이 언어를 가르친 결과, 동물이 인간에게 우애를 표해 줄 것이라는 식의 기대는 지독한 자기중심중의에 불과합니다. 그것은 제국주의 나라의 사람들이 식민지인들을 보는 시선, 남자들이 여성을 보는 시선과 공통된다고 할 수도 있습니다.[42]"

---

39) 217쪽.
40) 219~220쪽.
41) 223쪽.

그리고 경계를 넘는 순간과 경계를 만드는 행위가 생명을 낳는다면서 합일의 생명체 발생의 역사를 인간사에서도 보고자 했다. 그는 생명의 수정 장면을 통해 논리를 전개한다.

> "무수한 정자들이 단 한 개의 난자를 향해 질주하더니 그 가운데 오직 하나만이 난자의 세포막이라는 경계를 뚫는 데 성공합니다. 난자 입장에서 말하자면 단 한 개의 정자만을 자기 내부에 끌어넣는 것에 성공한 셈입니다. 여기서 합일이 실현되어 ─ 난할이라는 단계가 시작됩니다. ─ 수정란은 곧바로 몇 개나 되는 세포로 분열하여 무수한 세포막이라는 경계를 끌어안게 되는 것입니다.[43]"

그는 정반합의 논리를 통해 합일과 또 다른 자기 발전의 결론으로서의 삶을 묵도하고 있다.

4. 『경계에서 춤추다』를 통한 디아스포라

1) 이름

다와다 요코는 이름에 대해 다음과 같이 정의한다.

> "이름이란 그 사람의 '사적 소유물'이긴 하지만 본인의 마음속에서 생겨난 것은 아닙니다. 어딘가에 이미 있던 이름을 부모가 찾아다가 태어난 인간에게 붙인 것이 이름입니다. 이름은 붙여지고 나서 그것에 익숙해져 쓰는 동안에는 자신의 일부인듯한 느낌이 들게 되지만 어느 땐가, 예컨대 이름이 바뀔 때 같은 경우, 자신의 이름도 남의 이름처럼 느끼게 돼 버린 적이 있었다는 사실을 떠올리는 사람도 있겠지요.[44]"

---

42) 232쪽.
43) 234쪽.
44) 40~41쪽.

그리고 알파벳으로 쓰는 것만으로도 남의 이름 같은 기분이 들기도 한다는 견해를 밝히고 있다. 아울러, 이름과 성의 위치를 바꾸는 것만으로도 전체의 울림이 달라진다는 것이다. 이러한 점에 기반을 두고, 그녀는 다음과 같이 이름의 경계 넘기에 대해 얘기하고 있다.

> "이름이란 경계를 넘을 때 변모하는 것이 아닐까 생각합니다. 언어와 언어 사이의 경계뿐 아닙니다. 삶과 죽음의 경계를 넘어서 법명을 받는 경우도 있습니다. 양자로 들어가거나 결혼을 하거나 새로이 어떤 종교에 귀의하여 이름이 변하기도 합니다.[45]"

나아가 그녀는 소설이 번역되어 등장인물의 이름뿐 아니라 작가의 이름도 변한다는 점을 지적하고 있다.[46] 특히 이민문학의 경우 작가는 스스로 자기 이름을 바꿔 쓴다는 것이다.[47] 동시에 그녀는 전통적인 일본의 이름에 대해 거론하고 있다.

> "한자를 쓸 수 있는 자만이 학문 할 수 있다고 하는 유교적인 편견 역시 지금도 우리는 어딘가 가지고 있습니다. 또한, 한자로 이름이 쓰여 있는 편이 성실하고 믿음직한 이미지가 있어 신용을 얻습니다. [48]"

그러나 그녀는 이름의 변천을 즐기며 언어에서 언어로의 여행을 계속하고 싶다는 견해를 피력하고 있다. 그녀는 독일에 터키계가 많은 현실에서 나타난 우화를 설명하고 있다.

> "저의 '다와다'라는 성을 듣고 웃음을 터뜨리는 이들도 많습니다. 다와다가 터어키말로는 '프라이팬 안에서'라는 의미라는군요. 요컨대 이 이름을 매달고 지

---

45) 42쪽.
46) 참고로 『경계에서 춤추다』에서는 다와다 요코의 이름이 타와다 요오꼬로 표기되어 있다.
47) 43쪽.
48) 46쪽.

구를 떠돌다보면 더욱 다양한 의미를 만날 수도 있는 것이죠.[49]"

한편 서경식은 이름을 역사가 할퀴어 놓은 상처라고 했다. 그는 집이 역사를 조망하는 전망대라고 규정하는 한편, 이름은 다음과 같이 규정한다.

　"이름은, 적어도 디아스포라에게 있어서는 '역사가 할퀴어놓은 상처' 같은 것일지도 모릅니다. 그 상처를 응시하고 있으면 어떤 국가나 일정한 언어권 내부에 갇혀버린 역사가 아닌, 또 하나의 역사가 조금씩 보이는 듯도 합니다.[50]"

그는 에드워드 사이드를 통해 이름의 어색함을 느낀 경험에 대해 거론한다.

　"에드워드 싸이드 자서전은 자기 이름에 관한 이야기로 시작됩니다. 하지만 언제나 먼저 오는 것은, 그래 마땅한 어떤 것으로부터 자신이 늘 비껴나 있다고 하는 감각이었다. 싸이드라는 분명한 아랍계 성에 무리하게 억지로 꿰매 붙인 '에드워드'라는 바보 같은 영국 이름, 내가 이것에 순응하기─ 아니 좀 더 정확하게는 그다지 불쾌감을 느끼지 않게 되기까지는 50년 정도의 세월이 필요했다.[51]"

한편, 서경식은 자신의 이름을 포함하여 조선인의 이름에 대한 전면적인 얘기를 희망하는데 여기에서는 시도하지 않았다.

2) 번역

서경식은 예민한 예술적 감각을 번역문으로 연계시켜 번역에 대한 감성적 이해를 적극 서술하고 있다. 다음과 같이 고흐의 편지 즉, 고흐가 자신

---

49) 47쪽.
50) 56쪽.
51) 55~56쪽.

의 가슴을 권총으로 쏜 후, 그의 주머니에서 발견된 편지의 번역문을 비교
해 보여 주고 있다. 구체적으로는 B)의 번역문이 걸맞은 것으로 생각된다.

> "A) 난 내가 아는 한 세간의 일반적인 상인은 아니야. 또한, 너는 정말로 인간
> 미를 지니고 행동하는 방식으로 자신의 입장을 선택할 수가 있지, 나는 그렇게
> 널 보고 있어. 하지만 어떻게 하면 좋던 말인가.(1권 선집)

> B) 너는 내가 아는 한 흔해빠진 화상이 아니야. 너는 실제로 인간에 대한 사
> 랑을 지니고 행동하며 방침을 정할 수 있으리라고 나는 생각한다만, 도대체 너
> 는 어쩔 셈이지?(6권 전집)52)"

이 글은 실제로 고흐와 테오 형제가 프랑스어로 쓴 글로, 이미 번역의 제
1단계가 시작된다. 서경식은 이 문장을 통해 '번역의 가능성과 불가능성'이
라는 주제로 되돌려 놓았다. 나아가 서경식은 김석범의 글을 통해 번역의
한계에 도달하고 있다.

> "도대체, 일본어에 속박당해 있는 나 자신을 같은 일본어로써 해방한다는 것
> 은 어떤 것일까? 나를 집어삼킨 일본어의 위장을 물어뜯어 찢고 거기서 나온다
> 는 것이 과연 가능할까? 이것은 상극이다.(「재일조선인 문학」, 『재일조선인의
> 초상』)53)"

일본어의 내부를 파헤쳐 번역한다는 것은 현실적으로 불가능하다. 그럼
에도 불구하고 번역 행위 자체가 무의미하지는 않은 것이다. 번역자의 소통
과 대화 그리고 투쟁임은 분명하다.54)
그런가 하면 다와다 요코는 번역, 번역어는 폭력이 될 수도, 영양제가 될
수도 있다고 결론을 짓고 있다. 그녀는 독일어의 번역을 통해 그 의미가 얼

---

52) 157쪽.
53) 159쪽.
54) 160쪽.

마나 달라지는지를 사실적으로 서술하고 있다.

> "현대 일본어에는 독일어 헤르츠(Herz)에 해당하는 단어가 심장과 마음 두 가
> 지 — 단어가 두 가지 있으니 무의식중에 두 가지 씨스템을 병립시켜 받아들이
> 는 듯도 합니다.[55]"

또한, 번역어의 의미에 대해 대비적인 서술을 하고 있다. '마음'이라는 단어에 대해서 다음과 같이 서술하고 있다.

> 지난번 칸사이 출신 사람들과 그런 이야기를 하다가 "수술을 하는 것은 심장,
> 애정이 깃든 곳은 마음, 선술집에서 먹는 것은 하쯔"라고 했더니 "네 하쯔가 뭐
> 예요? 선술집에서 먹는 것은 코꼬로죠."하는 답이 돌아와 놀랐습니다. "네? 칸
> 사이에선 코꼬로를 먹어요?", "그럼요.", "닭의 마음을 먹는다구요?", "그렇다니까
> 요.'"[56]

나아가 그녀는 번역어가 중층적이고 입체적으로 우리 몸을 볼 수 있는 가능성을 부여한다는 견해를 피력하고 있다. 예를 들어 단순히 배라고 하는 대신, 십이지장, 맹장 등의 '번역 내장'들이 배안에 담겨 있다고 표현하여, 흥미로운 번역의 세계를 묘사하고 있다.

3) 순교

다와다 요코는 유미리를 언급하여, 자살에 대한 이야기를 시작한다. 유미리는 『자살』[57]에서 인간은 존엄을 지키기 위해 자살한다는 구절을 기억하

---

55) 166쪽.
56) 167쪽.
57) 유미리(柳美里, 1968년 가나가와현 오코하마시 출생)는 재일한국인 소설자로서 1994년에 데뷔하여 1997년에 『가족시네마』로 제116회 아쿠타가와상을 수상하였으며, 『자살』은 1999년에 文春文庫에서 수필집으로 출판되었다.

고, 다음과 같이 부언한다.

> 만약 인간의 존엄이라는 것이 있다면 그것은 좁은 범위의 인간관계, 가족이
> 라든가 교실, 혹은 회사의 동료들이 망가뜨릴 수 있는 것은 아닐 겁니다. 제가
> 어린이들에게 독서를 권장하는 것은 세계가 넓어지면 좁은 인간관계의 노예가
> 되지 않을 수 있기 때문입니다.58)

이렇듯, 그녀는 일본적 전통적인 관념과 사회 속에서 자살이 어떻게 다수
의 지지를 얻어 왔는지에 대해서 의문을 제기하고 있다. 그리고 일본은 죽
어서 존엄을 지키고 죽어서 책임을 지는 문화가 있기 때문이라고 결론을
내리고 있다. 요컨대, 일본사회는 책임을 지기 위해 죽는 사회라고 규정하
고 있는 것이다.

다와다 요코는 자살이 연극적 요소가 강한 것으로 보고 있다. 가부키 등
에서 엿볼 수 있듯이, 할복이나 동반자살을 빈번하게 거론하는 문화로 인해
서, 인생이 자살을 매개로 하는 무대로 전락하고 있다는 것이다. 특히 무사
도의 영향으로 인해, 자살을 선도하는 일본 사회를 유교, 불교를 통해 정당
화하는 방식은 모순적이라는 것이다. 그녀는 부정적 자살에 대한 개념을 다
음과 같이 규정하고자 한다.

> 자살이란, 긍지를 지니고 혹은 절망하여 혹은 허무감에 몸을 맡겨 개인이 목
> 숨을 끊는 것은 아닌 듯합니다. 자살은 생보다는 성 표현의 하나로, 연극적 요
> 소가 강하고 개인이 아니라 복수의 인간이 만드는 일이라는 것입니다.59)

나아가 그녀는 국가주의적 자살론자들인 태평양전쟁기 일본특공대에 주
목하여,60) 왜 일본이 죽음을 찬양하는 문화가 생겼는지에 대해서 설명할 책

---

58) 176쪽.
59) 181쪽.
60) 183쪽.

임이 있다는 점을 역설하고 있다.

서경식은 참담한 사실에 대해 얘기한다. 사실 그가 알려진 계기는 두 형이 연루된 한국의 간첩단 사건이었다. 여기에 그는 자살에 대해 다음과 같이 서술하고 있다.

> 25년쯤 전, 저는 두 형이 한국의 옥중에 있었고 양친 모두 세상을 떠났는데 저 자신은 직업도 없고 미래의 희망이라고는 한 점도 없는 상황에 있었습니다. 자진해서 자살하고 싶다고는 생각하지 않았지만 죽음을 굳이 거부할 생각도 없었습니다. 차라리 어떤 식으로든 언젠가 인생이 끝나는 것이라면 그것이 지금이라서 안 될 이유가 있을까 하는 심정이었습니다.[61]

서경식은 '일본군 특공대'로 대표되는 국가에 의한 죽음의 강요도 근대 국민국가가 만들어낸 것이라는 것이다. 이를 극복하는 것이 죽음의 수탈을 끝낼 수 있다는 것이다. 그는 젊은이의 자살을 줄이는 길로서 다음의 두 가지를 제시하고 있다.

> 하나는 말할 필요도 없지만, 순교자 예비군이나 자살 지원자들이 이 세상에 태어나서 다행이다 싶을 만한 세상을 만드는 것입니다.
> 다른 하나는 한 사람 한 사람의 인간이 정신의 독립을 이룩해 자기 생명의 주권자가 되는 것입니다. 그러기 위해서는 이미 태어나버렸다고 하는 부조리를 누구에게도 기대지 않고 자신의 것으로 받아들이고 수동태로서의 '출산되다'를 능동태로서의 '살다'로 전환하는 수밖에 없습니다.[62]

결론적으로 서경식은 가네코 후미코의 죽음을 설명할 때, 그녀가 '국적을 완전히 넘어선 동지애와 성애가 일치했기 때문'에 동거했다고 진술한 것에

---

61) 188쪽.
62) 191쪽. 서경식은 다와다 요코의 대의나 공동체를 위해 개인의 목숨을 버리는 것에 대한 비판을 우려하면서도 자신의 삶과 죽음을 스스로 결정할 권리 즉 '자기 생명의 주권자'로서 개인이 택하는 죽음이 드물지만 실재한다고 기술하였다.

주목한다.(63) 왜냐하면, 이를 통해서 생사와 성애를 쟁취한 진정한 인간의
모습을 볼 수 있기 때문이다.

4) 고향

서경식은 교토에 대한 이야기로부터 고향에 대해서 서술하기 시작한다.
그에게 있어서 고향은 태어난 장소, 귀성할 곳이라는 의미, 친족의 출신지라
는 뜻이다. 따라서 부모님이 별세한 지금은 귀성할 곳이 없다는 것이다.(64)
그는 독어의 하이마트(Heimat)를 통해서 고향의 의미를 어떻게 규정할지
에 대한 논의를 시작한다.

> 독일어 하이마트는 사전적으로 옮기자면 고향이라는 의미겠지만, 그것은 역
> 사적으로나 문화적으로나 그리 간단히 번역해버릴 수 없는 함의가 있는 것 같
> 습니다. -'고향', '혈연공동체(가족)', '국가'라는 세 가지는 엄밀히 말하자면 별개
> 의 것이지만, 그 구별을 허용치 않는 것이 '하이마트 의식'이라 여겨집니다.(65)

그는 '하이마트'를 공유하고 있다고 하는 공상적 일체감은 현실에 맞지
않을뿐더러 위험하다고 한다. 아울러, 어린 시절에 살았던 교토에 대한 트
라우마에 가까운 기억을 통해 고향에 대한 기존의 인식에 대해 문제를 제
기를 하고 있다.

> 어린 시절을 보낸 '서민이 사는 동네(下町)'를 한국의 텔레비전 촬영팀과 함
> 께 걷다 보니 상점가의 두부집이 옛 모습 그대로 남아 있었습니다. -그 두부
> 가게 아들은 자기보다 어린아이들을 뒷골목으로 끌고 가 때리곤 하던 사나운

---

63) 192~193쪽. 가네코 후미코(金子文子, 1903~1926)는 관동대지진 이후, 치안경찰법의 보호검속이
  라는 명목으로 재일조선인 박열과 함께 검거되었으며, 그 후 대역죄로 기소되어 유죄판결을
  받고 투옥되었으나 우츠노미야형무소에서 옥사하였다.
64) 197쪽.
65) 198쪽.

사람이었습니다. ─그 깡패가 가게를 물려받은 것일까? ─인기척을 느끼고 이쪽을 돌아본 주인의 얼굴에는 나날의 노동에서 오는 피로가 진하게 새겨져 있었습니다. ─저도 말이 나오지 않았습니다. ─50대 중반을 넘긴 남자 둘이 한동안, 말없이 서로를 바라보고만 있었던 것이죠.[66]

이처럼 서경식은 향수라는 감정에 어색함과 부끄러움이 엉켜 있어 그리움에 몸을 맡길 수 없다고 한다.[67] 서경식에게는 유년기나 사춘기가 평화롭거나 행복하기만 하지는 않았다는 것이다. 이러한 경험에 기초하여, 그는 재일조선인 2세는 태어나면서 고향을 잃어버린 존재라고 규정하고 있다.

찬찬히 생각해보아도 어디로 돌아가고 싶은 것인지 모르겠습니다. 결국, 돌아가고 싶은 곳, 돌아가야 할 장소 따위는 없다는 결론에 언제나처럼 이르게 됩니다.[68]

다와다 요코는 언어가 음식보다 소중하지만, 가령 일주일간 일본어를 말하지 않아도 전혀 아무렇지 않은데 사흘만 쌀을 먹지 못하면 견딜 수 없어진다는 점을 지적하며, 고향에 대해서 논의하기 시작한다. 그녀는 고향이 역사의 산물이라는 인식에서 출발한다. 그리고 경험을 중요시한다.

저는 토오꾜오 나까노구에서 태어나 소학교에 들어갈 때까지 그곳에서 보냈지만 지금 나까노구에 기 뵈도 고향이라는 느낌은 전혀 들지 않고, 무엇보다도 그것을 기대한 적도 없습니다. 그것은 거기에 몇 세대나 이어지는 공동체가 있어 자신이 그 일원이었다고 하는 성격의 장소가 아니었던 탓도 있습니다.[69]

그녀는 이주자로서 돌아간다는 생각을 하지 않고, 오히려 제도화된 틀 내

---

66) 200쪽.
67) 203쪽.
68) 204쪽.
69) 208쪽.

부의 고향에 대해 회의적이었다. 그리고 이를 넘어 제국주의를 비판했다.

> 저도 외국으로 이주한 인간이지만 어디로 돌아가야 할지 몰라서 쓸쓸하다는
> 생각을 해본 적은 없습니다. 돌아간다고 하는 발상이 없는 거죠. 그런데도 독
> 일인들은 곧잘 "당신은 하이마트를 잃어버린 것 아닌가?"하고 걱정을 해줍니다.
> 어쩐지 저는 그것이 명채 전부터 줄곧 마음에 걸렸습니다. 고향을 나타내는 '하
> 이마트'라는 낱말은 나찌 시절에 악용되었던 까닭에 '조국'이라는 낱말과 마찬
> 가지로 느낌이 끔찍합니다.[70]

　나아가 다와다 요코는 정주자와 이민자의 구도를 부정하고, 오랜 이민자
와 신 이민자의 구도가 자신이 살면서 느껴지는 고향에 대한 이해의 귀결
점[71]이라는 것이다.

5. 맺음말

　서경식은 스스로가 디아스포라임을 한 번도 잊은 적이 없다. 그의 뇌리
에는 재일조선인 2세라는 자신의 아이덴티티가 각인되어 있다. 그는 그 어
디를 가도, 존재 그 자체의 문제가 아닌 디아스포라임을 고민했다. 반면, 다
와다 요코는 이주민임에도 자신의 존재를 이주한 지역에 그대로 투영한다.
그리고 그 속에서 자신의 문학의 탑을 세우려고 한다.
　먼저 일상에 대한 이 두 사람의 생각을 보자.
　첫째, 집. 서경식은 디아스포라로서의 모습을 그대로 보여주고 있다. 그
는 '편히 쉴 수 있는 집'을 지니지 못하고 있다고 하면서, 자가인 집이 구니
다치에 있지만, 식사를 하거나 잠을 자는 시설로는 불만이 없으나, 그 이상
의 특별한 애착은 느끼지 못한다는 것이다. 반면 다와다 요코는 집이란 역

---

70) 210쪽.
71) 213쪽.

사를 조망하는 전망대 같은 것이면서 방랑시인은 아니지만, 정신을 차려 보면 언제나 여행을 하고 있어 집에 있을 틈은 없다고 사고했다.

둘째, 여행. 서경식에게 여행은 일상이었다. 그는 스스로 표현하듯이 '툭'하면 떠났다. 여행은 일상으로부터의 해방이 아닌 '거주'를 찾아 헤매는 방랑과 같은 일이라는 것이다. 한편, 다와다 요코는 여행에 대해서 말할 때, 철도여행을 전제하고는 열차 안에서 많은 원고를 쓰고 써 왔다고 하면서 이 공간에서는 다른 문자를 쓰는 사람이 살고 있음이 전제된다고 했다.

셋째, 놀이. 다와다 요코는 '타마'라는 말에서 이야기를 시작한다. 스포츠에서 사용되는 공, 마리츠키, 케마리, 축구, 야구, 그리고 볼링에서, 파칭코에 이르기까지 사용되는 공을 모조리 타마라고 한다는 것이다. 그리고 곡옥도 타마라며, 그 의미를 강조하고 있다. 여기에서 그녀는 타마가 갖고 있는 기구적 속성과 언어적 속성의 연계성에 주목했다. 또한, 언어의 놀이가 갖고 있는 유의미성에 대해 주목했다. 그런가 하면 서경식은 '정상'과 '비정상'이라는 관념상의 경계선을 긋고 있는 현상이 '일'과 '놀이' 사이에 그어져 가는 현실을 비판하여, 놀이와 일의 한계는 구분 짓는 자의 눈에 따라 다른 것이라고 인식하고 있다. 나아가, 여기에는 본질적인 문제가 있다고 생각하고 있다.

넷째, 빛. 서경식은 닥쳐오는 전쟁의 위기에 둔감하고 눈앞에서 벌어지고 있는 살육에 무관심한 현실로부터 빛의 종국적인 의미를 논의한다. 한편, 다와다 요코는 북부 독일의 이성적 이미지를 스위스의 산속에서 느낀다고 서술했는데, 다시 말하면 그 속에서 빛과 문명을 느꼈다는 것이다. 그녀는 나아가서 한 폭의 완벽한 풍경화가 펼쳐져 있는 공간, 자연의 공간을 생각했다.

다섯째, 목소리. 다와다 요코는 자신의 경우, 상대방의 음성이나 말할 때의 리듬, 언어 선택 등을 통해서 그 사람의 이미지를 만드는 경향이 있다고 서술하고 있다. 같은 사람이라도 다른 언어를 말하면 이미지가 바뀌어버린다는 것이다. 반면, 서경식은 윤이상의 천상음악론을 예로 들며, 일상에서도 디아스포라의 관점을 견지했다.

여섯째, 동물. 다와다 요코는 소학교 시절 동물을 좋아했지만, 동물에 대해 쓰는 것은 어렵다는 생각을 밝혔다. 나아가, 동물을 통해 사회의 역할관계, 정치에 대해 논의를 전개했다. 서경식도 동물을 좋아한다면서 인간과 동물의 관계를 제국주의 나라와 식민지민의 관계로 설명한다.

다음으로 디아스포라와 관련된 두 사람의 생각을 보면 다음과 같다.

첫째, 이름. 다와다 요코는 이름이란 경계를 넘을 때 변모하는 것으로 언어와 언어 사이의 경계뿐 아니라 삶과 죽음의 경계를 넘어서 법명을 받는 경우도 있다고 했다. 한편 서경식은 이름을 역사가 할퀴어 놓은 상처라고 했다. 이름은 적어도 디아스포라에게 있어서는 '역사가 할퀴어놓은 상처' 같은 것이라고 했다.

둘째, 번역. 서경식은 예민한 예술적 감각을 번역문으로 연계시켜 번역에 대한 감성적 이해를 적극 서술했다. 그리고 김석범의 글을 통해 번역의 한계에 도달하고, 일본어의 내부를 파헤쳐 번역한다는 것은 현실적으로 불가능하다고 했다. 다와다 요코는 번역, 번역어는 폭력이 될 수도, 영양제가 될 수도 있다고 했다,

셋째, 순교. 다와다 요코는 자살에 대해 연극적 요소가 강한 것으로 본다. 가부키에 할복이나 동반자살을 많이 거론하는 문화가 인생을 자살을 통해 무대로 만들고 있다는 것이다. 서경식은 국가에 의한 죽음 강요도 근대 국민국가가 만들러낸 것이라는 것이다. 이를 극복하는 것이 죽음의 수탈을 끝낼 수 있다고 했다. 그리고 가네코 후미코의 죽음을 갖고 생사와 성애를 쟁취한 진정한 인간의 모습을 보고 있다.

넷째, 고향. 서경식은 교토에 대한 이야기로부터 고향을 논하기 시작한다. 그에게 있어서 고향이란 태어난 장소, 귀성할 곳이라는 의미, 친족의 출신지라는 뜻이다. 다와다 요코는 언어가 음식보다 소중하지만, 일주일 일본어를 말하지 않아도 전혀 아무렇지 않은데 쌀을 먹지 못하면 견딜 수 없어진다는 점을 지적하면서, 고향에 대해 논의했다. 그녀는 고향은 역사의 산

물이라는 인식에서 출발했다. 나아가 이주자로서의 돌아간다는 생각을 하지 않고 오히려 제도화된 특 내부에서의 고향에 대해 회의적이었다. 그리고 이를 넘어 제국주의를 비판했다.

문학은 현재를 반영한다. 서경식과 다와다 요코의 글은 일본의 지식인으로 다른 공간에서 같은 주제를 통해 논의를 하여 공동의 탑을 만들어 가고자 했다. 합일은 경계를 넘어야 한다고 할 수 있다. 경계가 생긴다는 엄연한 현실이 존재하기 때문이다. 그것은 우리 삶을 규정하고 있는 것이다. 결국, 두 사람의 이야기는 경계가 다른 지형 추구의 일상일지도 모르겠다.

■ 정희선

저자소개

성주현 成周鉉
- 청암대학교 재일코리안연구소 연구교수
- 근대민족운동사, 동학 및 천도교사 전공
- 『동학과 동학혁명의 재인식』(국학자료원), 『식민지시기 종교활동과 민족운동』(선인)

정혜경 鄭惠瓊
- 일제강제동원&평화연구회 연구위원
- 한국근현대사 전공
- 『일제시대 재일조선인민족운동연구 : 오사카(大阪)을 중심으로』(국학자료원), 『조선 청년이여 황국 신민이 되어라』(서해문집), 『일본제국과 조선인노무자공출』(선인)

김광열 金廣烈
- 광운대학교 교수
- 근현대한일관계사, 일본사회론 전공
- 『한인의 일본이주사 연구(1910~1940년대)』(논형), 『帝國日本の再編と二つの「在日」』 (明石書店)

이신철 李信澈
- 성균관대학교 동아시아역사연구소 연구교수, 역사디자인연구소 소장
- 남북현대사, 한일관계 전공
- 『북한 민족주의운동 연구』(역사비평), 『한일 근현대역사논쟁』(선인)

기무라 겐지 木村健二

· 전 시모노세키시립대학 교수
· 근현대한일관계사, 경제사 전공
· 『在朝日本人の社會史』(未來社), 『在日コリアンの經濟活動 移住勞動者, 起業家の過去・現在・未來』(不二出版)

마쓰다 도시히코 松田利彦

· 국제일본문화연구센터 교수
· 근대한일관계사 전공
· 『일제시기 참정권문제와 조선인』(국학자료원), 『日本の朝鮮植民地支配と警察－1905~1945年』(校倉書房)

미즈노 나오키 水野直樹

· 교토대학 명예교수
· 조선근대사, 동아시아관계사 전공
· 『창씨개명』(산처럼), 『생활 속의 식민지주의』(산처럼)

도노무라 마사루 外村大

· 도쿄대 대학원 종합문화연구과 교수
· 일본근현대사, 지역문화연구 전공
· 『재일조선인 사회의 역사학적 연구』(논형), 『朝鮮人强制連行』(岩波新書)

황익구 黃益九
· 청암대학교 재일코리안연구소 연구교수
· 일본근현대문학 전공
· 『交錯する戦争の記憶—占領空間の文学』(春風社, 2014)

후지나가 다케시 藤永壯
· 오사카산업대학 교수
· 조선근현대사 전공
· 『「慰安婦」問題を／から考える—軍事性暴力と日常世界—』(공저, 岩波書店), 『재일조
  선인과 조선학교: 투쟁의 시간, 삶의 공간』(공저, 선인)

김인덕 金仁德
· 청암대학교 간호학과 교수, 재일코리안연구소 부소장
· 재일코리안사, 근현대한일관계사 전공
· 『재일본조선인연맹 전체대회 연구』(선인), 『한국현대사와 박물관 연구』(국학자료원)

정희선 鄭熙鐥
· 청암대학교 문화관광과 교수, 재일코리안연구소 소장
· 근현대한일관계사, 재일코리안사 전공
· 『재일조선인의 민족교육운동(1945~1955)』(서울기획), 『(湖山)姜桂重』(湖山姜桂重刊
  行發 起人會)